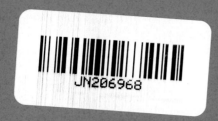

ゆまに書房　書誌書目シリーズ 125

八戸書籍縦覧所関連資料

——日本最古級の図書館・八戸市立図書館の源流

第一巻

大仲間・小仲間関連資料

［編集・解説］鈴木淳世

刊行にあたって

鈴木　淳世

現在、青森県東部には八戸市立図書館という公共図書館（public library）が存在している。建物自体は昭和五九年（一九八四）に造られたものであり、外観を見た限りでは《平凡》な図書館という印象を受ける。しかし、同館は明治七年（一八七四）創設の私立図書館「八戸書籍縦覧所」を前身としており、その歴史は一五〇年に及ぶ。明治期以降、欧米視察者の知見に触発され、全国的に図書館が創設されるようになっていたものの、文部省の統計上、明治七年時点で東京書籍館・京都集書院（国立国会図書館・京都府立図書館の淵源）などの先駆的な図書館しか存在していなかったことを想起すれば、八戸市立図書館の長い歴史は決して《平凡》とは言えない。もちろん、文部省によって把握されていなかった図書館や、明治初期の短期間のみ活動していた図書館もあるため、日本《最古》の図書館とは断言できない。また、「ユネスコ公共図書館宣言」（和暦：令和四年（二〇二二）改訂）で公立・無料公開などの原則が定められていることを踏まえれば、私立・有料公開の明治初期の八戸書籍縦覧所は公共図書館と言い難い。とはいえ、八戸市立図書館は明治初期からの組織的連続性が明瞭な図書館であり、日本《最古級》の図書館であることは間違いない。

ちなみに、八戸書籍縦覧所は宝暦三年（一七五三）頃創設の書物貸借組織「大仲間」を前身としており、八戸市立図書館は二七〇年以上もの歴史を有していると言い換えられる。もちろん、視野を日本史全体に広げてみれば、図書館的な施設は古代から散見される。また、近世書物貸借組織との組織的連続性が認められる図書館は八戸市立図書館に限定されない。しかし、古代・中世の図書館的な施設は近代公共図書館との組織的連続性が認められない。さらに、近世書物貸借組織との組織的連続性が認められる図書館も、その多くが現在では専門図書館に改組されており、必ずしも公共図書館として存続しているとは限らない。逆に言えば、八戸市立図書館は近世書物貸借組織からの組織的連続性が認められる稀有な公共図書館であり、その歴史もまた日本《最古級》と表現できよう。

なお、大仲間は八戸藩の領主・八戸南部家（表高二〇、〇〇〇石・柳間席）の家臣のみによって構成された組織であり、元々は「御家中仲間書物無尽」と称していた。後に「大仲間」へと改称された理由は詳らかになっていないが、近世後期に八戸藩領内で「小仲間」という別の書物貸借が活動しており、その組織と区別する必要があったためと考えられている。小仲間には武士以外の構成員がふくまれており、大仲間とは性格が異なっていたものの、両組織には共通の構成員もおり、全くの無関係とは言えない。むしろ、類似の組織として一括される場合が多い。

いずれにしても、八戸市立図書館はユニークな歴史を有している。特に、八戸書籍縦覧所の歴史には近世書物貸借組織から近代公共図書館成立過程に至るまでの紆余曲折の過程が刻印されており、注目される。実際、八戸市立図書館には、八戸書籍縦覧所の運営団体となっていた弘観舎・八戸青年会の関連資料が残されており、日本近代公共図書館成立過程の考察が可能である。また、大仲間・小仲間の関連資料や、両組織に影響を与えた八戸南部家の関連資料も継承・保存されており、近世書物貸借組織の活動実態までうかがえる。しかし、中央の東京書籍館などと比較すると八戸書籍縦覧所は分析対象とされること自体少なく、不明な点が多く残されている。そこで、本書は日本の近代公共図書館・近世書物貸借組織の研究に資するため、八戸書籍縦覧所関連資料をいくつかピックアップし、収録した。

凡例

一、本書『八戸書籍縦覧所関連史料』は、近世八戸南部家家中の書物貸借組織から八戸市立図書館の直接の前身である明治七年（一八七四）創設の八戸書籍縦覧所に至る、蔵書目録を中心とする資料を影印版で集成し、解説を付したものである。

一、本書各巻に収録された資料は、すべて八戸市立図書館所蔵である。資料名、文書名、整理番号、形態、寸法（縦×横、単位㎜）を左記に記した。資料の通し番号①～⑮は、三巻の解説に対応している。詳しい書誌は、それをご覧いただきたい。

第一巻

① 仲間書物預順　（戸来家〈新井田〉文書55）　横長帳　九六×一八二

② 八戸仲間書物記　（荒木田家文書366）　竪帳　二三一×一七〇

③ 仲間書物目録　（中里家〈根城〉文書33）　横長帳　一七二×四八六

④ 書物改目録　（新宮家〈購入〉文書48）　横長帳　一二八×三四六

⑤ （書物目録）　（遠山家旧蔵本1-1）　横半帳　一八二×一二二

⑥ 仲間書物預本牒　（八戸南部家文書10-14-0-0-10）　横長帳　一五四×三九六

⑦ 学校江御預御書物目録　（八戸南部家文書5-10-0-0-2）　竪帳　二四〇×一七二

第二巻

⑧御書籍目録　（八戸南部家文書2-12-0-0-13）　竪帳　三三四×二四二

⑨御書籍目録　（南部家旧蔵本1-4）　竪帳　二七二×一九〇

⑩瓦屋根御井楼御日記入ノ御場所　御本類御目録　（八戸南部家文書13-1-9-0-14）　横長帳　一二一×三三〇

第三巻

⑪（書籍縦覧場設立趣意書）　（逸見家〈購入〉文書10）　竪帳　二七四×一九六

⑫八戸書籍縦覧所　（新宮家〈購入〉文書63）　綴　二四二×一七〇

⑬弘観舎蔵書目録　（八戸市立図書館固有図書1-5）　竪帳　二六二×一九二

⑭八戸青年会寄贈書籍目録　（近・現代資料7）　竪帳　二七二×一九六

⑮八戸青年会員名簿　（八戸青年会文庫14-161）　竪帳　二三五×一六八

一、資料は、原則として表紙から裏表紙までを無修正で収録した。但し、影印版を作成するにあたっては、適宜縮小拡大を施した。

一、冊子に付箋が貼られてあったり、紙片が挟み込まれていた場合は、左記の原則によった。

①付箋が貼られている場合は、貼られている状態、次の見開き頁に付箋がめくられた状態を配した。また、貼られている紙片は場合によっては読めるように拡大して、次の見開き頁に示した。

②冊子の見開き頁に挟み込まれている紙片は当該頁にあった状態、次の見開き頁にその紙片が除かれた状態を配し、紙片は①と同じく、場合により拡大して、紙片が除かれた状態の頁か、次の見開き頁に示した。

一、第一巻①の「仲間書物預順」は、付箋、はずれてしまった貼紙が多くかつ文字が小さいため、一丁の半分（一頁）を見開き頁に掲載し、丁番号と表・裏を偶数頁小口に記した。

一、第一巻⑤の「（書物目録）」は裏紙を使用しているため、原本そのものが甚だ読みにくい状態であり、後に天地を裁ち落として綴じられたため、不自然な部分もあることをご了解いただきたい。

一、第二巻の⑧と⑨は同一資料名のため、影印版の扉と柱には年次を入れて区別した。

一、一紙物や書状などの史料で版面に入らない場合は、いくつかの部分に分けて掲載した。その場合必ず一行はだぶらせた。

一、冊子の見開き中央のノドの部分がきつく中央が読みにくい資料はそれぞれ次の頁または前の頁に３ミリだぶらせて掲載した。そのため幾分見映えが悪くなったことはご了解下さい。

一、朱筆部分はなるべく朱筆であることを示した。

〔付記〕原本ご所蔵の八戸市立図書館には出版の御許可を賜り、製作上種々の便宜を図って頂きました。ここに特記して謝意を表します。

第一巻　目次

① 仲間書物預順

表紙オモテ

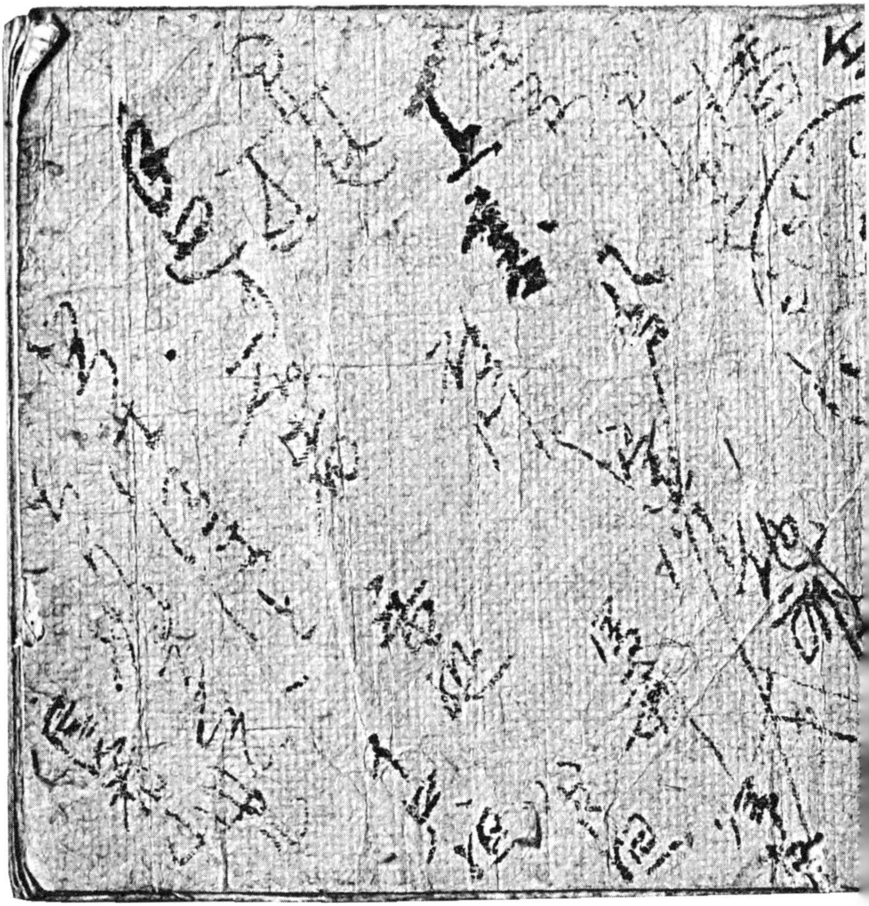

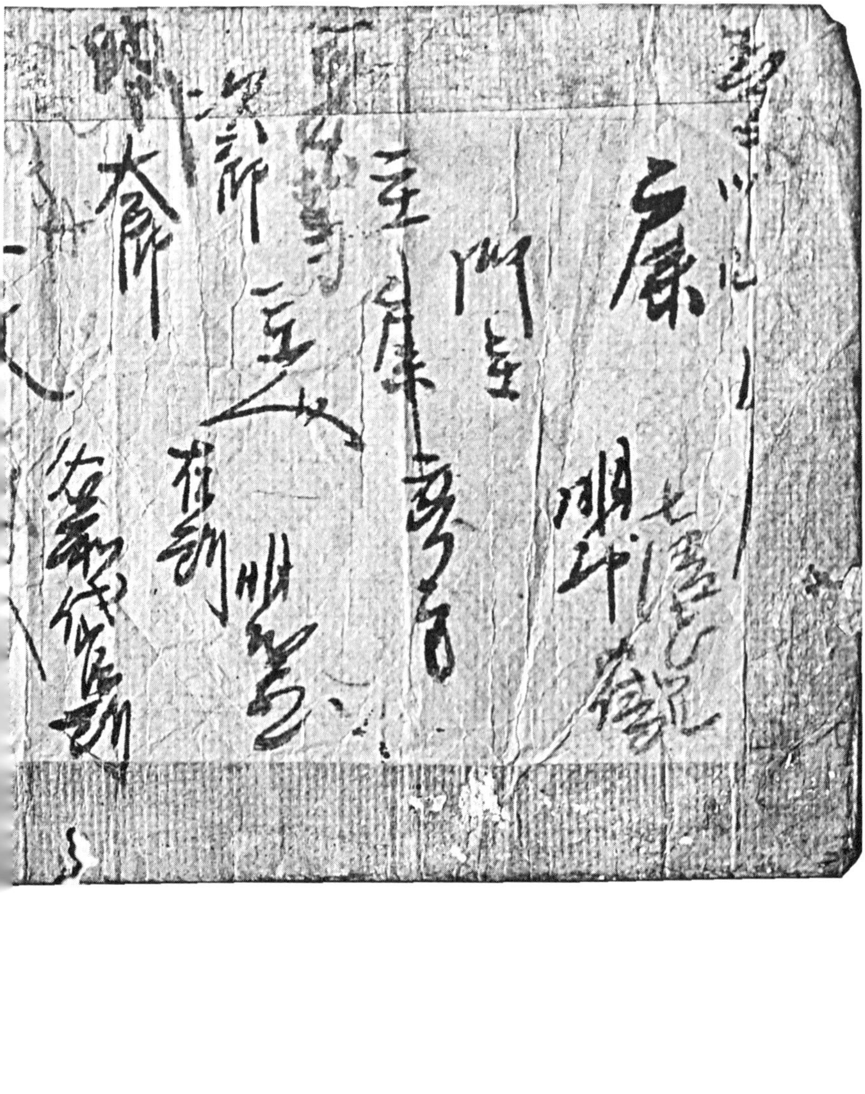

表紙ウラ

遊び紙オモテ

遊び紙ウラ

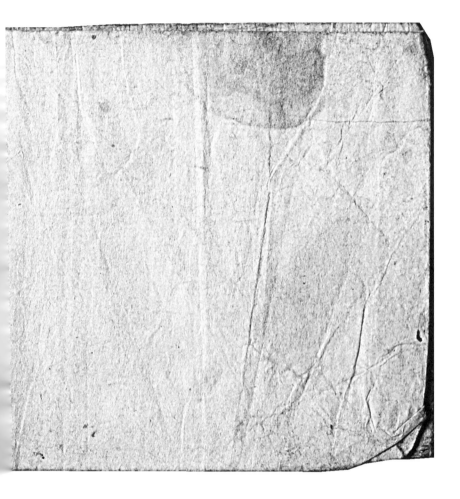

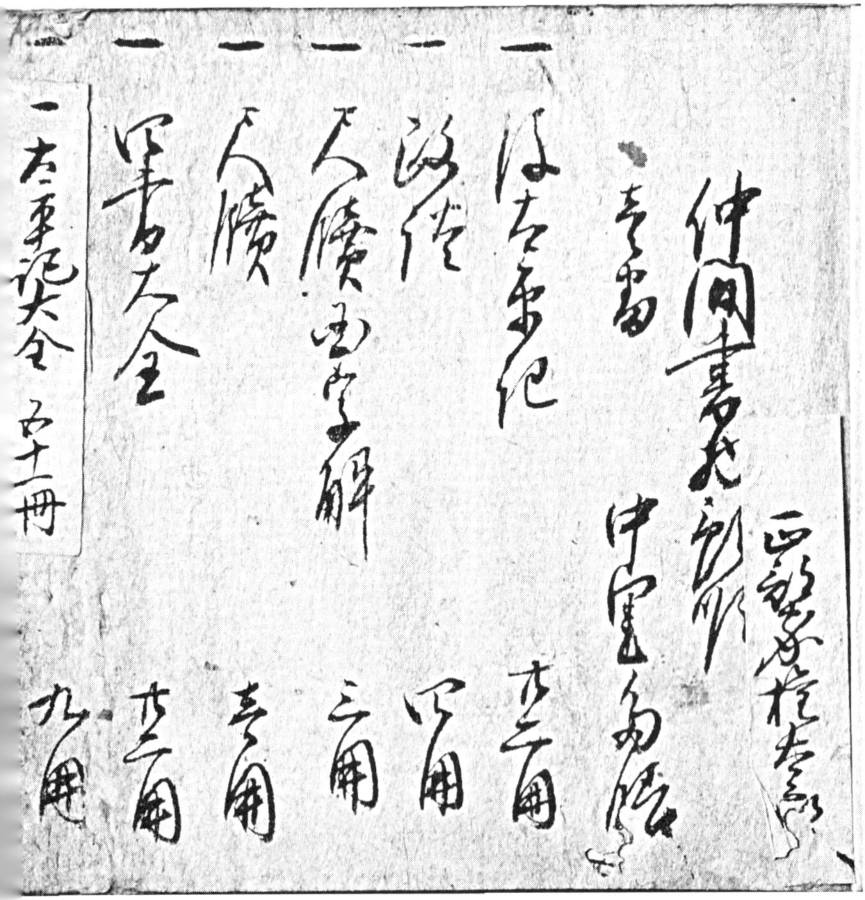

1丁オ

○「壱番」以下番号の上に振られた「、」は朱筆である。

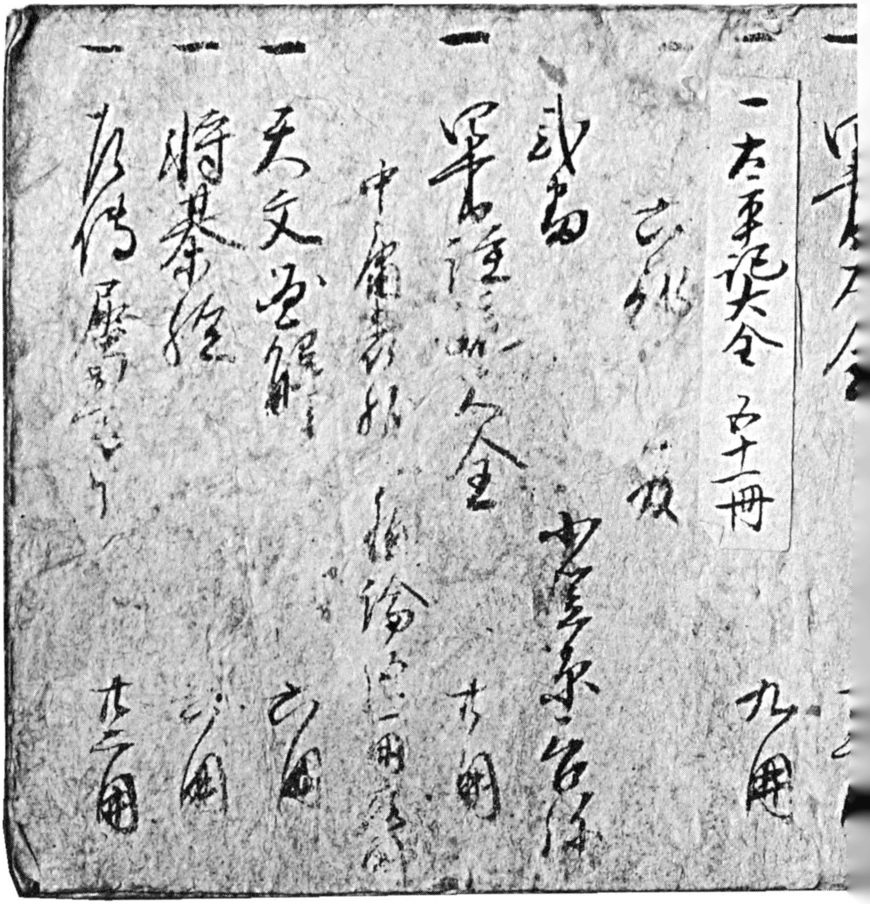
一太平記大全 五十冊
天文
将棊経

仲間書物帳?

壱番　中富?多[illegible]

一　後?太平記　廿?冊

一　[illegible]　四冊

一　大廣益字解?　三冊

一　大續?　壱冊

一　四書大全　廿?冊

一　[illegible]　九冊

1丁オ

[illegible]

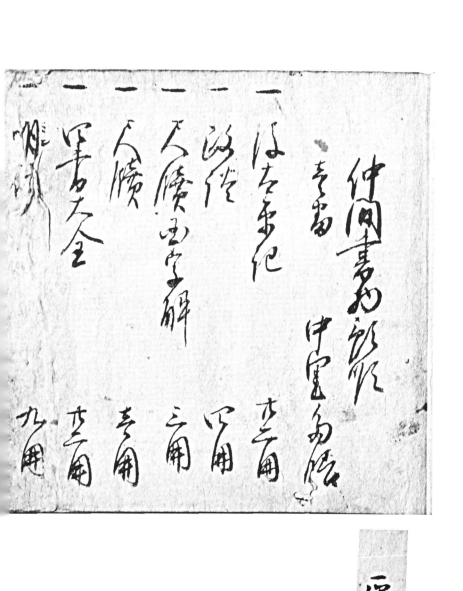

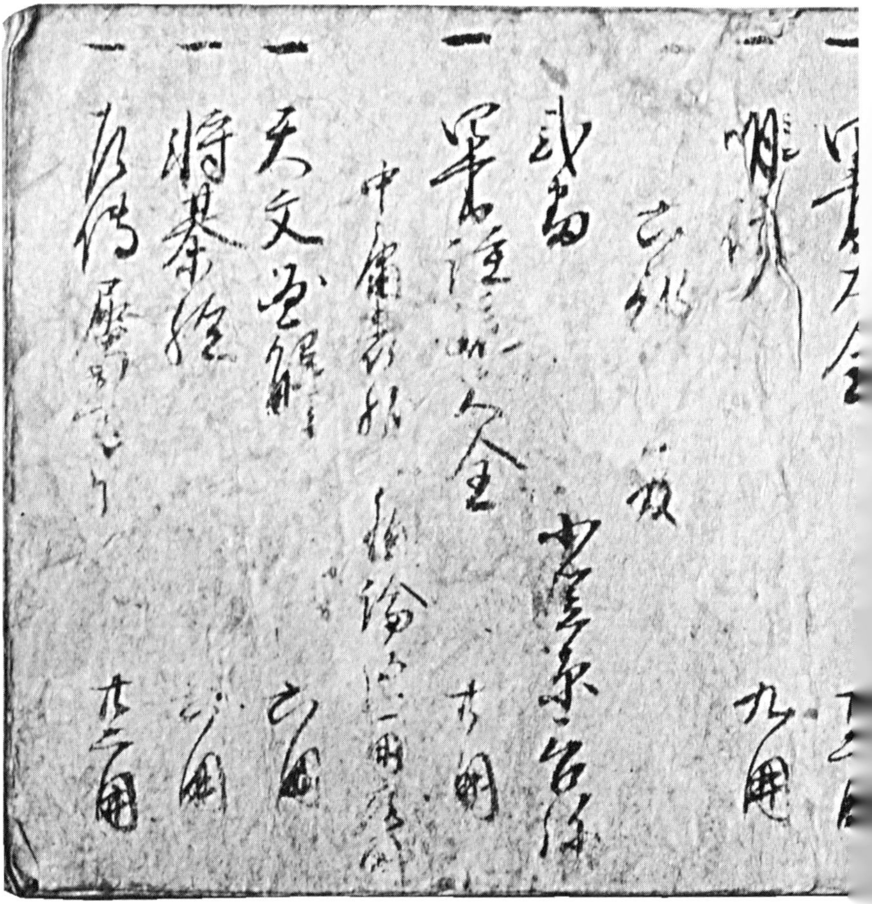

一 [illegible]大全 [illegible]
一 [illegible] 九冊
一 [illegible]
一 武書 [illegible]
一 [illegible]大全 [illegible]
中庸[illegible] [illegible]
一 天文図解 六冊
一 将棊経 [illegible]冊
一 [illegible] [illegible]冊

一 太平記大全 五十一冊

1丁ウ

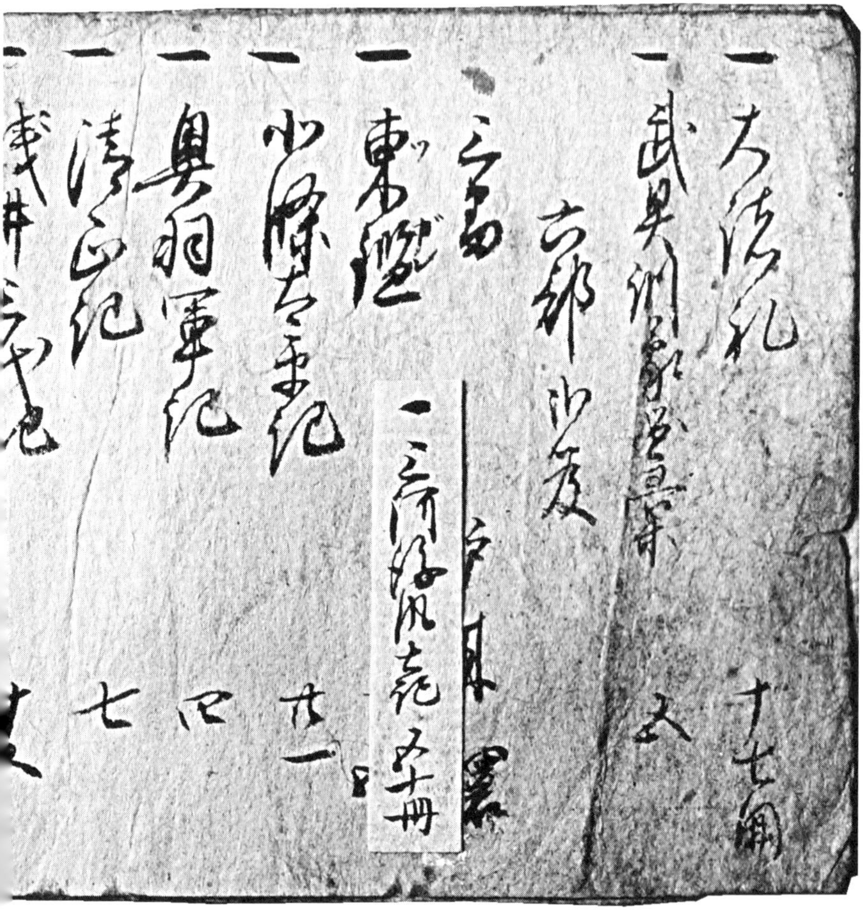
一 東鑑
一 北條五代記 廿一
一 三河後風土記 四十冊
一 奥羽軍記
一 清正記 七

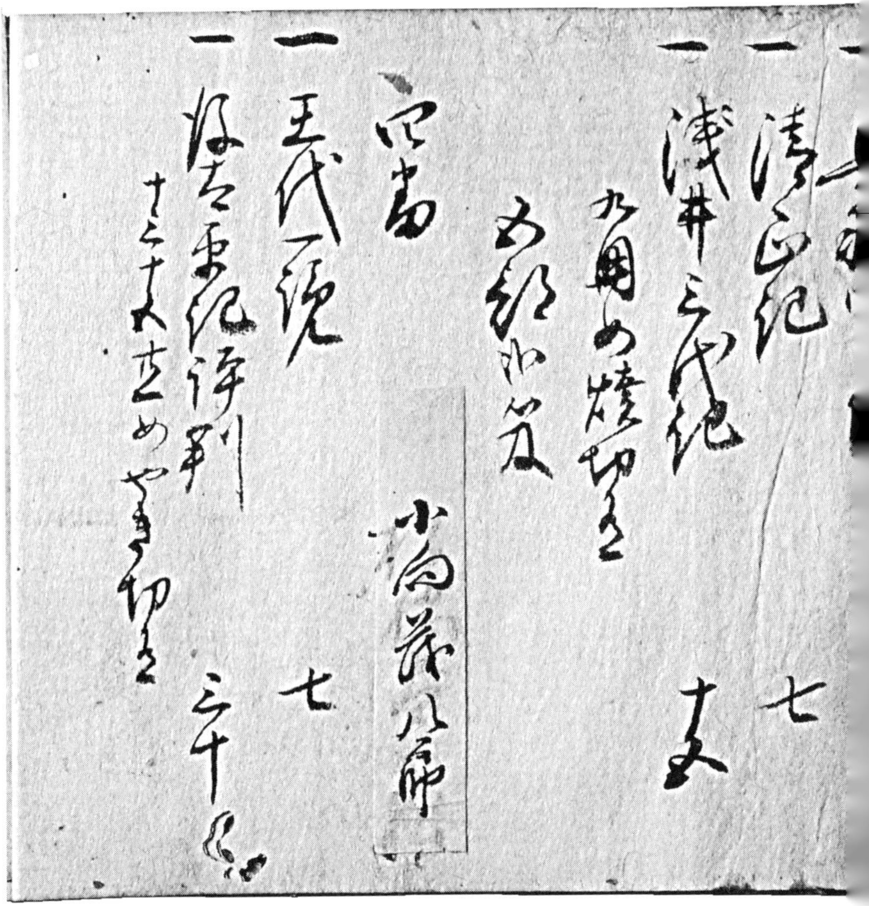

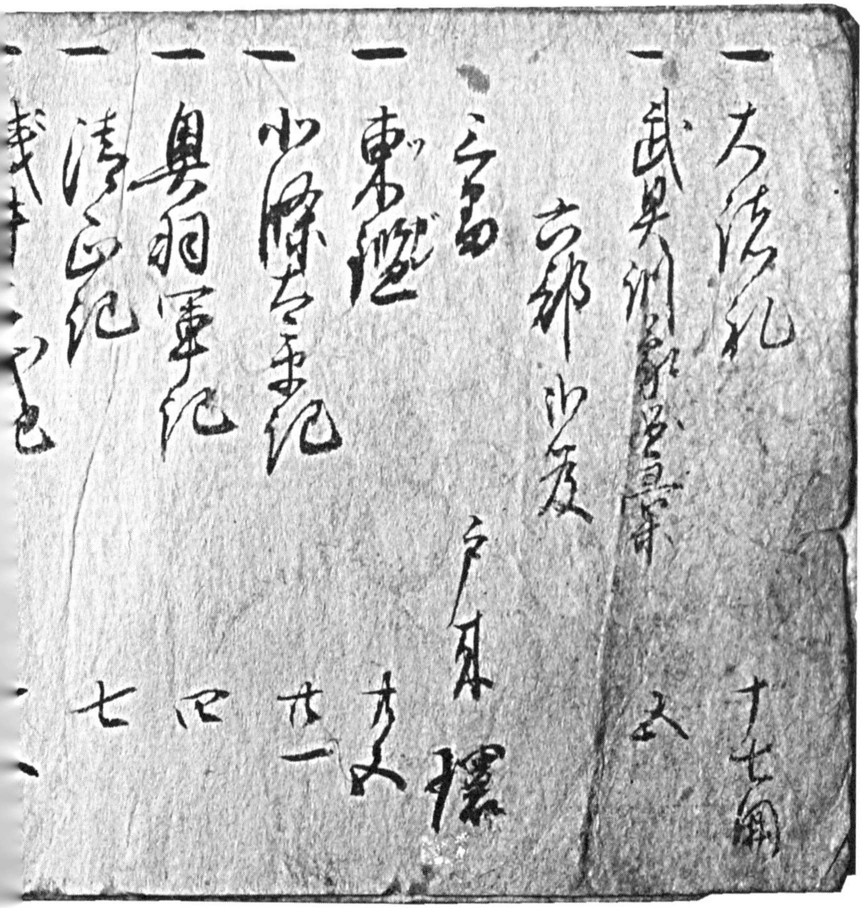

一 太平記　十七冊
一 武具訓蒙図彙
一 東鑑
一 北條五代記
一 奥羽軍記　四
一 清正記　七

一 三河後風土記　五十冊

一　清□□

一　浅井ゟ代□

口富

一　王代硯

一　□□重□評判
　　さ□□□めやうち□□

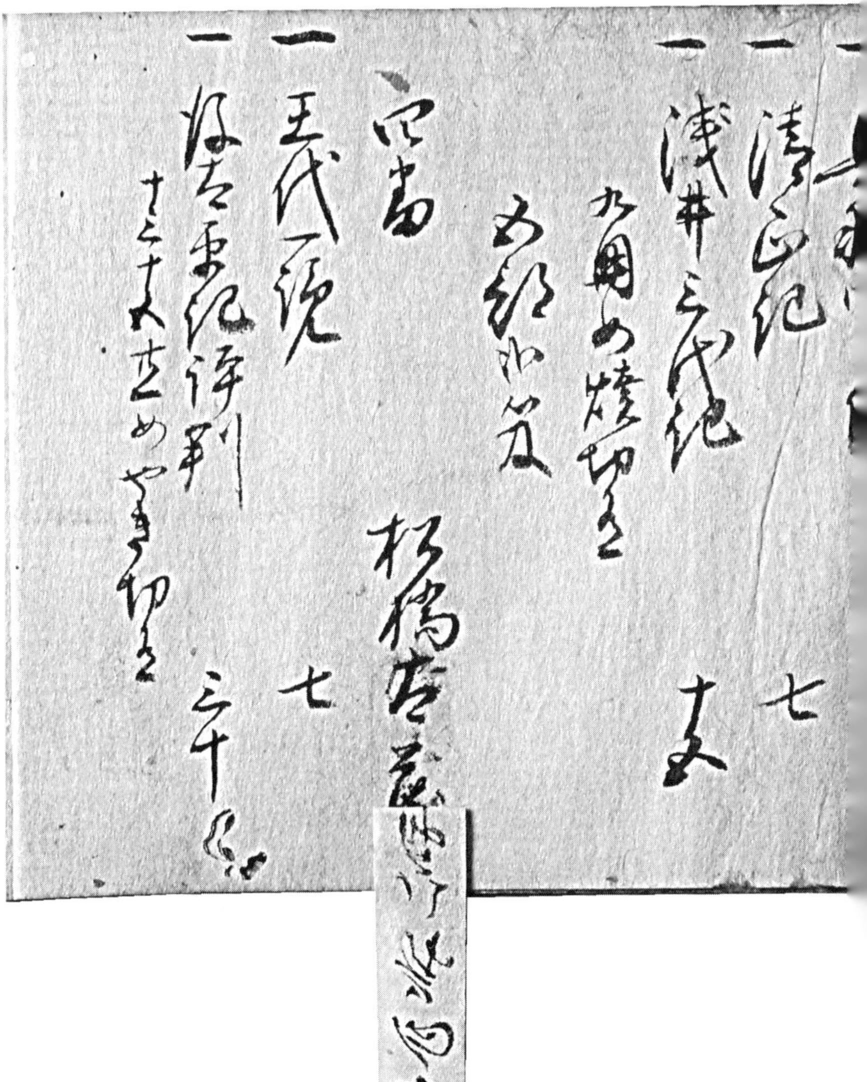

一 卓氏藻林 八冊
一 古今玉語摘要 六冊
一 孫門忠陵 四冊
一 唐詩選国字解 四冊
一 詩苑新話 五冊
一 和漢通紀 二冊
一 唐詩選箋註 六冊
一 草書韻会 一冊
一 遠思楼詩鈔 十冊

一 易学類編 三冊
一 暦学問答 二冊
一 老子経 二冊
一 三才女伝 一冊
一 漢書三代記 十五

一 字求馬
備文攷
一 通俗忠義水滸伝 二十五
一 藻余家記
同 [illegible]拾遺 又
一 七書抄
一 漢楚軍談
一 呉越軍談

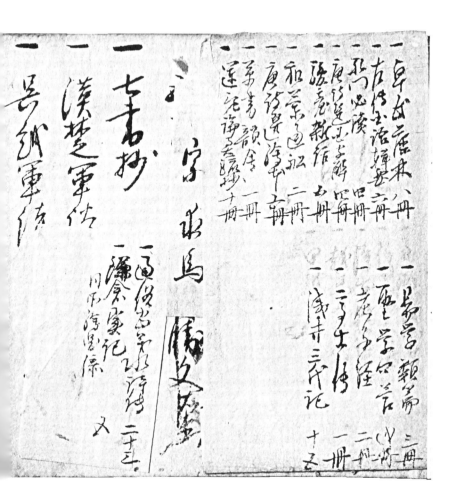

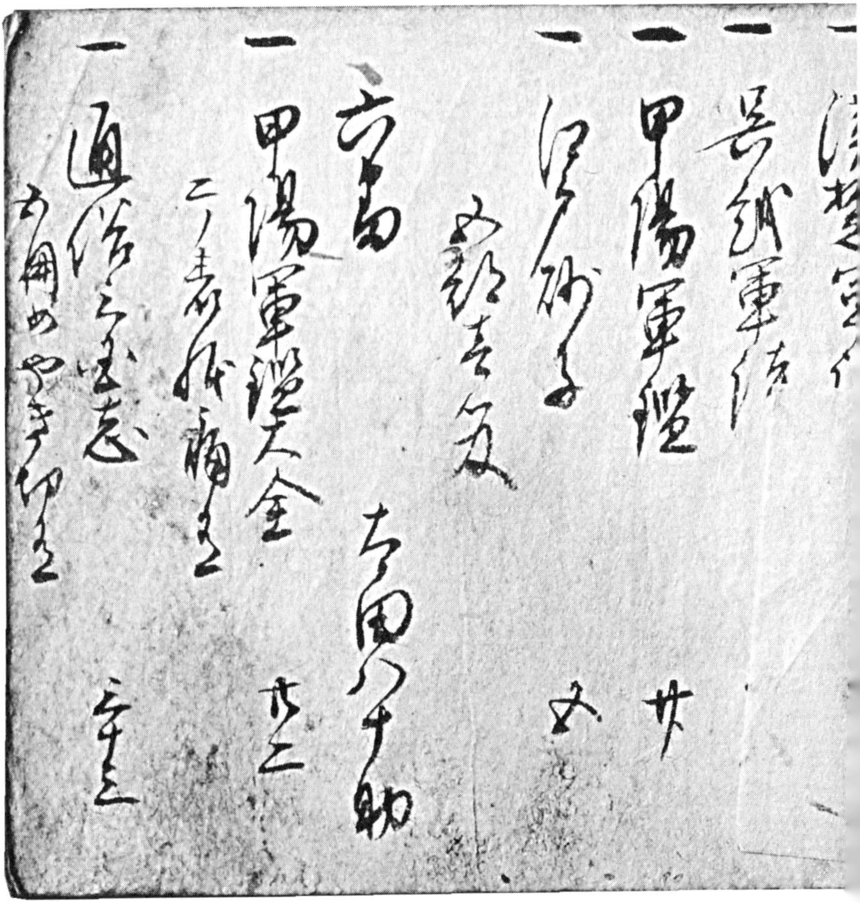

一 呉越軍談

一 甲陽軍鑑　廿

一 六韜

一 甲陽軍鑑大全

一 通俗三国志

2丁オ

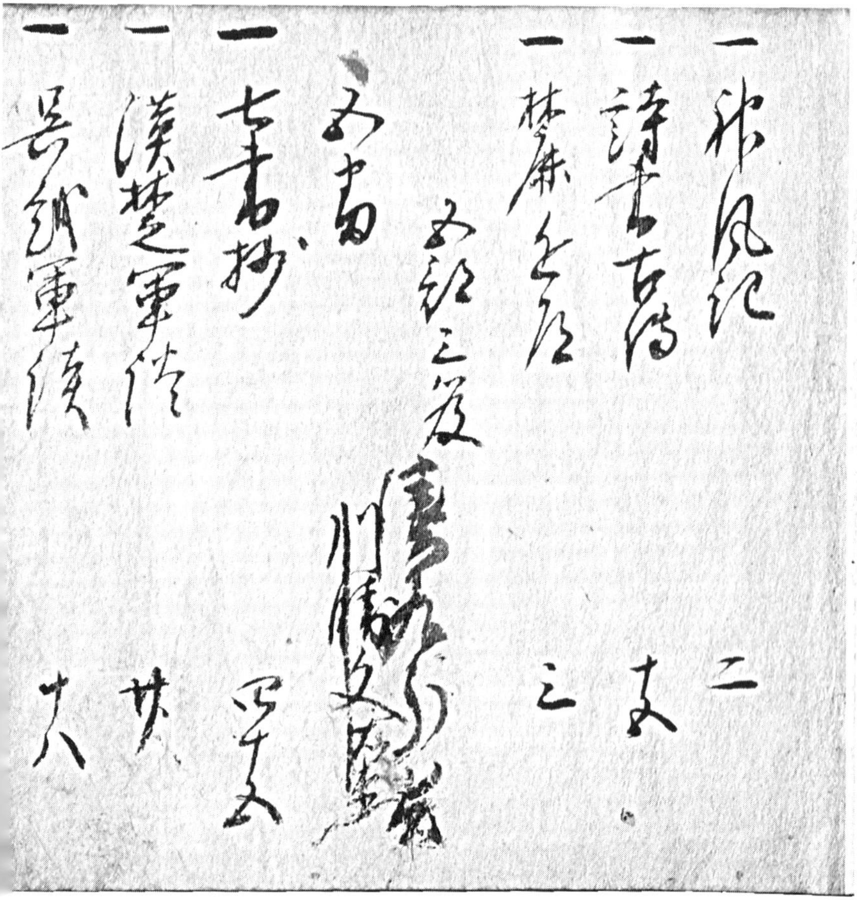
一 神風記　二
一 詩[illegible]
一 楞厳経　三
[illegible]
一 七書抄
一 漢楚軍談
一 呉越軍談

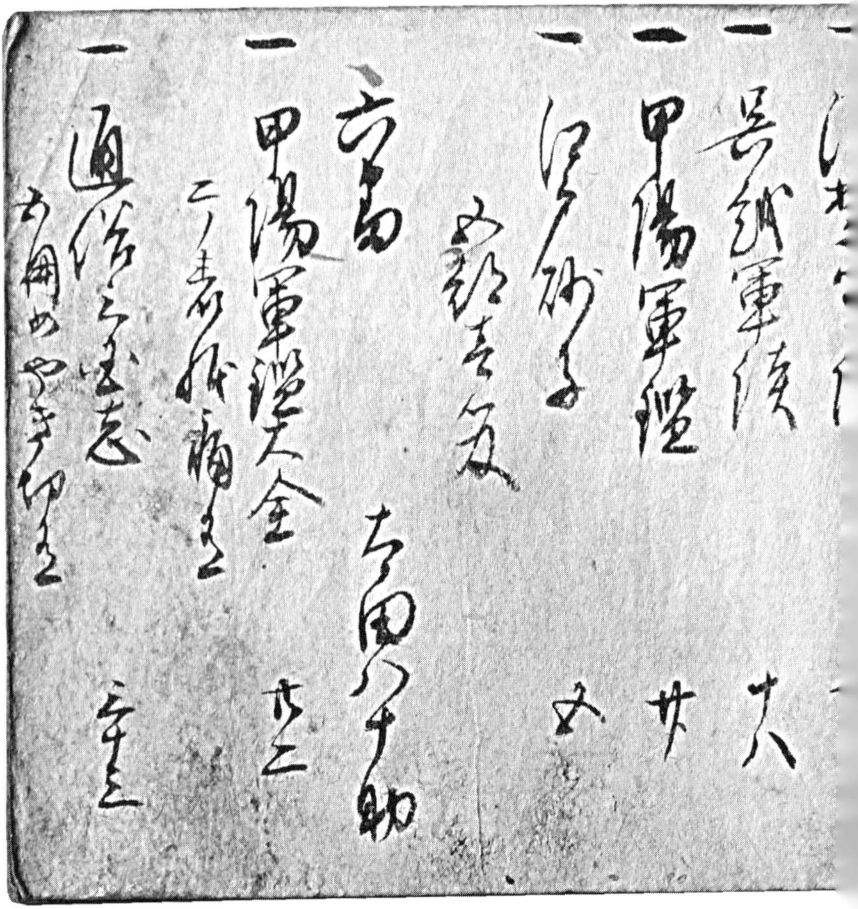

一 卓氏藻林 八冊
一 古今韻会挙要 六冊
一 [illegible]門忠陵 四冊
一 唐詩選国字解 四冊
一 [illegible]教語 五冊
一 和[illegible]通証 二冊
一 唐詩選[illegible] 六冊
一 草書韻会 一冊
一 運[illegible]鈔 十冊

一 易学類編 三冊
一 医学[illegible]言 四冊
一 老子経 二冊
一 三[illegible]伝 一冊
一 浅井三代記 十五

一 通俗[illegible] 十八
一 信州[illegible] 十一
一 播[illegible]記 十
一 越[illegible]伝 十六
一 甲越[illegible]記 七
内上一冊[illegible]

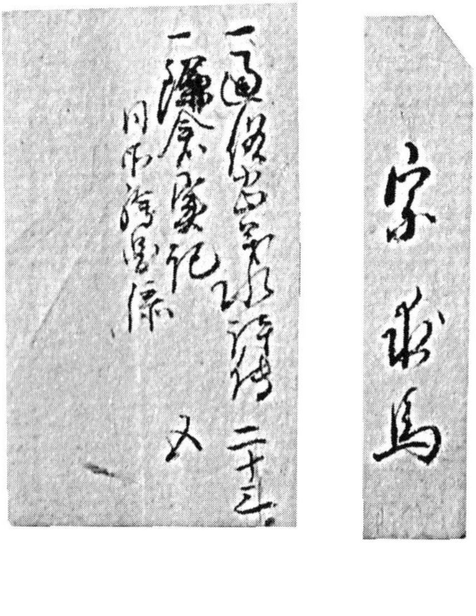

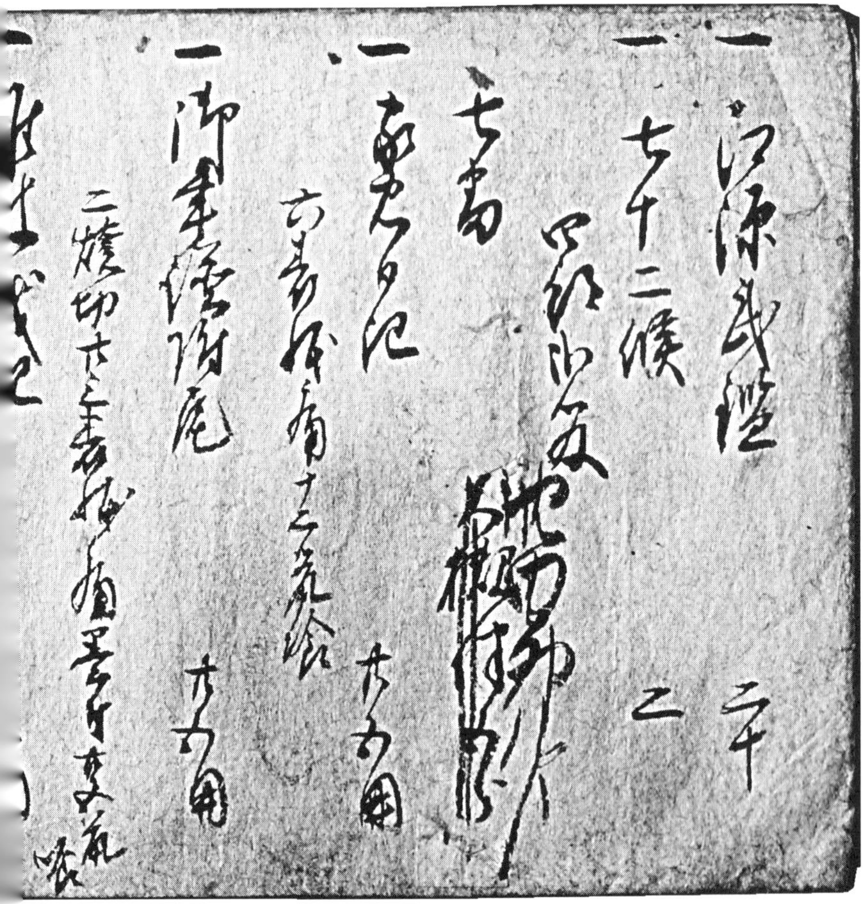
一 [illegible] 二千
一 七十二候 之
[illegible]
一 七曜
一 [illegible]紀
[illegible]十二気論 右五冊
一 御[illegible] 右五冊
二[illegible]

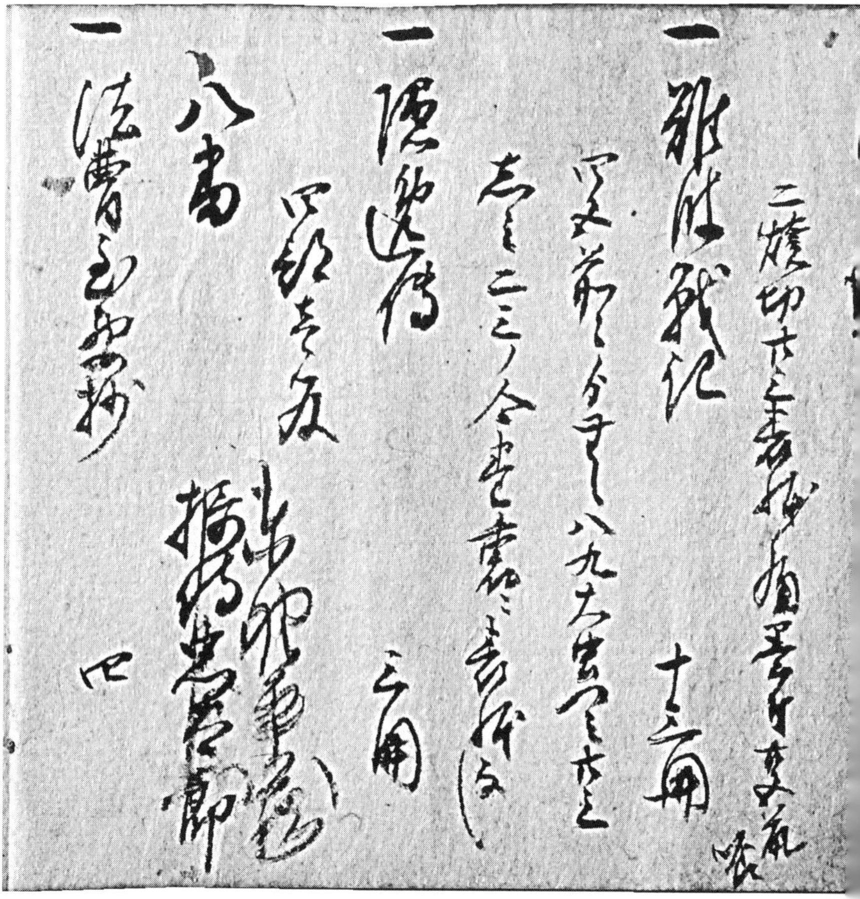

一 和板古稽考　五

一 [illegible]光頭亮　二

一 陰下　内方萬[illegible]
同　外方[illegible]　下二

[illegible]文目

一 [illegible]歌中[illegible]　一

一 續字彙補　十三

一 [illegible]重言考　十七

一 [illegible]　十九

一 論語徴　[illegible]

一 蒙求詳説　五

一 國語　五

一 [illegible]　五

一 七言詩集[illegible]　二

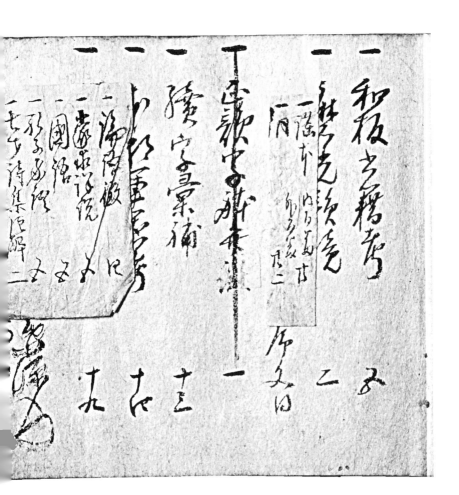

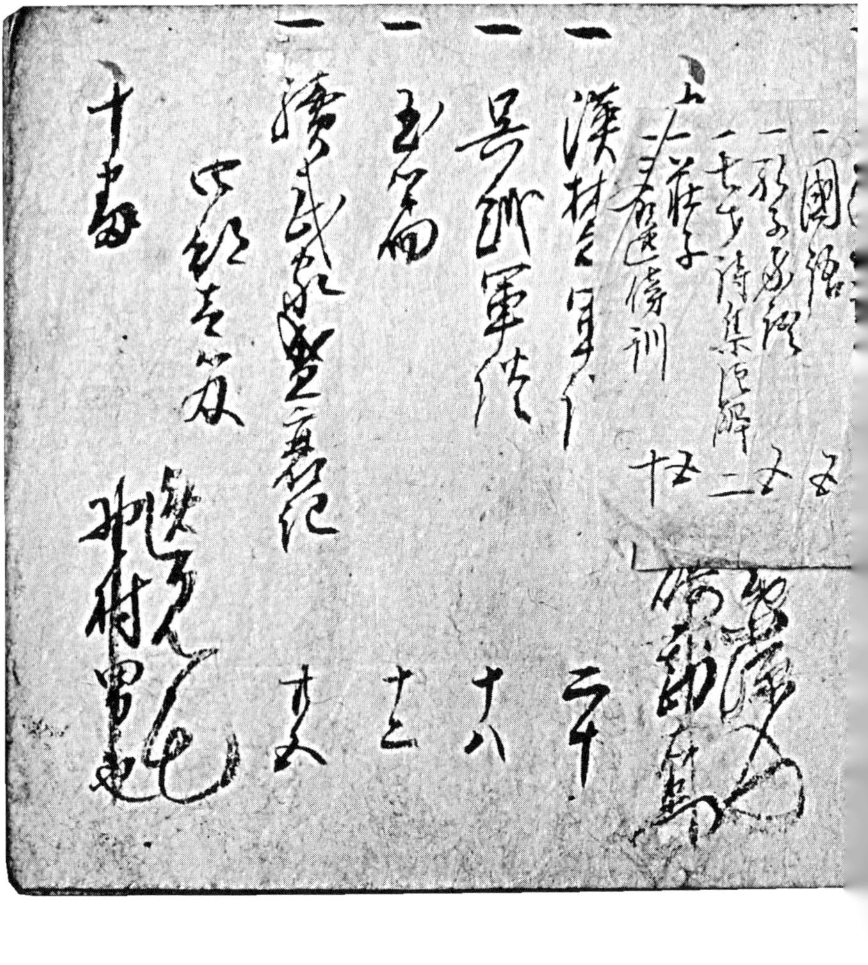

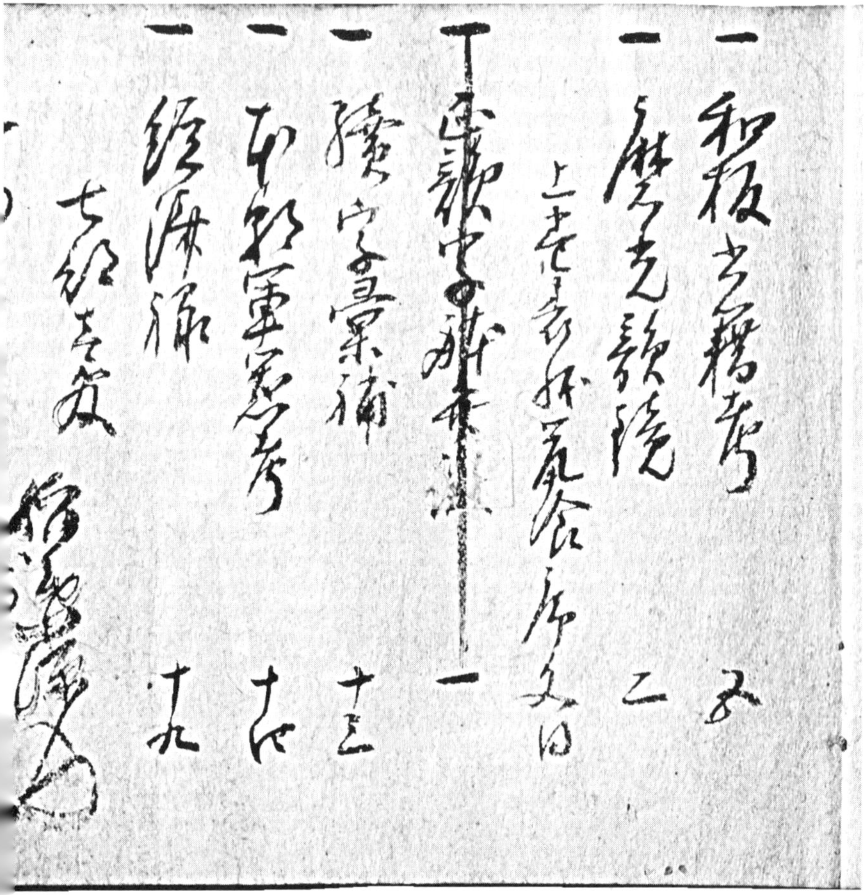

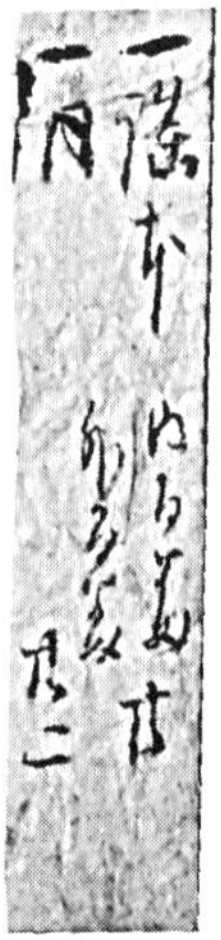

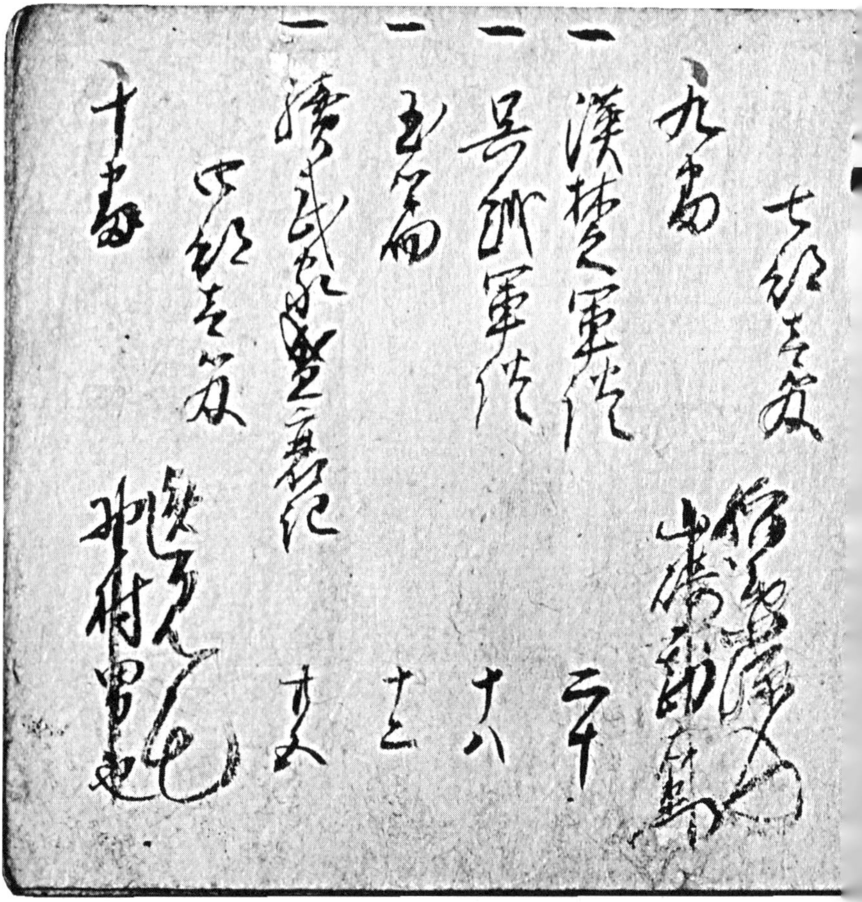

[illegible]
一 漢楚軍談 二十
一 呉越軍談 十八
[illegible]

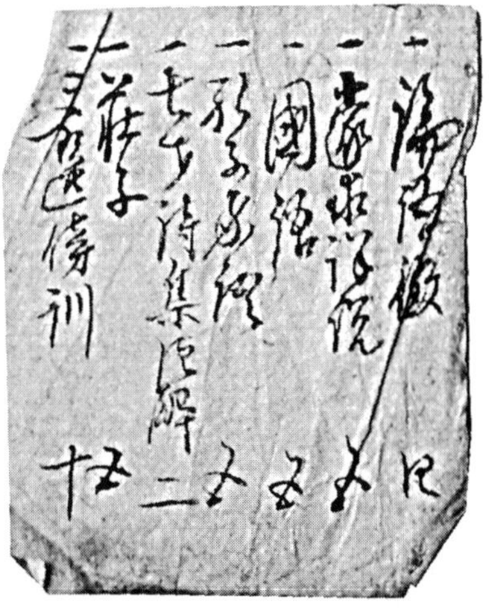

[illegible]
一 國語 五
[illegible]

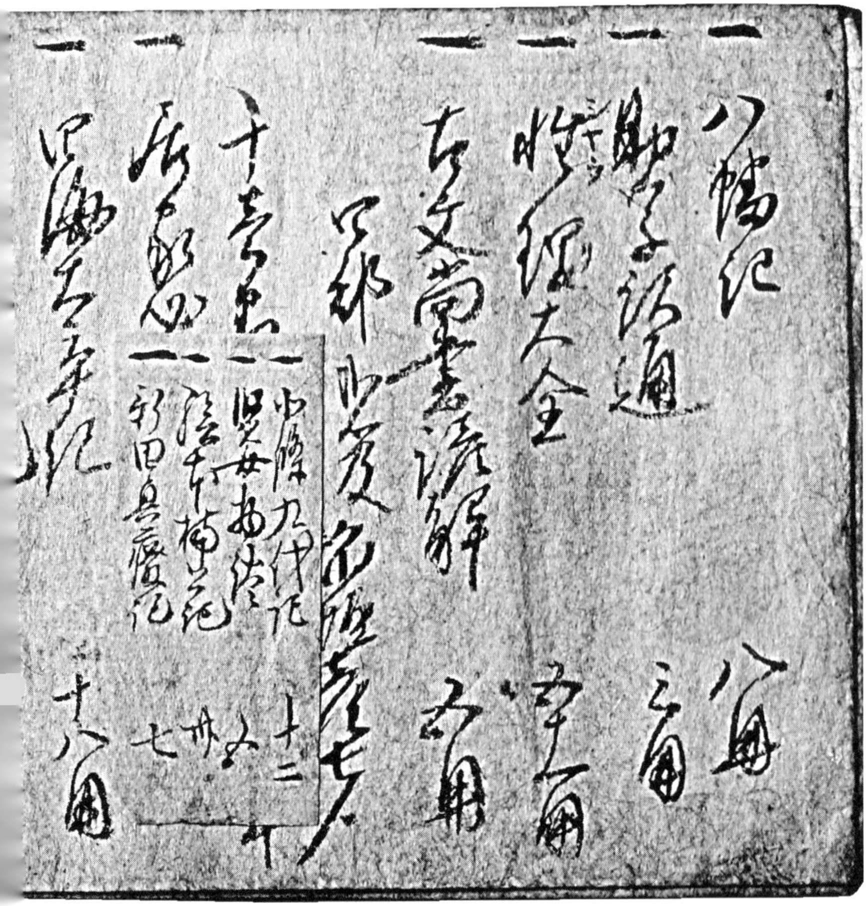
一 八幡記
一 性理大全
一 北條九代記 十二

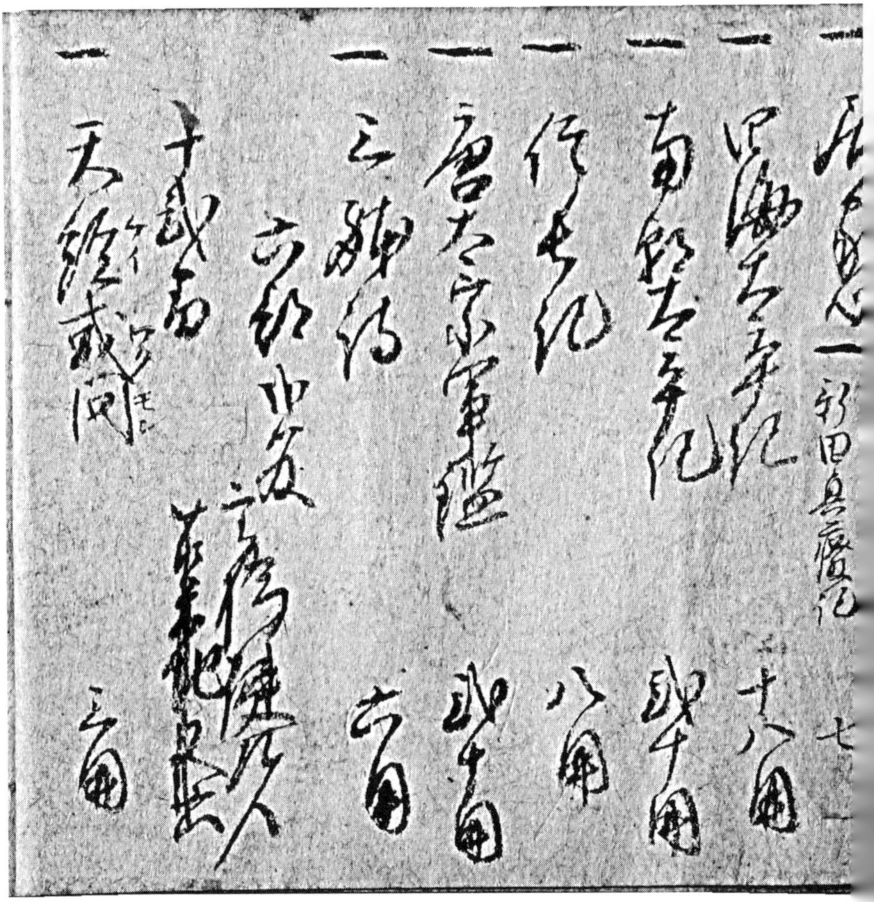
一 行事記 八冊
一 唐太宗軍鑑 四十冊
一 三韓記 六冊
十戒書
一 天經《ケイ》或《ワク》問《モン》 三冊

3丁ウ

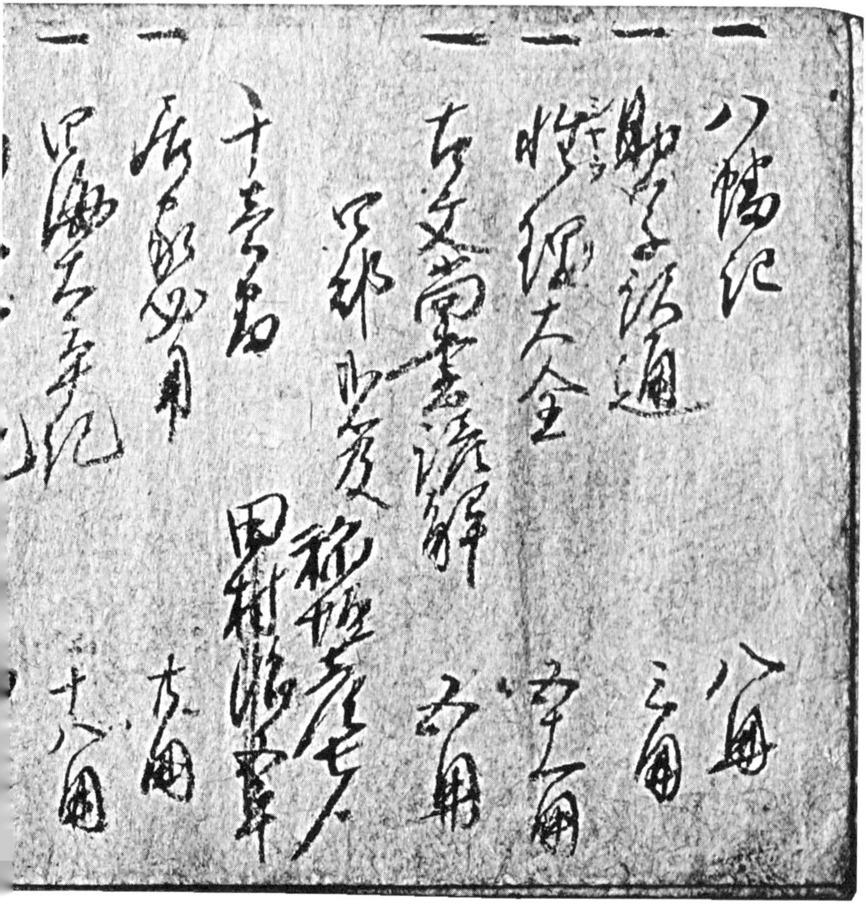
一　八幡記　八冊
一　助語辞通　三冊
一　性《シヤウ》理大全　[illegible]冊
一　古文真宝諺解　五冊
一　[illegible]
一　十三経[illegible]
一　[illegible]　六冊
一　[illegible]　十八冊

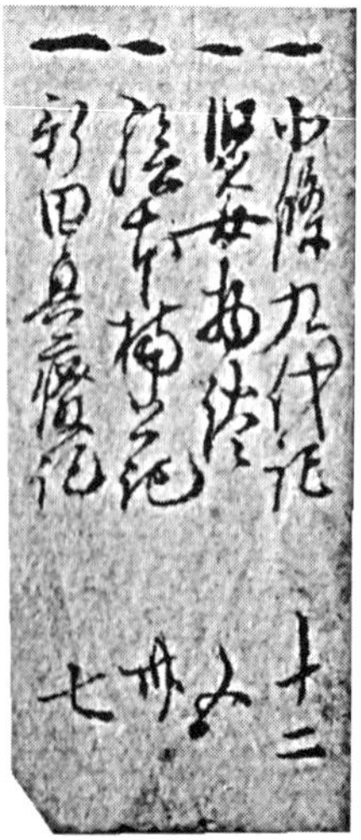
一　北條九代記　十二
一　[illegible]物語　[illegible]
一　[illegible]楠[illegible]記　[illegible]
一　新田[illegible]記　七

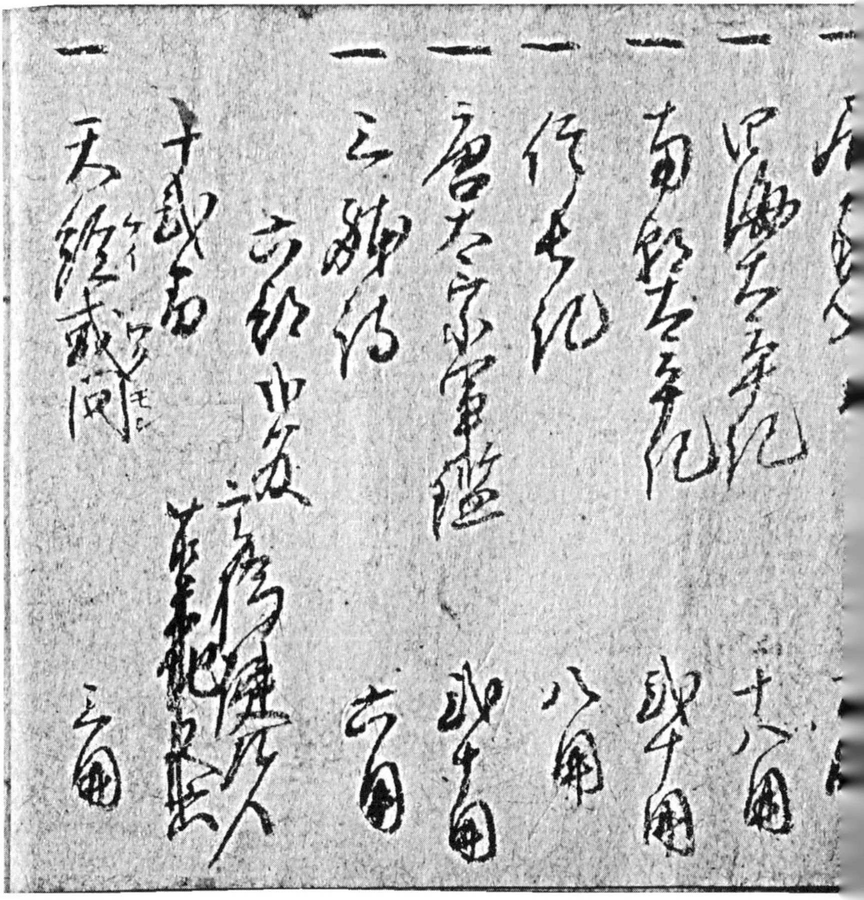

一 天学名目
一 三国志
　大本六十五
一 歴年通鑑
　九本合十二
一 圓機
　[illegible]
十三冊

一 毛詩鄭箋 廿
一 理学類編 四
一 荘子口義抄 十
一 大[illegible]源 二
一 古今著聞集 十

一 近思録 四
一 [illegible] 五
一 七書抄 卅
一 [illegible] 二
一 武経七書[illegible] 十五
[illegible]

一 [illegible]
一 [illegible] 九
一 [illegible] 三
[illegible]

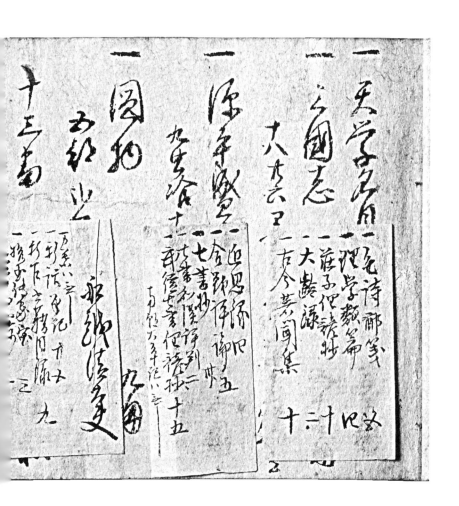

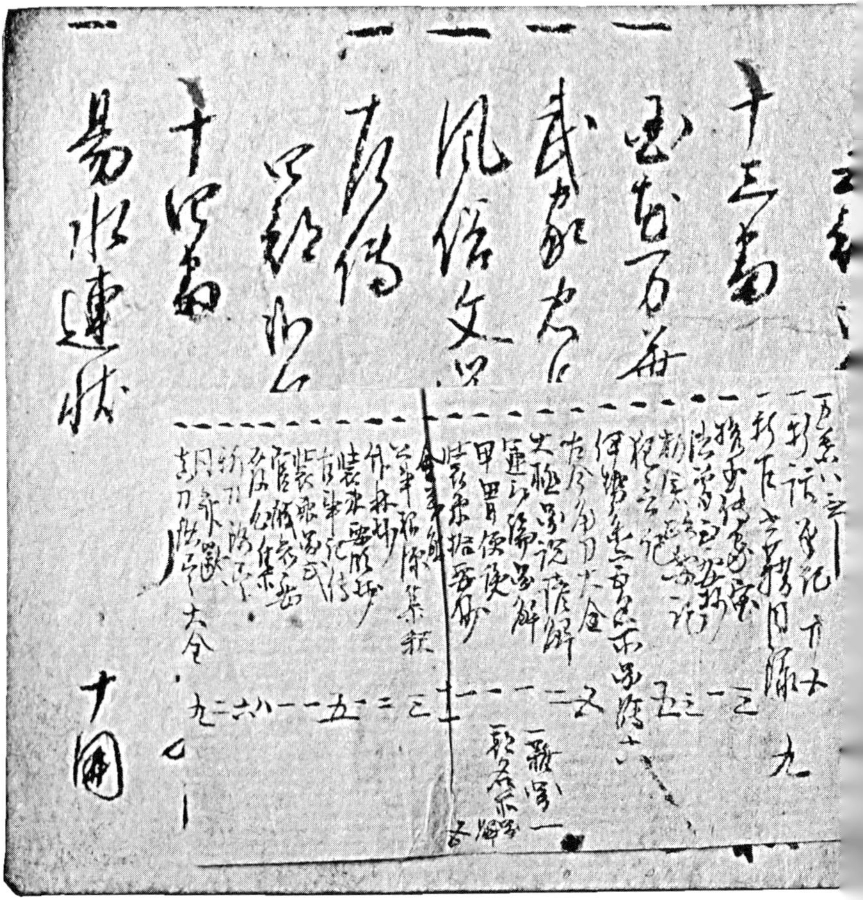

4丁オ

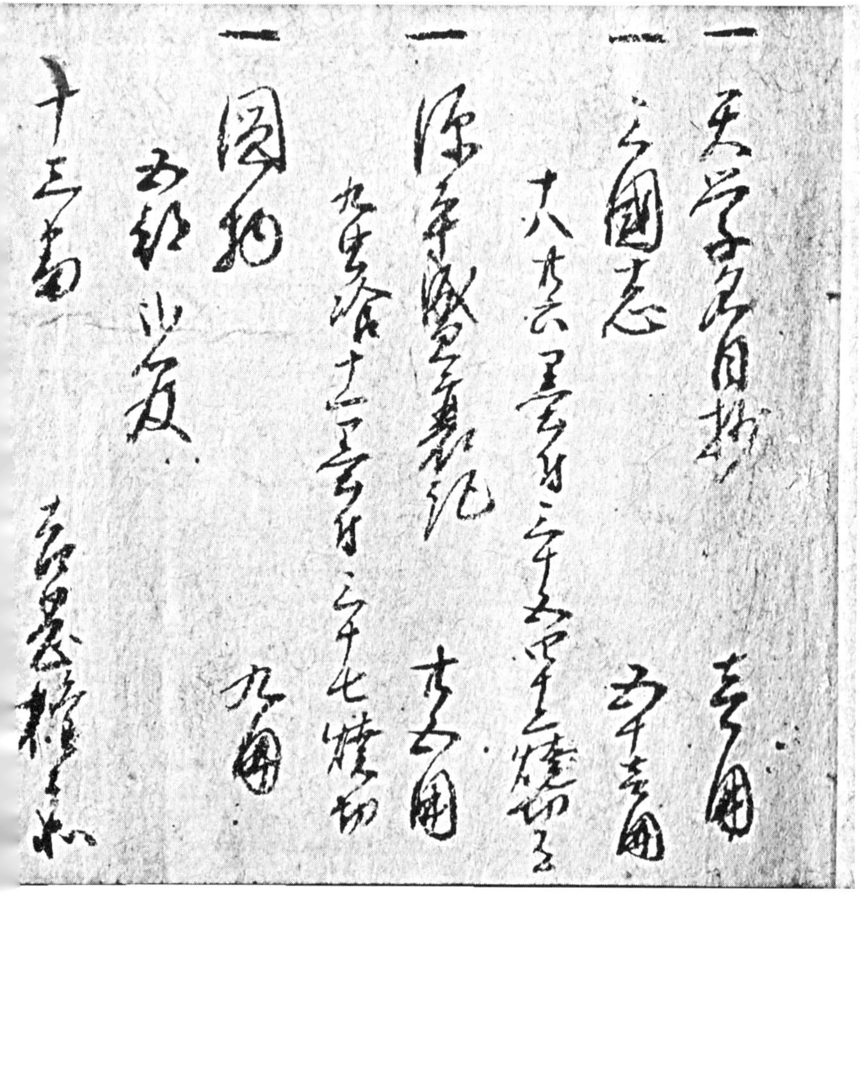
一 天学名目抄 壱冊
一 三国志 六十壱冊
一 源平盛衰記 壱冊
一 図物 九冊

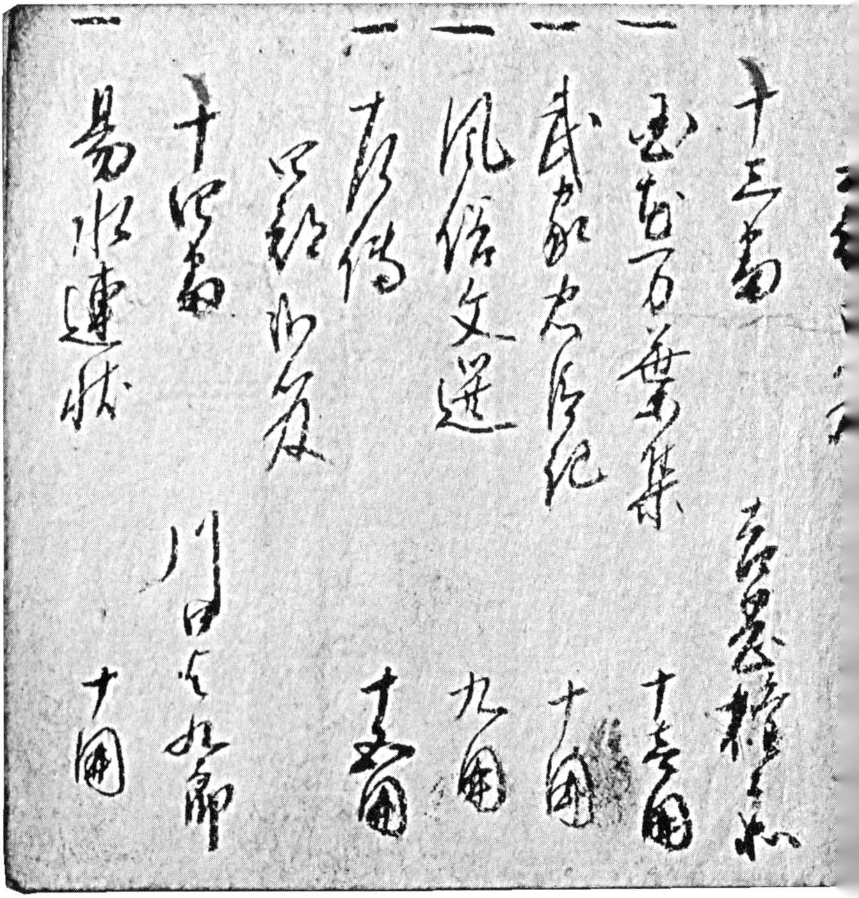
一　十三冊
一　万葉集
一　武家太平記　十冊
一　風俗文選　九冊
一　十二冊
十四冊　川田長兵衛
一　易水連袂　十冊

江刺源七

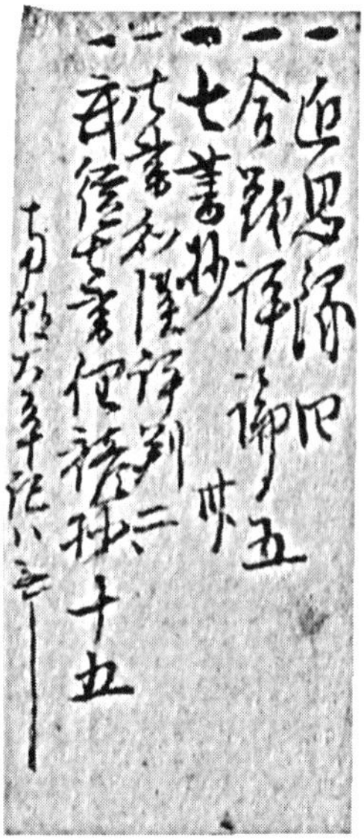
近思録 四
今頭評論 五
七書抄 廿
古書初學評判 二
武経七書便読抄 十五

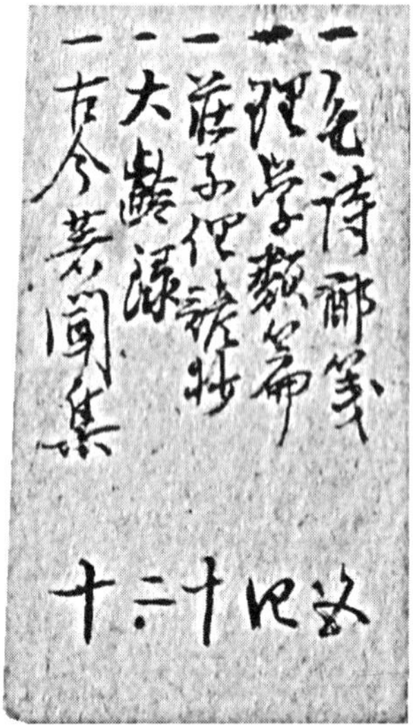
毛詩鄭箋
理学類篇
荘子俗諺抄
大戴源
古今著聞集
以四十二十

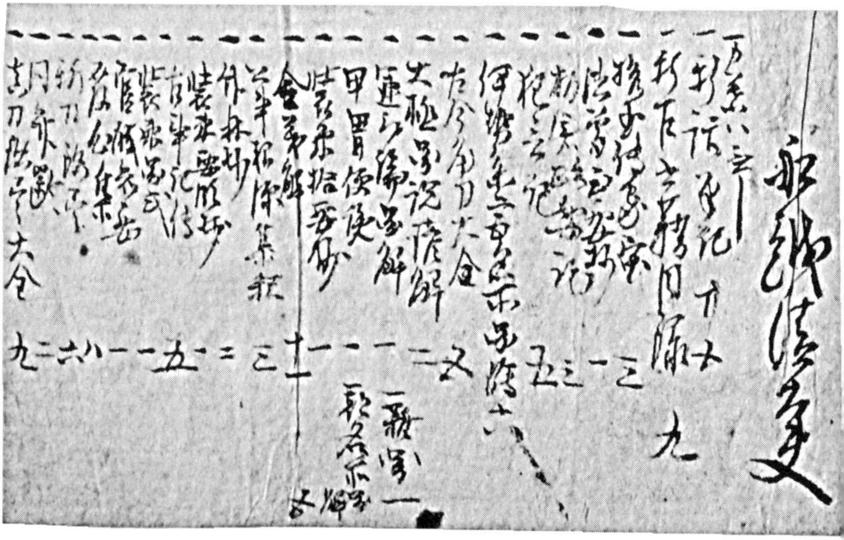

一 参河後風土記　十冊

一 後撰大全　十二冊

上ノ文ノ三[illegible]書付

一 神代抄　七冊

一 射法指南　五冊

一 神道名目類聚抄　六冊

六[illegible] [illegible]

十五冊

[illegible]志摩

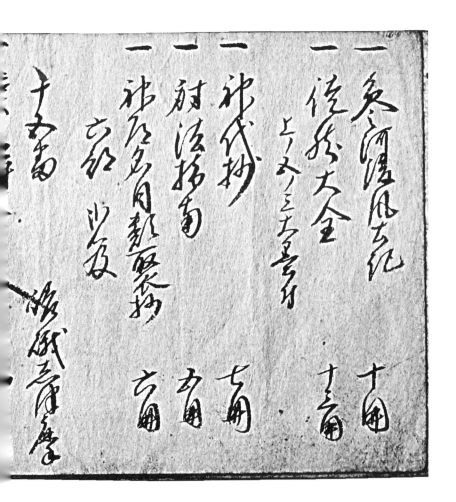

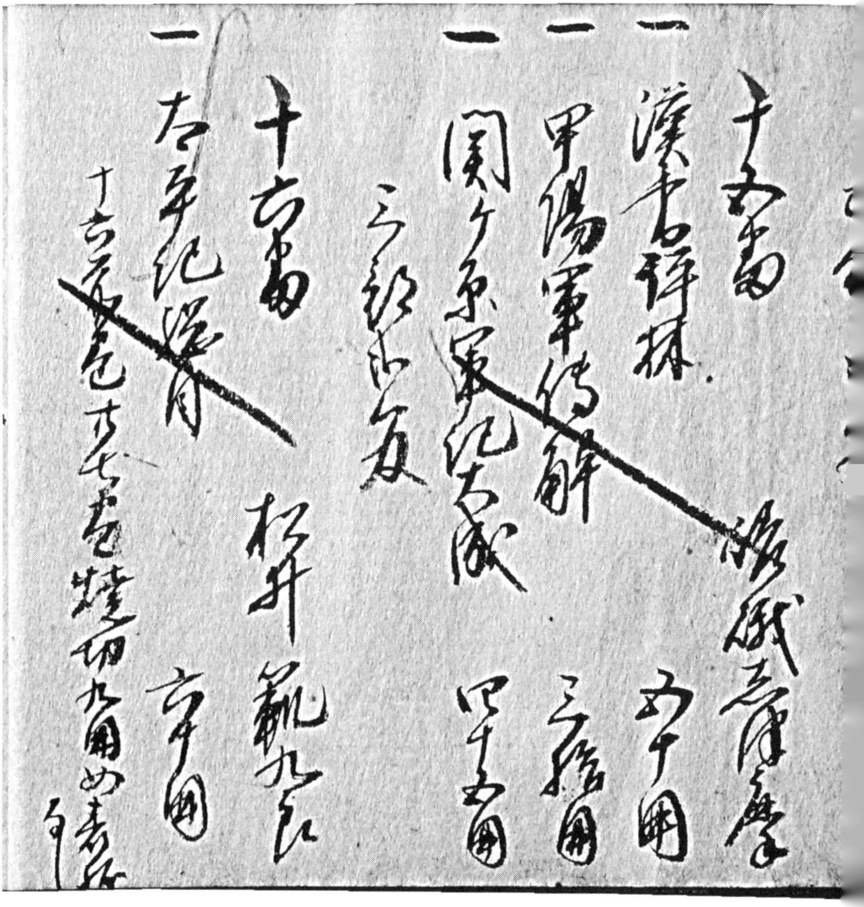

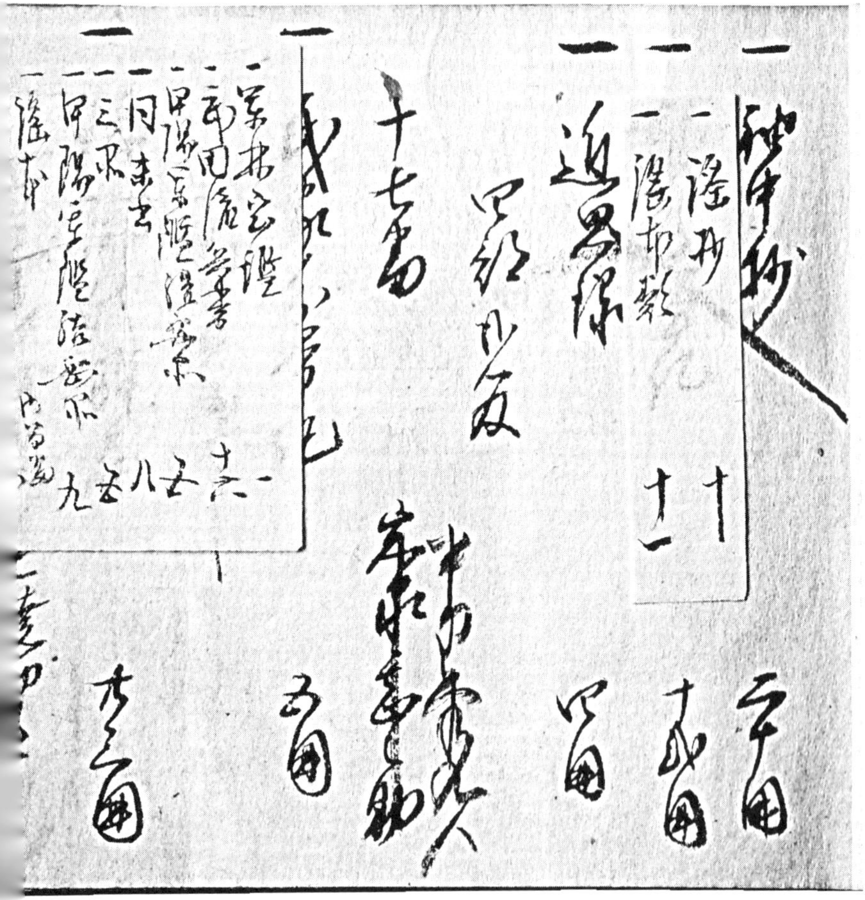

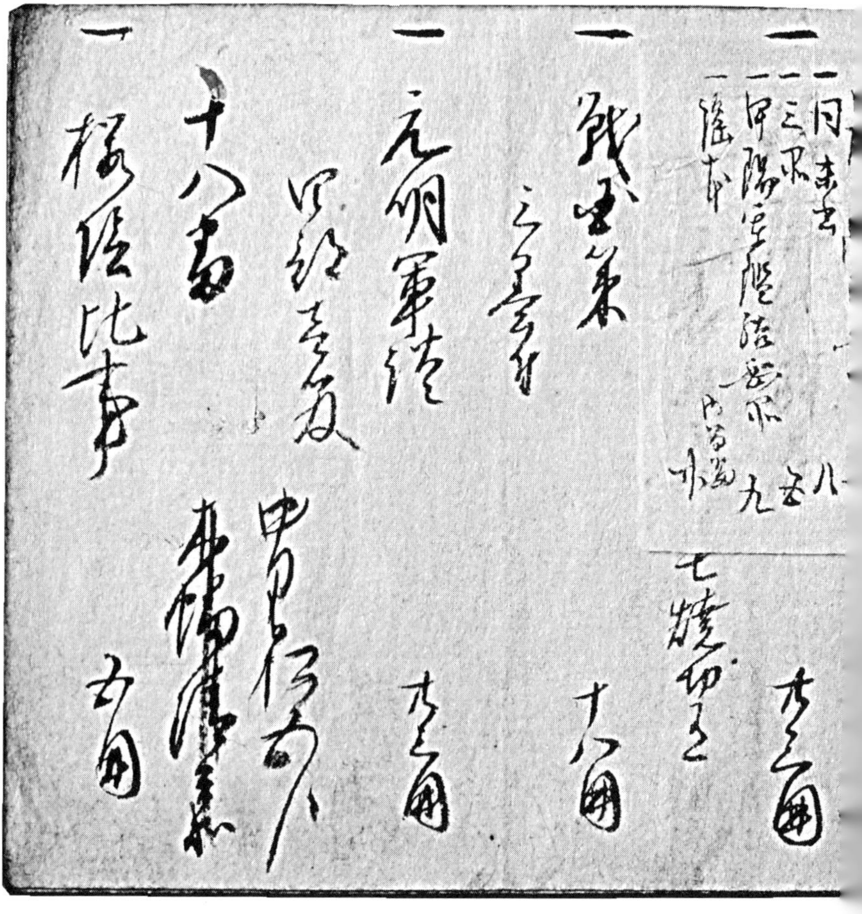

5丁オ

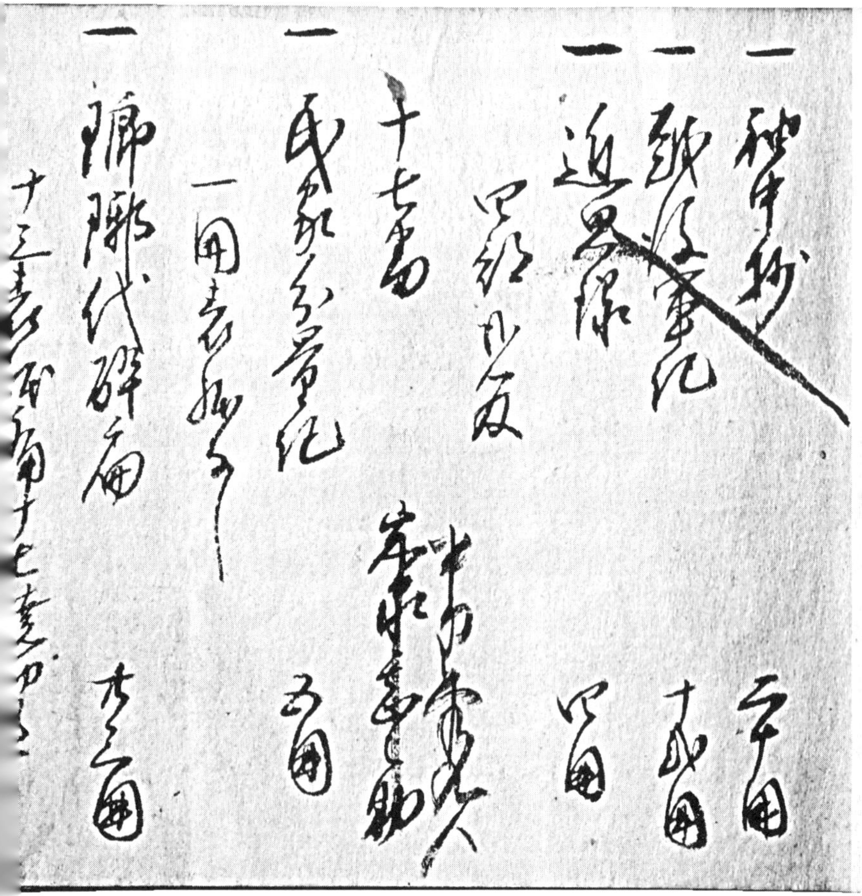

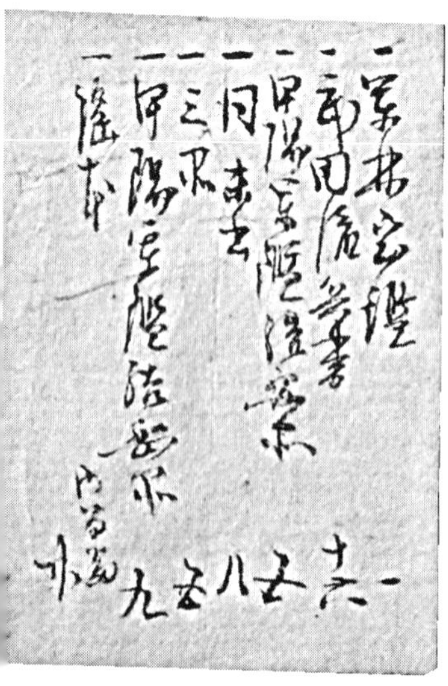

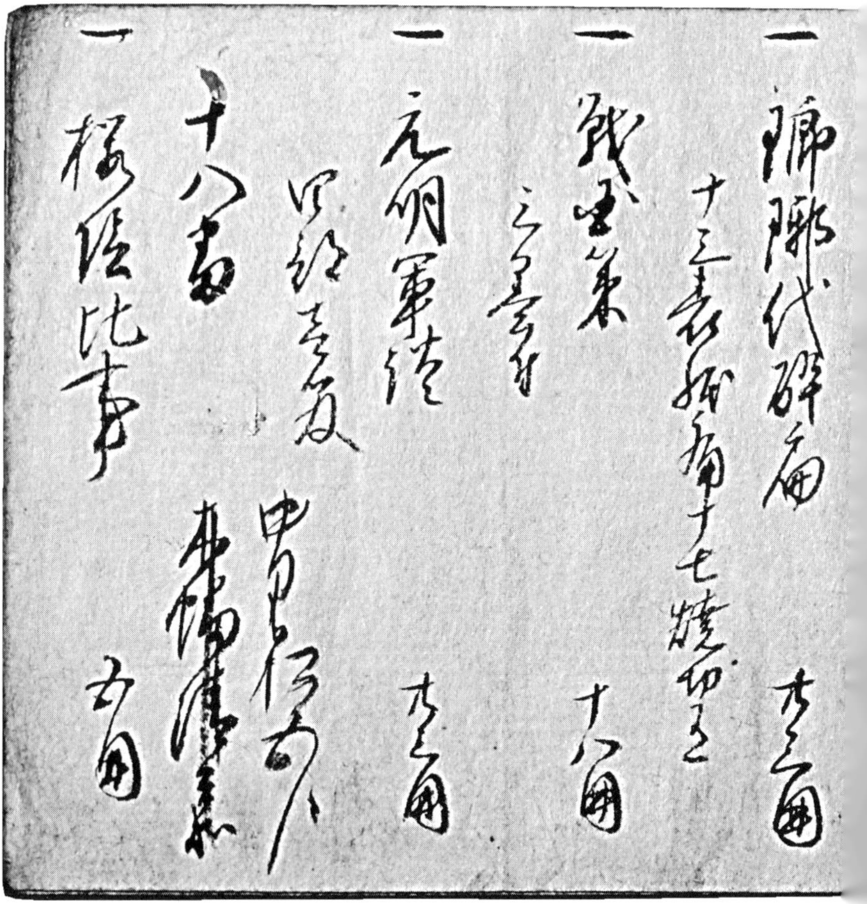
一 瑯琊代酔編 [illegible]冊
十三経注疏[illegible]
一 戦国策 十冊
[illegible]
一 元明[illegible] [illegible]冊
[illegible]
一 十八史
[illegible]
一 棠陰比事 五冊

5丁ウ

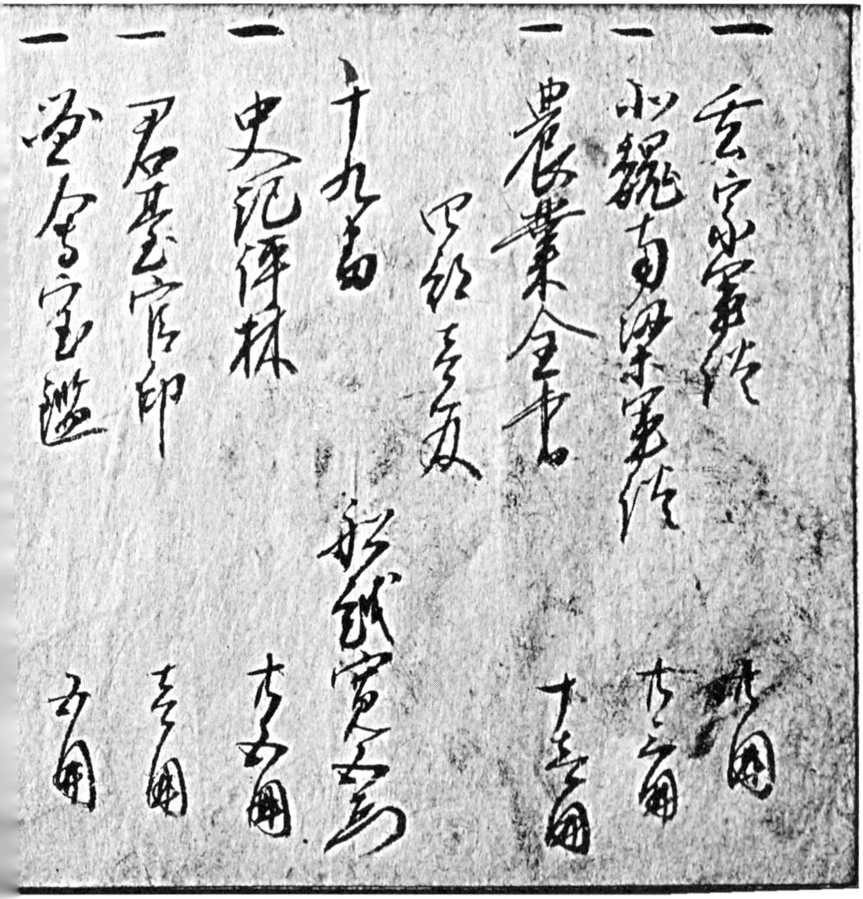
一 玄宗小算経 [illegible]冊
一 小鏡南梁算経 [illegible]冊
一 農業全書 十壱冊
　四[illegible]三友
一 十九畧 [illegible]寛文[illegible] [illegible]冊
一 史記評林 [illegible]冊
一 君臣官印 壱冊
一 [illegible]舎宝鑑 [illegible]冊

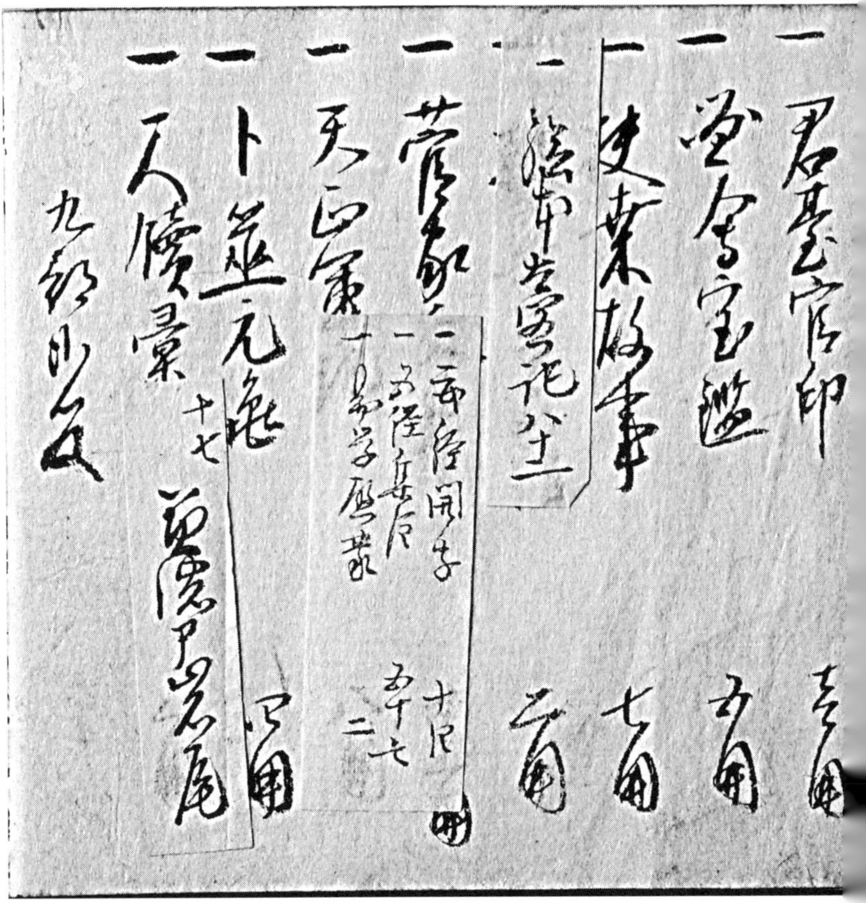

一 玄宗外伝 弐冊
一 北魏南梁異伝 廿六冊
一 農業全書 十壱冊
四録長夜
一 十九首 形鐵寶文[illegible]
一 史記評林 廿五冊
一 君臺官印 壱冊
一 図絵宝鑑 五冊

5丁ウ

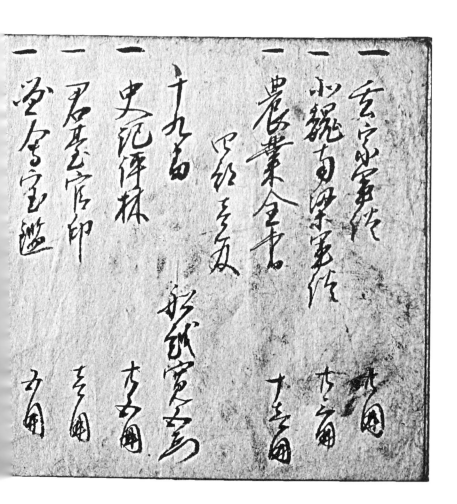

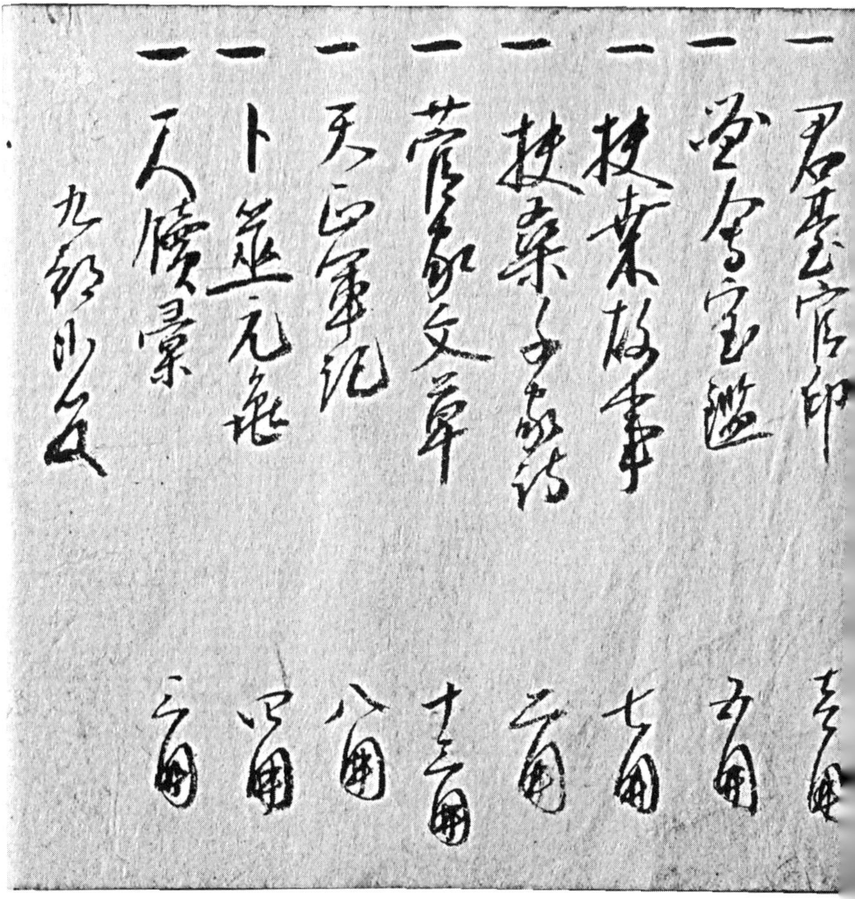

一　君台官印　壱冊
一　図絵宝鑑　五冊
一　技業故事　七冊
一　捷案千家詩　二冊
一　蒙家文草　十三冊
一　天正筆記　八冊
一　卜筮元亀　四冊
一　人倫讃景　二冊
九郎兵衛

一 漢書 [illegible]

一 十二朝軍記 同二編出来 十八冊

一 武林隠見録 七冊

一 武林伝 壱冊

一 満仲実記 十冊

一 江都町[illegible] 十九冊

一 太閤真顕記 [illegible]

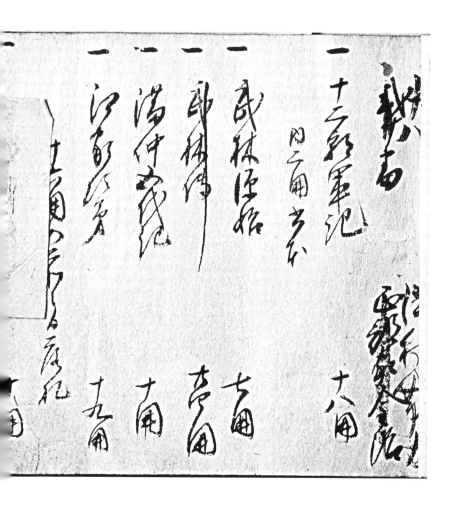

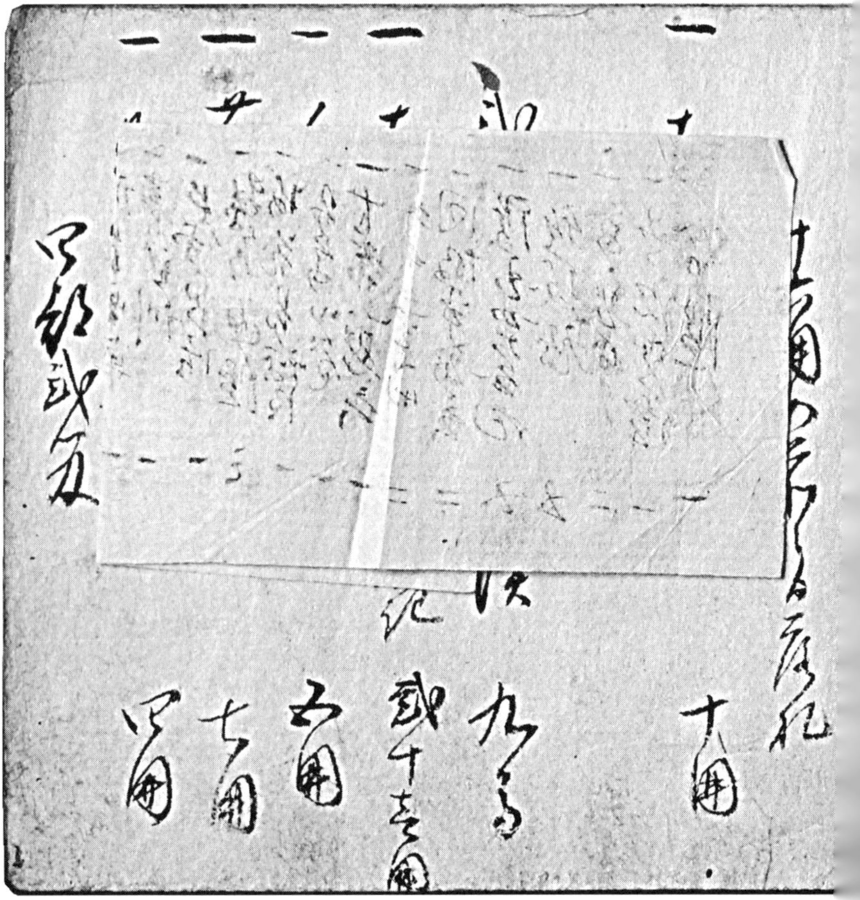

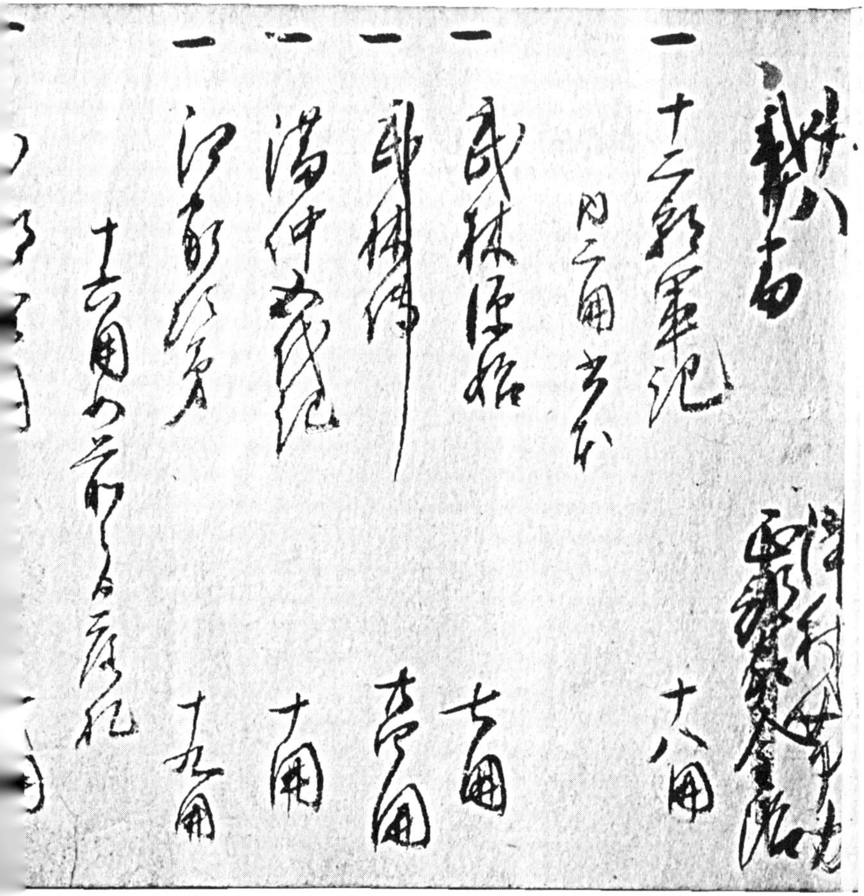

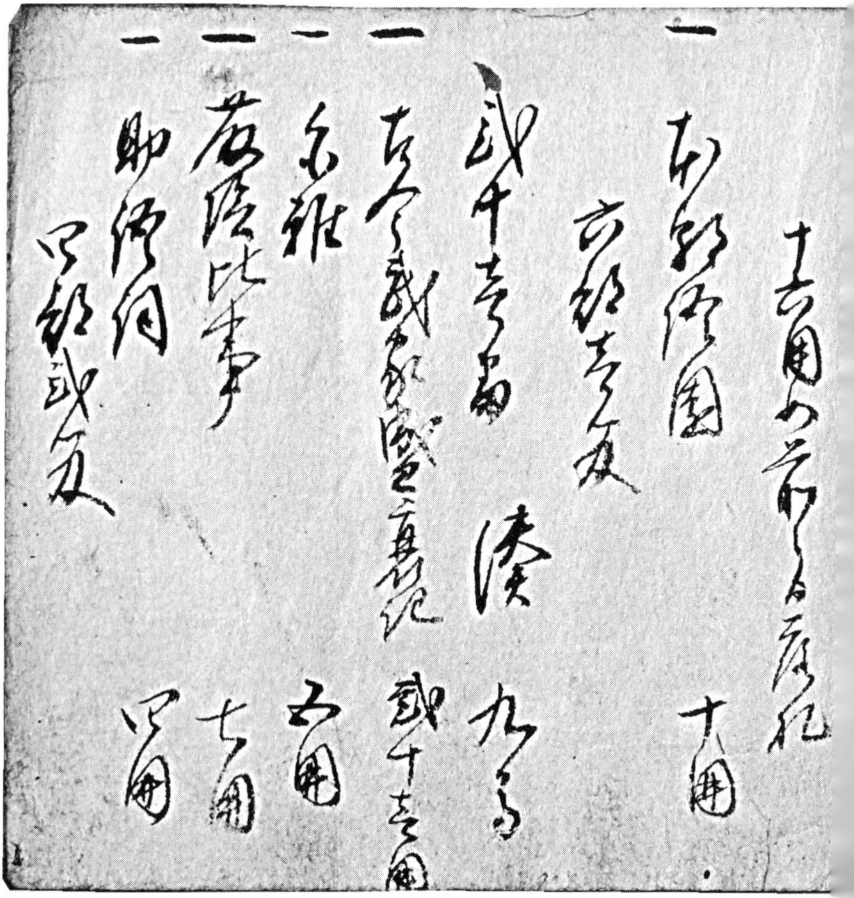

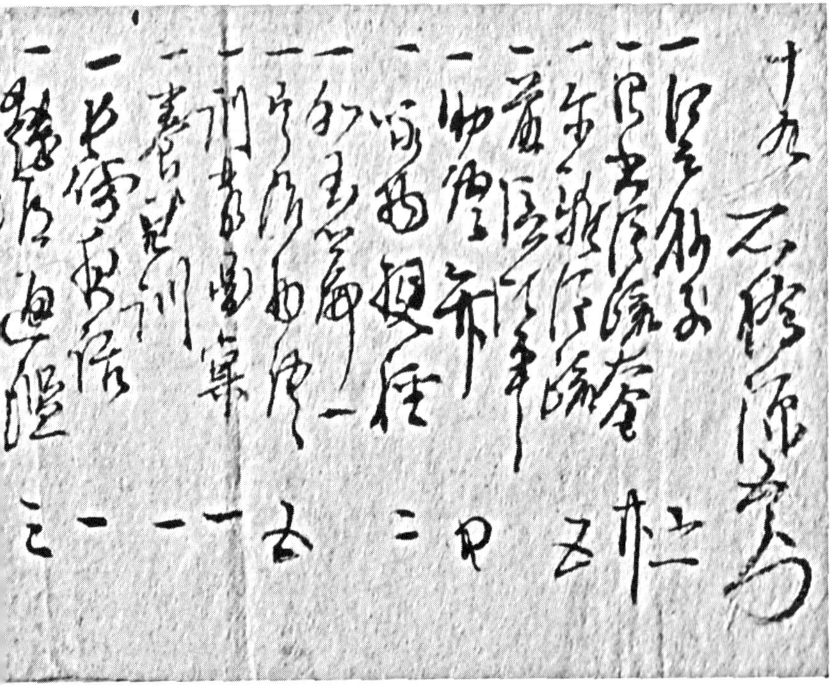

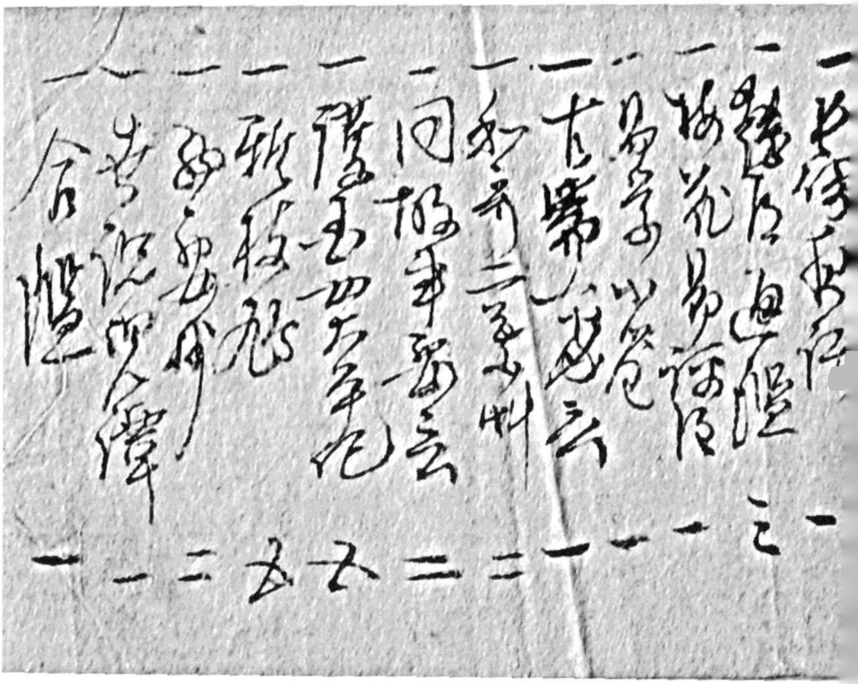

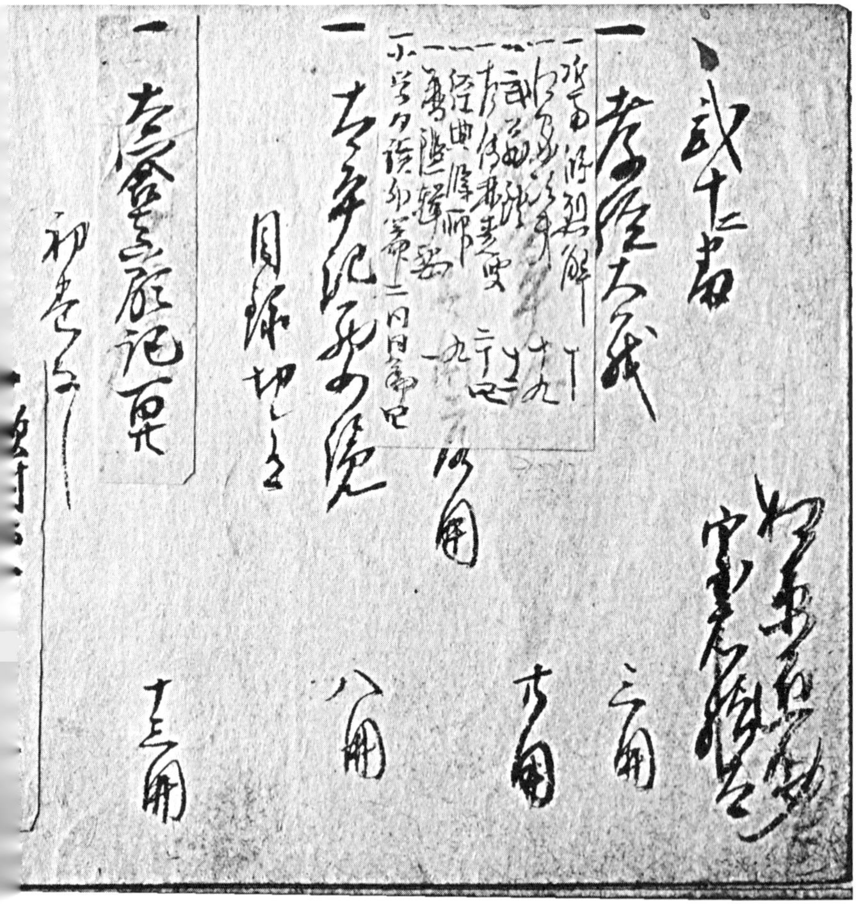

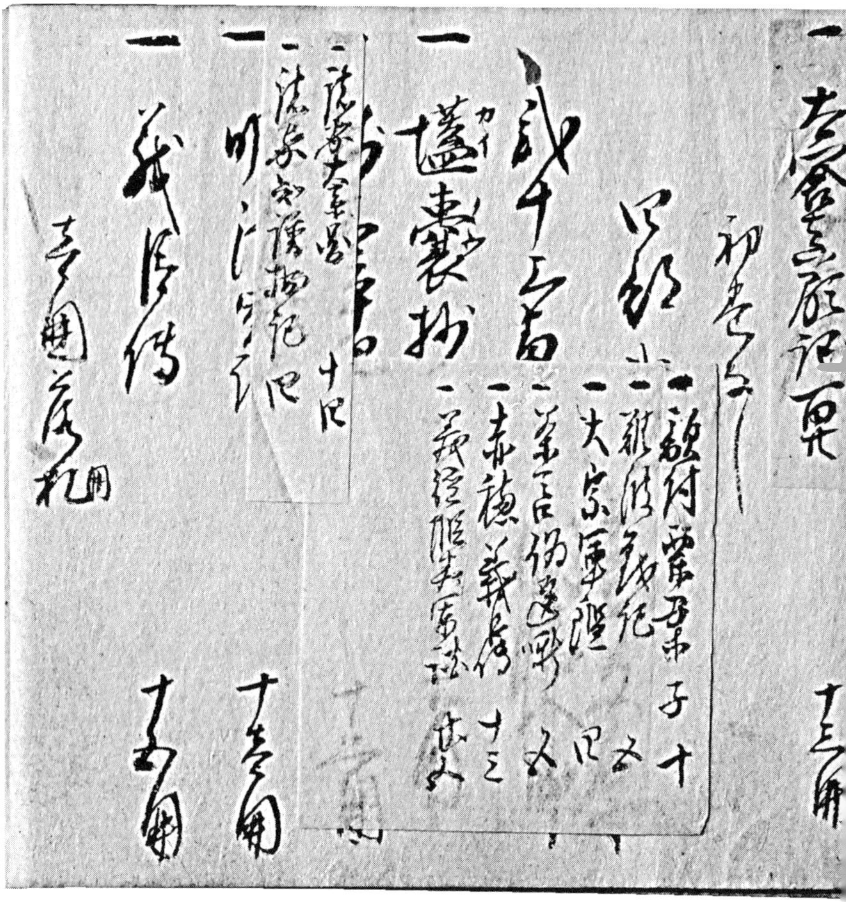

6丁ウ

〆弐十二冊

外ニ[illegible]

一 孝経大成　三冊

一 前太平記　十冊

内壱冊落冊

一 太平記[illegible]要覧　八冊

目録切レ有

一 小学句読　十三冊

初巻なし

一 太倭年暦記　壱冊

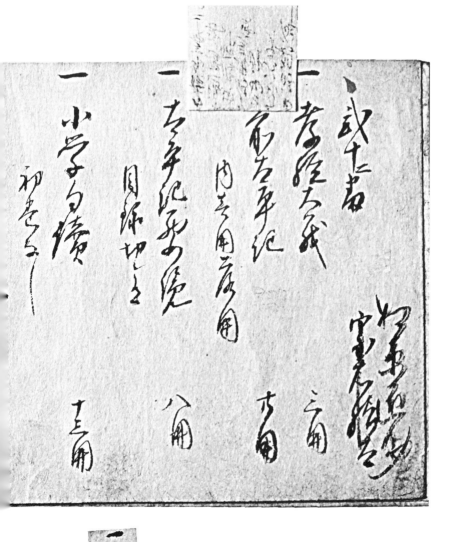

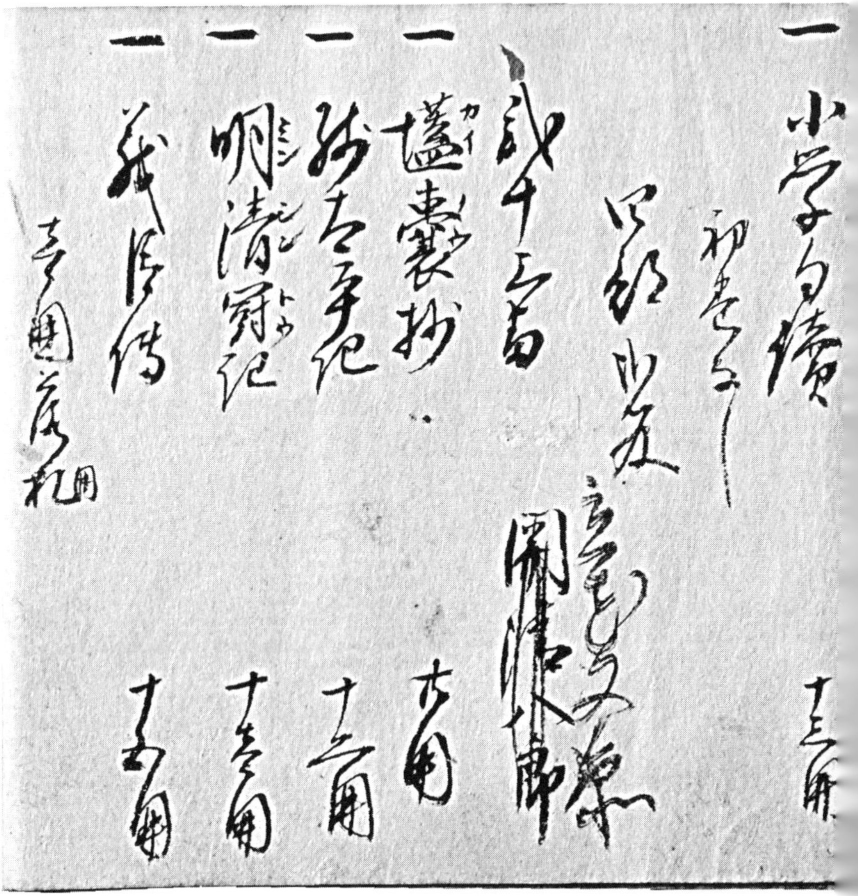

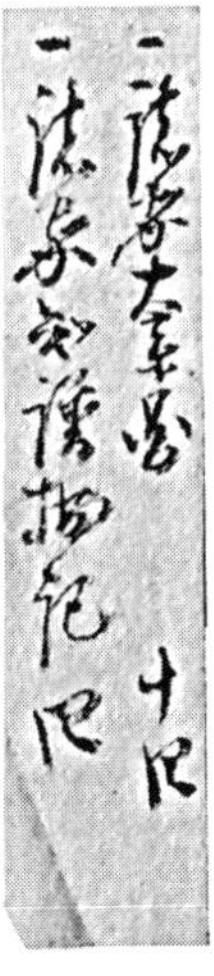

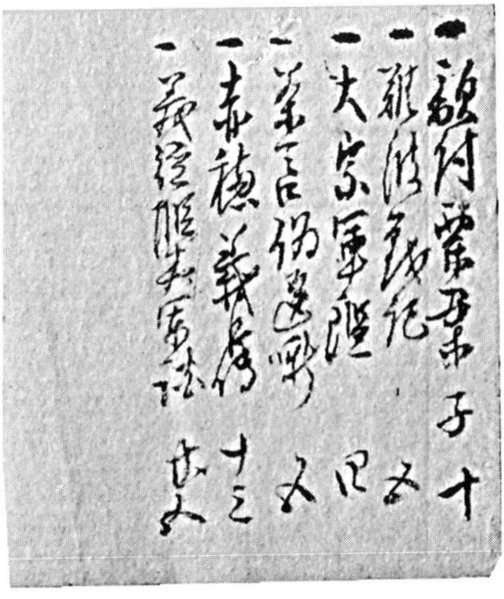

一　三教指帰　七冊

一　百人一首拾穂抄　四冊

六経小文

一　武十四書　[illegible]

一　本朝三国志　[illegible]六冊

一　続日本紀　十冊

一　続日本後紀　十冊

一　世説新語　六冊

四冊め欠　六冊め揃抄

[illegible]小文

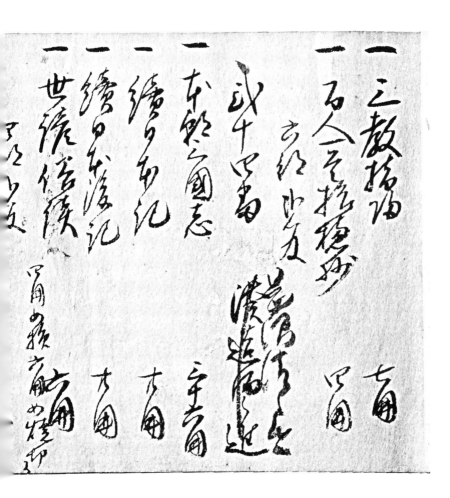

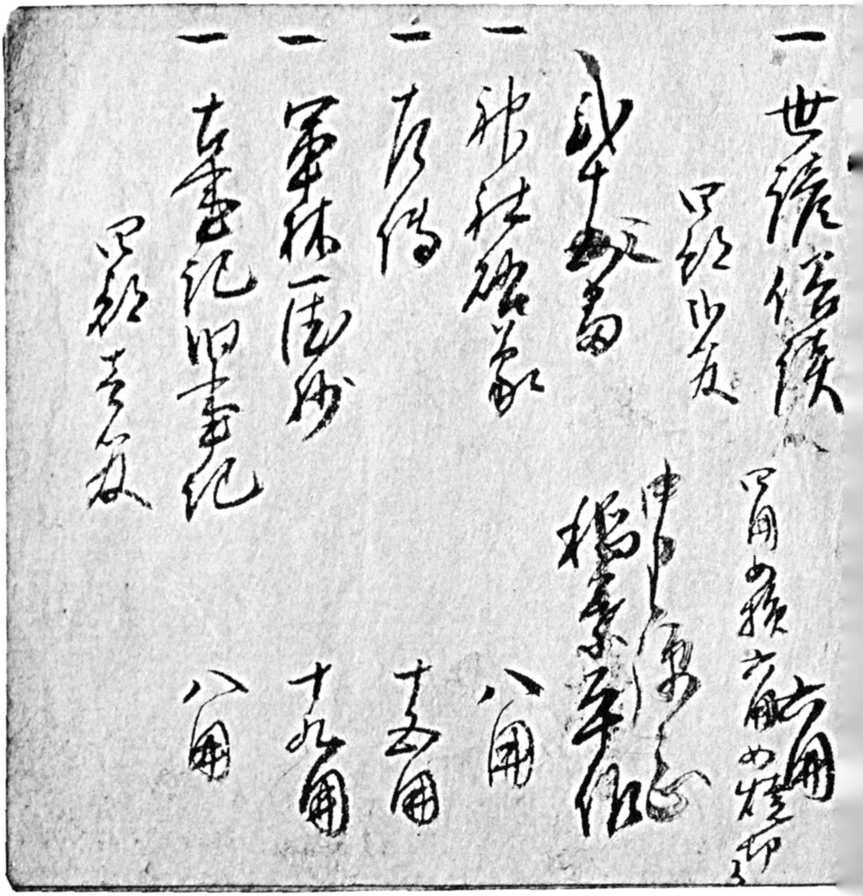

戊午買取

書肆出雲寺和泉

一 文廟実録　十冊

一 事物紀原　十冊

一 清出紀　七　八冊

一 歴代要覧冬考　二冊
坤吉大備

一 郵書纂要　七冊

一 荃宰録　二冊

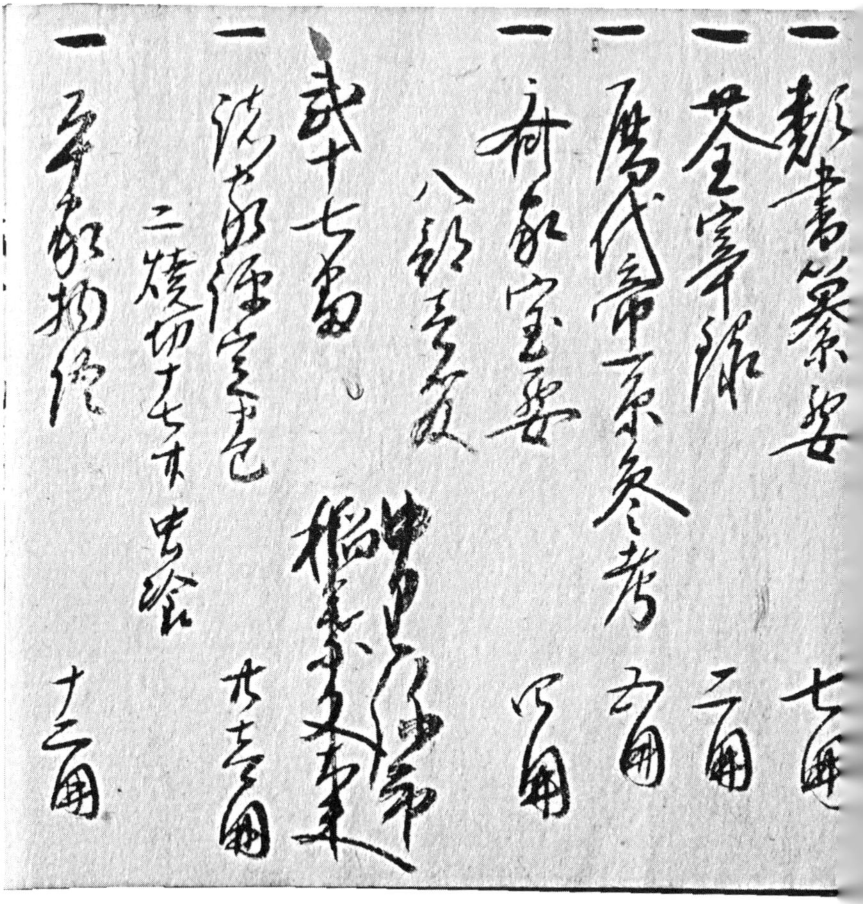

一 [illegible] [illegible] 十冊
一 文献実録 十冊
一 事物紀原 十冊
一 [illegible]氏蒙林 八冊
一 歴代要[illegible]参考 二冊
押古大全
一 類書纂要 七冊
一 [illegible]字録 二冊

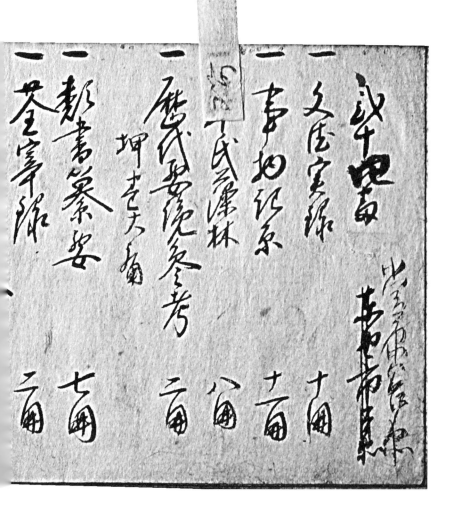

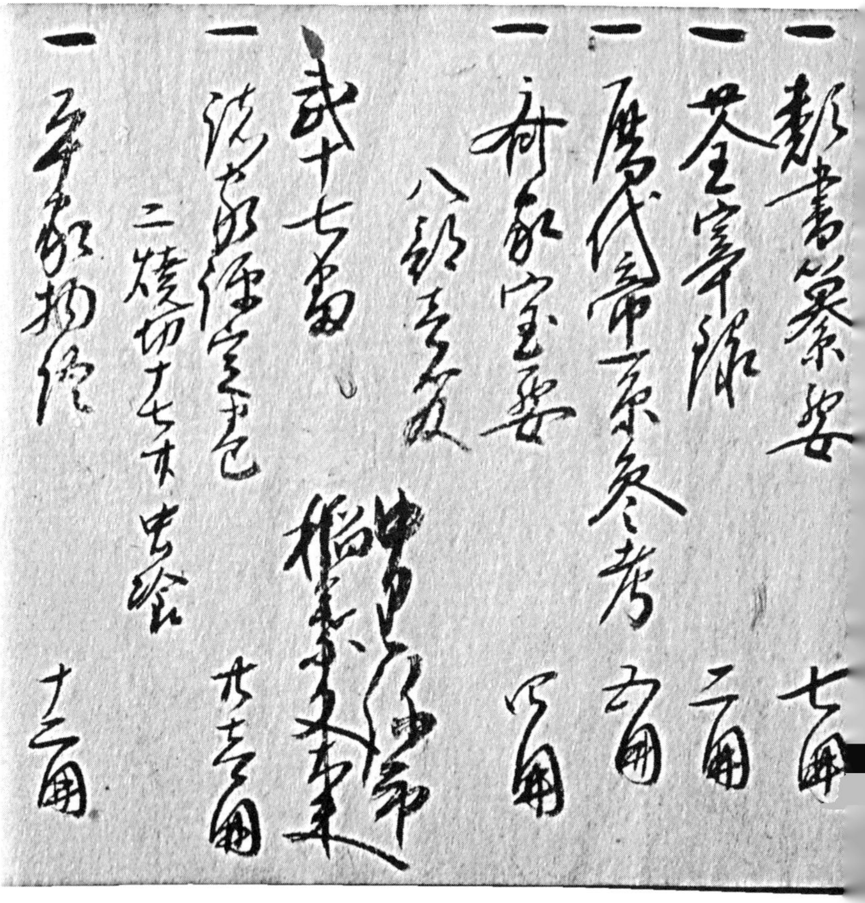

一 韻書纂要　七冊
一 全字類　二冊
一 歴代帝王[illegible]考　六冊
一 詩歌宝要　四冊
八[illegible]之友
一 武十七番
[illegible]
一 [illegible]　[illegible]冊
二様切十七本出来
一 平家物語　十二冊

8丁オ

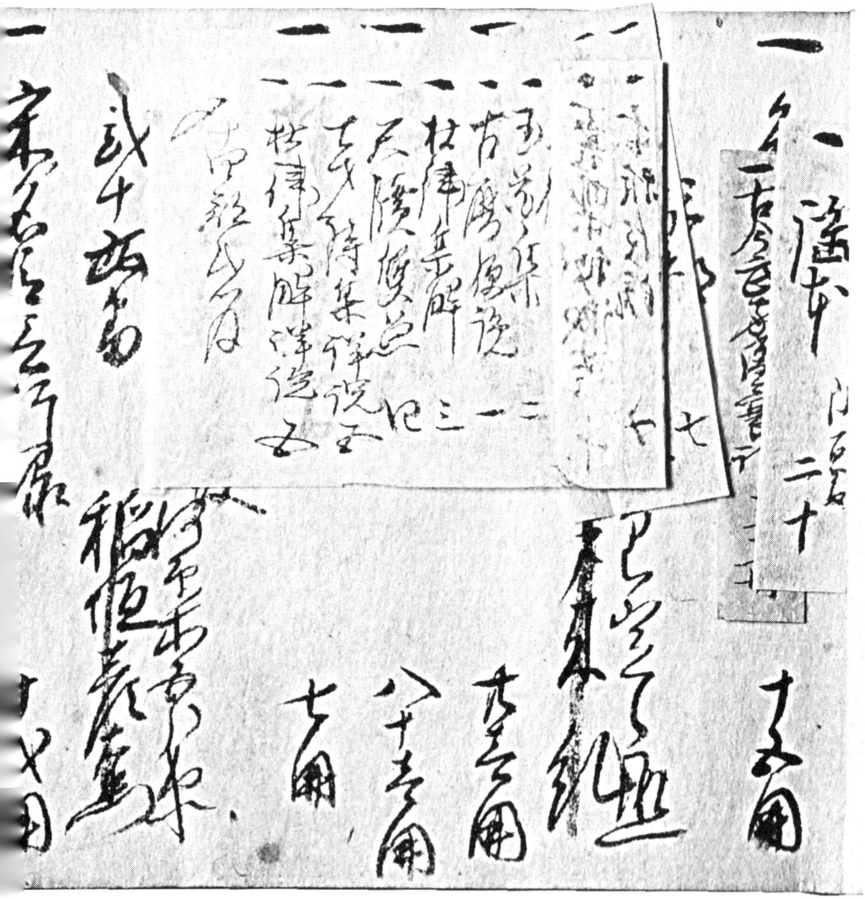

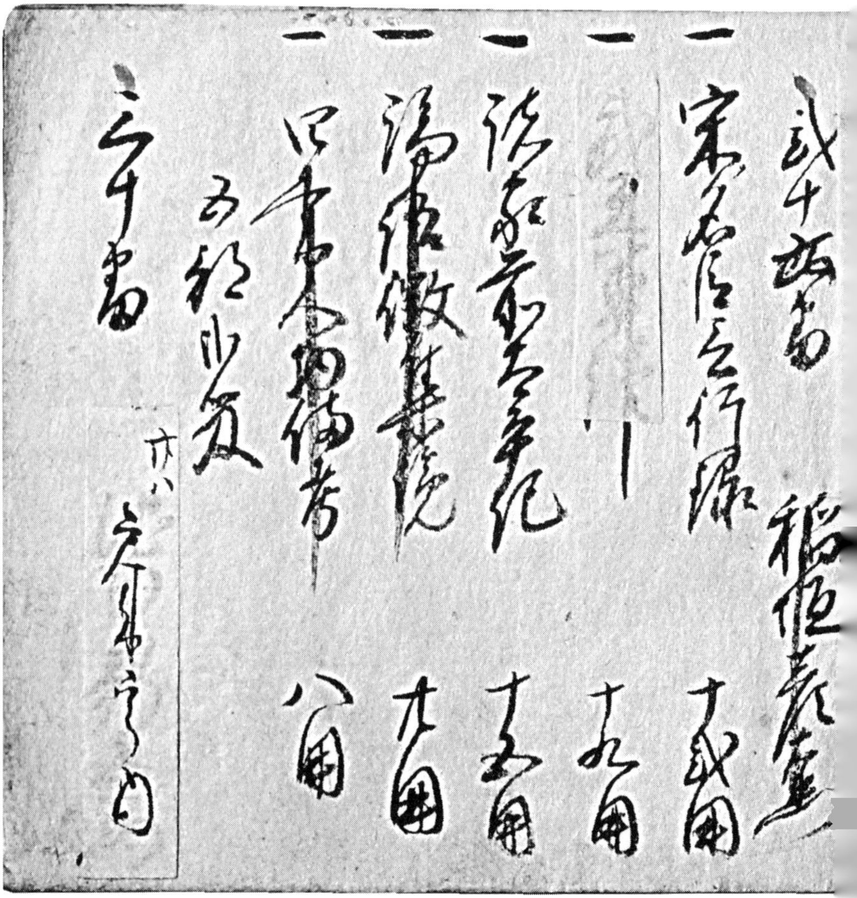

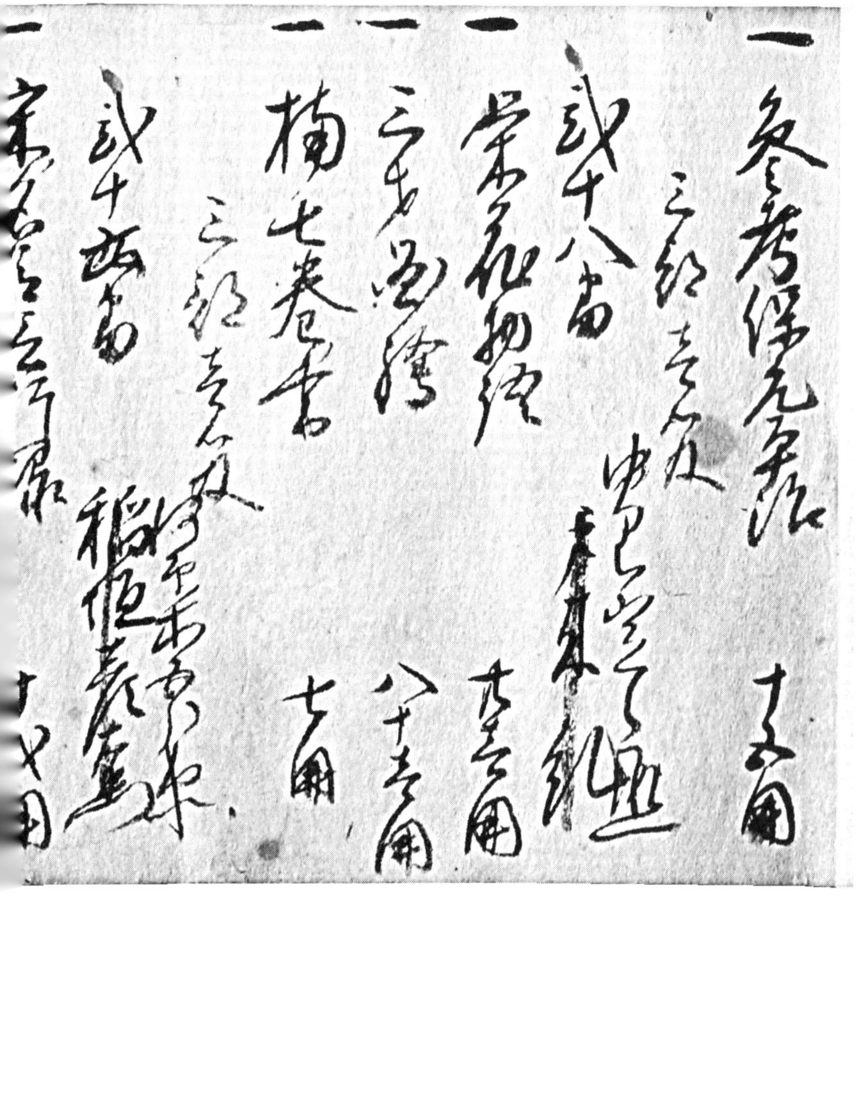

8丁オ

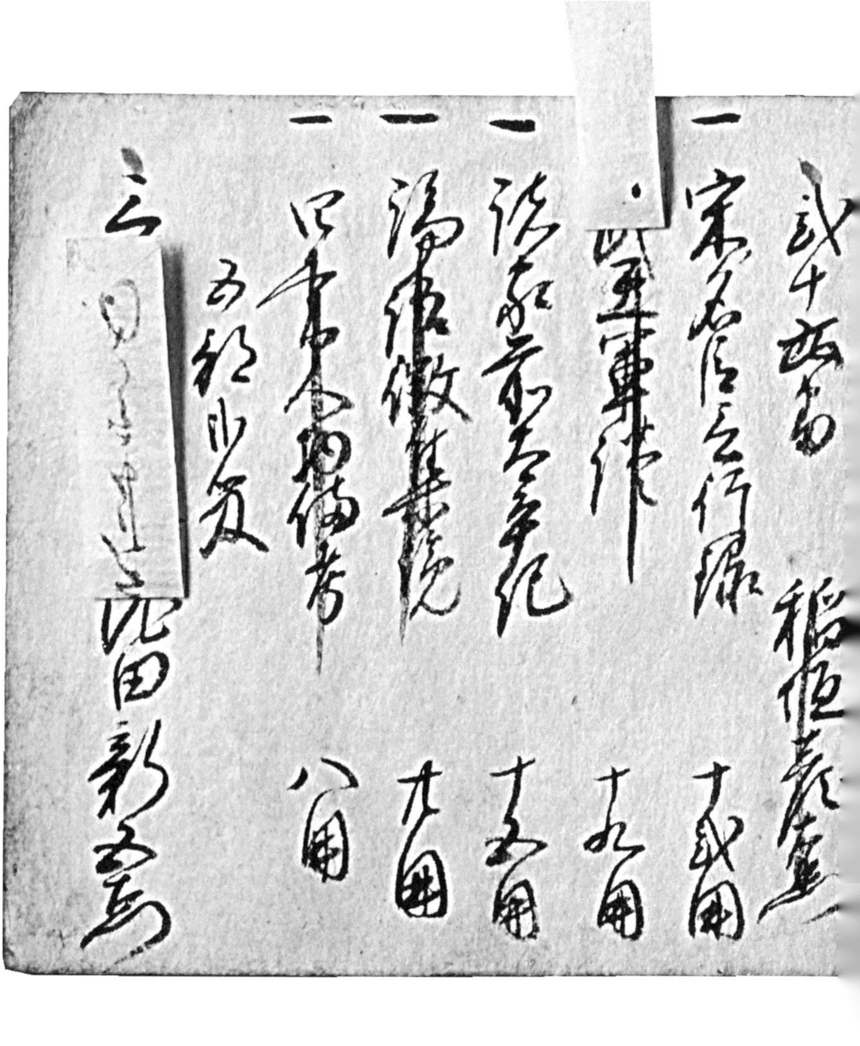

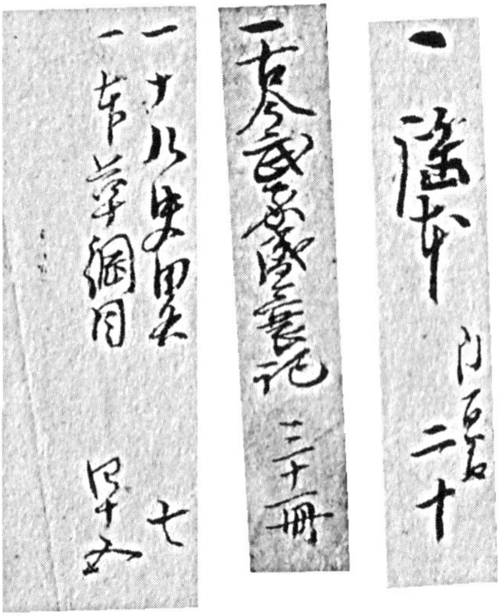
一　謡本　内百番　二十
一　古今武家盛衰記　三十冊
一　十八史略　七
一　本草綱目　四十五

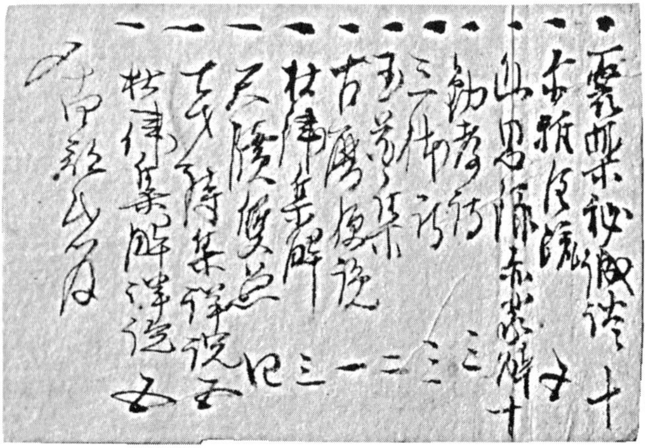

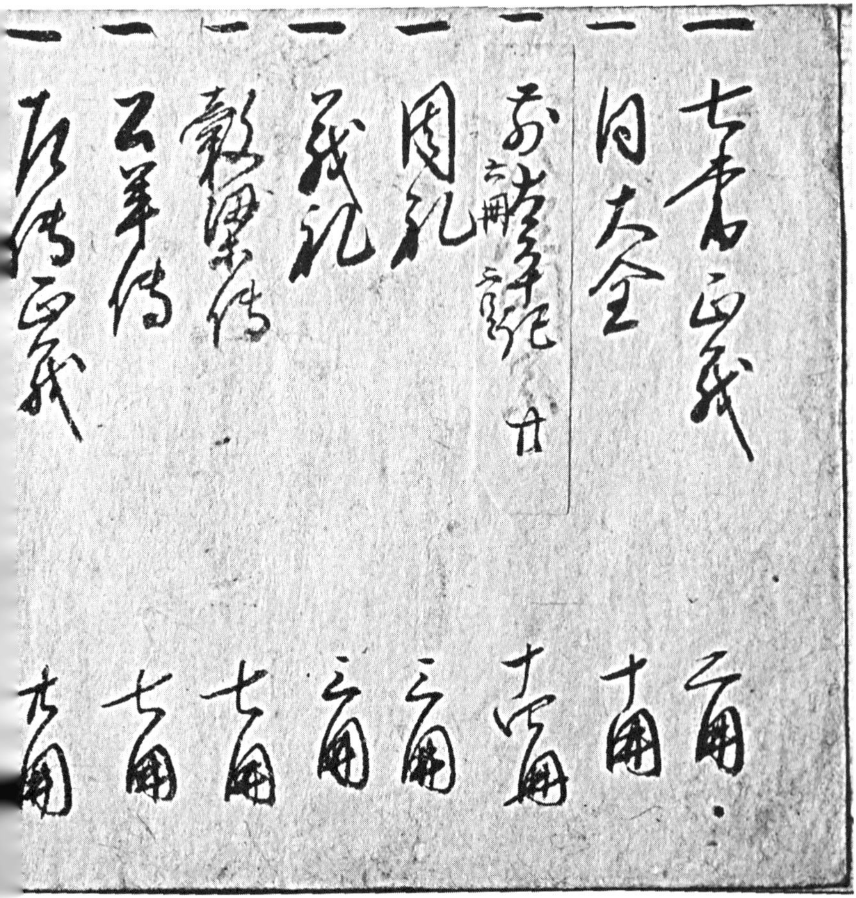
一 尚書正義　二冊
一 易大全　十冊
一 [illegible]　十冊
一 周礼　二冊
一 儀礼　二冊
一 穀梁伝　七冊
一 公羊伝　七冊
一 左伝正義　十冊

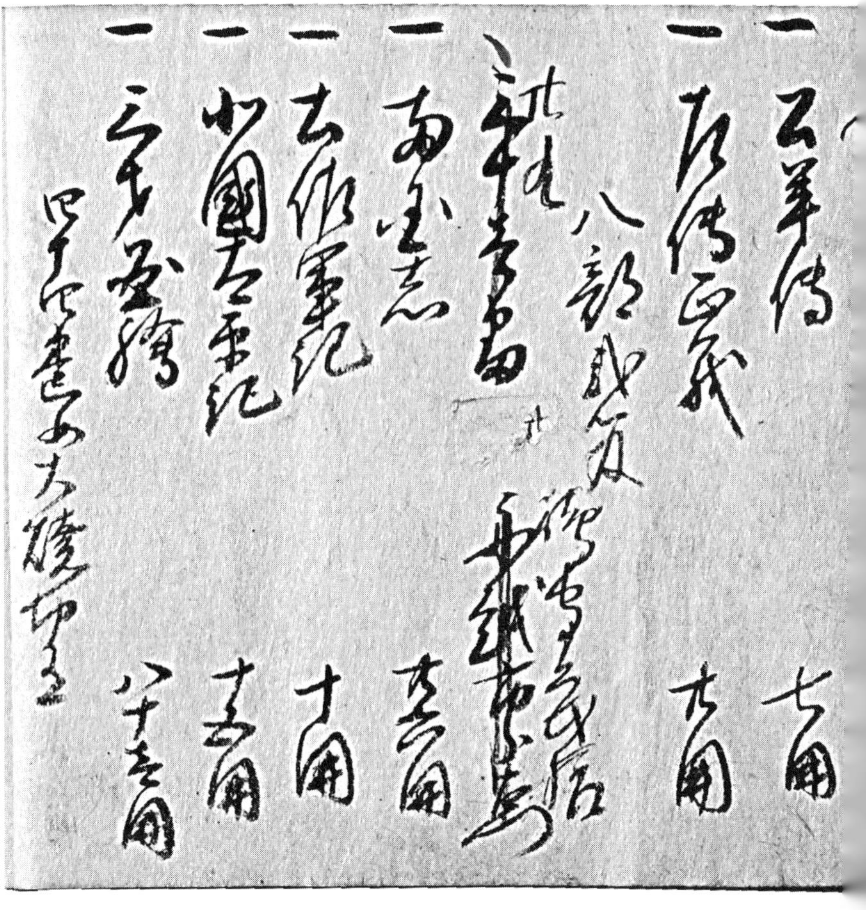

一 尚書正義　二冊

一 同大全　十冊

一 六経図考　十四冊

一 周礼　六冊

一 儀礼　六冊

一 穀梁伝　七冊

一 公羊伝　七冊

一 左伝正義　九冊

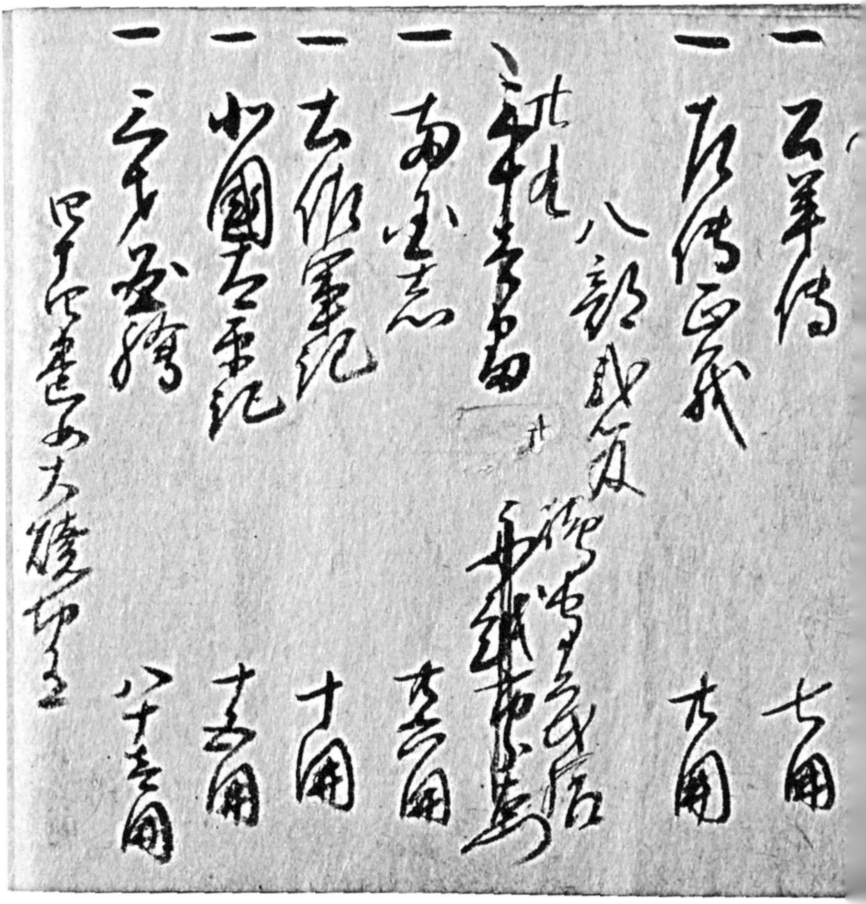

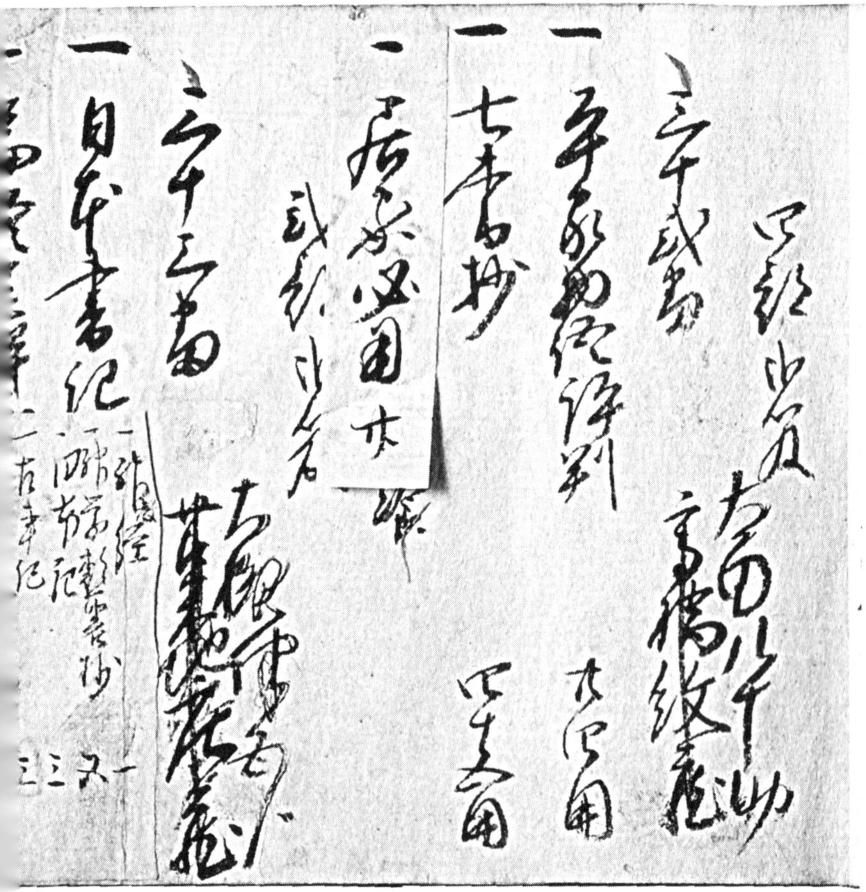

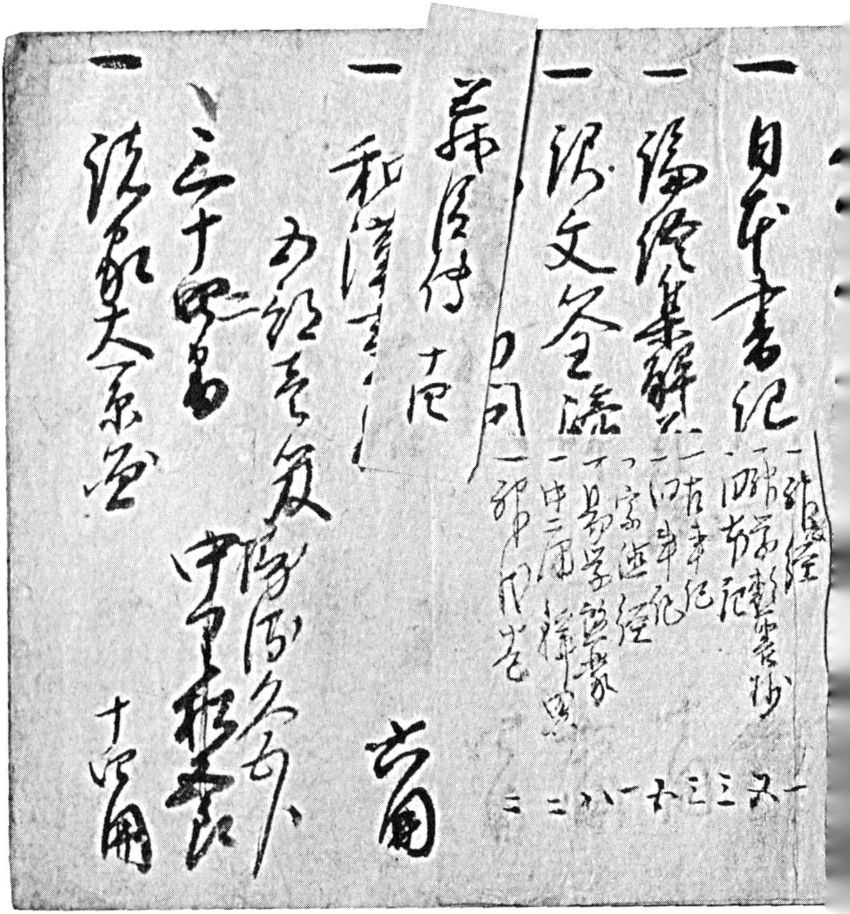

9
丁オ

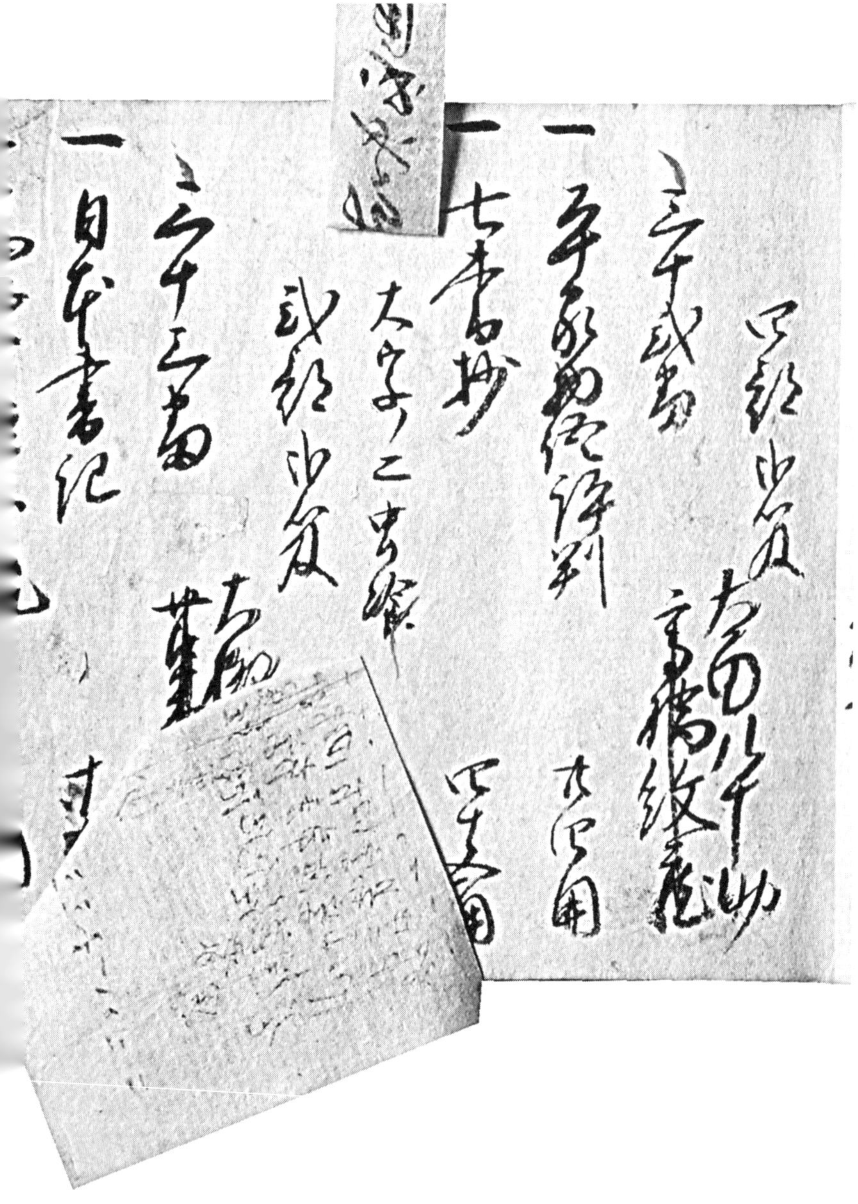

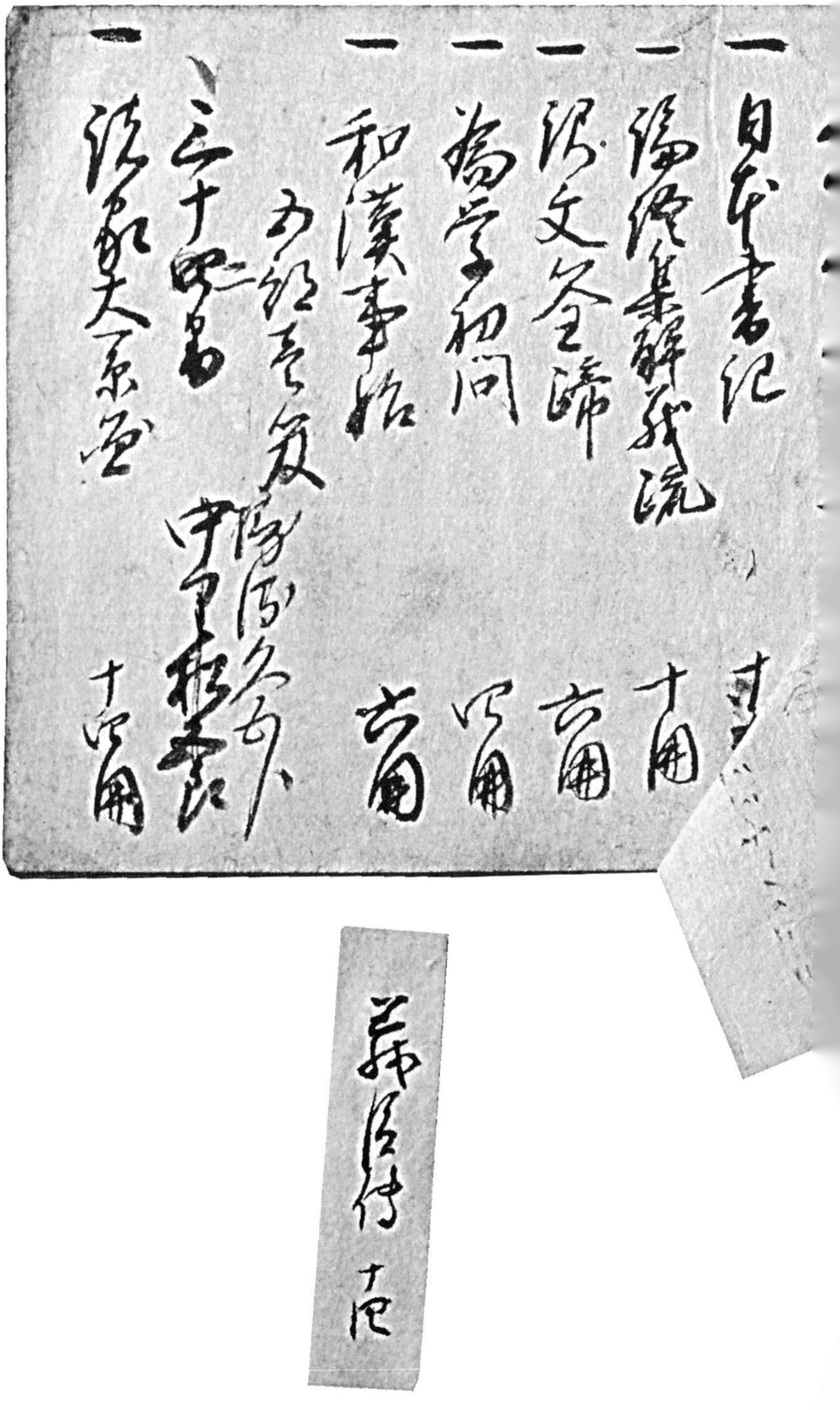

一 日本書紀

一 儒学初問 四冊

一 和漢事始 六冊

一 三十四番

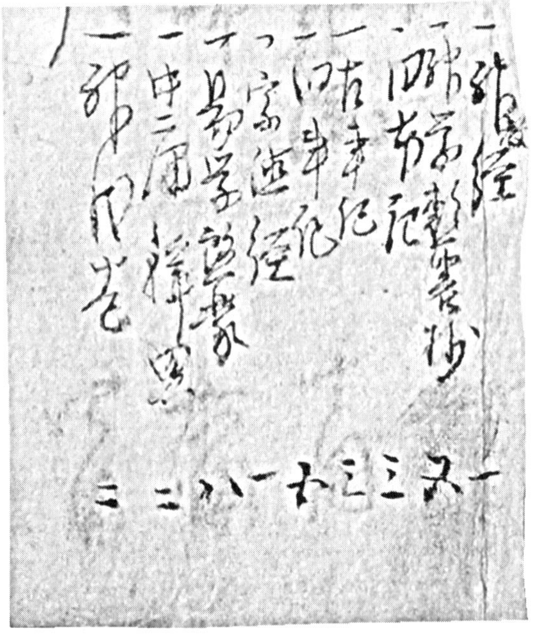

9丁ウ

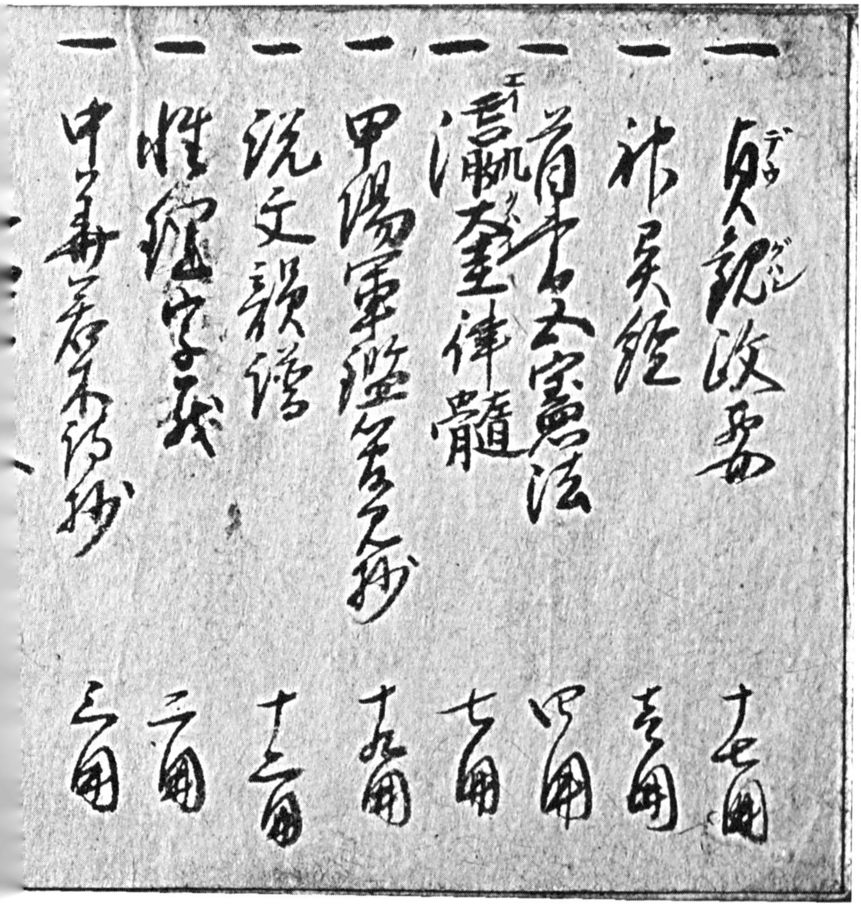

一 貞《デウ》観《グヮン》政要　十冊
一 孫呉経　壱冊
一 首書太宗憲法　四冊
一 瀛《エイ》奎律髄　七冊
一 甲陽軍鑑[illegible]抄　十五冊
一 説文韻譜　十二冊
一 性理字義　二冊
一 中[illegible]抄　三冊

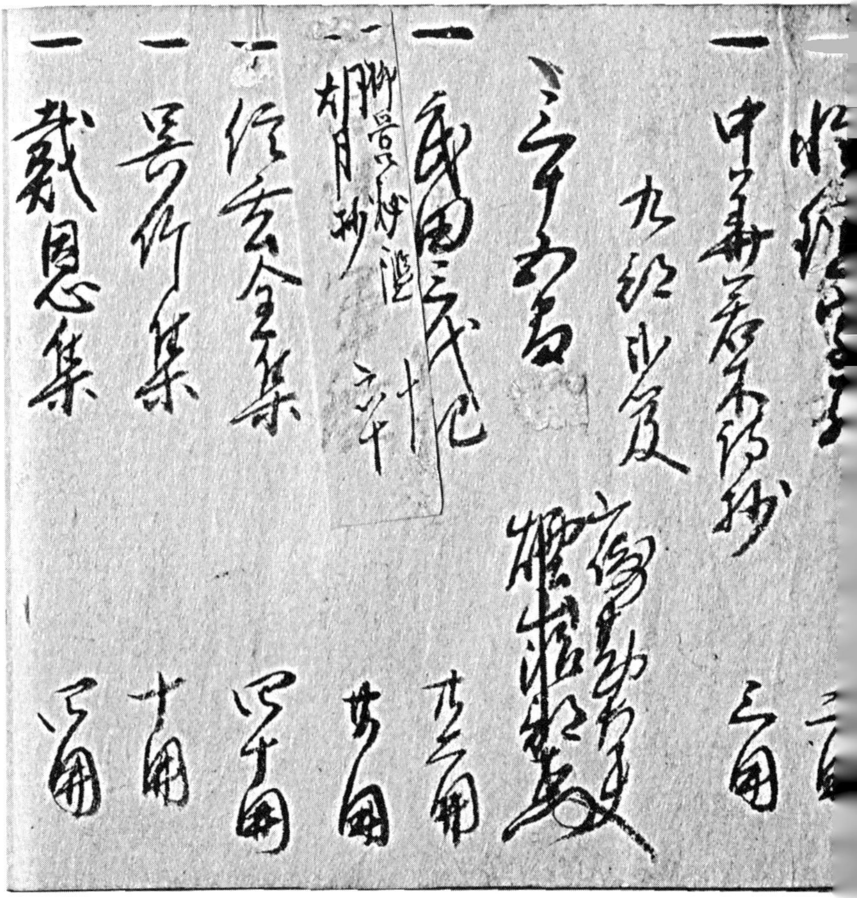

一 貞《デウ》観《グワン》政要　十七冊
一 孫呉經　十二冊
一 首書太宗憲法　四冊
一 瀛《エイ》奎《ケイ》律髓　七冊
一 甲陽軍鑑[illegible]抄　十五冊
一 説文韻譜　十一冊
一 性理字義　二冊
一 中華若木詩抄　三冊

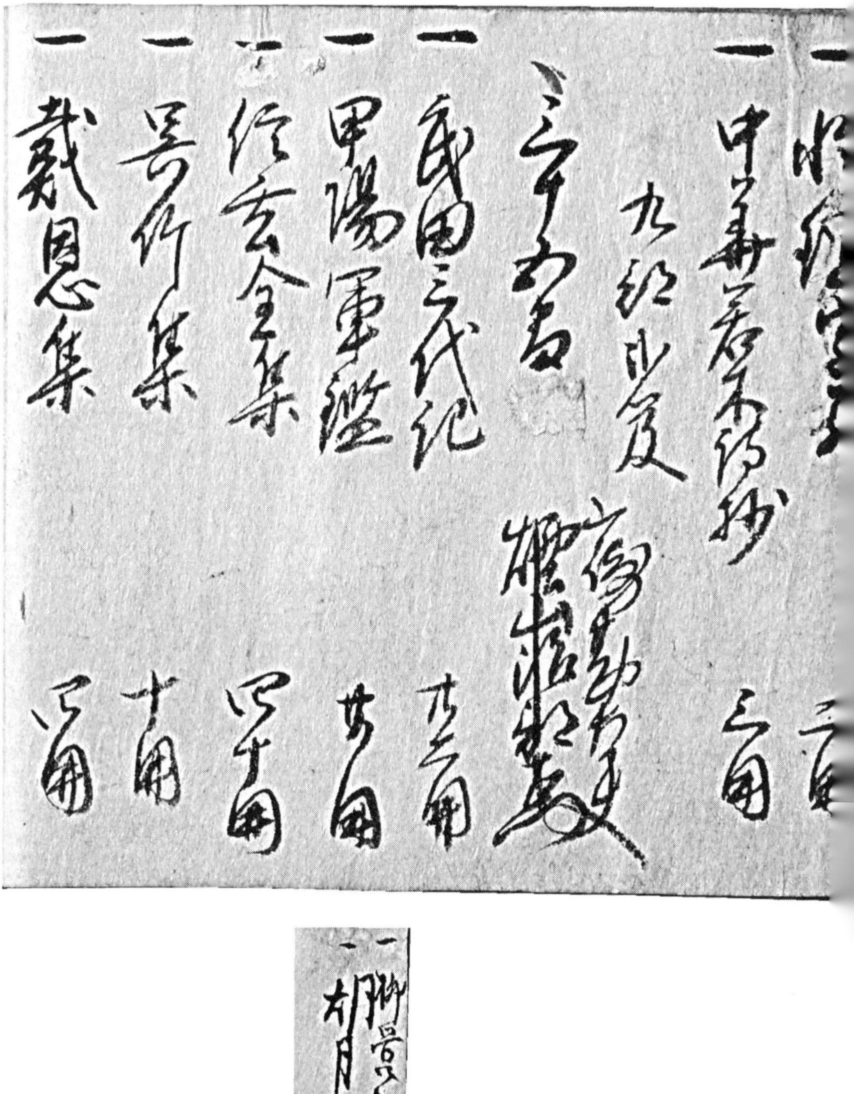

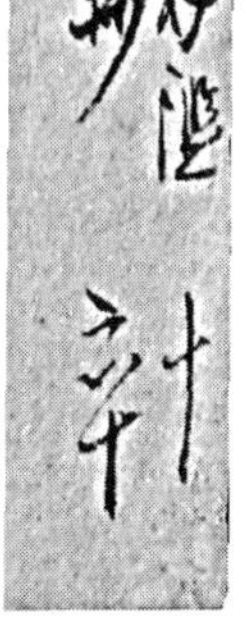

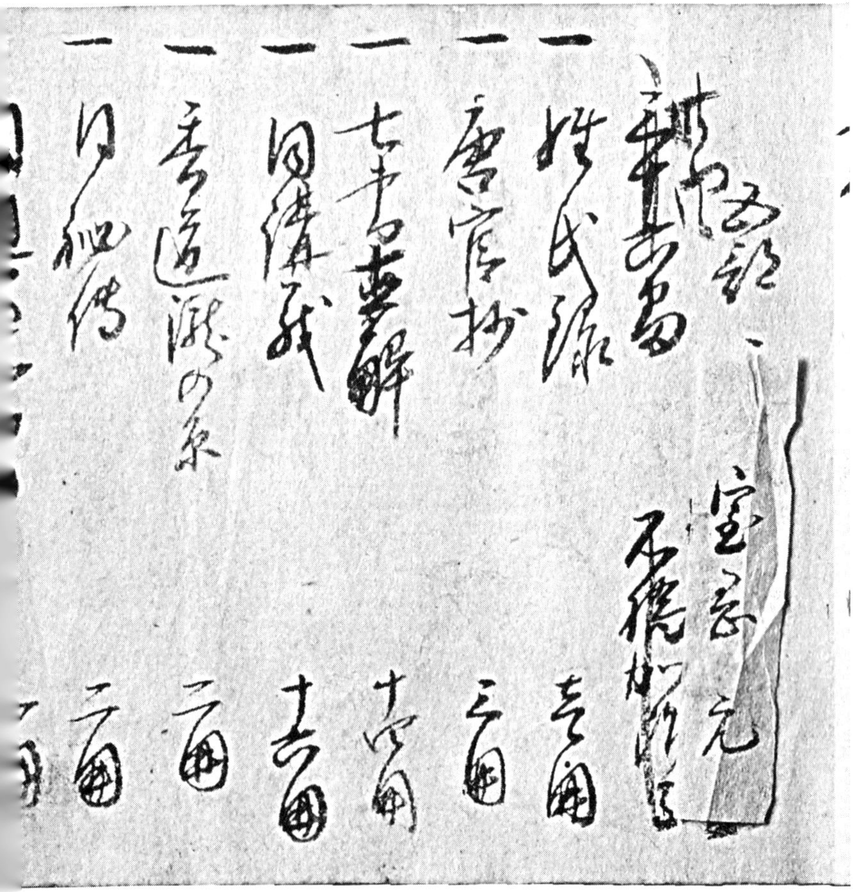

10丁オ

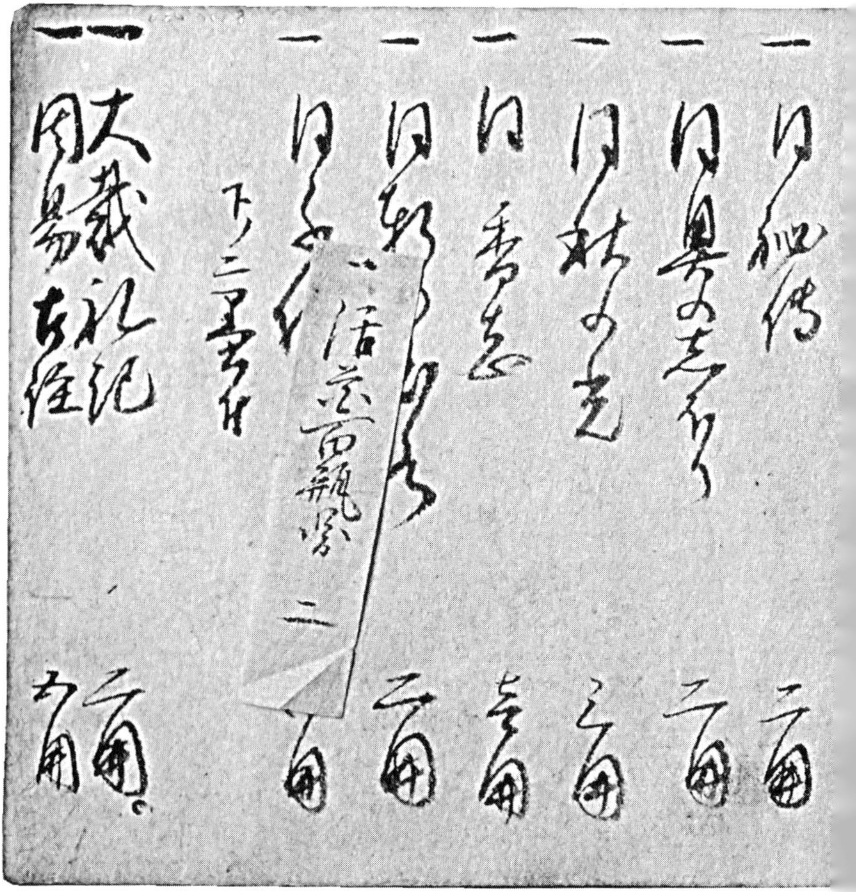

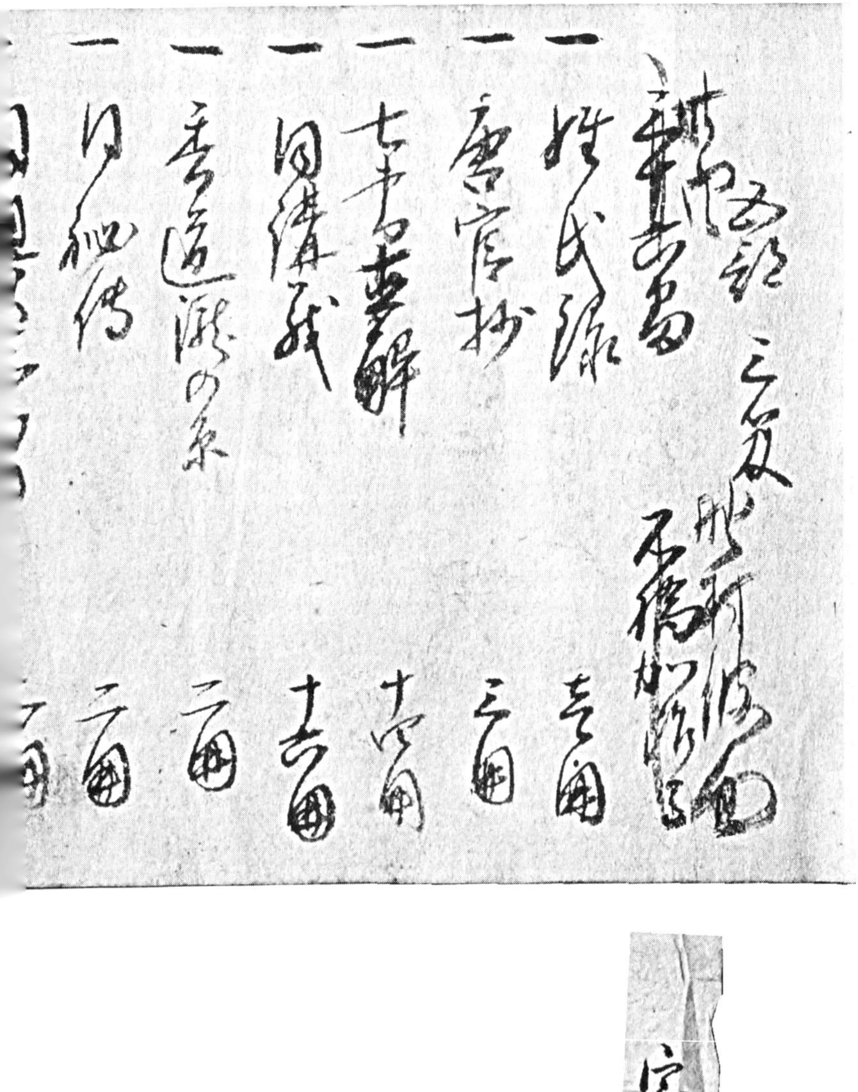

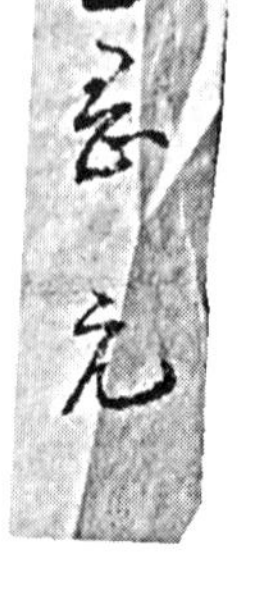

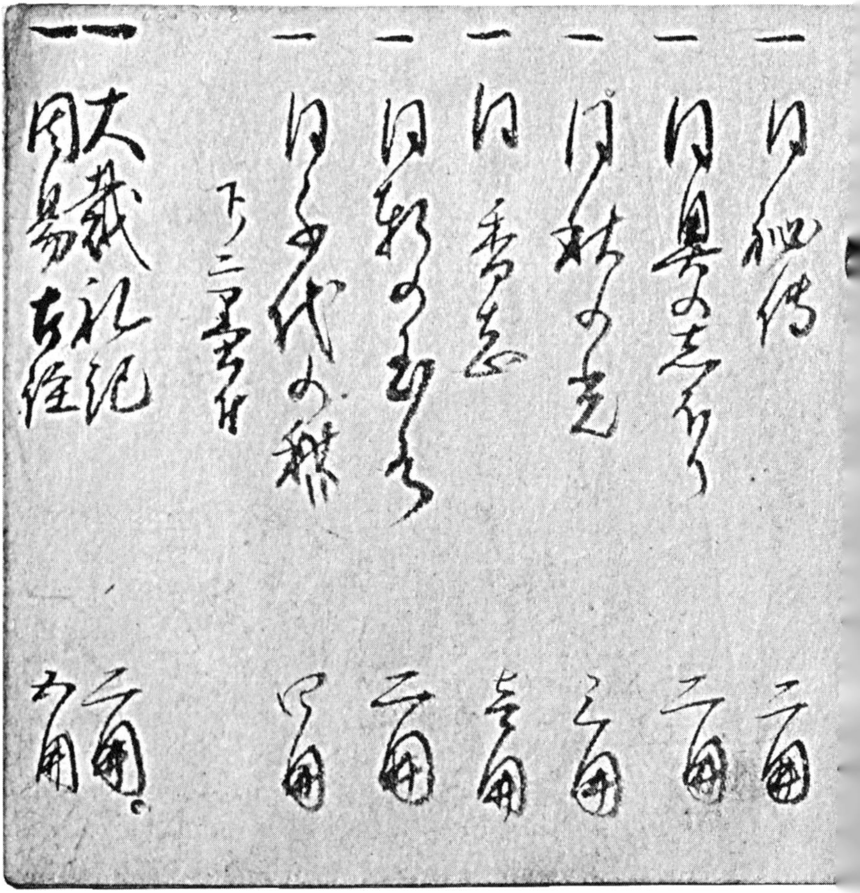

一 懲毖録　四冊
一 西來詳説　九冊
一 日本逸史　十冊
吉紀アゝ友
[illegible]
一 三子七書
一 當世里子解　五冊
一 萬救數方　十二冊
一 花夷通商考　五冊

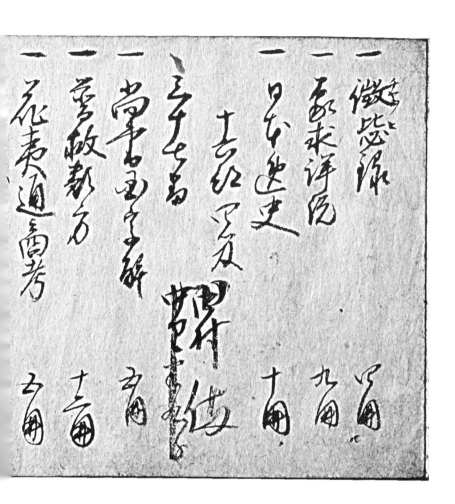

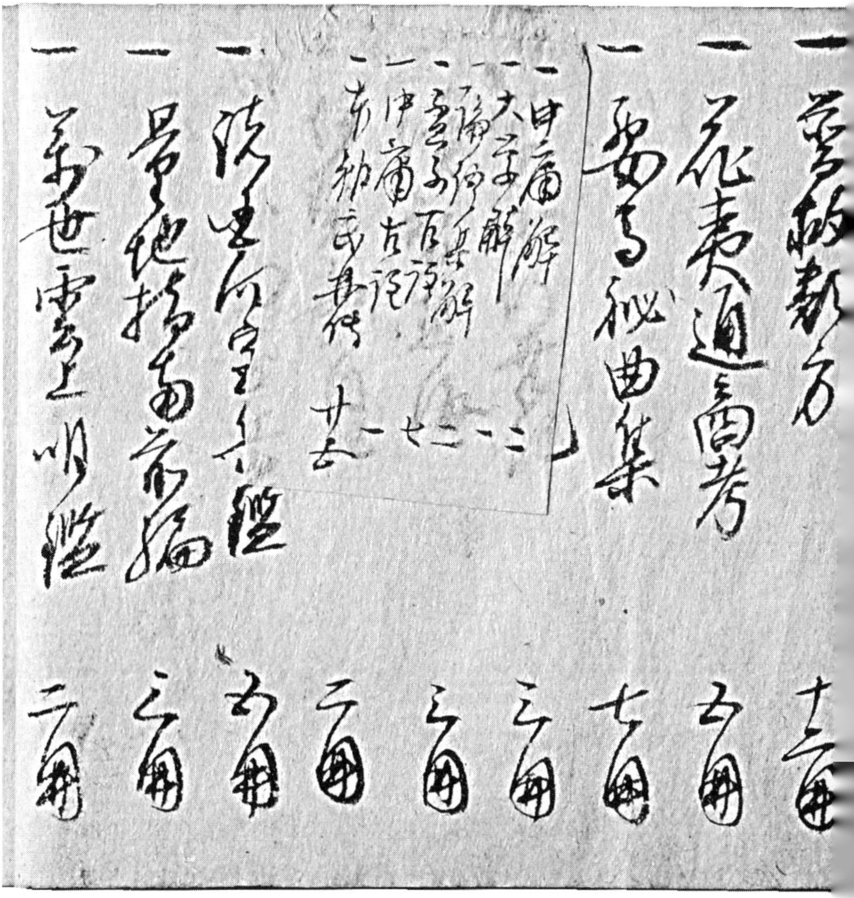

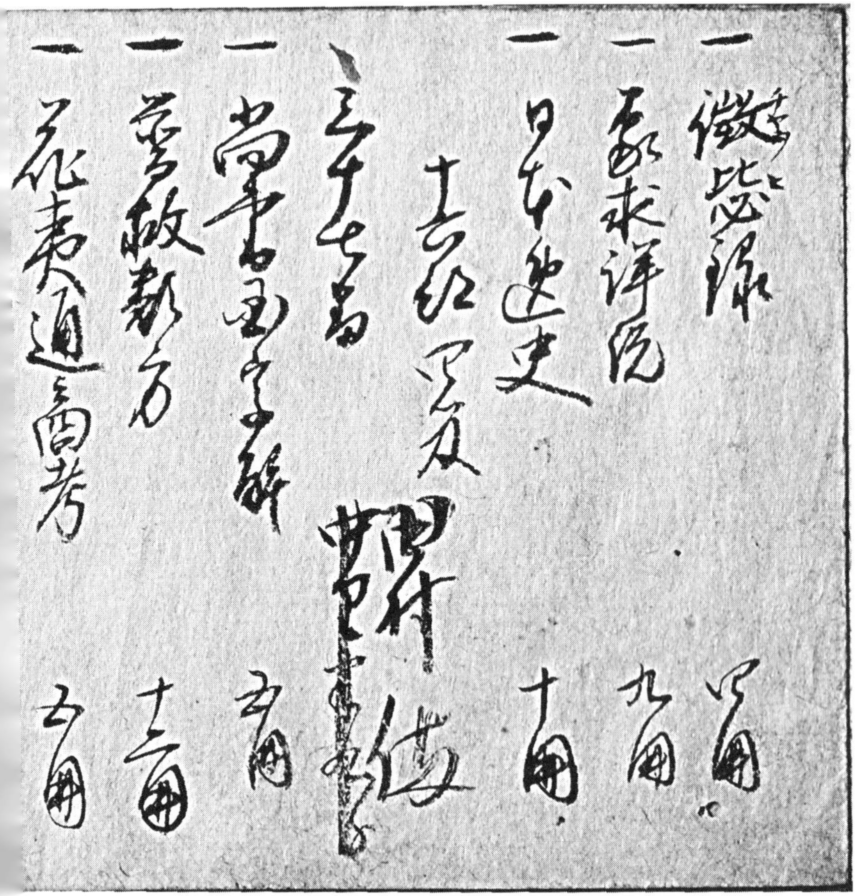
一 懲毖録 四冊
一 [illegible] 九冊
一 日本逸史 十冊
一 [illegible]
一 [illegible] 五冊
一 [illegible] 十二冊
一 [illegible] 五冊

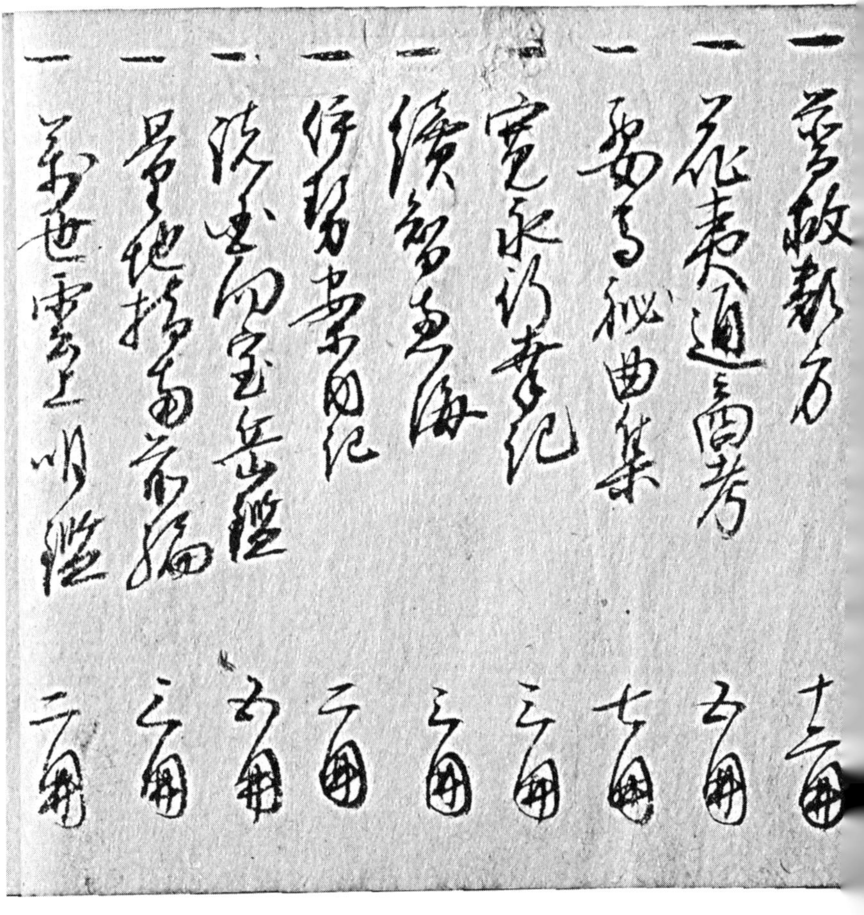

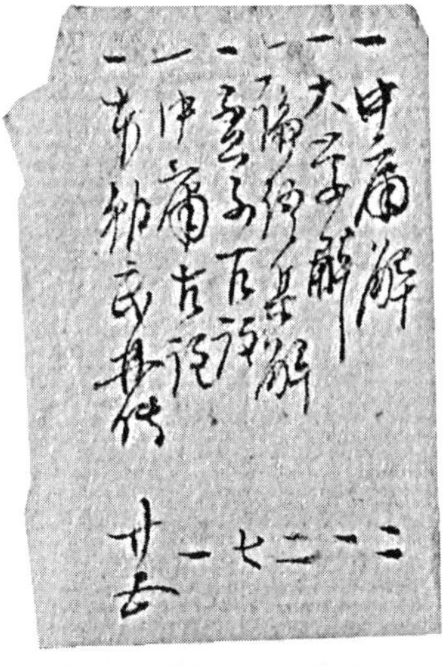

一 九経直音 [illegible] 廿六冊 [illegible]

一 診脉 二冊

一 孫子生字解 十壱冊

一 蒙求俚諺補鈔 七冊

一 和名類聚鈔 十冊

一 [illegible]経俚諺鈔 三冊

一 囲碁秘訣 壱冊

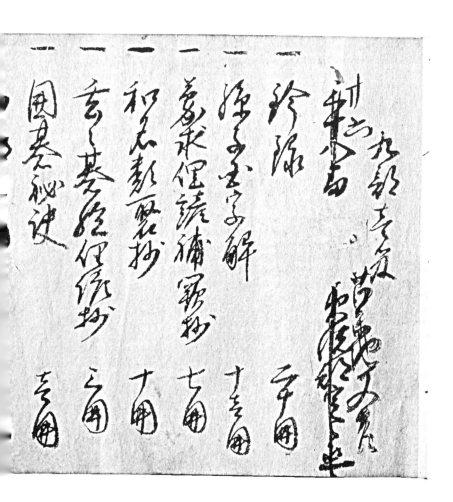

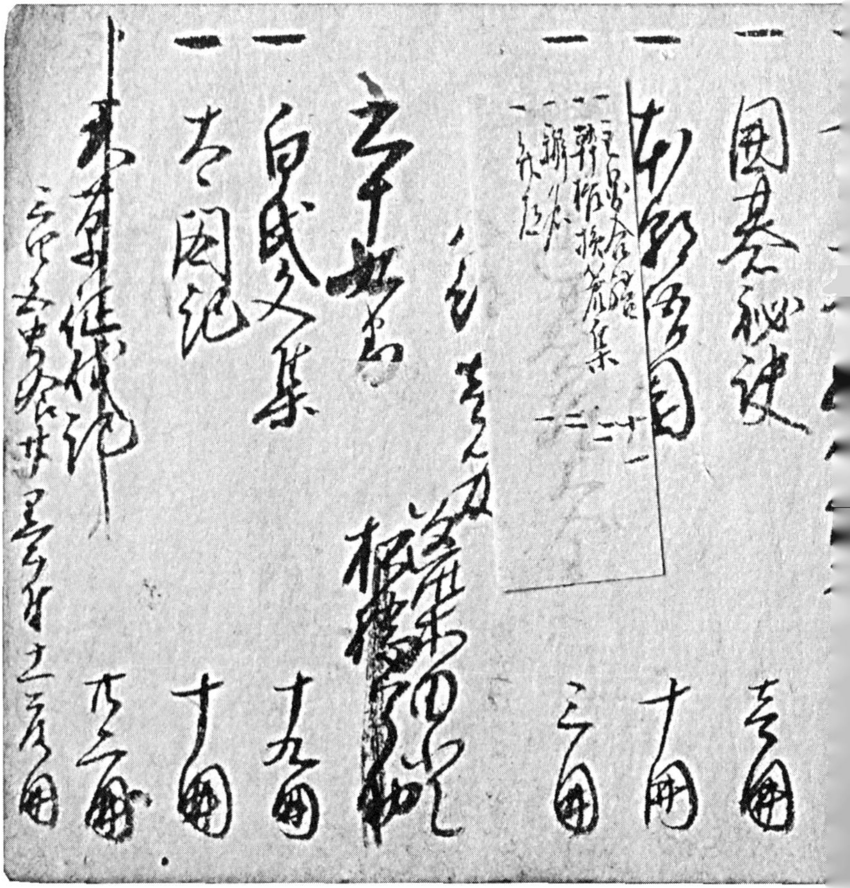

九録壱夜 [illegible]

卅六来高 [illegible]

一 詩源 三冊

一 經書字解 十壱冊

一 蒙求俚諺補類鈔 七冊

一 和名類聚鈔 十冊

一 孟子集註俚諺鈔 三冊

一 囲碁秘訣 壱冊

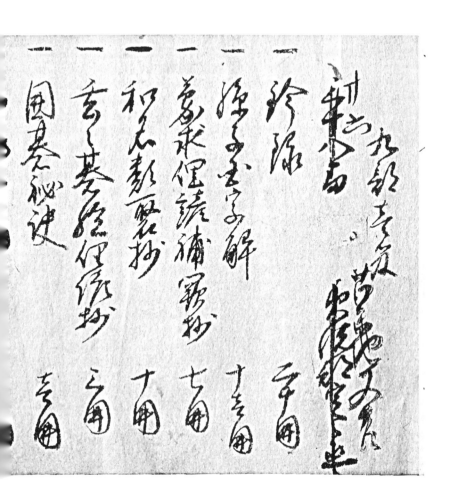

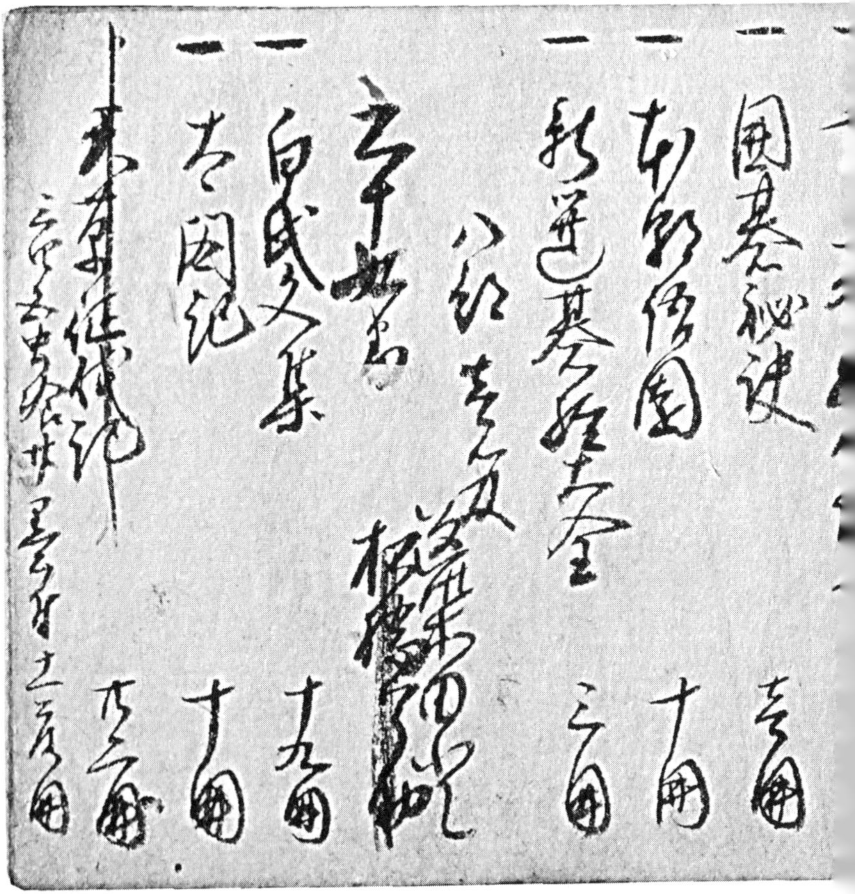

一 囲碁秘訣 壱冊
一 [illegible] 十冊
一 新撰碁経大全 三冊
一 [illegible]
一 [illegible]
一 白氏文集 十五冊
一 [illegible] 十冊
[illegible]

[illegible]

一 関東軍記　十冊

一 虚《キ》堂《ドウ》録　九冊

一 虚《キ》堂和尚語録　六冊

一 古傳繼《ケイ》　六冊

六物図友源氏根本新

[illegible]

一 異稱日本傳　十五冊

一 前太平記　廿三冊

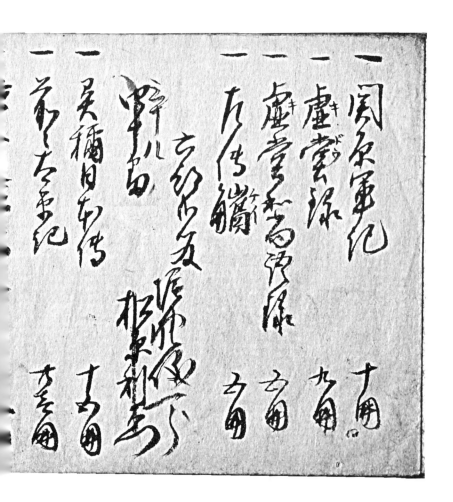

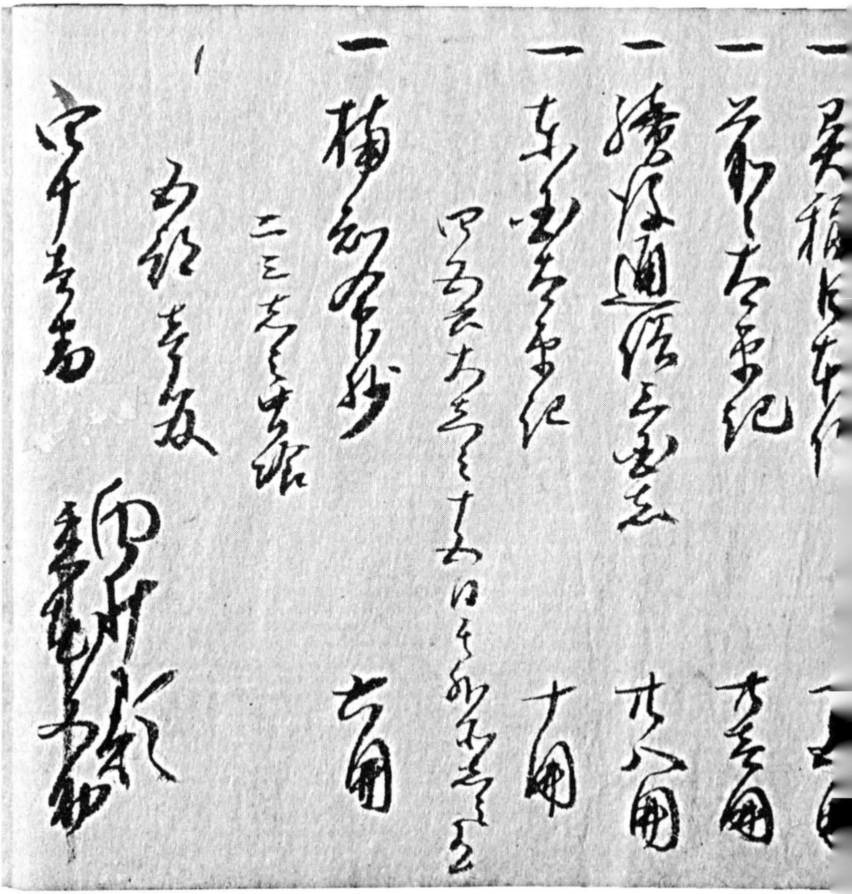

12
丁オ

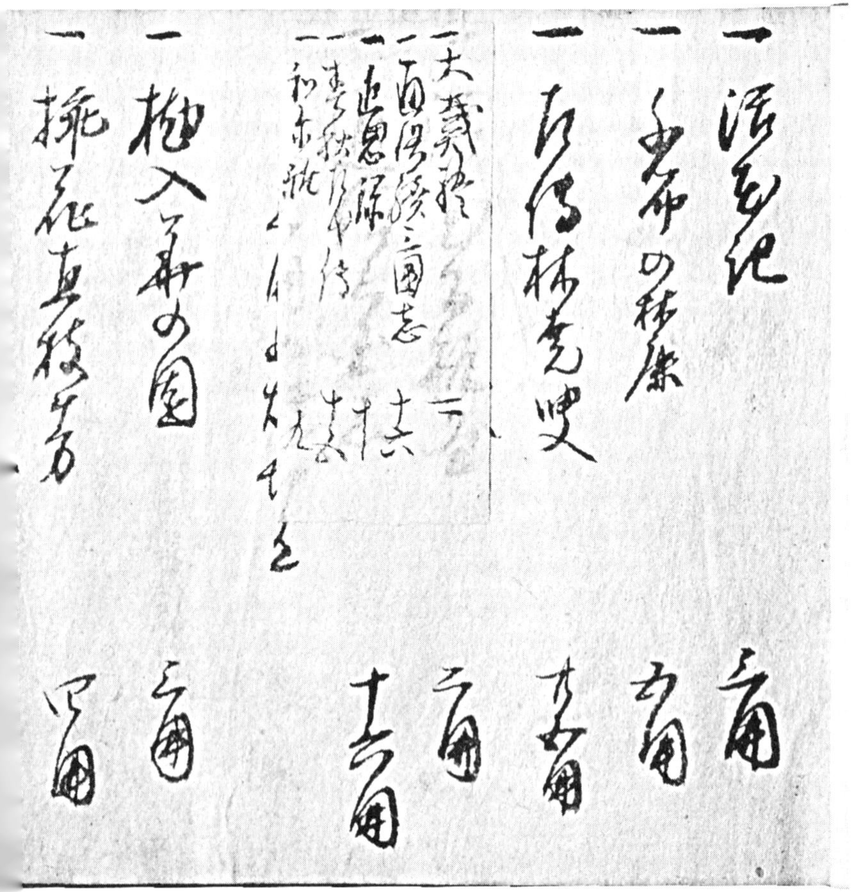

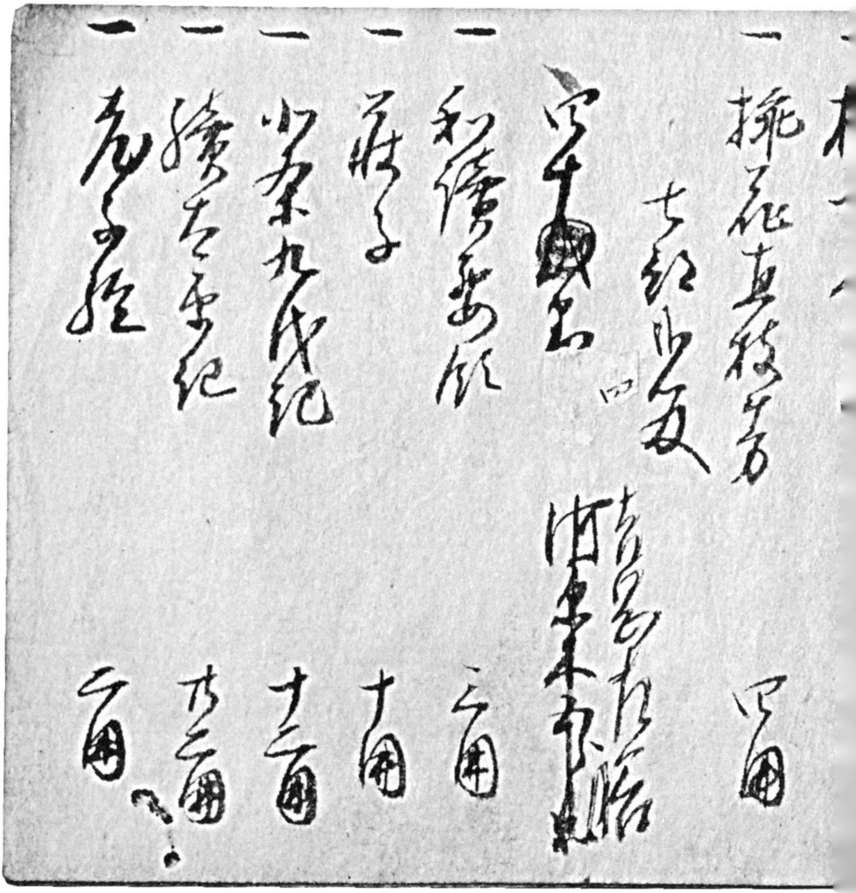

12丁オ

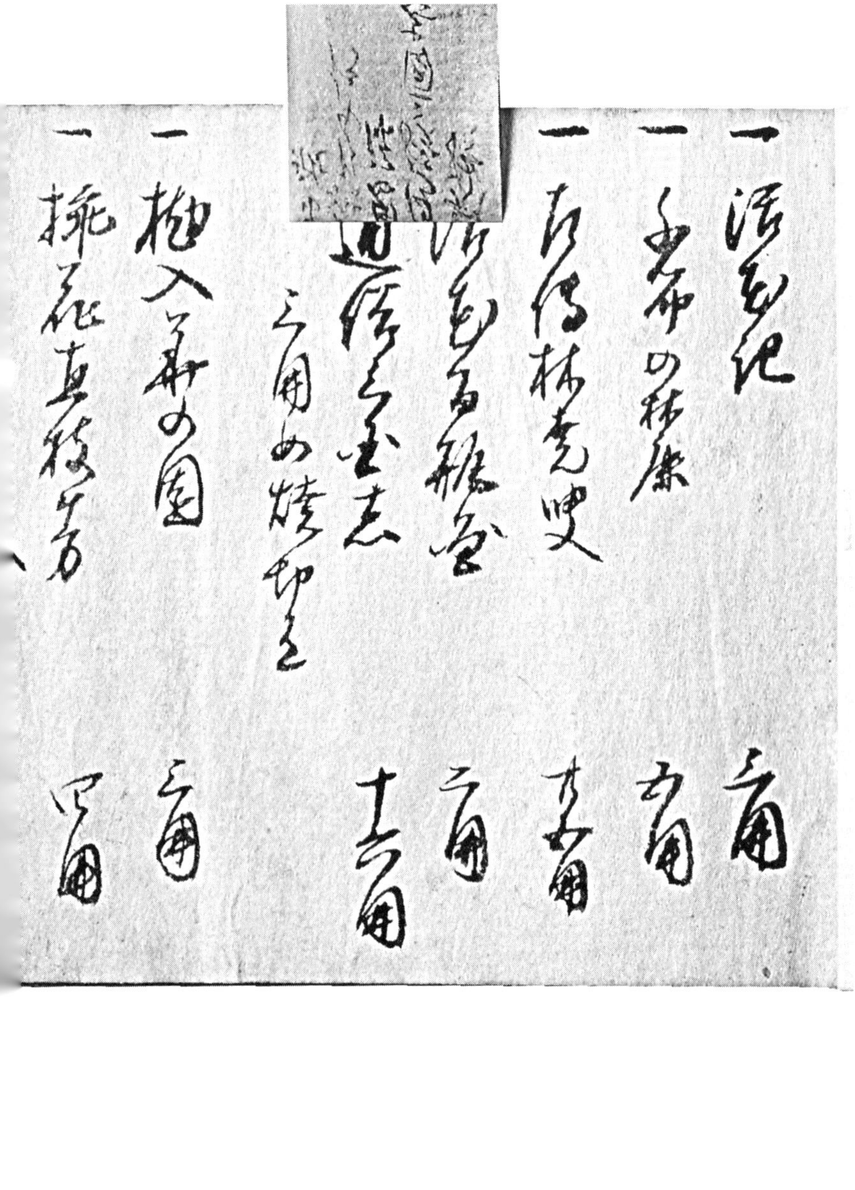

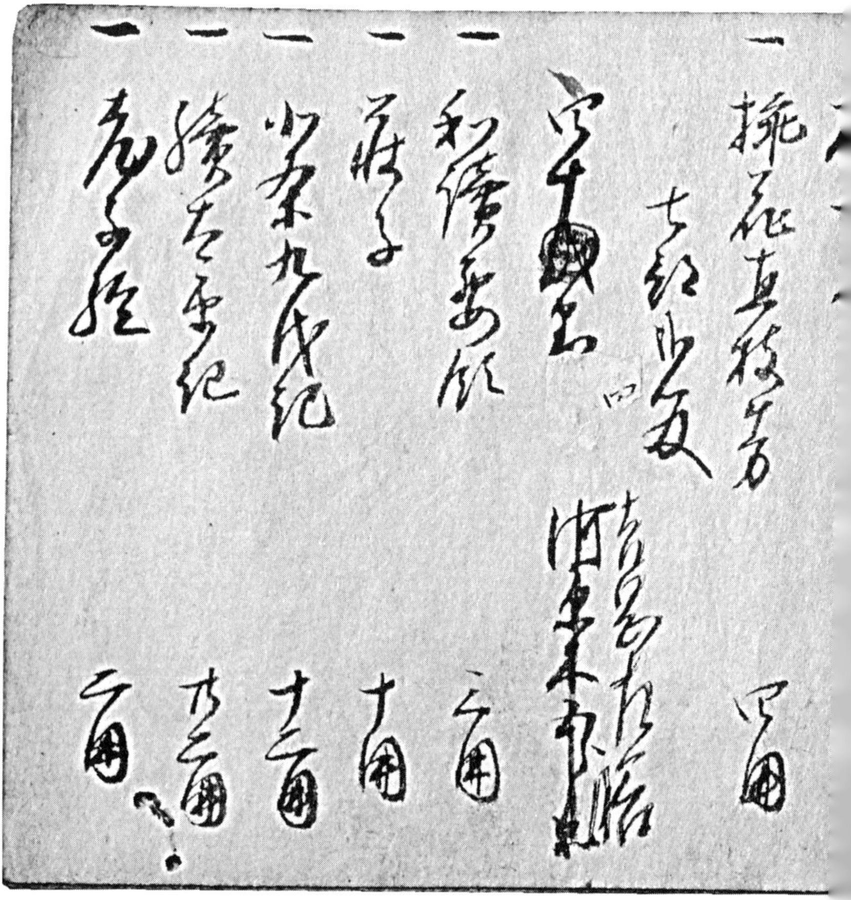

12丁ウ

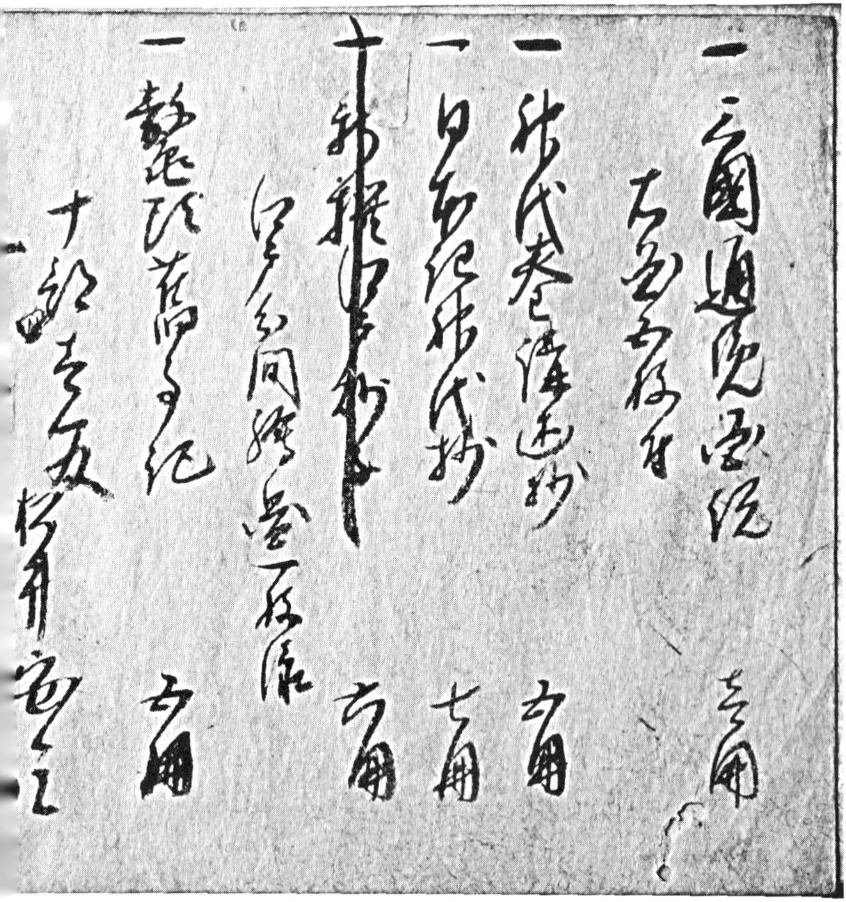

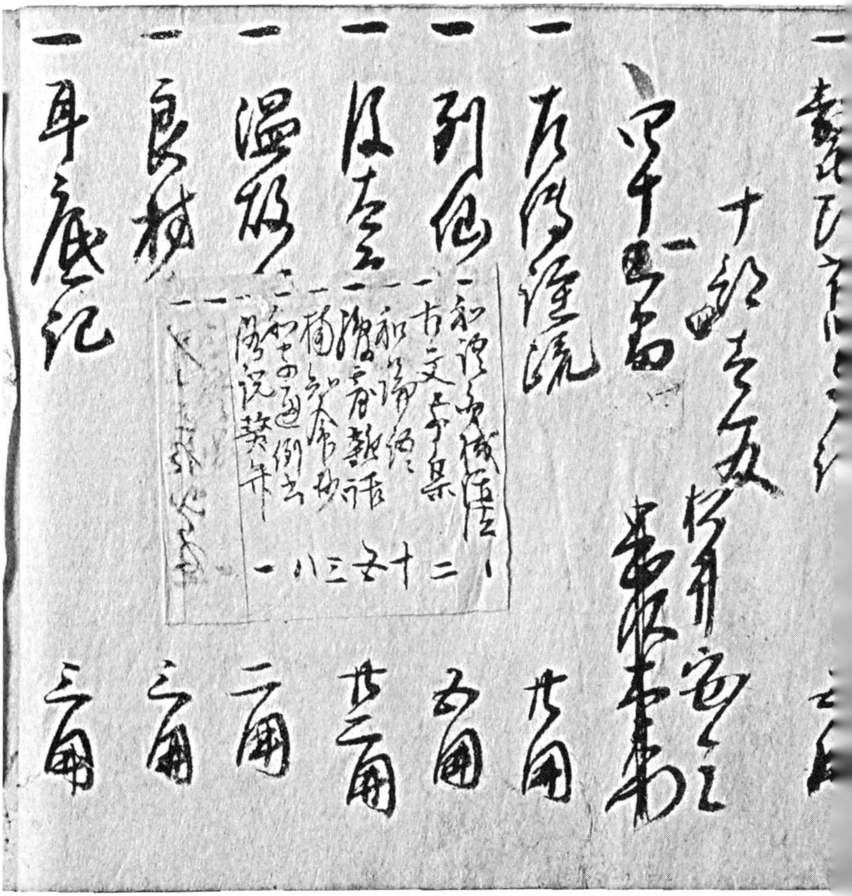

12丁ウ

一　三国通覧図説　壱冊
　右図五枚有
一　神代巻講述抄　六冊
一　日本紀神代抄　七冊
~~一　新羅之記録~~　六冊
　但シ右同様図一枚添
一　韃靼漂流記　六冊
　十郎左衛門　松井宅江

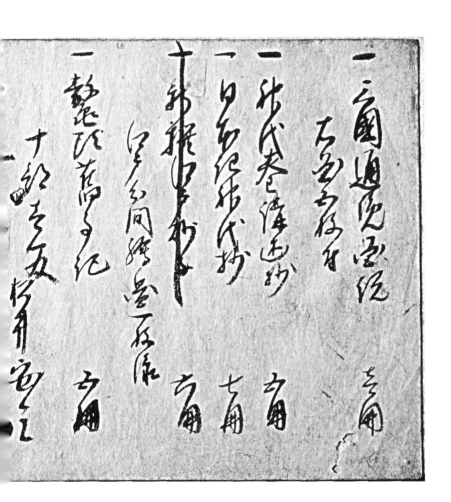

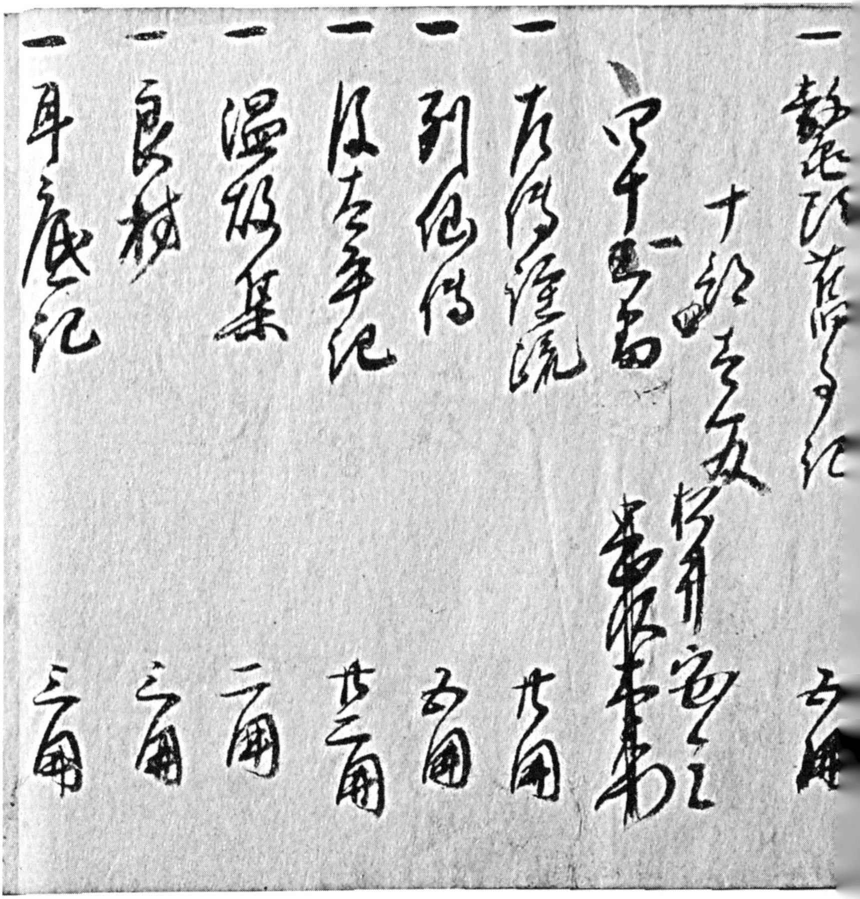

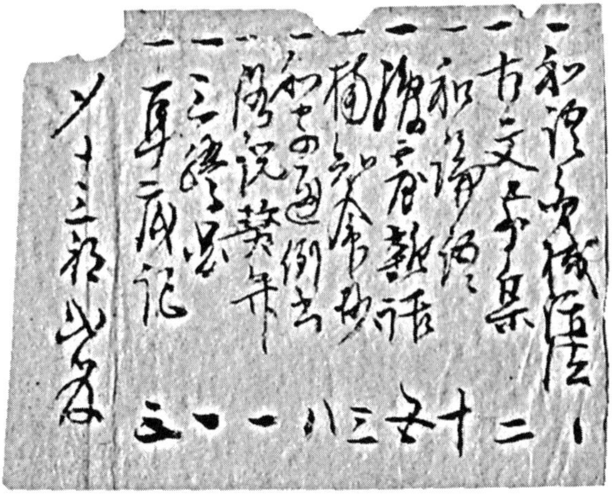

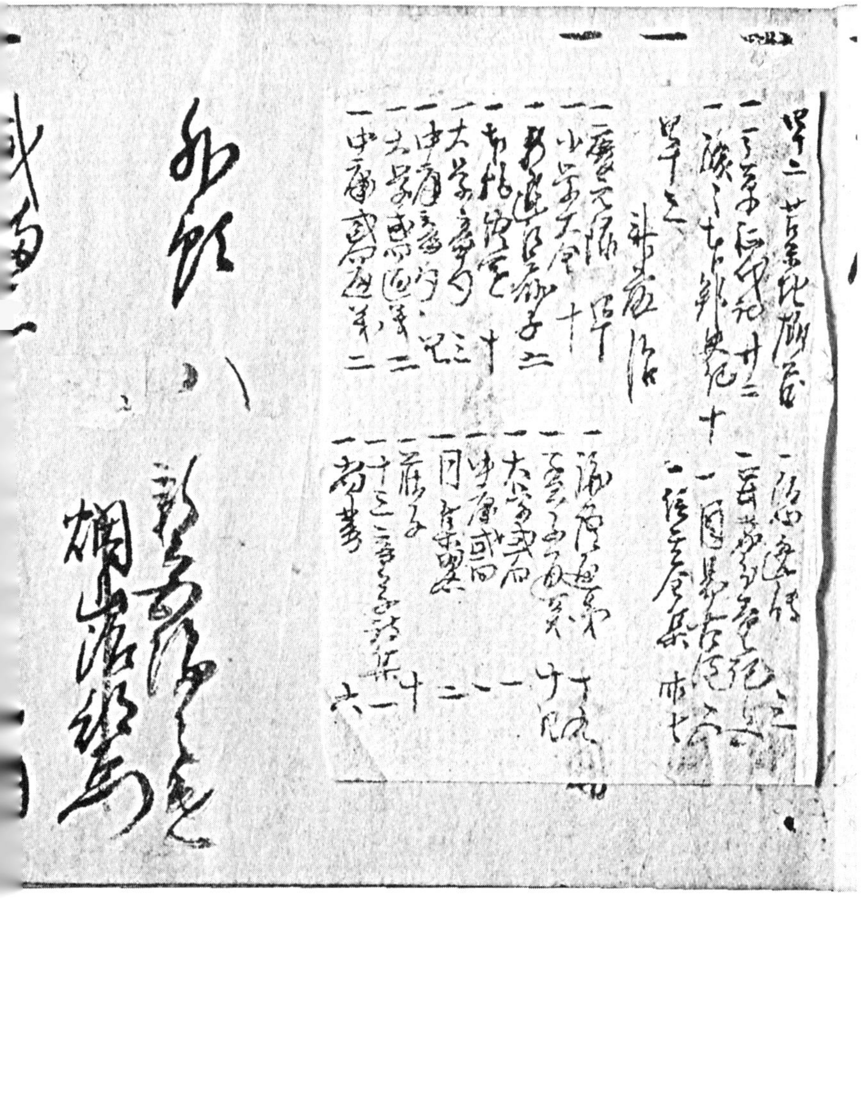

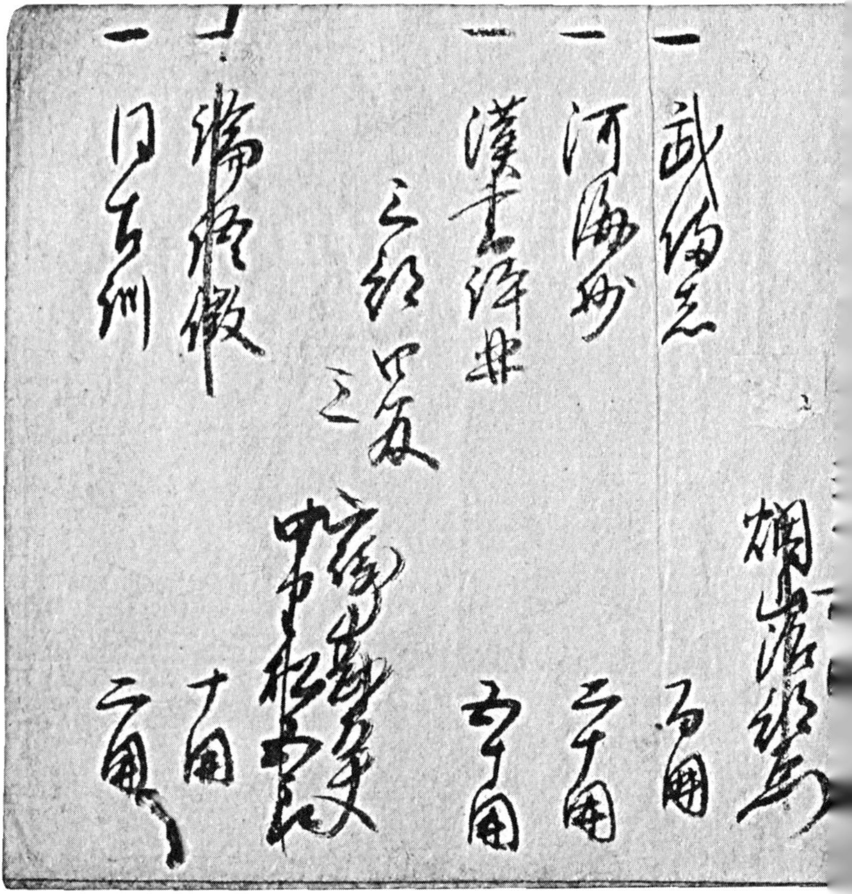

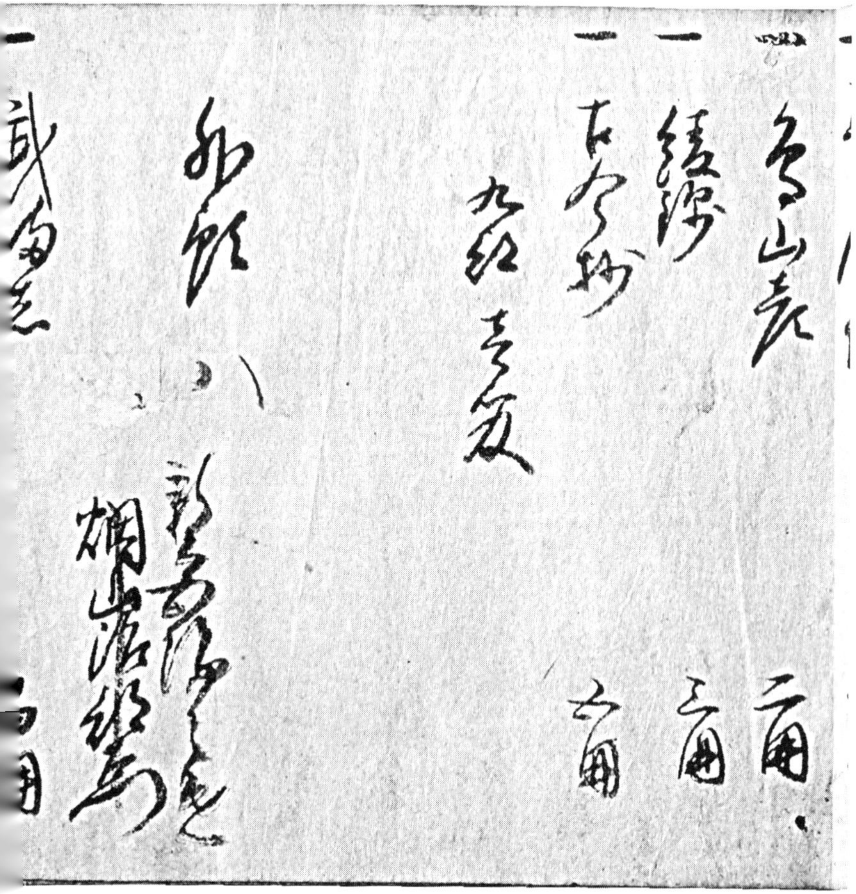

13
丁オ

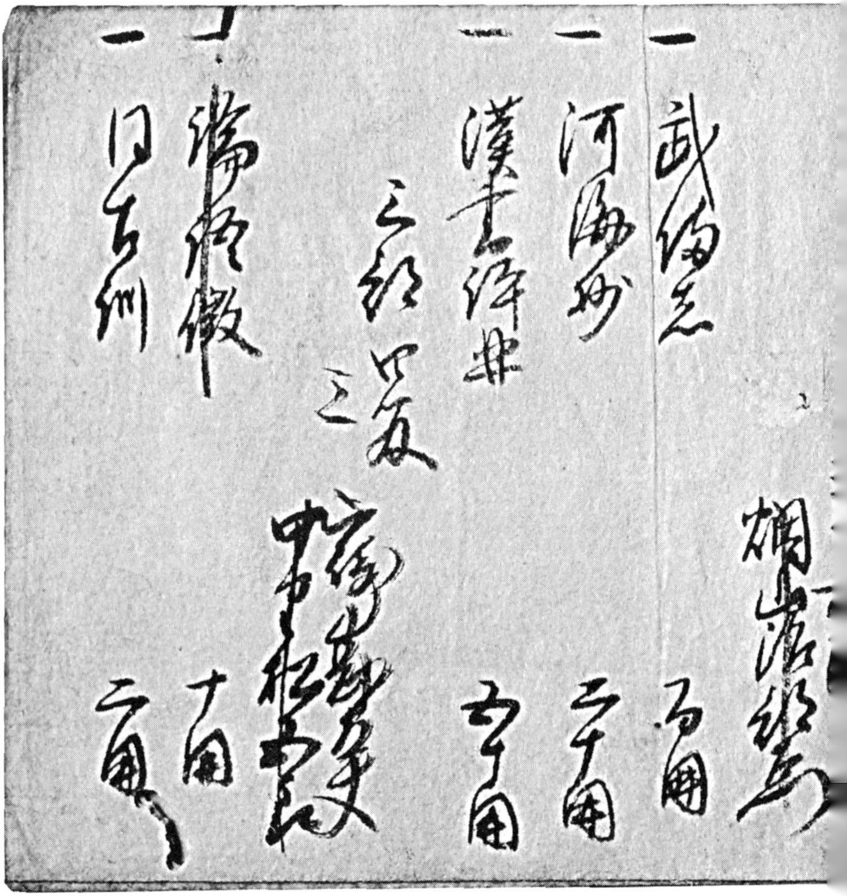

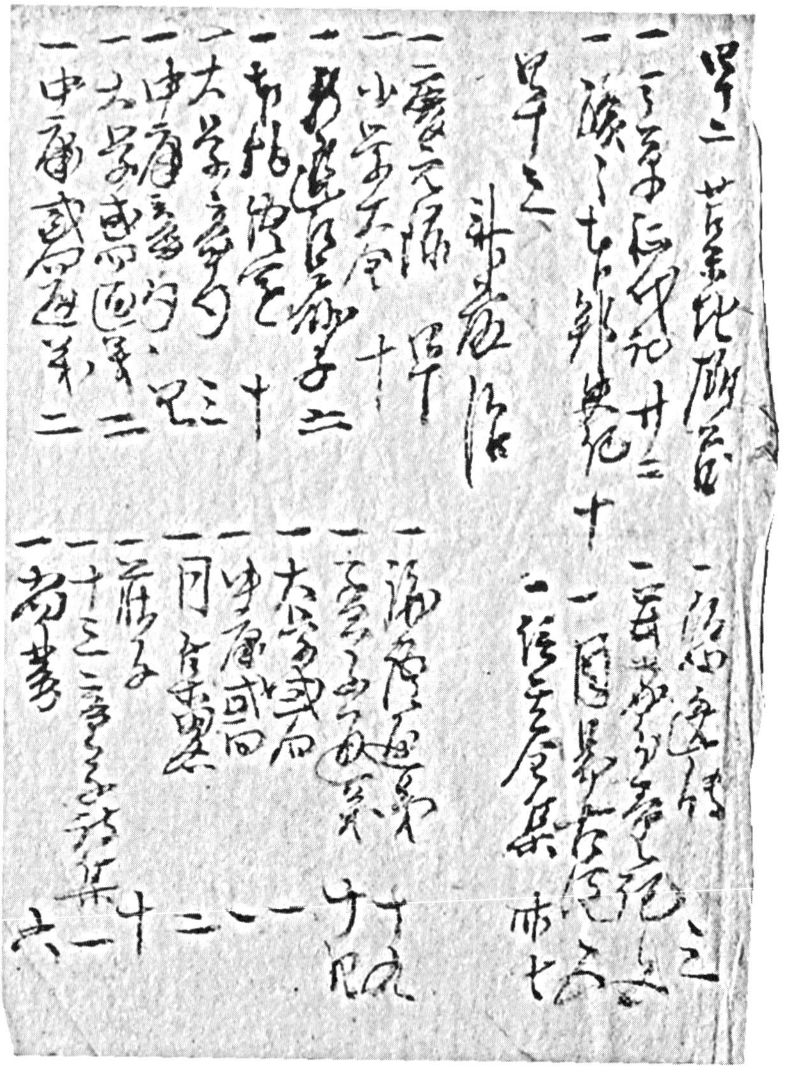

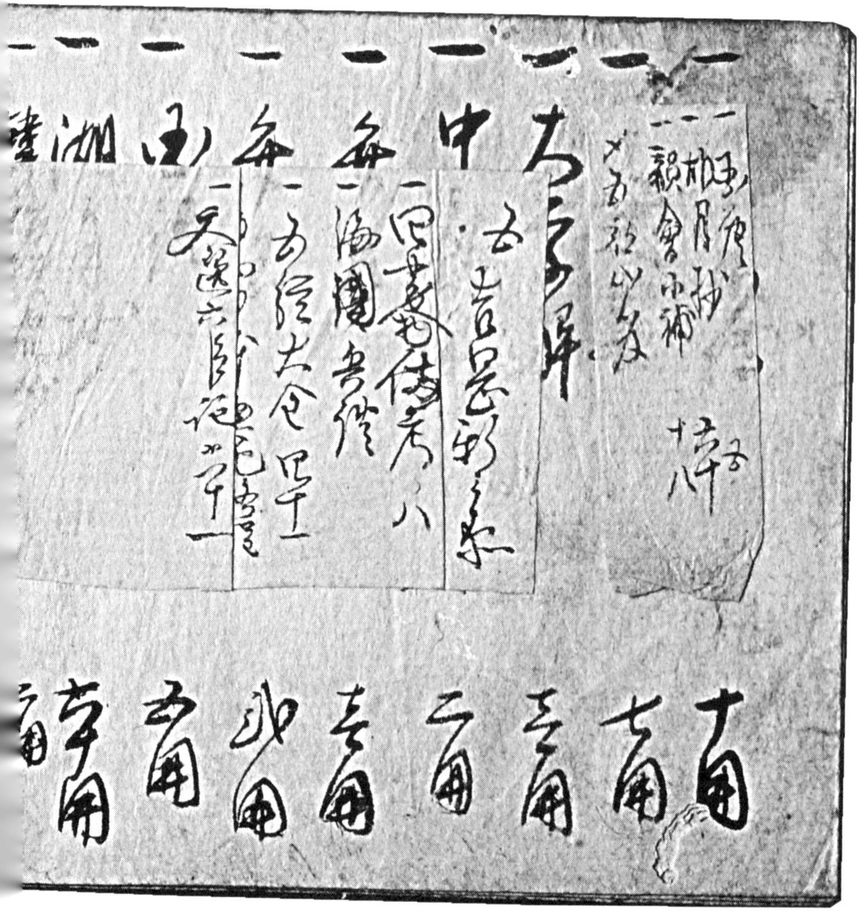

13丁ウ

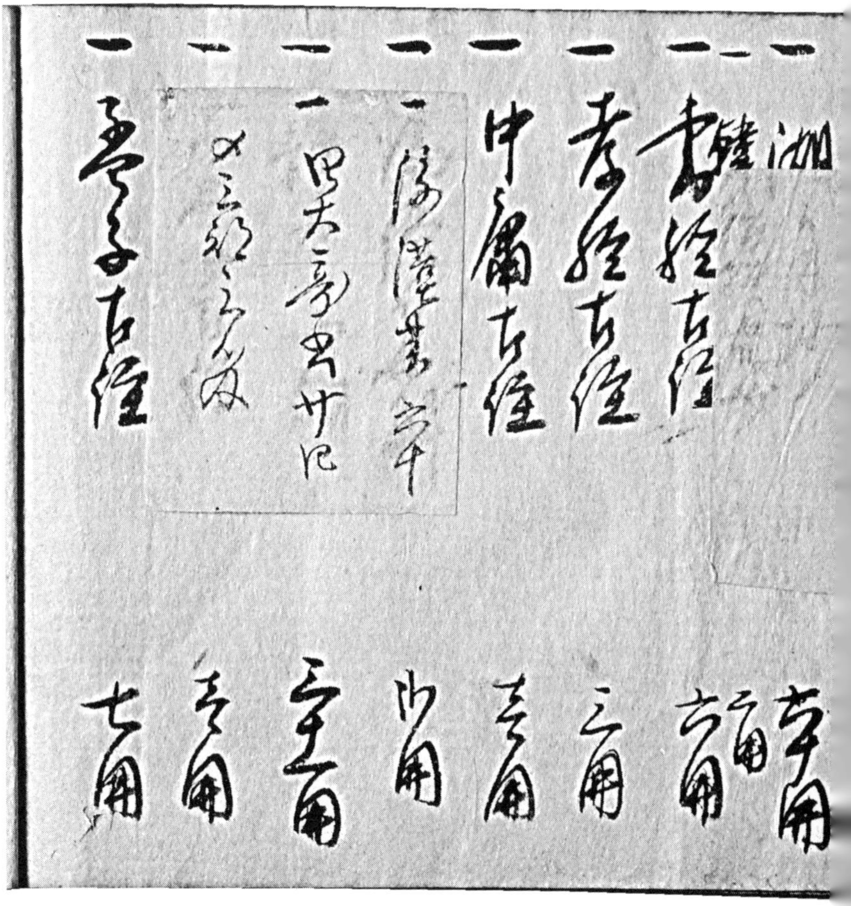

一 日外伝 十冊
一 十八史畧 七冊
一 古今字解 壱冊
一 中庸解 三冊
一 無尽 壱冊
一 無名 弐冊
一 玉紀 五冊
一 湖月抄 壱冊
一 華洛要覧抄 二冊

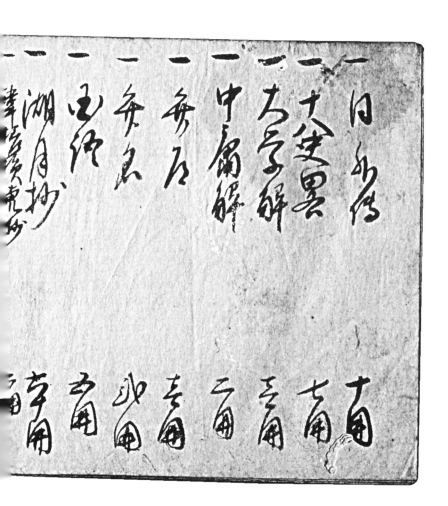

一 湖月抄　廿冊
一 韓揆虎抄　二冊
一 書経古注　六冊
一 孝経古注　三冊
一 中庸古注　壱冊
一 論語集解　四冊
一 韻鏡小補　五冊
一 大学古注　壱冊
一 孟子古注　七冊

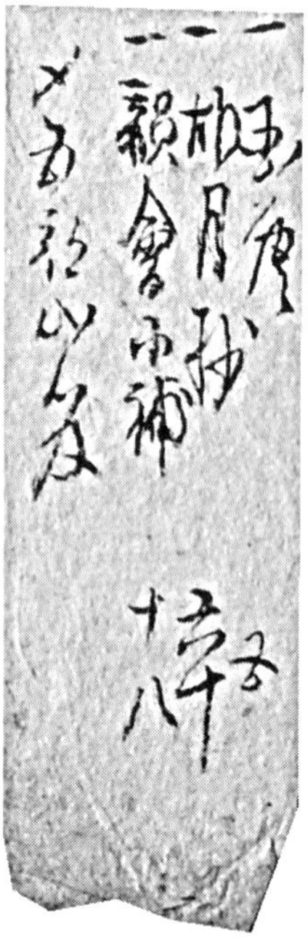

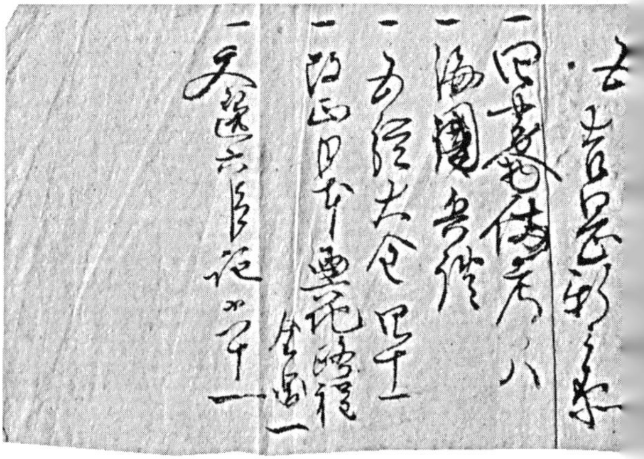

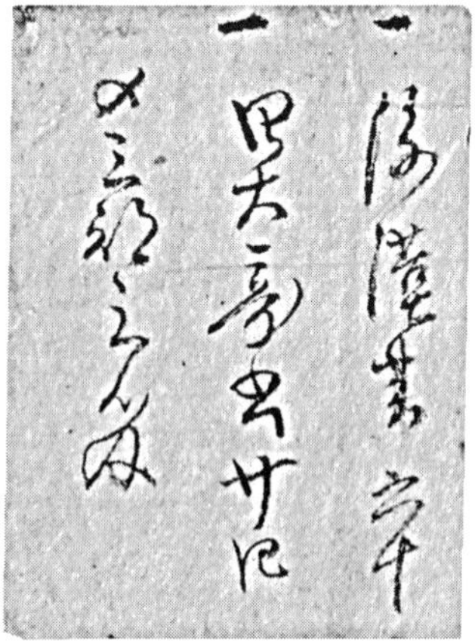

一　柳営秘鑑　前編　後編　十冊〻
十五紙少破
[illegible]

一　五経集注
大本少破
五本七冊

一　四書大全
大本少破
四本七冊

一　文選六臣注
六本七冊

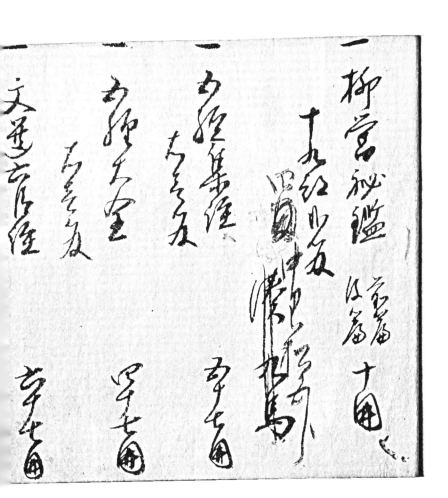

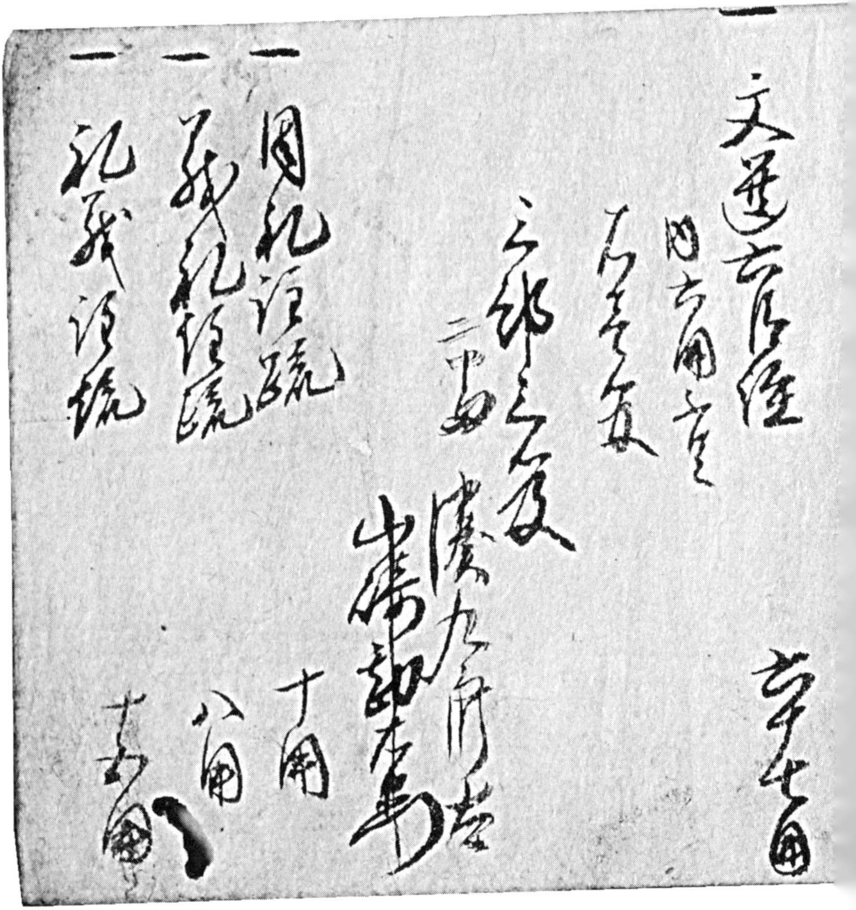

14丁ウ

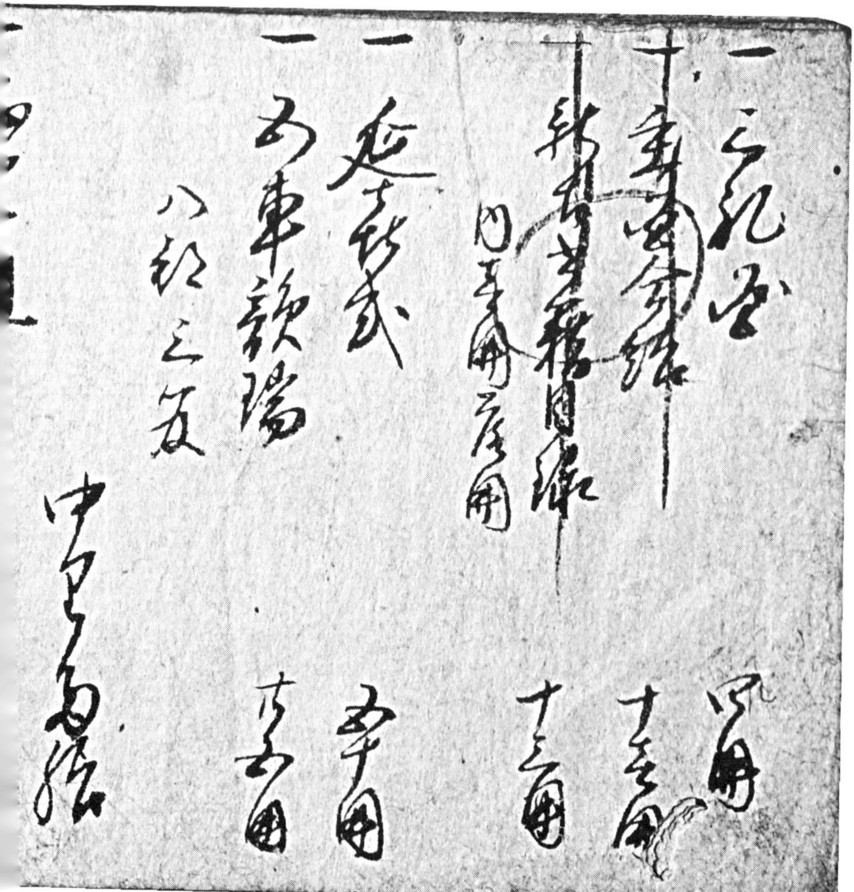

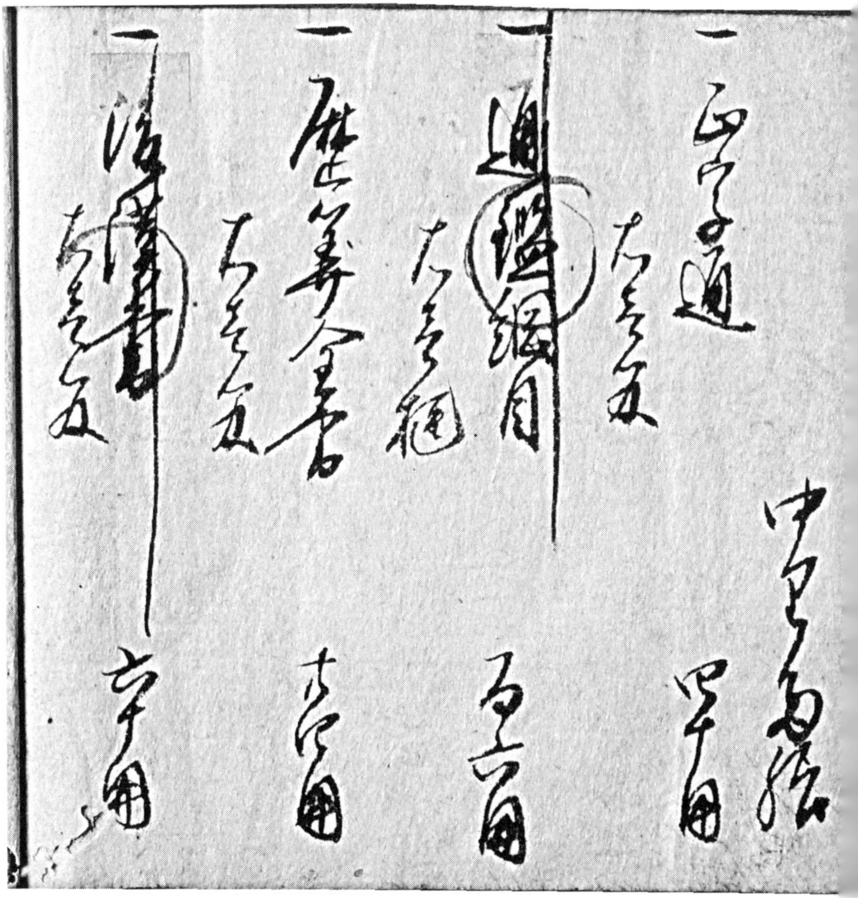

一 康《コツ》熙《キ》字典　四十冊
大坂又但可候
一 韓柳全書　四十冊
一 河東集　二十七冊
此紙屋有
大紙屋有可候
不
~~一 韻林宏經~~　全

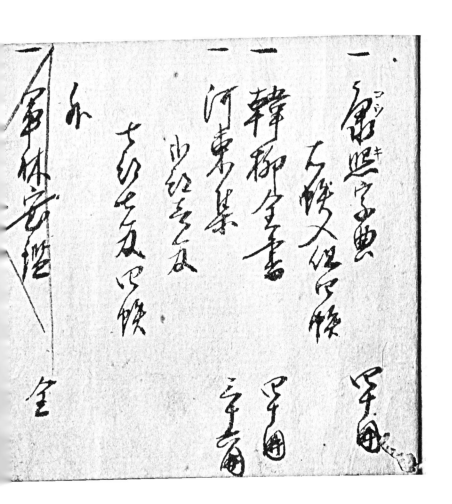

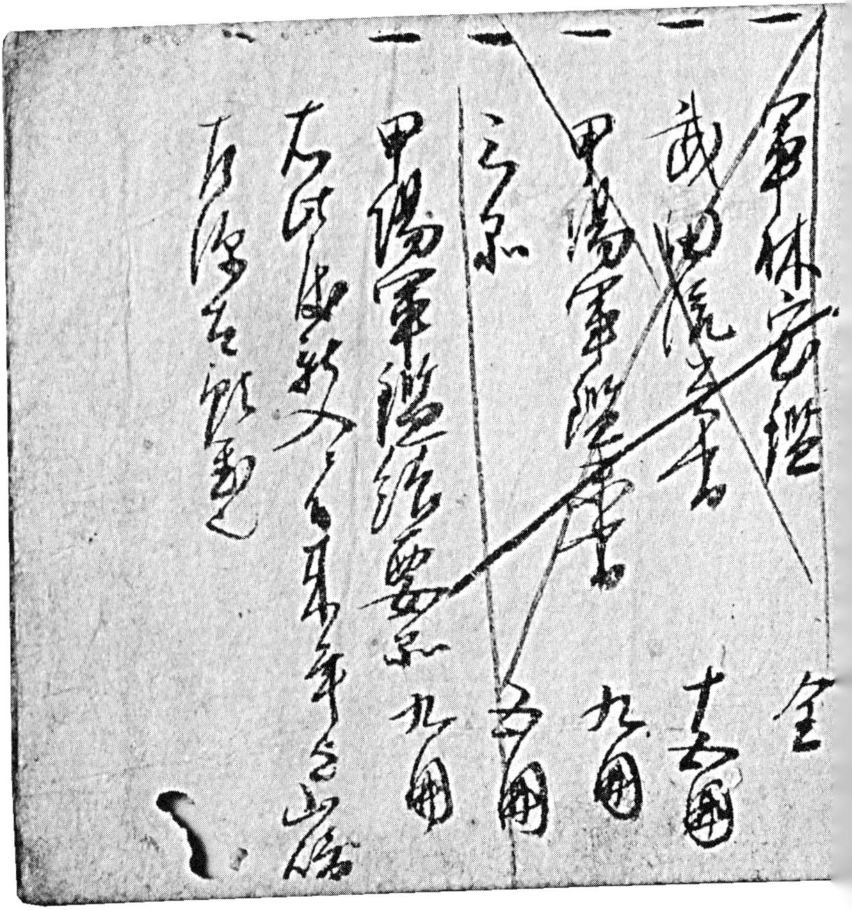

一 軍林宝鑑 全
一 武田流兵書 十二冊
一 甲陽軍鑑末書 九冊
一 三略 五冊
一 甲陽軍鑑結要本 九冊

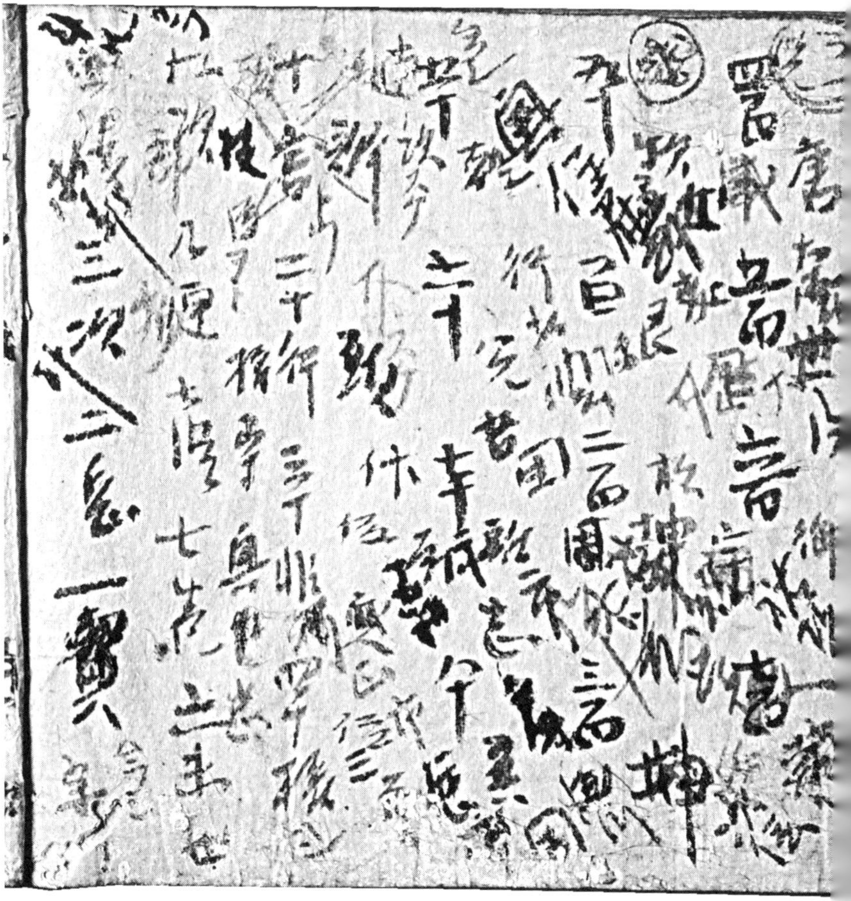

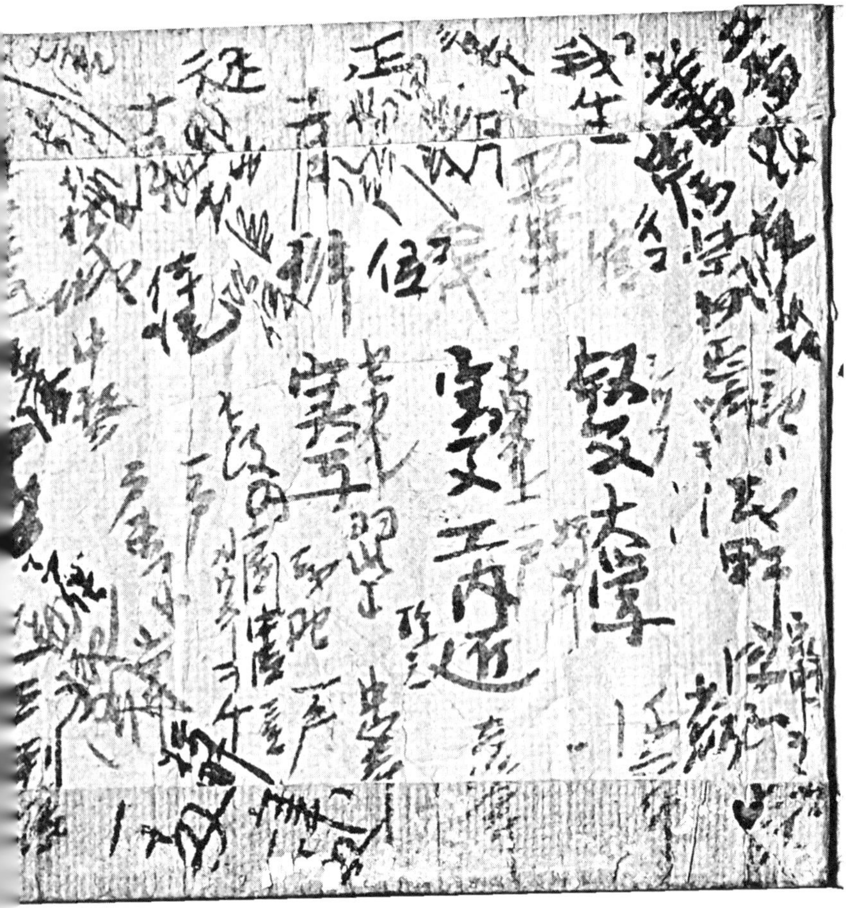

裏表紙ウラ

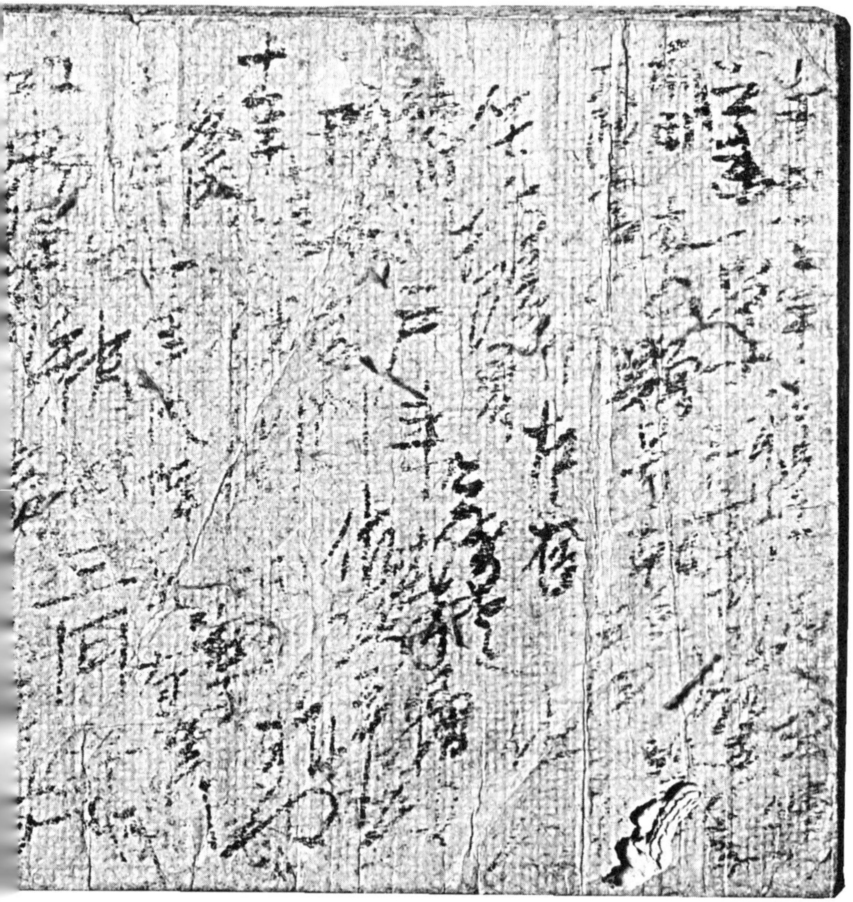

裏表紙オモテ

②　八戸仲間書物記

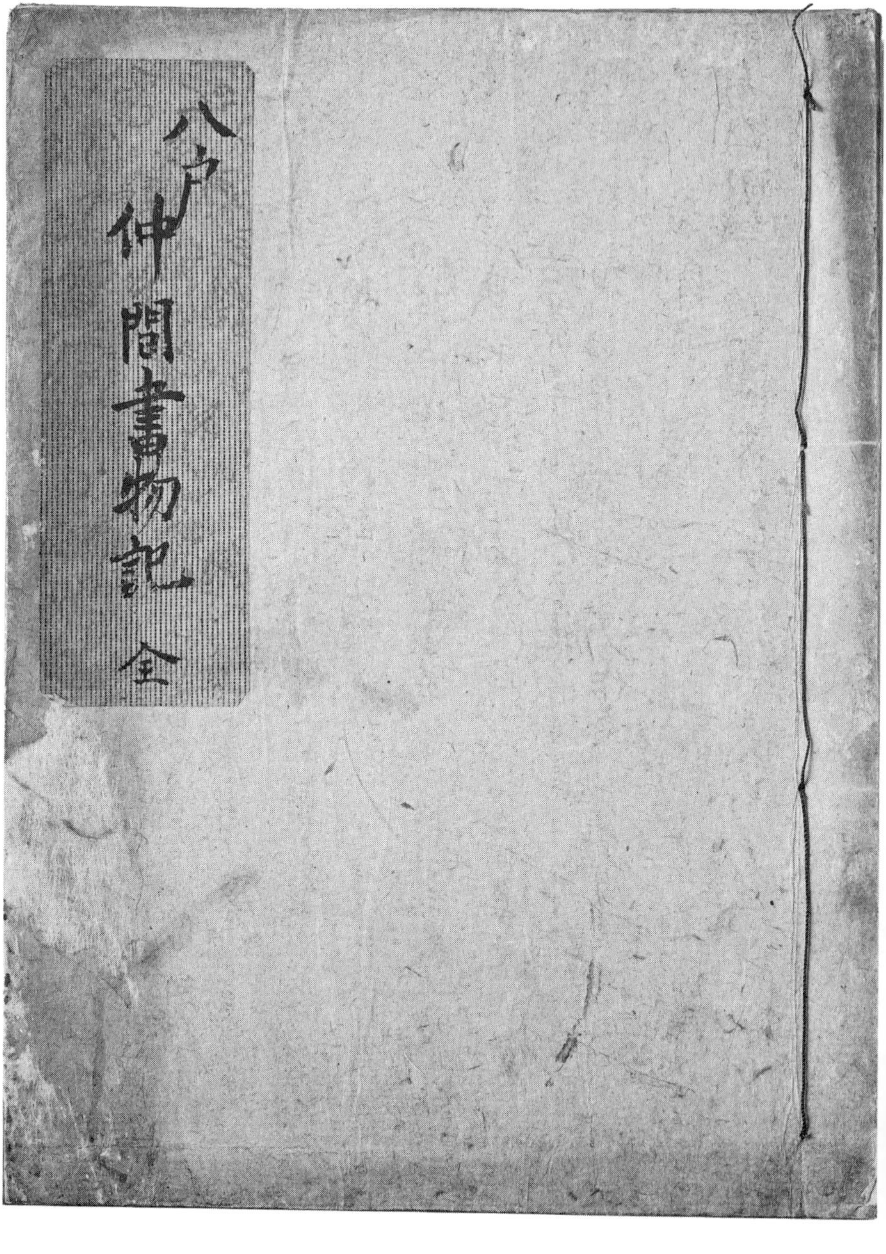
八戸仲間書物記　全

壱番　一 西鶴家持主卯

一 太平記大全　五拾壱冊

一 後太平記　弐拾弐冊

一 政談　四冊

一 天経図字解　内上巻壱冊落冊　三冊

一 天経　壱冊

一 四書大全　弐拾冊

一　明律　九冊
七部山皮
一　訓蒙　宝関志庵
一　古今武家盛衰記　六拾壱冊
一　天文略解　六冊
一　続茶経　六冊
一　左傳属事　弐拾弐冊

一 大諸礼　拾七冊

一 武具訓蒙図彙　六冊

一 三河後風土記　六拾冊

一 七経合度

一 三光安　宗　拾五冊

一 東鑑　弐拾五冊

一 北條五代記　弐拾五冊

一 阜氏黨冊　八冊

一 浅井三代記　拾五冊

一 左伝国次撮要　六冊

一 孔門必読　四冊

一 唐詩選国字解　四冊

一 駿台雑話　五冊

一 和蘭通証　弐冊

一 唐詩選絵本　五冊

一　草書韻會　壱冊

一　運氣論奥疏鈔　拾冊

一　易学類篇　三冊

一　聖学問答　弐冊

一　老子經　弐冊

一　高士伝　壱冊

一　拾七帖弐冊

一　四史　并白文唐本

一　王代一覧　七冊、

一　後太平記　二拾冊、

一　神風記　弐冊

一　四書大全　拾五冊

一　通俗戦国策　拾八冊

一　梅花の通居　二冊

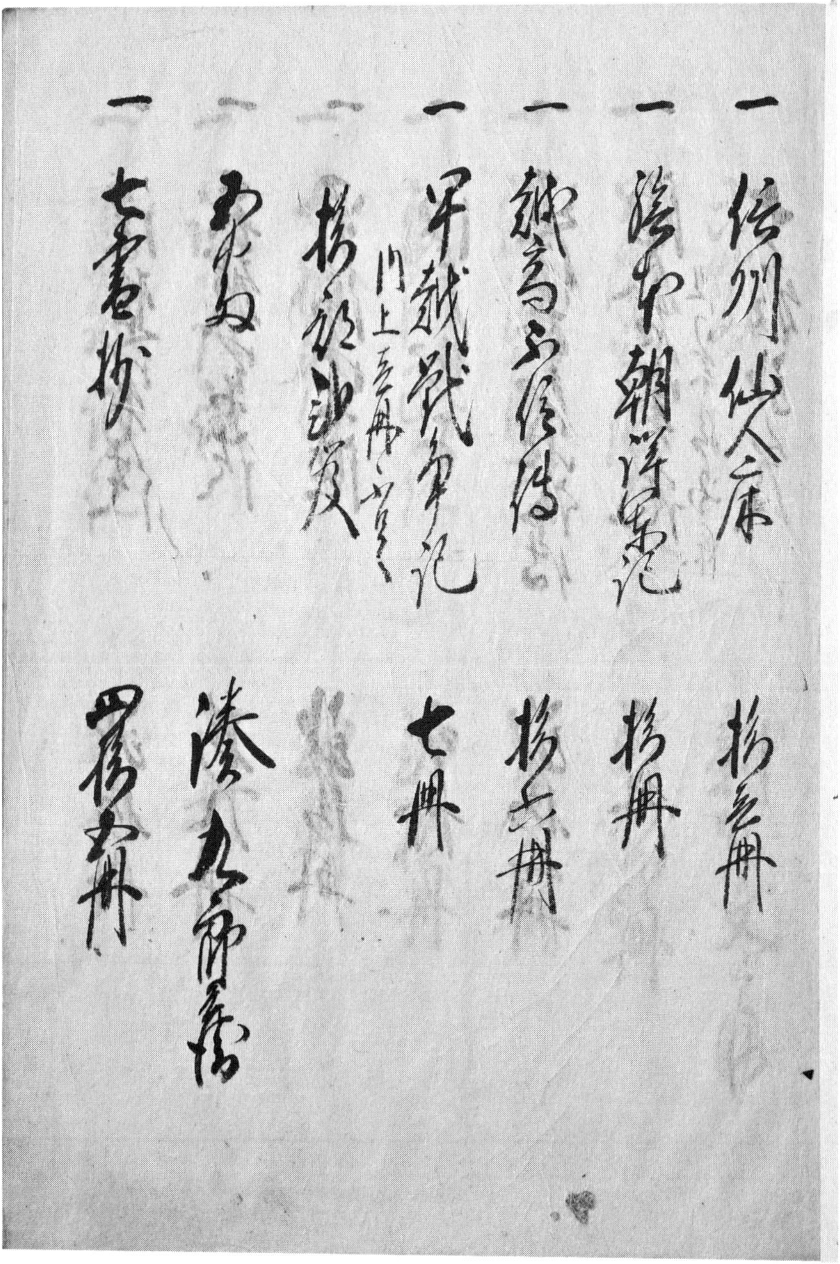

一　信州仙人床　拾三冊
一　[illegible]朝[illegible]記　拾冊
一　[illegible]俗伝　拾六冊
一　平城戦争記　七冊
門上三冊[illegible]
一　拾[illegible]
一　東鑑　湊九郎蔵
一　七書抄　四拾[illegible]冊

一 漢楚軍談　弐拾冊

一 呉越軍談　拾八冊

一 両漢軍談　弐拾冊

一 江戸砂子　五冊

一 通俗忠義水滸伝　弐拾六冊

一 鎌倉実記　但シ不揃ニ而候　五冊

一 太平記評判

本文　　　　　　　新宮文之助

一　呉陽名經大全　　弐拾八冊

一　絳漢之國土　　三拾三冊

一　江源武鑑　　弐拾冊

一　士稀訳便　　弐冊

一　論語徵　　四冊

一　蒙求詳従　　五冊

一　国語　六冊
一　孔子家語　五冊
一　古文後集諺解　廿冊
一　荘子　六冊
一　文選傍訓　拾冊
　拾七部　右之通

七月日

岡田源[illegible]

一 家忠日記　弐拾壱冊

一 御年譜附尾　弐拾五冊

一 真田三代記　五拾冊

一 [illegible]　弐拾四冊

一 新刻蒙求[illegible]字解　三冊

一 故事要言　九冊

一 政談　拾三冊

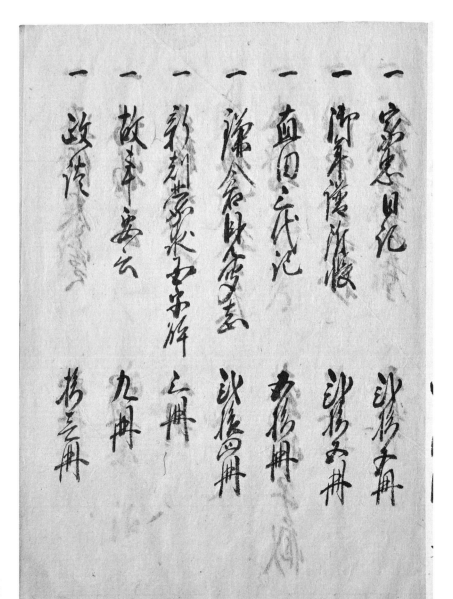

一　通俗大全寶　五冊

一　格物志　四冊

一　五雜爼　八冊

杉之頃ハ六度

八巾女　東北平藏

一　法書正要抄　四冊

一　和板書籍考　五冊

一　正韻字林韻補　壱冊

一　続字彙補　拾二冊

一　本朝軍器考　拾四冊

一　古事記大全　弐拾三冊

一　七経考文

一　九章図　稲葉沢

一　呉越春秋　拾八冊

一 漢楚軍談 弐拾冊

一 玉篇 拾弐冊

一 謡本 内[illegible] 弐拾冊

一 閑 [illegible] 弐拾弐冊

西能公度

楊米女 遊見為作文

一 八幡記 八冊

一　助字訳通　三冊
一　性理大全　五拾壱冊
一　古文尚書諺解　五冊
一　北條九代記　拾弐冊
一　賢女物語　五冊
一　絵本楠公記　三拾冊
一　新田興廃記　七冊

八線定度　稲垣長八郎
拾[illegible]　拾八冊
一　四海太平記　八冊
一　信長記　八冊
一　慶長宗軍鑑　弐拾冊
一　三體詩　六冊
一　通[illegible]　四冊

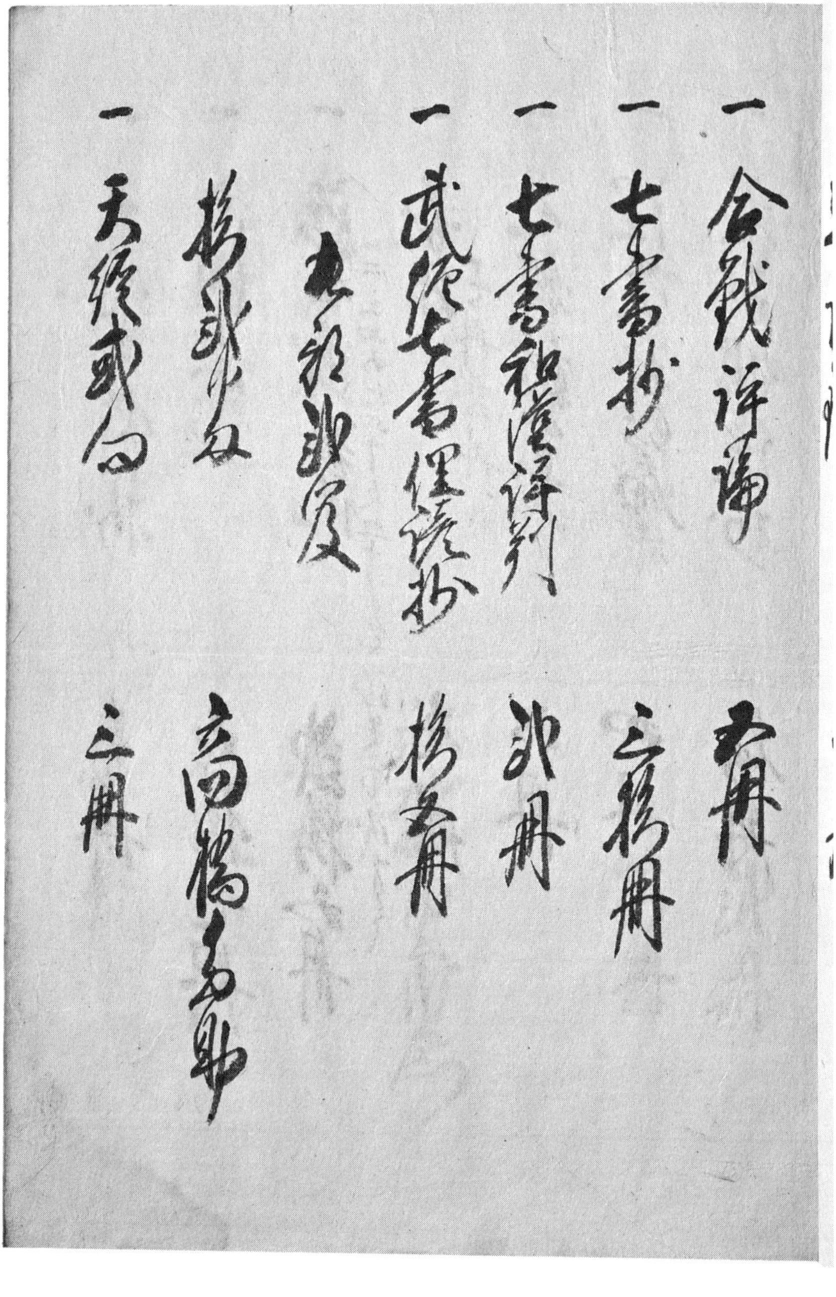
一 金銭評論　六冊
一 七書抄　三拾冊
一 七書和漢評判　廿冊
一 武経七書俚諺抄　拾五冊
[illegible]
[illegible]　高橋多[illegible]助
一 天経或問　三冊

一　大学或問抄　壱冊

一　三国志　五拾壱冊、

一　源平盛衰記　一二三四五六四十九五十ノ此也　紛失不足有之　四拾五冊

一　易占　壱冊落冊　九冊

一　毛詩鄭箋　五冊

一　理学類編　四冊

一　荘子俚諺抄　拾冊

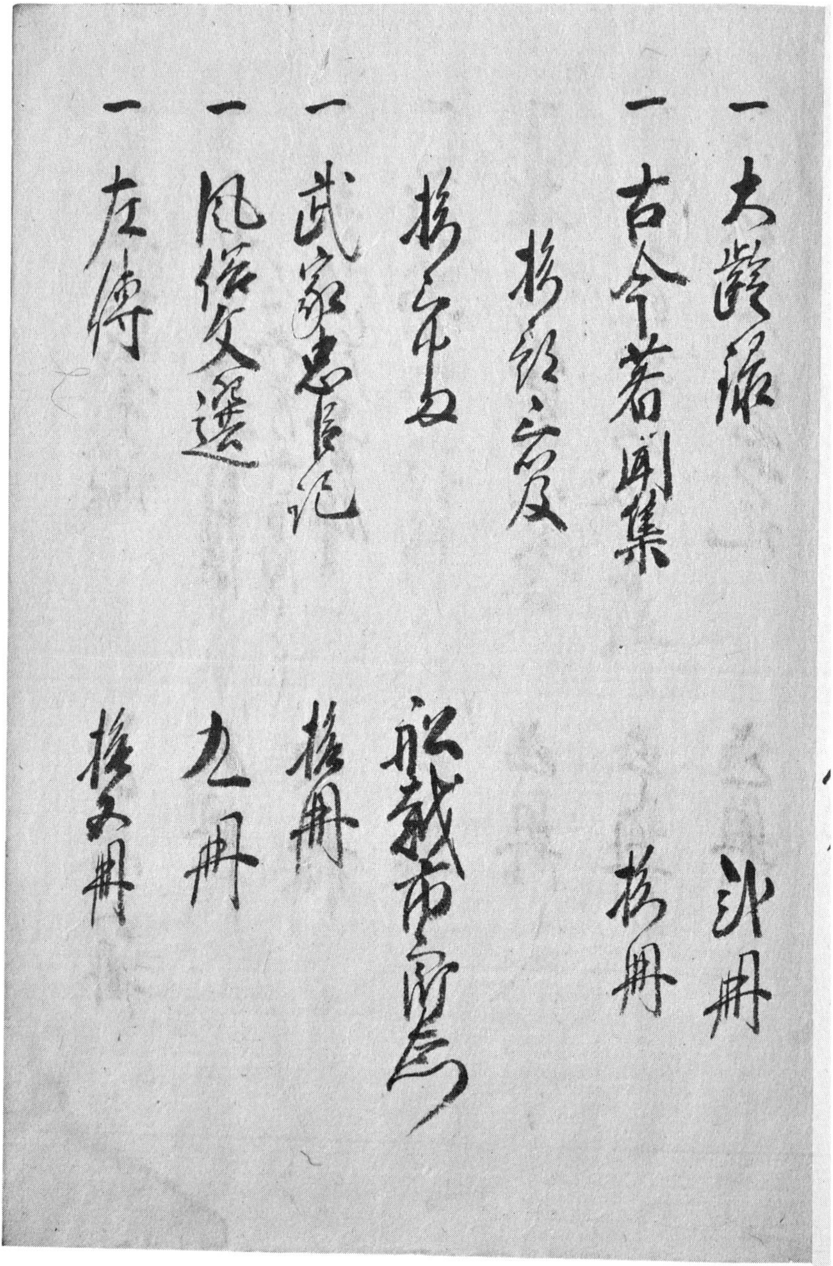

一 大疑録　弐冊
一 古今著聞集　拾冊
拾[illegible]六[illegible]
拾[illegible]
船越市郎兵衛
一 武家忠臣記　拾冊
一 風俗文選　九冊
一 左伝　拾五冊

一　雑話筆記　弐拾五冊

一　新古書籍目録　九冊

壱冊者前冊ニ成ル

一　数寄所労書解　六冊

一　雑書　壱冊

一　撰出作家寳　二冊

一　法曹至要抄　壱冊

一　板倉政要記　二冊

一 粉言紀　両冊
一 伊勢参宮名所図会　六冊
一 古今角力大全　両冊
一 太極図説諺解　弐冊
一 運気論奥解　壱冊
一 甲冑便覧　壱冊
一 装束捷要抄　壱冊

一 令義解　拾壱冊

一 公事根源集釈　三冊、

一 簾中抄、　弐冊

一 装束要領抄　壱冊

一 古事記伝　九冊、

一 装束図式　壱冊

一 官職知要　壱冊

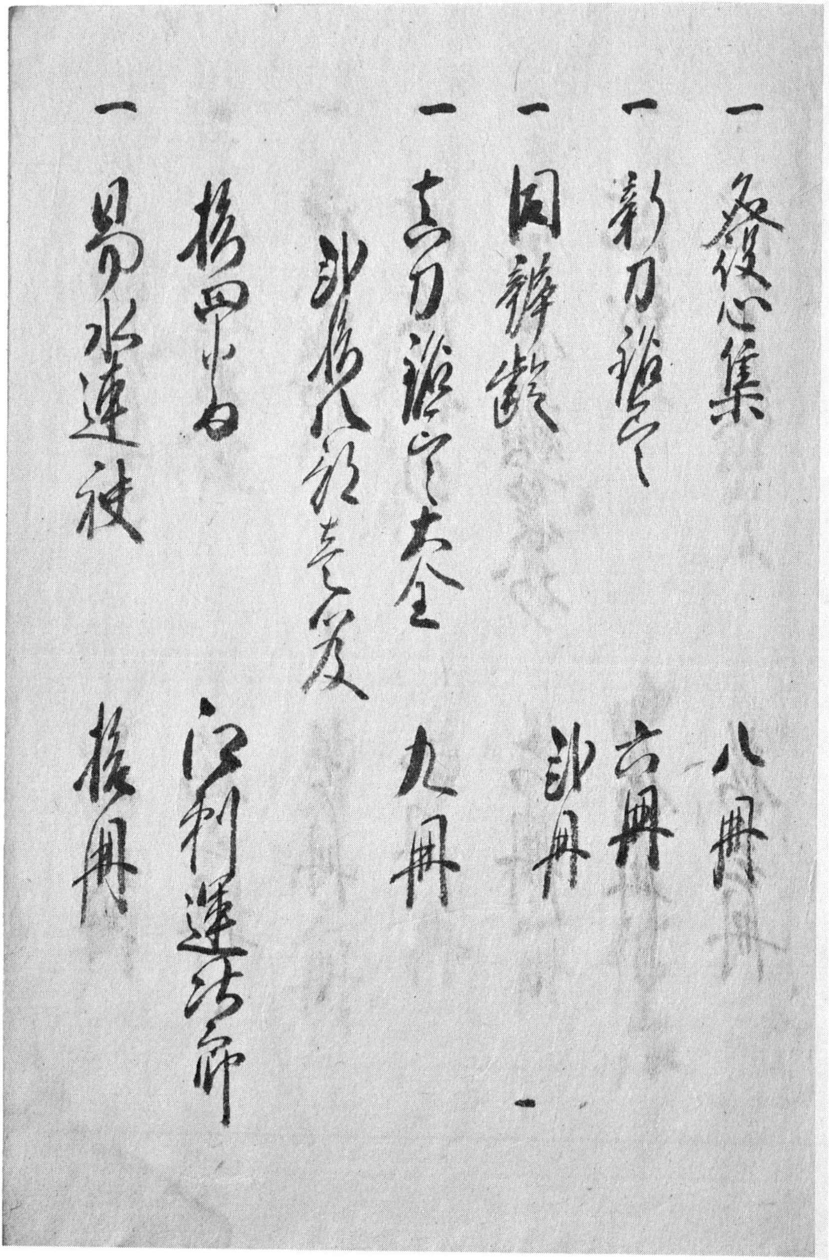

一 發心集　八冊

一 新刀銘尽　六冊

一 同 辨疑　弐冊

一 古刀銘尽大全　九冊

弐拾八冊壱包

拾四冊 右　江利蓮法師

一 易水連袂　拾冊

一

一　三河後風土記　四拾冊

一　徒然大全　拾三冊、

一　神代抄　七冊、

一　射法指南　五冊

一　神道名目類聚抄　六冊、

一　謡抄　拾冊

一　謡本類　拾壱冊

八[illegible]新板

一　梅花心易　中[illegible]作

一　聯[illegible]代群篇　新板六冊

一　戦国策　[illegible]三冊後冊　板八冊

一　元明軍談　新板二冊

一　軍林寶鑑　壱冊

一　武田流[illegible]書　板六冊

一 早湯軍艦操法要示 壱冊

一 同未書 九冊

一 三品 五冊

一 早湯軍艦操法要示 九冊

一 諸札 山泉殿 弐拾冊

移牧三度

移市中女

中濱万次郎

一 桜陰比事 五冊

一 玄宗軍談 弐拾冊

一 北魏南梁軍談 弐拾冊

一 農業全書 拾壱冊

一 親子[illegible]物語 壱冊

一 和漢朗詠集 弐冊

一 西遊[illegible]譚 壱冊

一 三才諸神本記　五冊

一 諸家深雲盛嚢記　六冊、

一 慶安寺手記　拾冊

拾録之笈

一 拾七代史　雲張欠之物

一 史記評林　弐拾五冊

一 君台宝鑑下　壱冊

一　書法寶鑑　六冊

一　枝葉故事記　七冊

一　蒙求文章　拾六冊

一　卜筮元龜　四冊

一　武田軍記　八冊

一　三之續蒙求　二冊

一　諸太古閑記
　　指錄之公及　八拾冊

一　枝葉手鑑集　拾冊

校合当　　津村淙庵考

一　十二朝軍談　　校八冊、

一　武林深根　　七冊

一　武林伝　　訓校四冊

一　満仲五代記　　校冊、

一　武徳集字　　校四冊

一　本朝[illegible]閣　　校冊

一 六経集注　五拾七冊
一 算学啓蒙　四拾冊
一 [illegible]
一 [illegible]　石橋源文部、
一 江戸砂子　六冊、
一 四書注疏大全　[illegible]　四拾冊
一 毛詩注疏　[illegible]　五冊

一棠陰比事 いつ冊仮名まじりなし　七冊

一蜘洞梓　四冊

一求而捷徑　弐冊

一和名字冊　壱冊

一六諭衍義　五冊

一訓蒙圖彙　壱冊、

一養生訓　壱冊

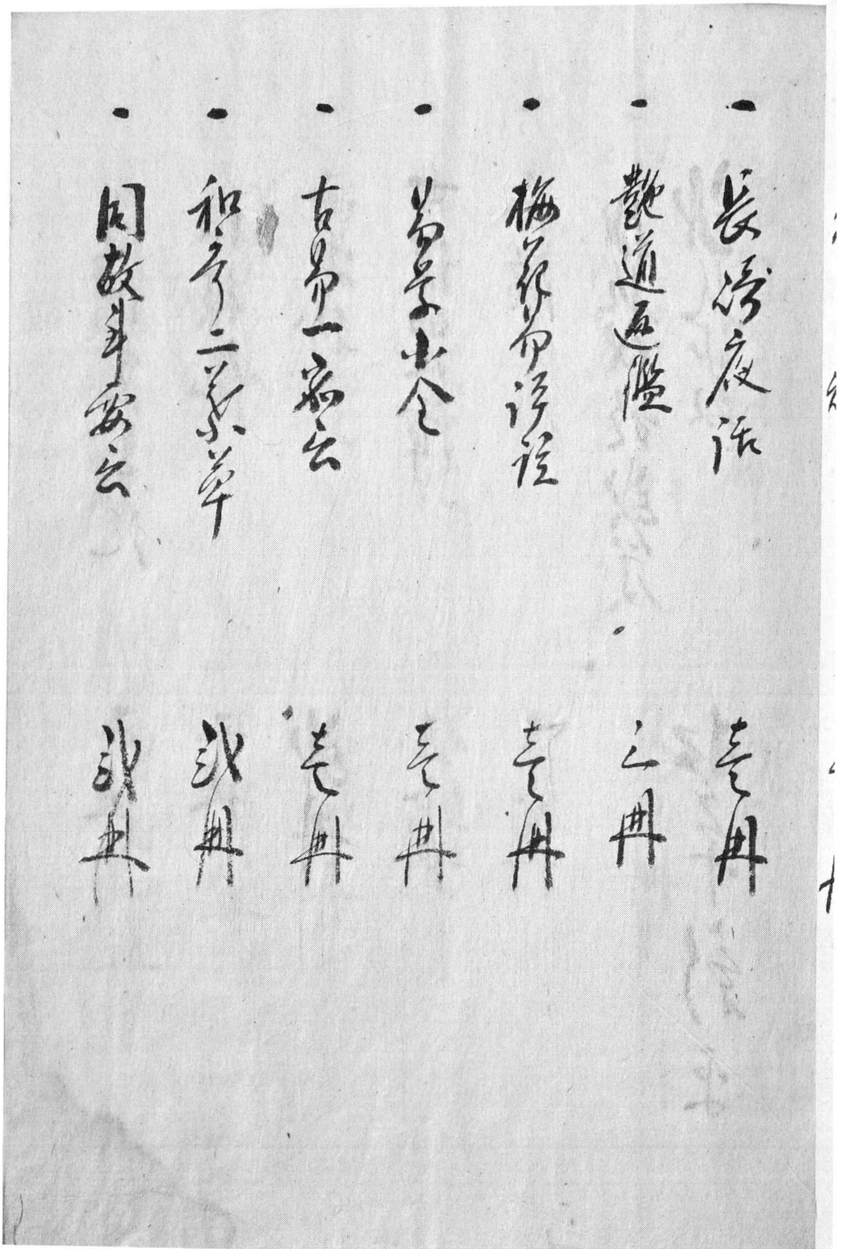
一　長崎夜話　壱冊
一　艶道通鑑　六冊
一　梅花心易評註　壱冊
一　易学小筌　壱冊
一　古易一家言　壱冊
一　和名二葉集　弐冊
一　周数手安言　弐冊

一 蘐園女吉三記　五冊

一 新枝抱、　五冊

一 西要抄　弐冊

一 世説印児譚　壱冊

一 合璧　壱冊

弐拾弐部弐双

弐拾外双

松平新平

一 淮南鴻烈解　拾冊

一 江家次第　拾九冊
内三冊前しか有之冊

一 春秋大成　三冊

一 太平記要覧　八冊

一 小学句読　拾弐冊
ありり

一 武蔵鐙　拾弐冊
ありり

一 左伝井要叟　弐拾四冊

一 小学句読作篇　弐冊

一 日門篇　四冊

一 経典餘師　九冊

一 唐詩撰要　壱冊

一 杉原紙弐束

一 詩林壱帖　立川又ハ束

一 壒嚢抄　弐拾冊

一　残太平記　拾弐冊

一　甲信闘記　川中嶋之川表　拾壱冊

一　諸家大系図　拾四冊

一　三教指帰　七冊

一　百人首拾穂抄　四冊

一　諸家知譜拙記　四冊

一　[illegible]

抄本抄書　関氏流之を

一　本朝三国志　三本十冊、

一　蔭日記　抄本冊

一　同後記　川北冊抄哭　抄本冊

一　世諺俗談　川北冊リリ　六冊

一　歌林宗安東山子　本冊

一　細川戦記　両冊

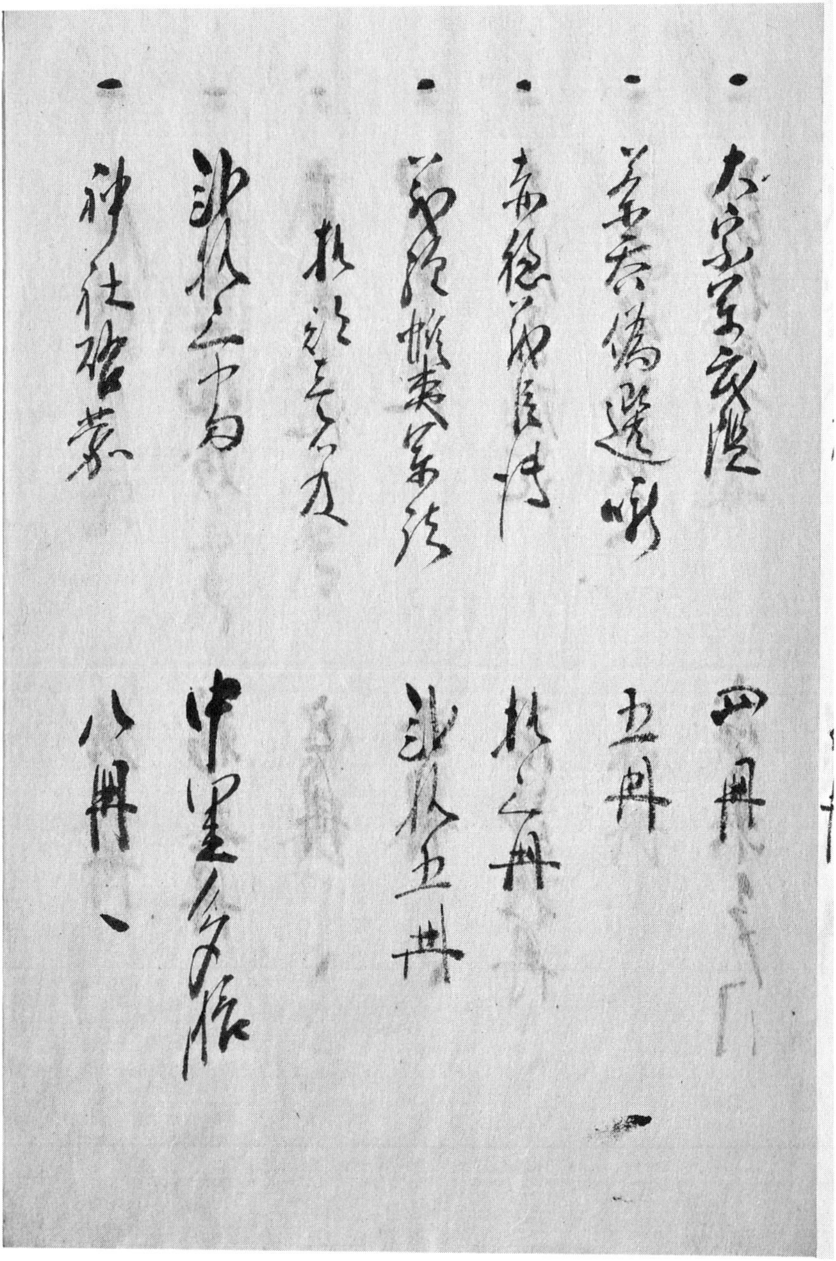
一 神社啓蒙 八冊

一　左伝　　拾五冊

一　軍書一備抄　　拾九冊

一　古事記　　三冊

一　旧事記　　五冊

一　古関東所記　　百部数冊

六部部数

部数四十部

小笠原多左衛門

一　類書纂要　廿冊

一　文体宗派　拾冊

一　事物紀原　拾弐冊

一　淡山紀　七冊

一　歴代要撰之考　卅冊

一　歴代帝王系之系考　五冊

一　詠家寶之要　四冊

一 茶之峯深　新冊
八ツ折壱冊
新板五冊　中黒表紙
一 清家評定　新板壱冊
一 平家物語　摺新冊、
一 古孝経之首書諺解　摺古冊
一 万宝楽秘伝　摺冊

一　毛詩注疏　五冊

一　近思録[illegible]句解　拾冊

一　勧孝傳　三冊

一　三體詩　三冊

一　國花集　弐冊

一　古唐詩選　壱冊

一　杜律集解　三冊

一　天儀雙要　四冊

一　李詩集解評説　五冊

一　杜律集集解詳説　五冊

　　格四韻　訓義

　訓板六帖　中置定之全

一　呉氏物語　訓蒙壱冊

　　凡三冊闕矣

一　楠七巻書　七冊

一　三七景隆　　　　　　　　八拾壱冊

一　証書　　四龍六爻　　　沁拾冊　　沁拾壱冊　全

一　沁拾七本百　　　　　　河□本百　全

一　十八史略　　　　河□□□□□□□沁久市しまし七冊

一　宋名臣言行派　　　　杉改冊

一　落希七三卅化門鞍五も卷藤冊　　杉五卅

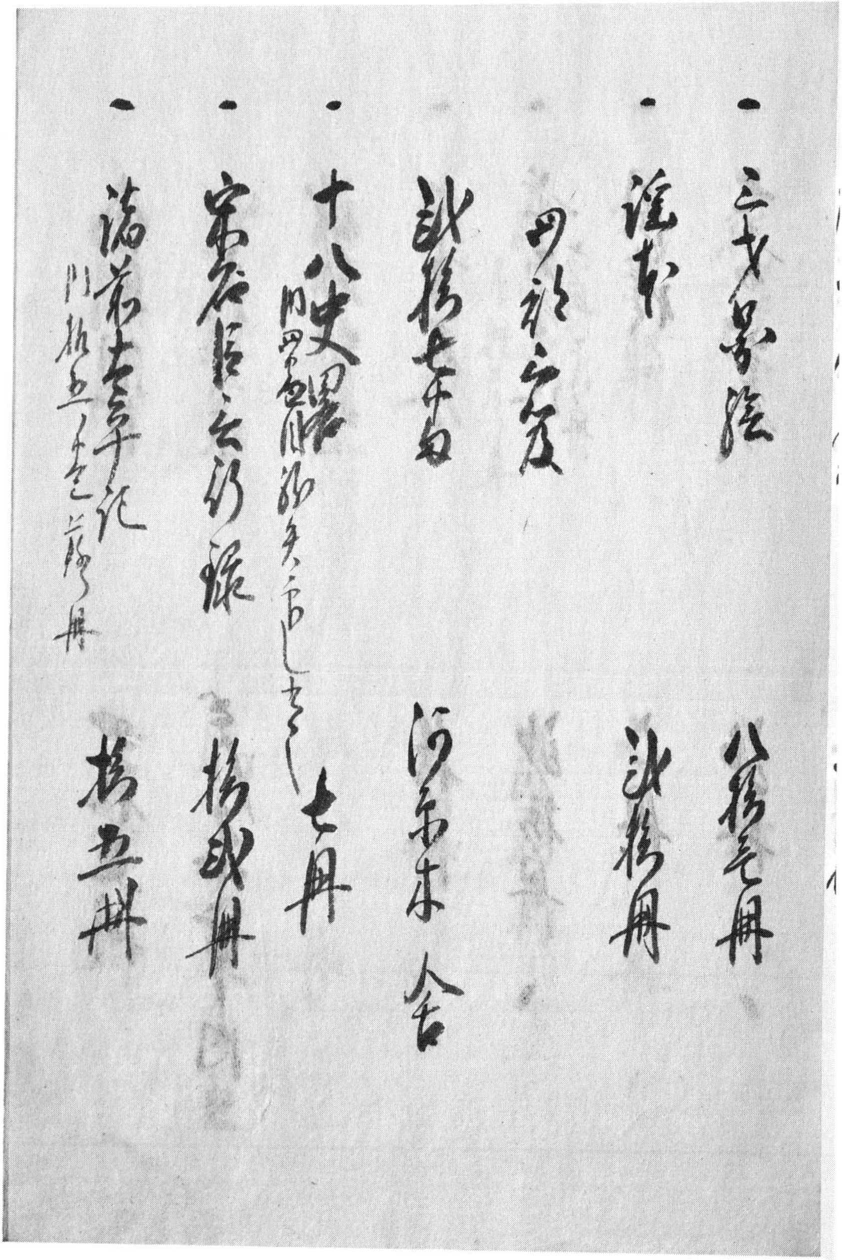

一 本草綱目　四拾五冊
四拾壱匁　弐朱字内
弐拾八半匁
一 七書大全　拾冊
一 前太平記 六冊 後冊　弐拾冊、
一 周禮　六冊
一 七書講義　弐冊

一 義禮　三冊ヽ

一 穀梁傳　七冊

一 左傳正義 十二冊 唐本冊　註疏冊

一 公羊傳　七冊ヽ

八經註疏

註疏九經　島守校之也

一 西國志　註疏六冊

一 土佐軍記　拾冊、

一 北国太平記　拾五冊

一 宋景濂

四経評疏　八拾弐冊

一 六韜要　大日[illegible]壹ツ

一 平家物語　弐拾四冊、

一 七書抄　四拾五冊

一　居家必用　弐拾冊
一　六経弐笈
一　六経考中為　大観本草
一　日本紀　拾五冊ヽ
一　論語集解義疏　拾冊
一　訳文筌蹄　六冊
一　為学初問　四冊

一　和漢年契　二冊[illegible]方に[illegible]　六冊ヽ

一　神教経[illegible]蒙抄　五冊ヽ

一　日本紀　三冊ヽ

一　古事記　三冊ヽ

一　旧事記　五冊ヽ

一　宗像記　壱冊

一　易学啓蒙　八冊

一 中庸輯略　弐冊

一 神代巻　弐冊

揃四部弐冊

家礼弐十巻　揃外志ニ有

一 義経伝　揃四冊

一 貞観政要　揃七冊

一 神品経　壱冊

一　前書凶悪法　四冊

一　瀛奎律髄　廿七冊

一　平陽集韻字頭抄　拾九冊

一　説文韻譜　拾弐冊

一　性理字義　弐冊

一　中華若木詩抄　三冊

九経弐及

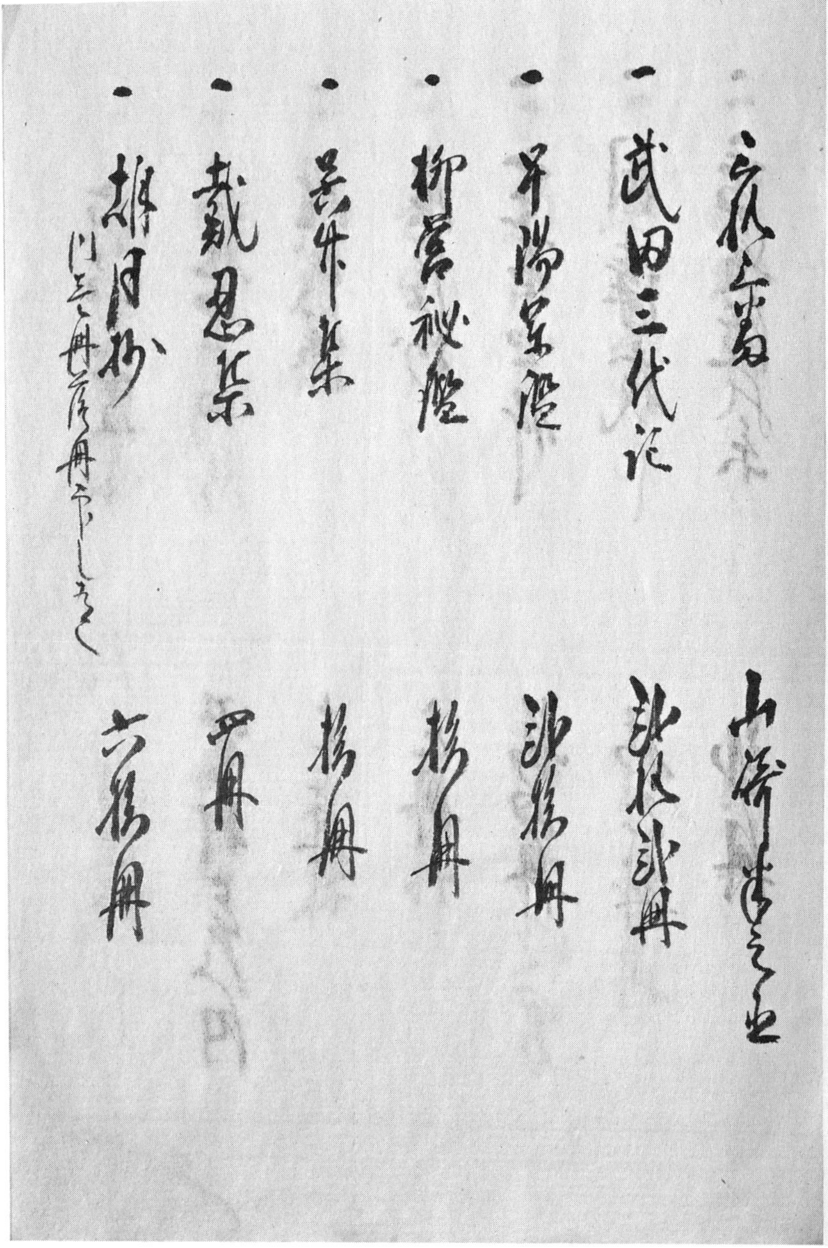
家禮之書　山崎先生之也
一　武田三代記　弐拾弐冊
一　甲陽軍鑑　弐拾冊
一　柳営秘鑑　拾冊
一　呉竹集　拾冊
一　裁思集　四冊
一　排月抄　六拾冊
川三冊廿冊冊不申しき

六經之發

一 前後四甲写　四拾壱冊

一 姓氏録　壱冊

一 唐詩選　三冊

一 七書直解　拾四冊

一 同講義　拾六冊

一 香道濃氏系　弐冊

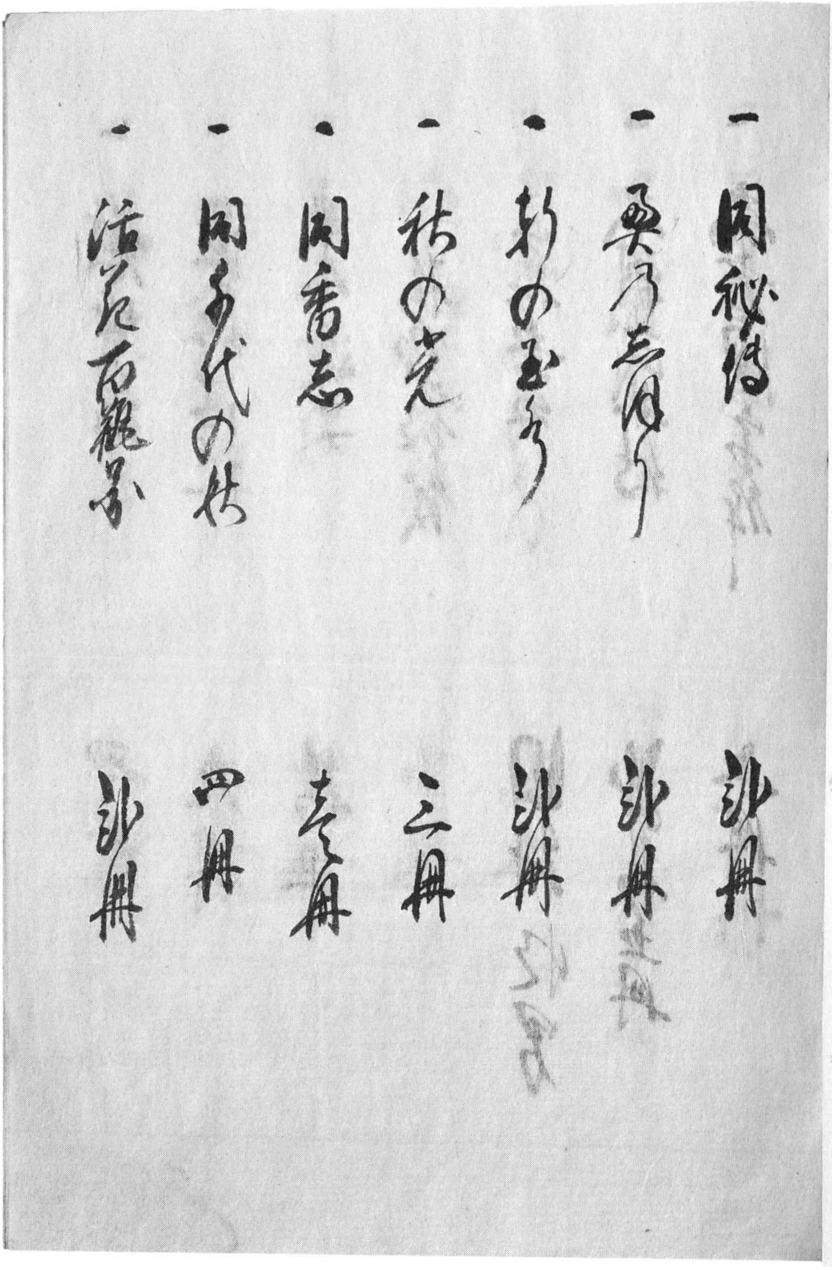

一 聞秘傳　弐冊

一 奥乃志をり　弐冊

一 杉の玉かり　弐冊

一 秋の光　三冊

一 聞香志　壱冊

一 聞千代の竹　四冊

一 活花百瓶集　弐冊

一 懲毖録　四冊

一 蒙求詳説　九冊

一 日本逸史　拾冊

拾銭紙貨

三拾五枚　田村収男

一 本朝武林傳　弐拾五冊

一 尚書國字解　五冊

一 蒼牧類方　拾五冊

一 中庸古注　壱冊

一 花夷通商考　五冊

一 安馬秘曲集　七冊

一 老子古注　七冊

一 諸廻宝鑑　五冊

一 論語集解　弐冊

一　量地指南前編　三冊
一　万世雲上明鑑　弐冊
一　大学或問　壱冊
一　中庸　弐冊
校正紀元考
八大家文格　藤原校　惺
一　孫子正字解　校壱冊

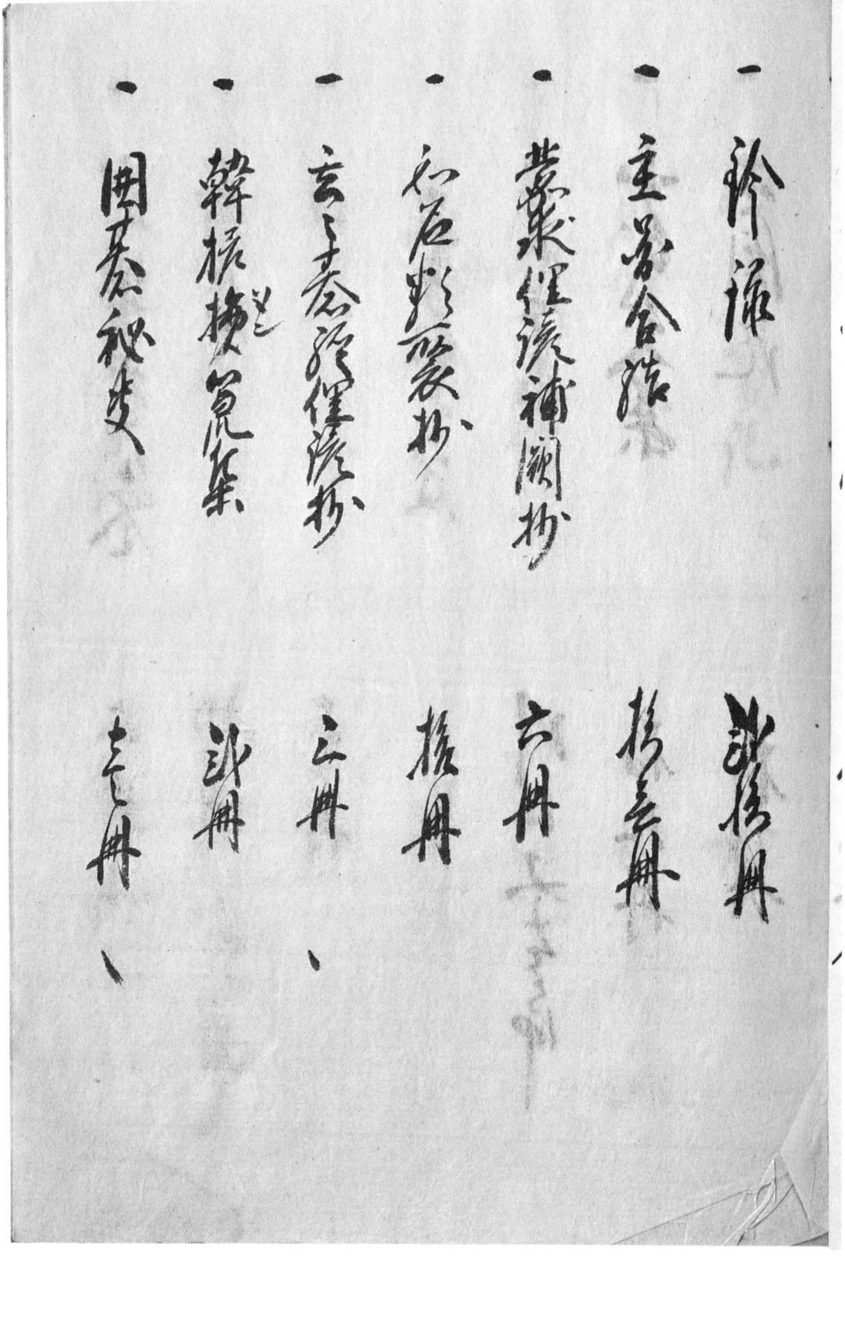

一 鈴録　弐拾冊
一 [illegible]　拾三冊
一 [illegible]俚談補闕抄　六冊
一 和名類聚抄　拾冊
一 [illegible]俚談抄　三冊
一 [illegible]　弐冊
一 [illegible]　壱冊

一 新選菟波大全　三冊、

一 韻谷　弐冊

一 韻通　壱冊

拾長紙三ツ度

一 宸七帯　川口又左衛門

一 白氏文集　拾九冊

一 太閤記　拾冊

一　関ヶ原軍記　拾冊

一　塵壺土録　九冊

一　塵壺土為談録　五冊

一　左伝解　五冊

六部去々度

右ハ当　堀地武助

・異称日本伝　拾五冊

一 前太平記　弐拾弐冊 、

一 續後太平記　弐拾八冊

一 楠知命抄　六冊 、

一 南北太平記　拾三冊

一 西部長安度

一 太閤秘事抄　白井左近物

一 浅井紀記　三冊

一 香砂書麓　五冊
一 左伝林堯叟　弐拾五冊
一 大戴礼　弐冊
一 通俗続三国志　拾六冊
一 抛入花伝書　三冊
一 挿花直枝芳　四冊
一 近思録　拾冊

一 春秋左氏傳　拾五冊

一 和本紀　九冊

拾[illegible][illegible]欠

四拾書[illegible]　大国新居

一 仁[illegible]要領　二冊

一 荘子　拾冊

一 北條九代記　拾弐冊

一 讀史要紀　弐拾弐冊

一 老子經　弐冊

一 三世相遊訓合學說（右弐方相尽）　壱冊

一 神代巻藻塩抄　六冊、

一 日本紀神代抄　七冊、

一 數覺記明年紀　五冊

一 大祓壱帙

四拾壱両匁　　壱冊山泥九郎

一　左傳注疏　　弐拾冊

一　列仙傳　　五冊

一　後漢書紀　　弐拾弐冊

一　和語機活法　　拾壱冊

一　古文前集　　弐冊

一　和論語　　拾冊

一 駿台雑話　五冊
一 楠知命抄　二冊
一 楠正成桜井書　壱冊
一 和字通例書　八冊
一 俗説贅弁　壱冊
一 三礼口訣　壱冊
一 耳底記　二冊

拾之級翻及

四拾弐冊　落葉紙板有

一 高麗征伐記　弐拾弐冊、

一 清逸緒　三冊

一 武家今昔記　五冊

一 讃々太郎史記　拾冊

一 関八州古注　廿冊

一　徂徠全集　三拾七冊
但是迄四十二冊之処七冊不足

一　六諭衍義

一　四書示句　新板写帳

一　慶元龍　四冊

一　小学大全　拾冊

一　本朝語園　拾冊

一　新選江戸雑字　六冊
外ニ清書本添候

、

一　大学章句　四三冊
一　中庸章句　弐四冊
一　大学或問返点　弐冊
一　中庸或問返点　弐冊
一　論語返点　拾九冊
一　孟子返点　拾四冊
一　大学或問　壱冊

一 中庸或問　壱冊

一 国策畧　弐冊

一 荘子　拾冊

一 十三童子詩集　壱冊

一 尚書　六冊

拾壱冊二段

外題

覚書

一 正字通 大本壱部

一 康熙《キヤウ》字典 大帙ニ而四帙壱部

一 韓昌黎集

一 柳河東集 大本拾壱部

五拾四部

〆小数

中里多膳

湊九郎治

一　周禮注疏　拾冊
一　儀禮注疏　八冊
一　三禮図集注　四冊
一　延喜式　五拾冊
一　五車韻瑞　弐拾五冊
一　禮記注疏　拾五冊
　　六経ニ及

三番　　　　　　山崎半之丞

一　論語古訓　　弐冊

一　周易伝　　　拾冊

一　國語　　　　五冊

一　湖月抄　　　六拾冊、

一　韻会小補　　拾八冊

五部弐及

一　四書　中黒本五部

一　五経集註　参拾七冊

一　後漢書　六拾冊

一　四大奇書　弐拾四冊
　　三部ニ欠

一　五代史　古同新唐

一　四書人物備考　八冊

一 海国兵談　三冊

一 五経大全　四拾七冊

一 改正日本輿地路程全図　壱枚

一 文選六臣注　六拾一冊

五部説弁

六書

新宮文之進（印）

一 武備志　百冊

一 河海抄　弐拾冊

一 隠書　壱拾冊

三部四段

〆四百弐拾九部也

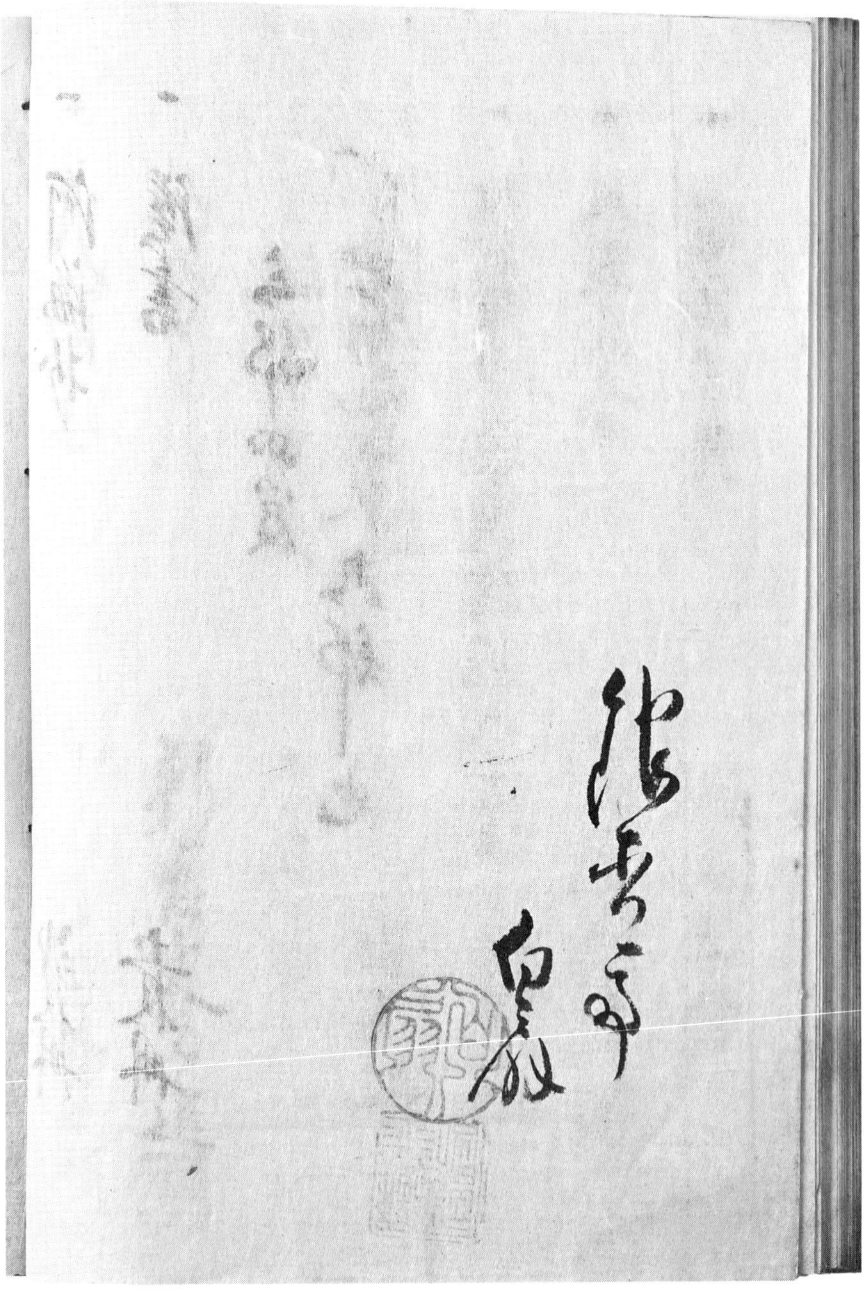

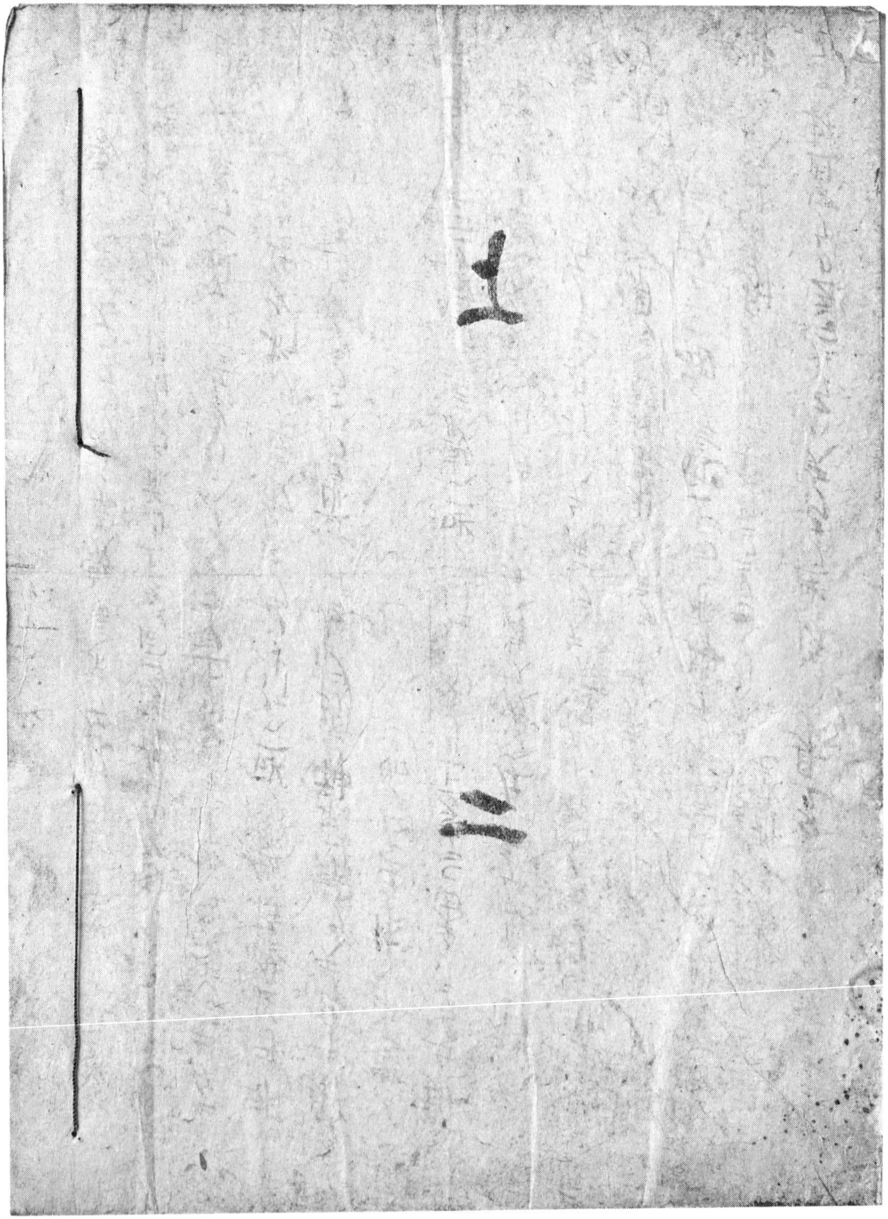
上
二

③ 仲間書物目録

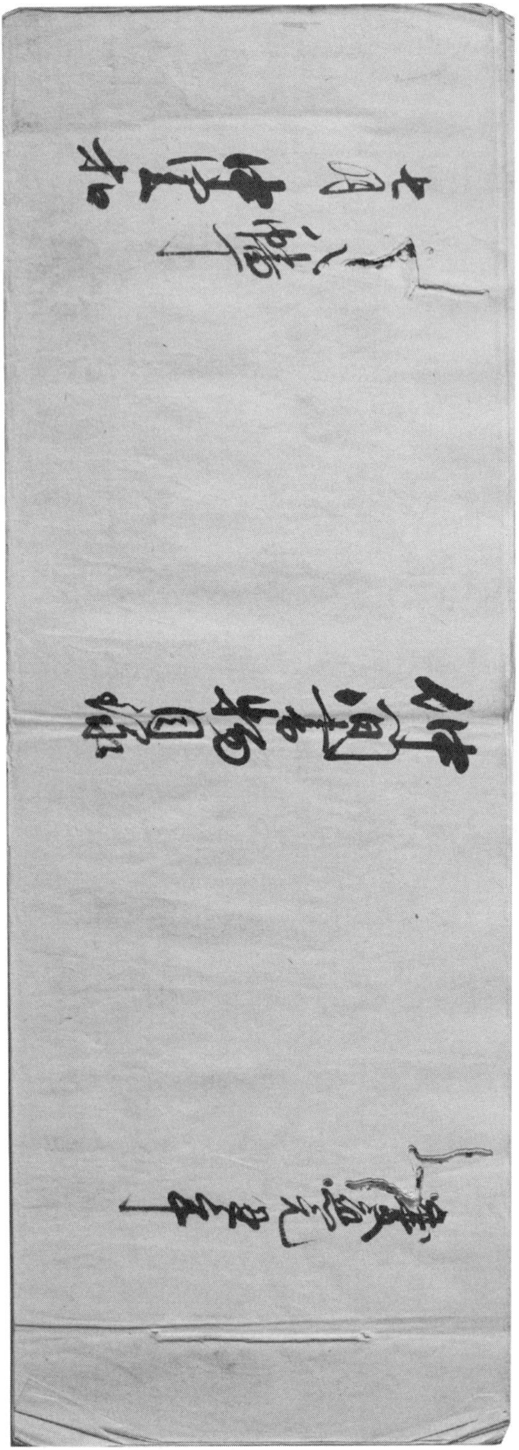
仲間書物目録

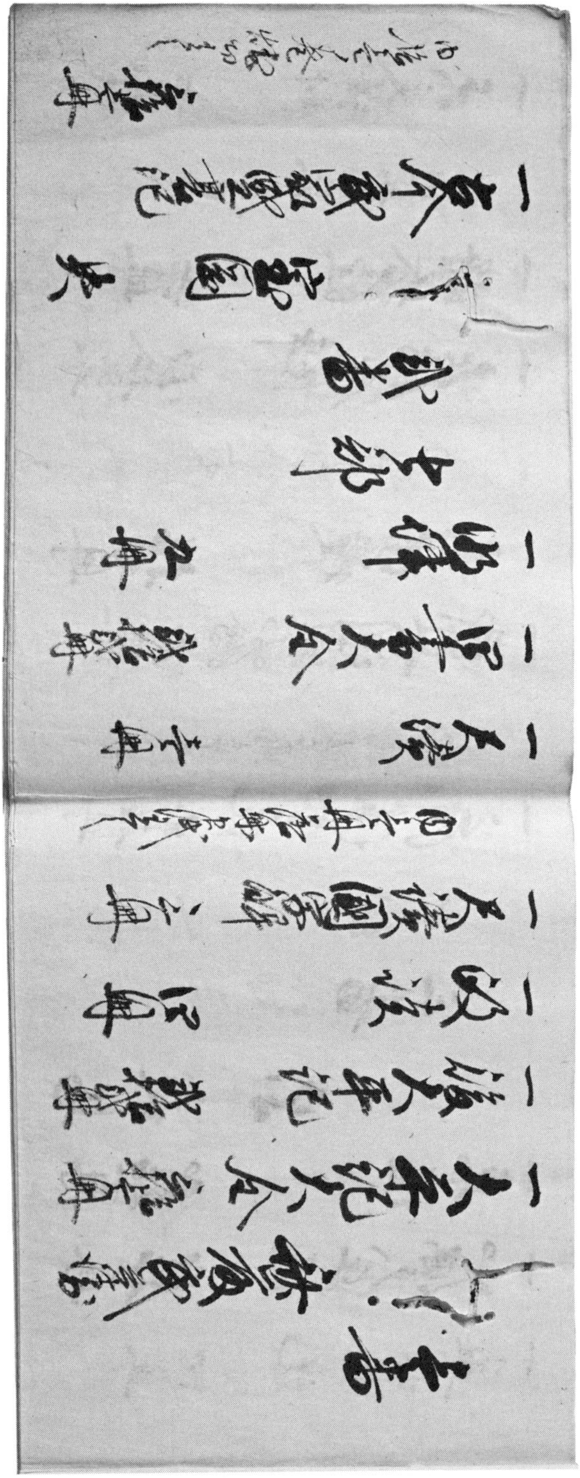

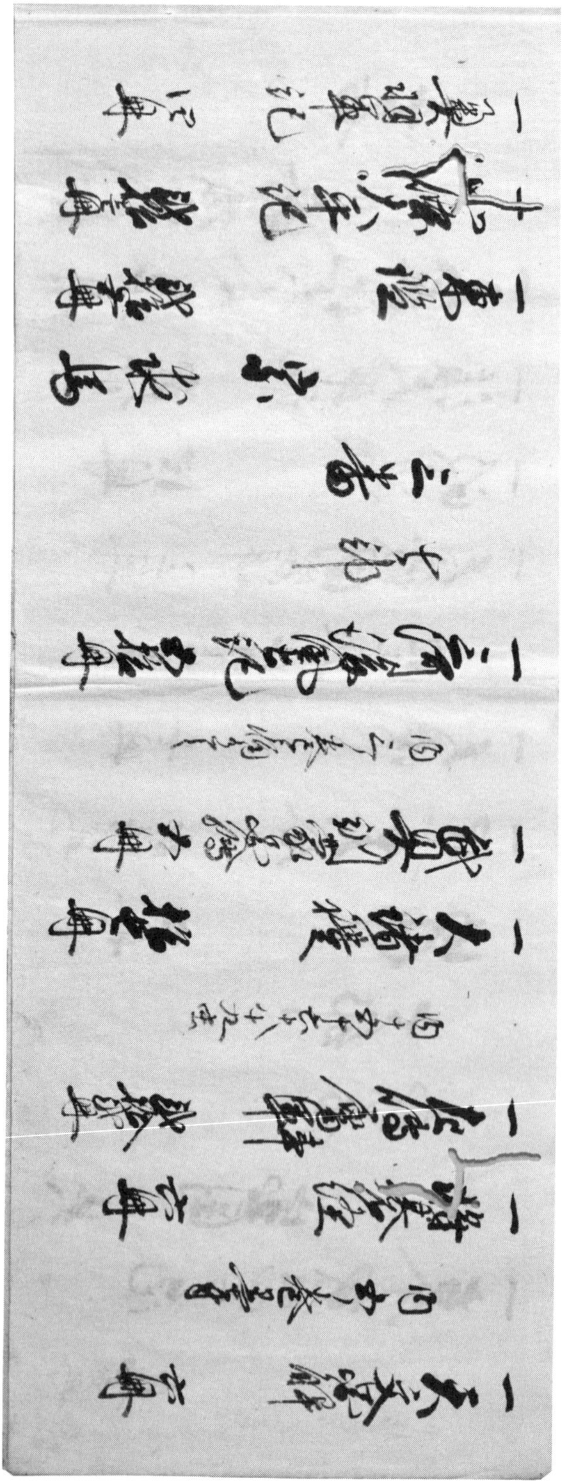
一 天文図解 六冊
内廿ノ巻不足
一 将棊経 六冊
一 左伝□□ 弐拾冊
内十五十六十八十九无
一 大諸禮 拾七冊
一 武具訓蒙図彙 七冊
内二ノ巻不足
一 三河後風土記 四拾冊
七郎
三番 宗 求馬
一 東鑑 弐拾冊
一 北條太平記 弐拾冊
一 奥羽軍記 四冊

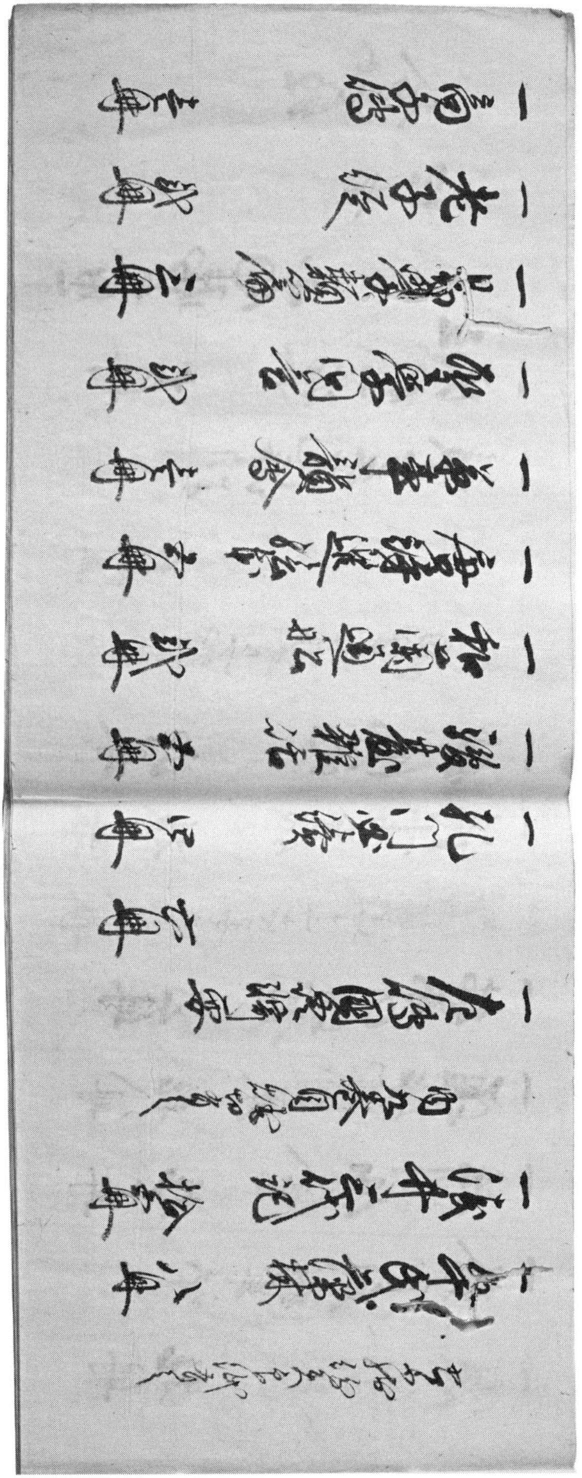

拾[illegible]

四番

[illegible]

一 王代一覧　七冊

一 後太平記評判　并　二拾冊

内九冊[illegible]

一 神風記　弐冊

一 詩書古傳　拾冊

内[illegible]

一 梅の道乃　三冊

一 通俗戦国策　拾八冊

一 信州川仙人家　拾壱冊

十 絵本朝鮮軍談　拾冊

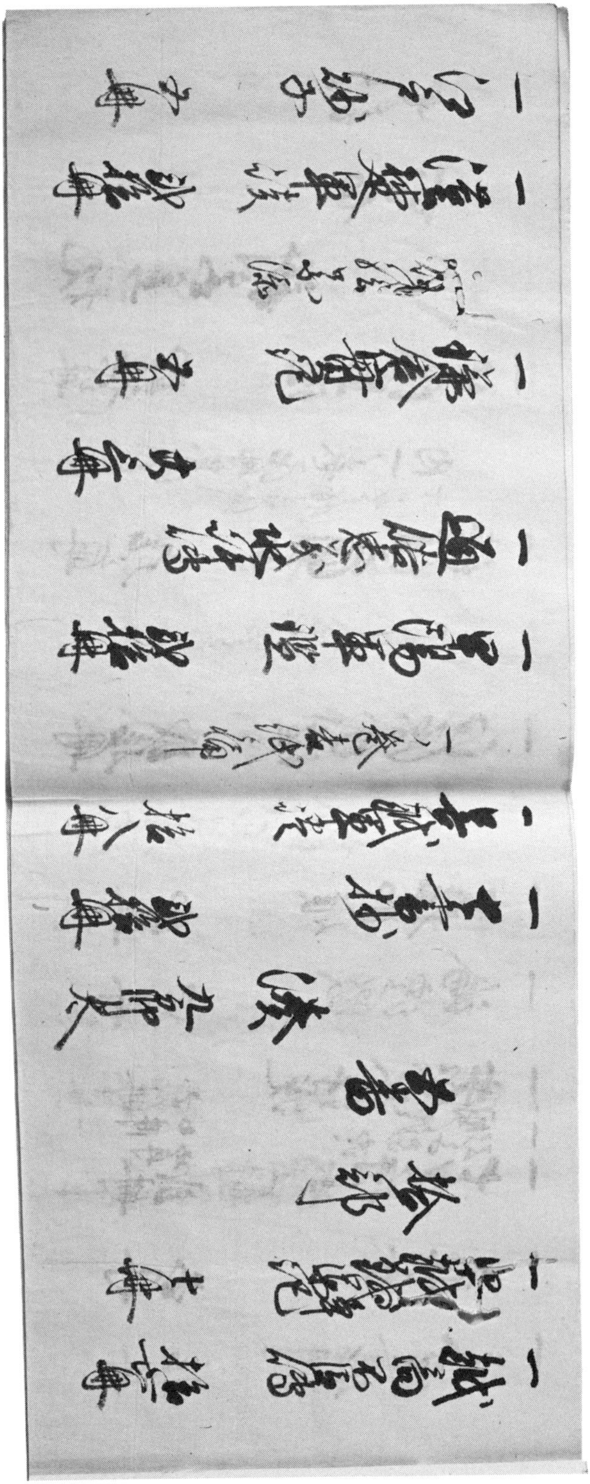

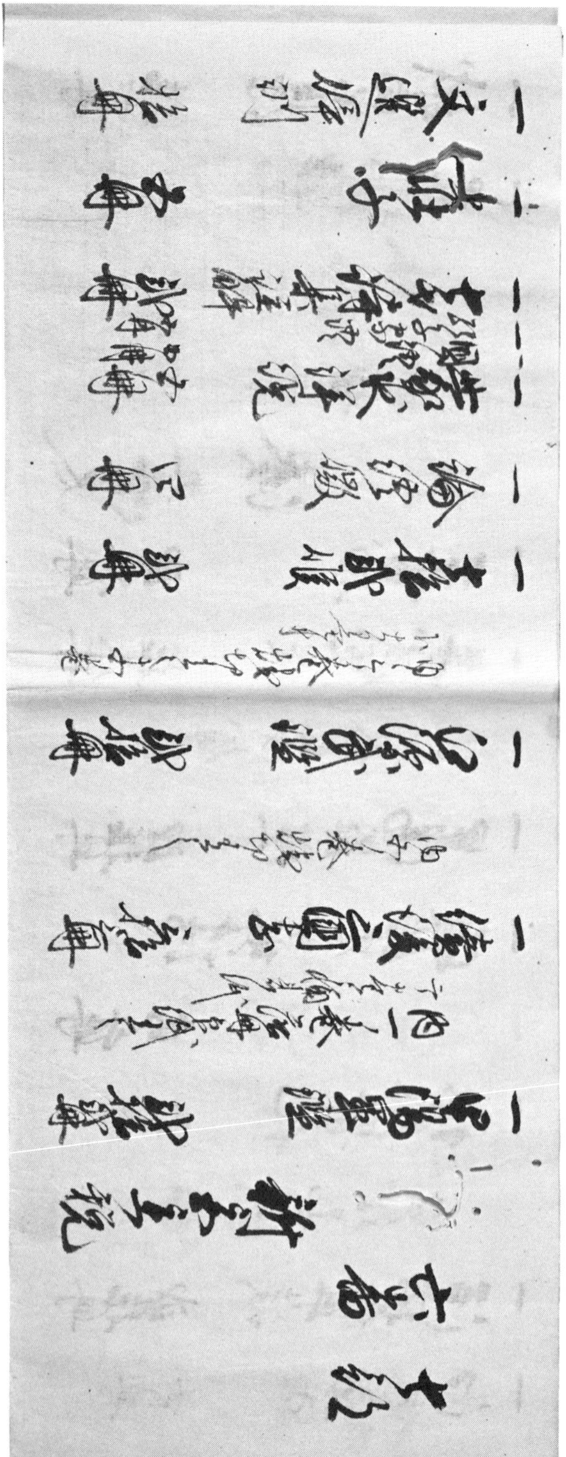

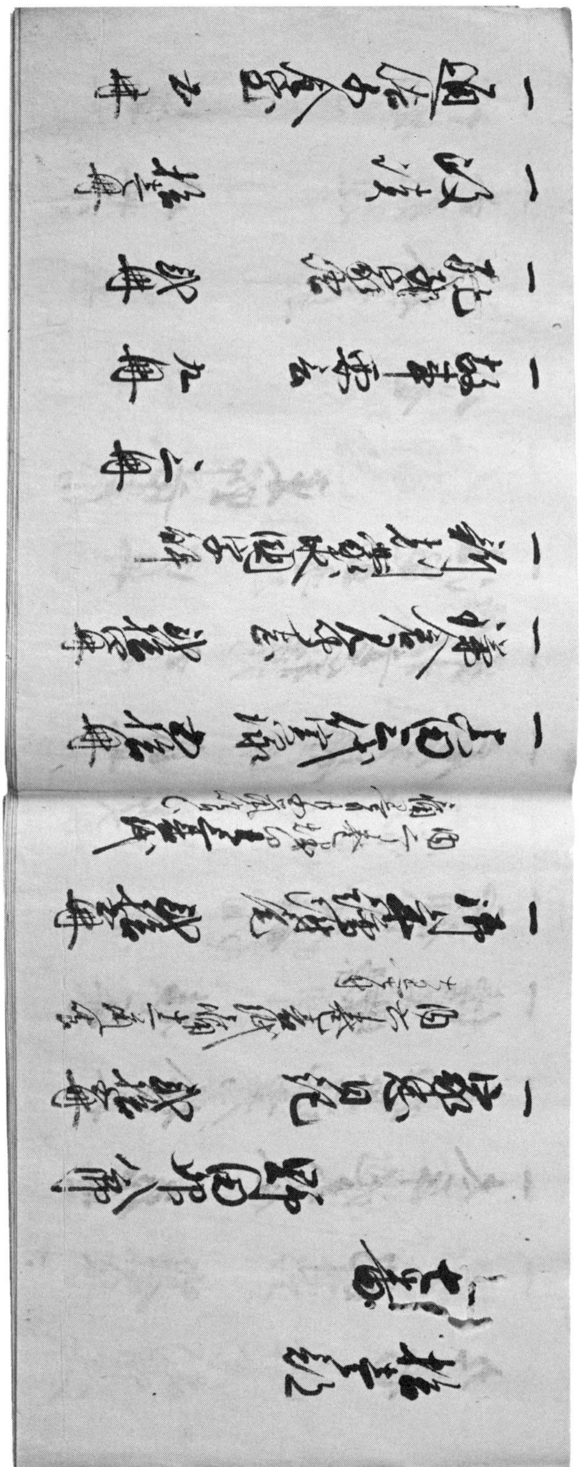

一 博物志　四冊

一 五雑爼　八冊

拾壱郎

八番

東野市蔵

一 法竜五要抄　四冊

一 倭板書籍考　五冊

一 磨光韻鏡　弐冊

一 内拾壱巻壱弐〔 〕欠
前後有之

一 正韻字彙類編　壱冊

一 続字彙補　拾冊

一 本朝軍器考　拾四冊

一 太平記大全　廿冊

十郎

九番

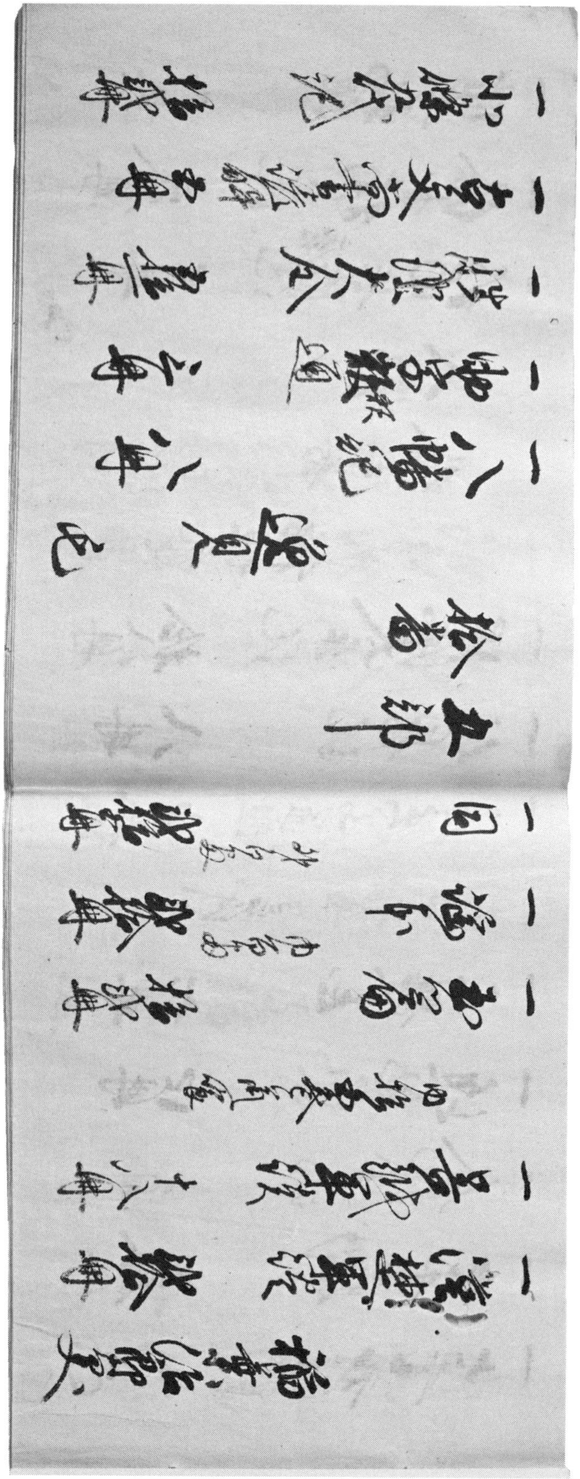

一 曽我物語 十二冊

一 絵本楠公記 三拾冊

一 新田興廃記 七冊

八組
拾三番
稲垣左七郎

一 四海太平記 拾八冊

一 信長記 八冊

一 唐宋軍談 弐拾冊

内二九三十表紙無し

一 三體詩 六冊

一 近思録 四冊

一 金銭評論 五冊

一 古書攅抄 三拾冊

一 大書和漢字引 弐冊

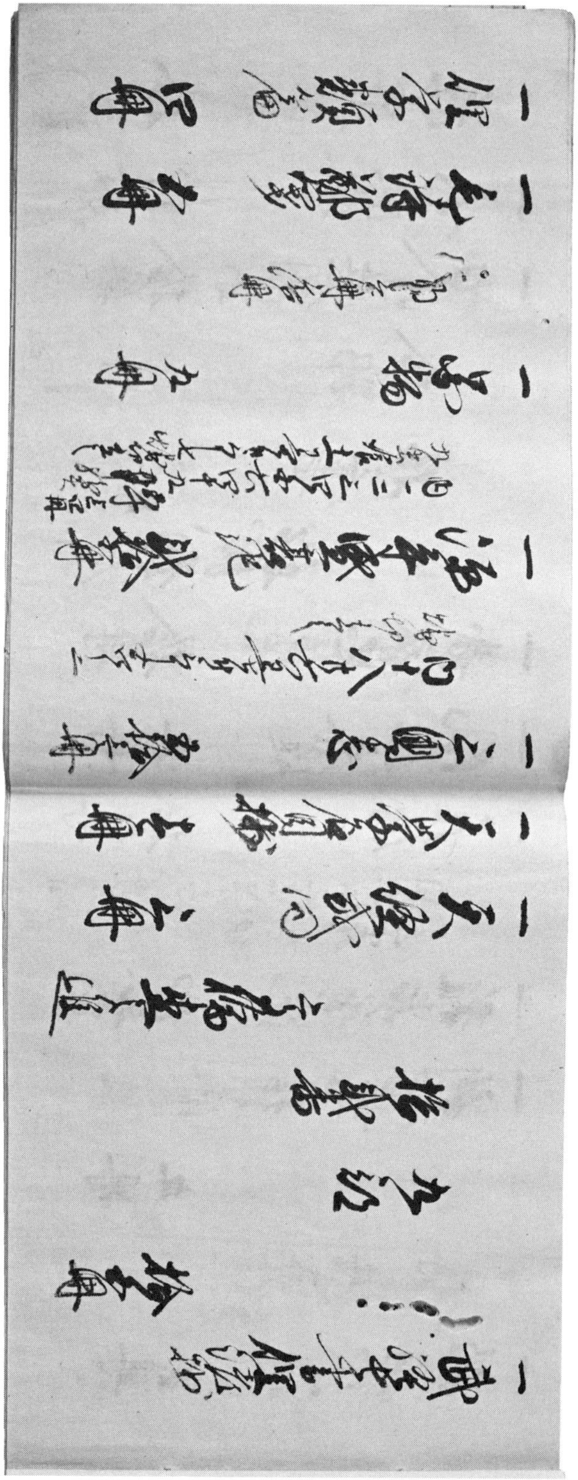

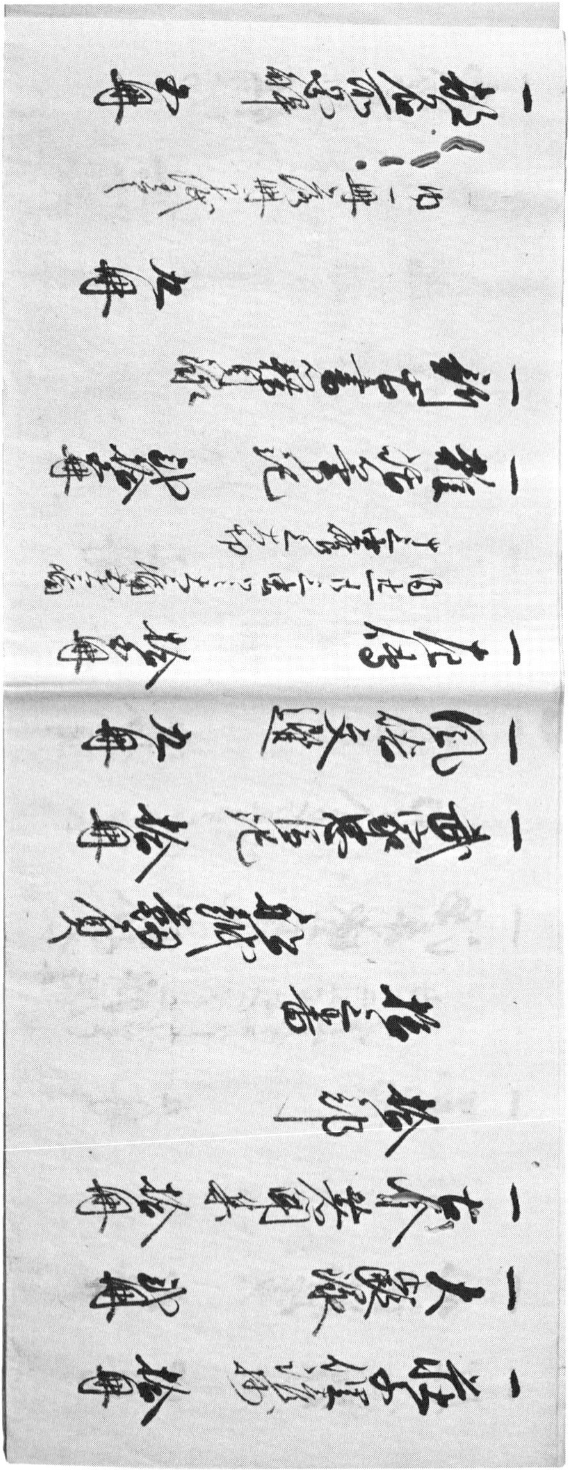

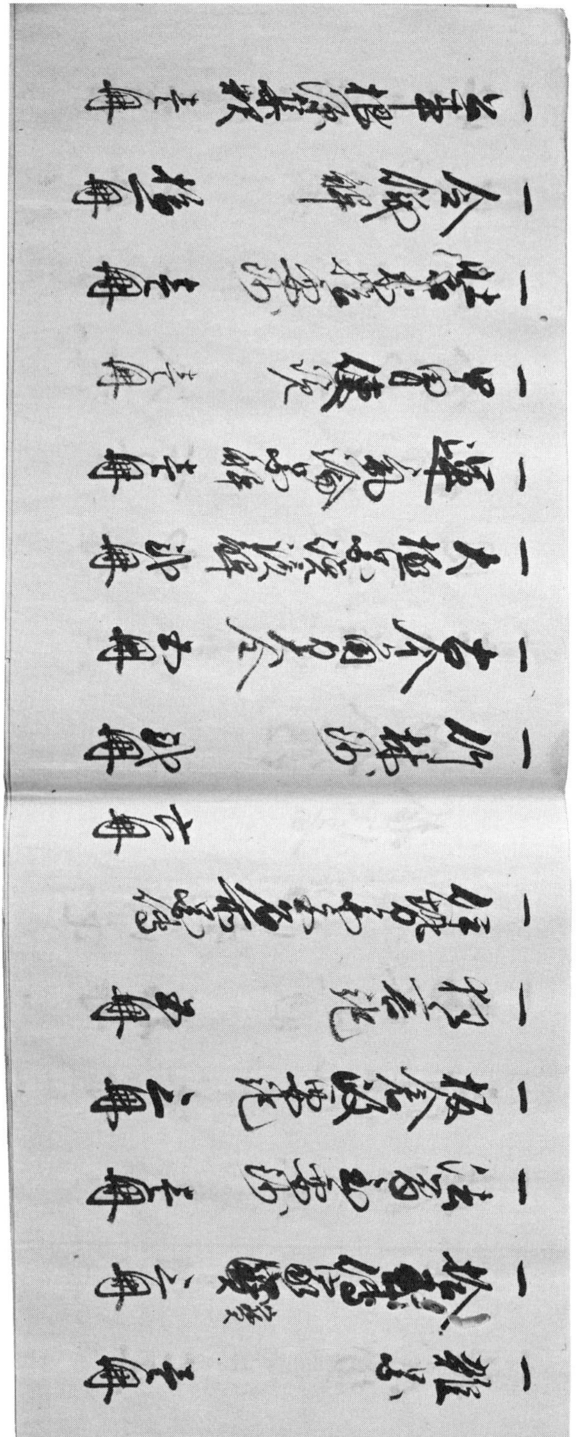

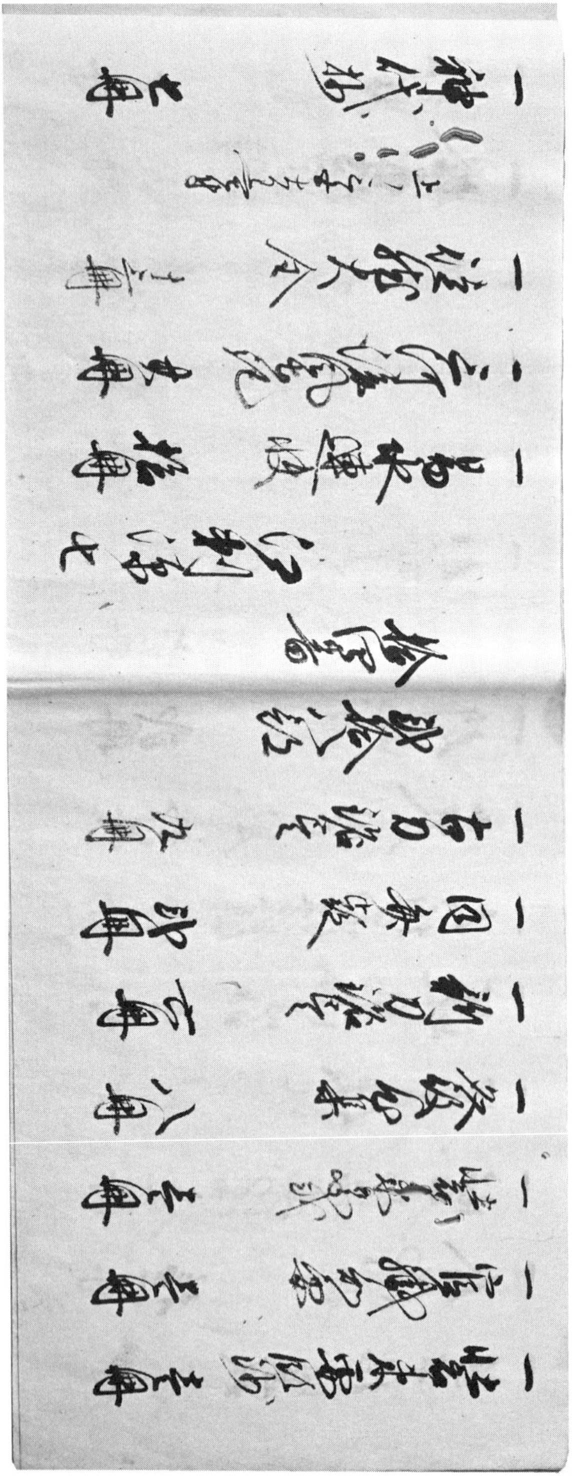

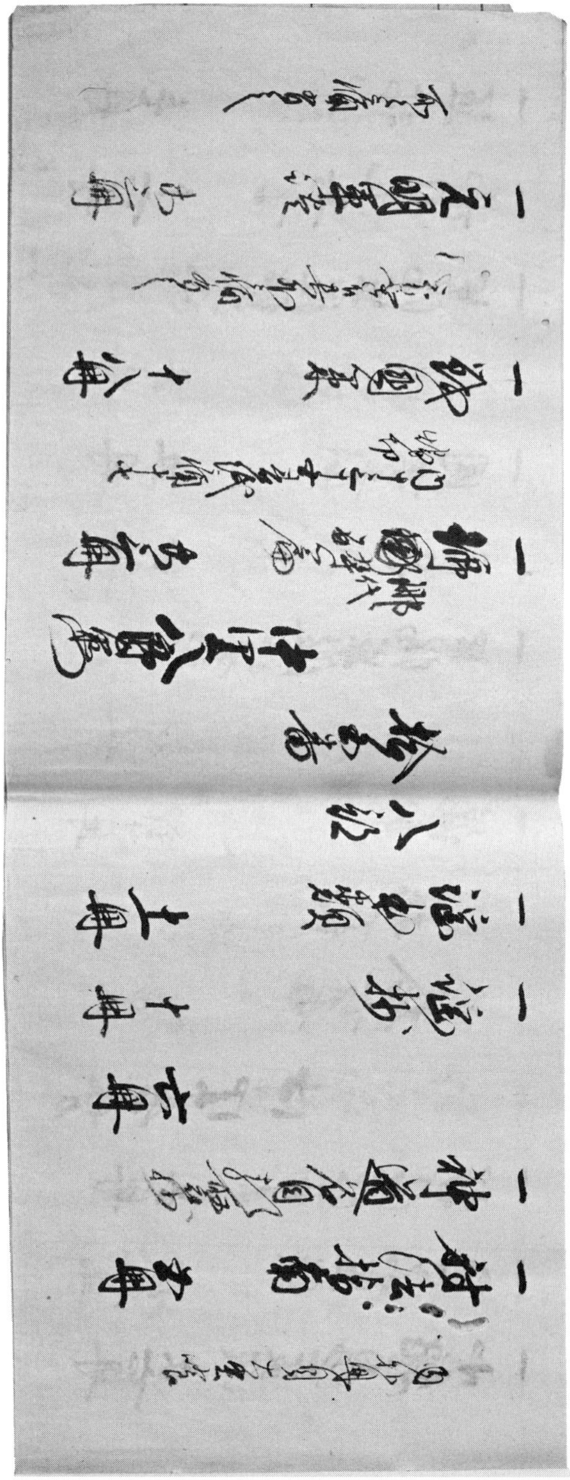

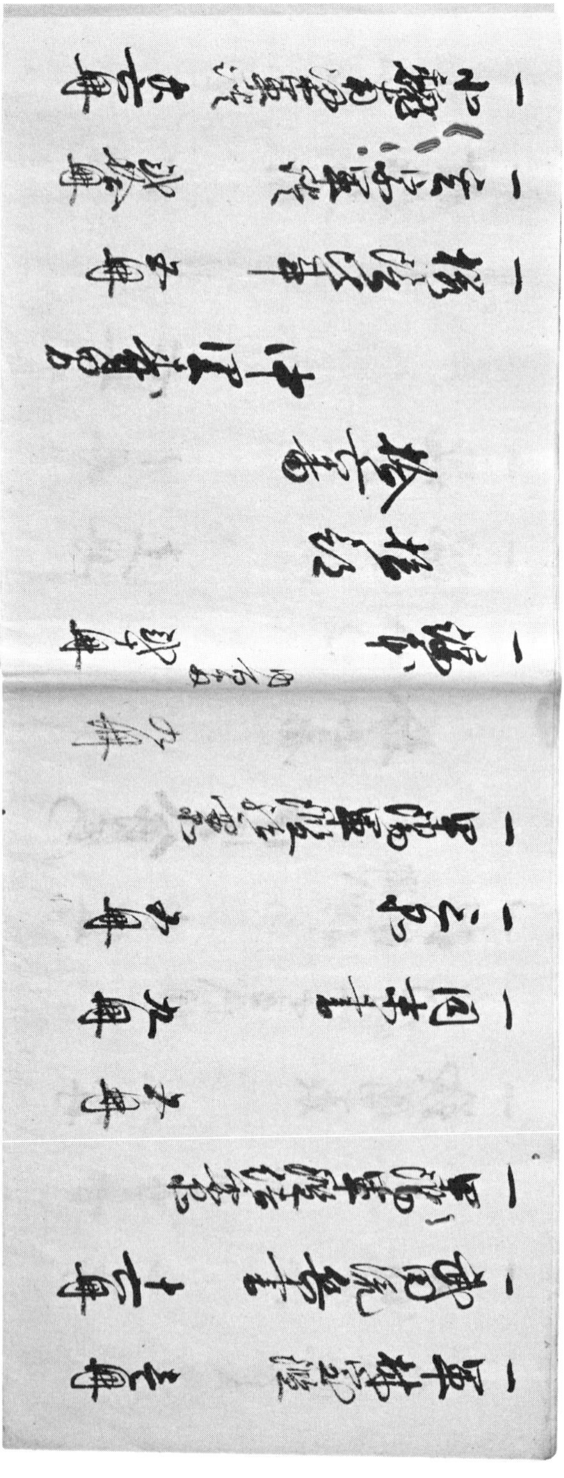

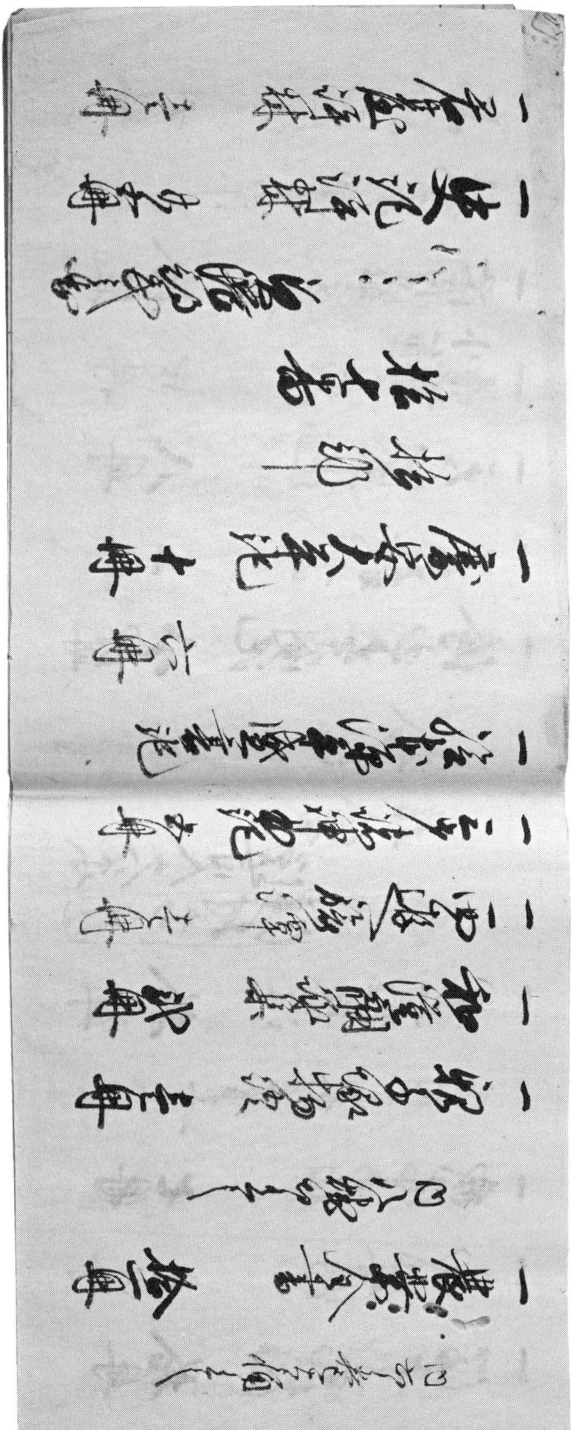

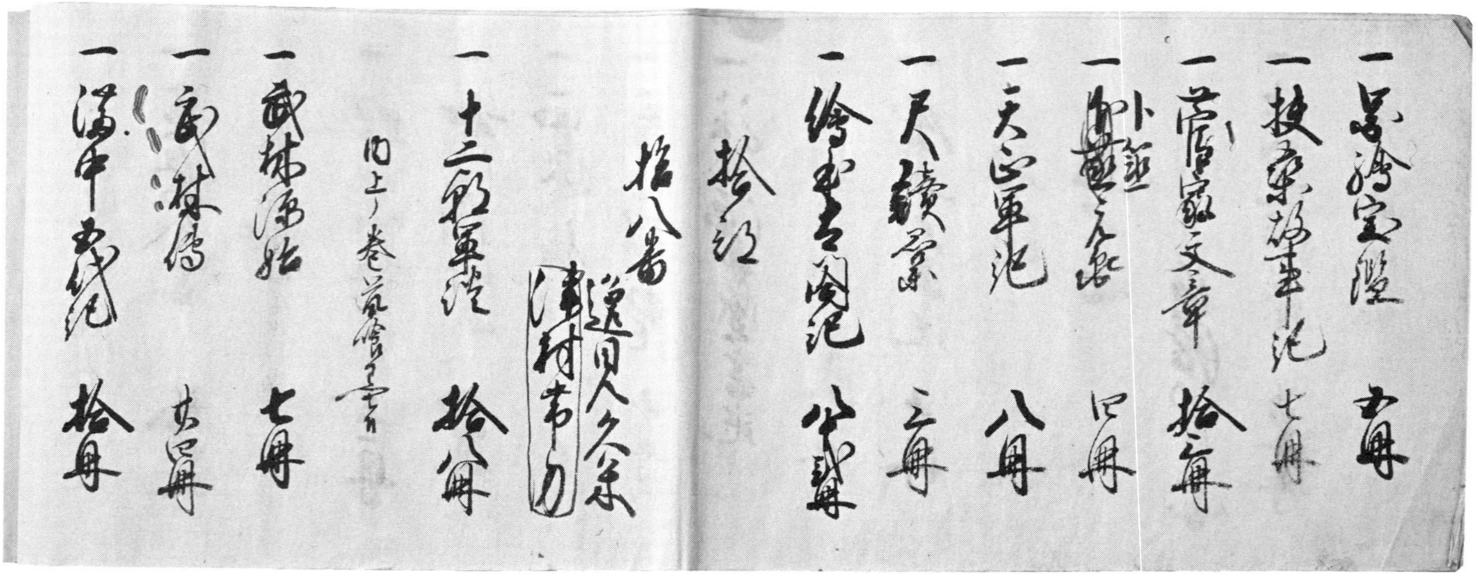

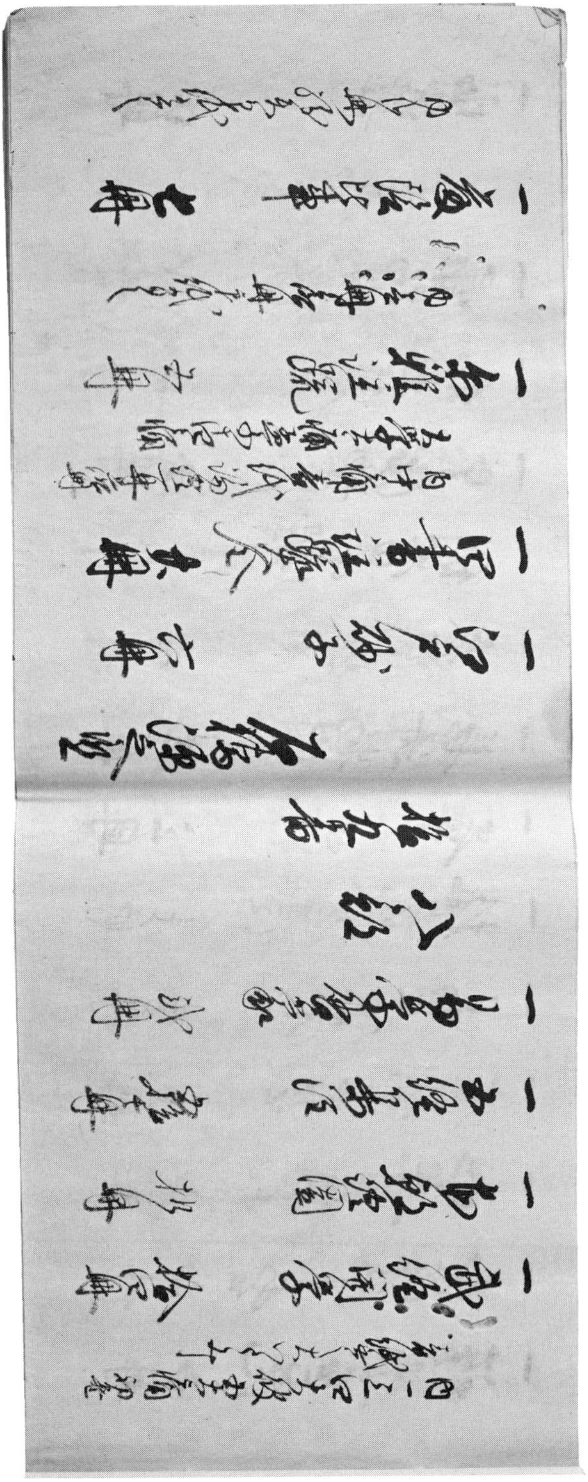

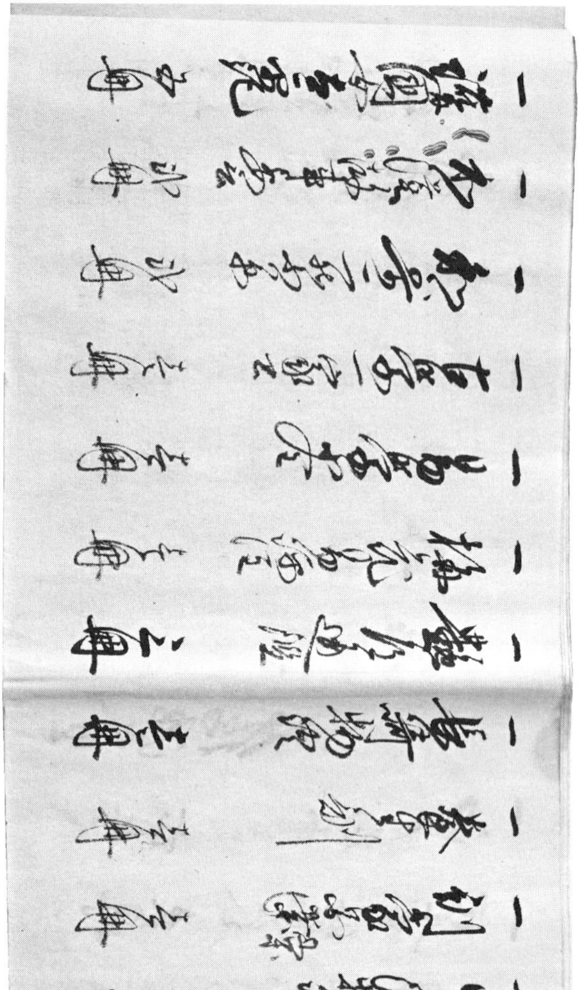

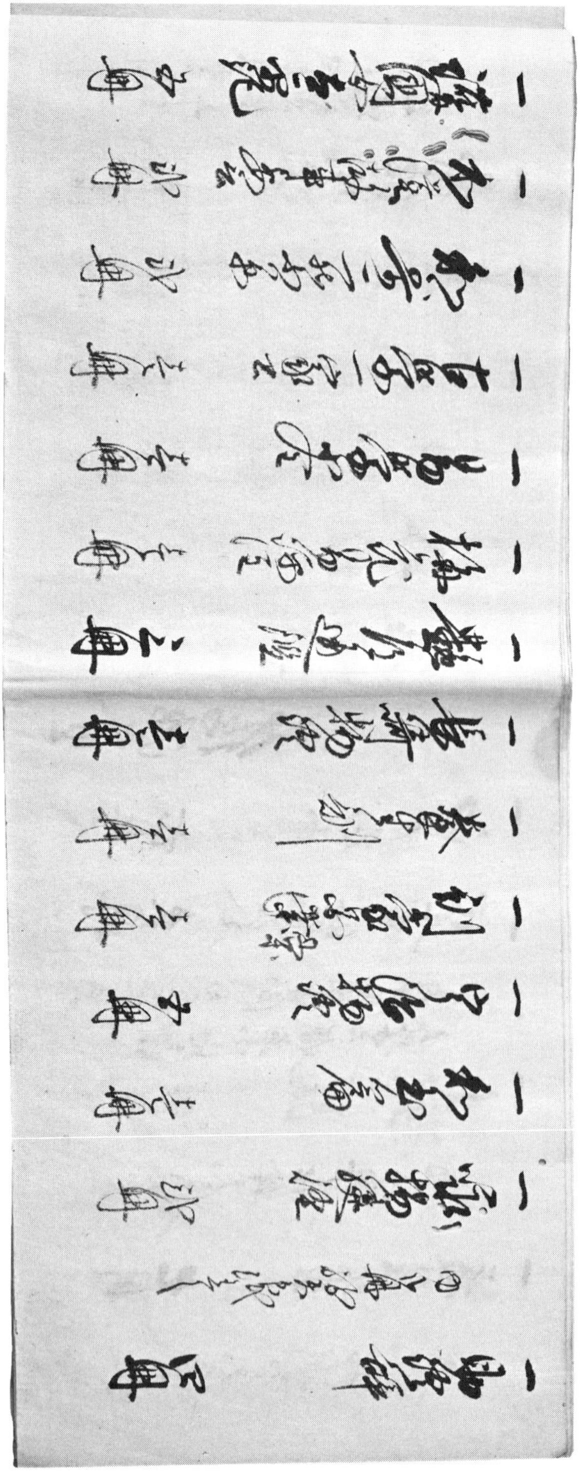

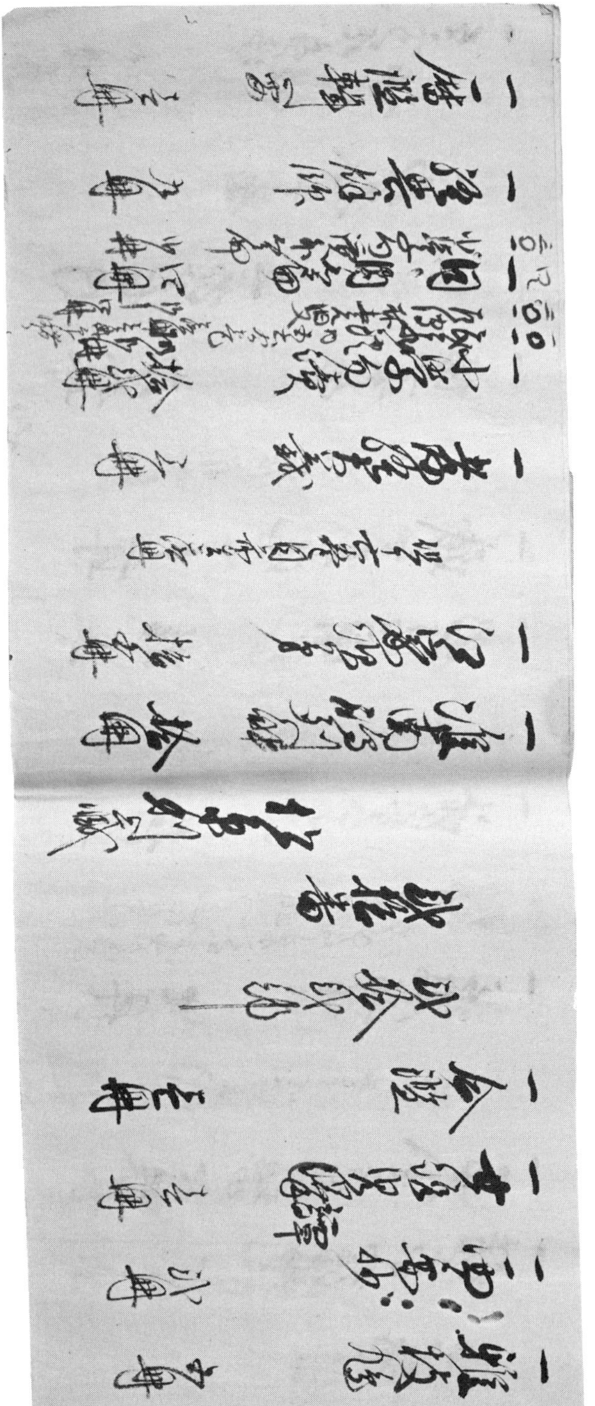

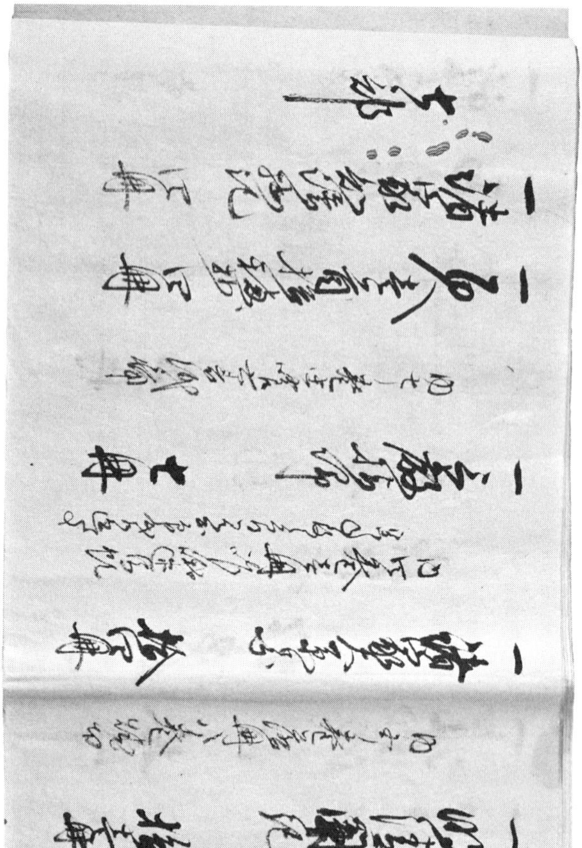

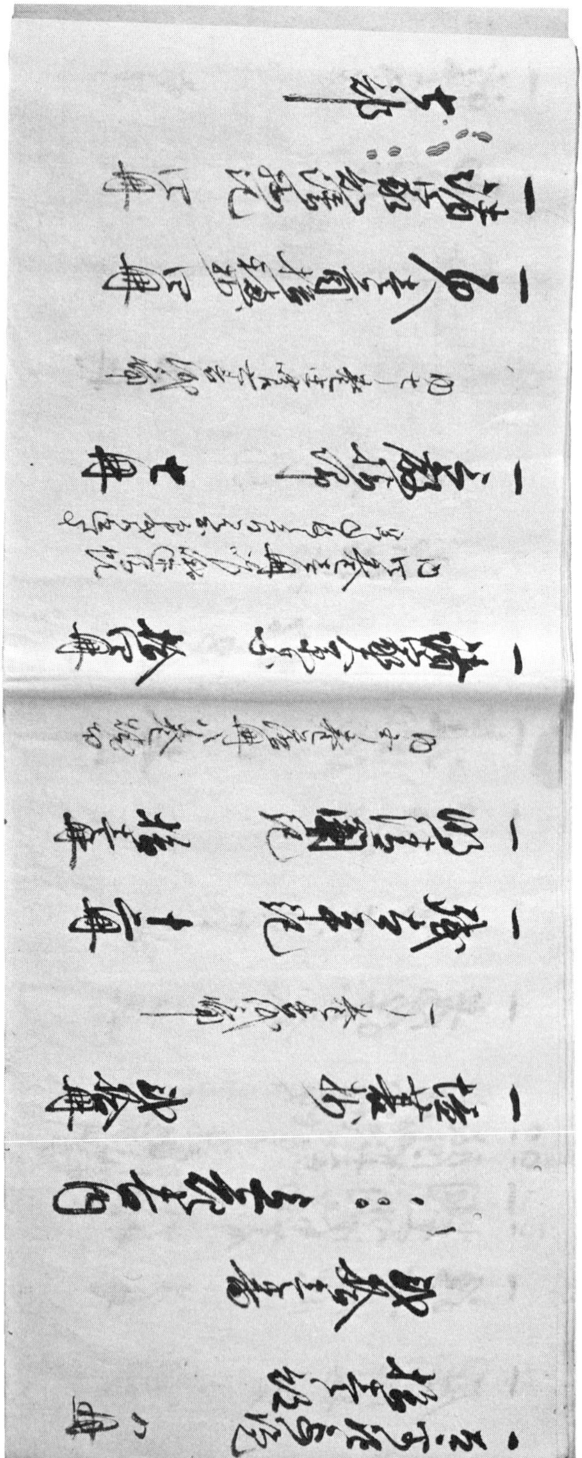

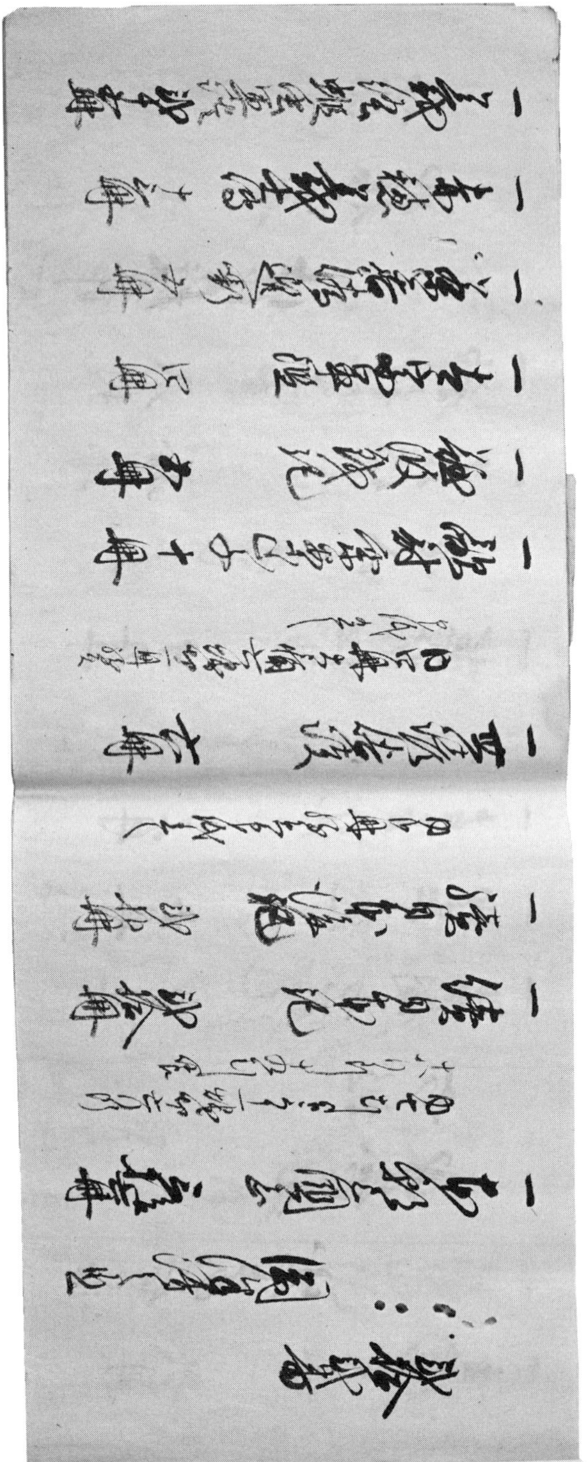

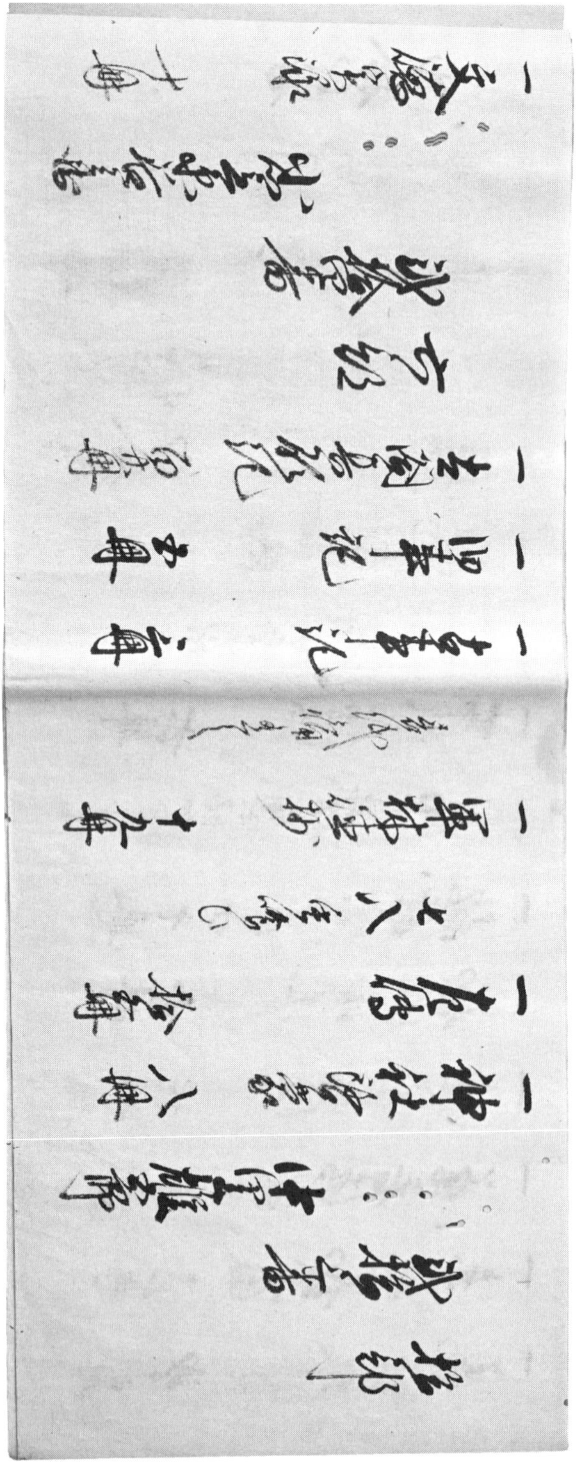

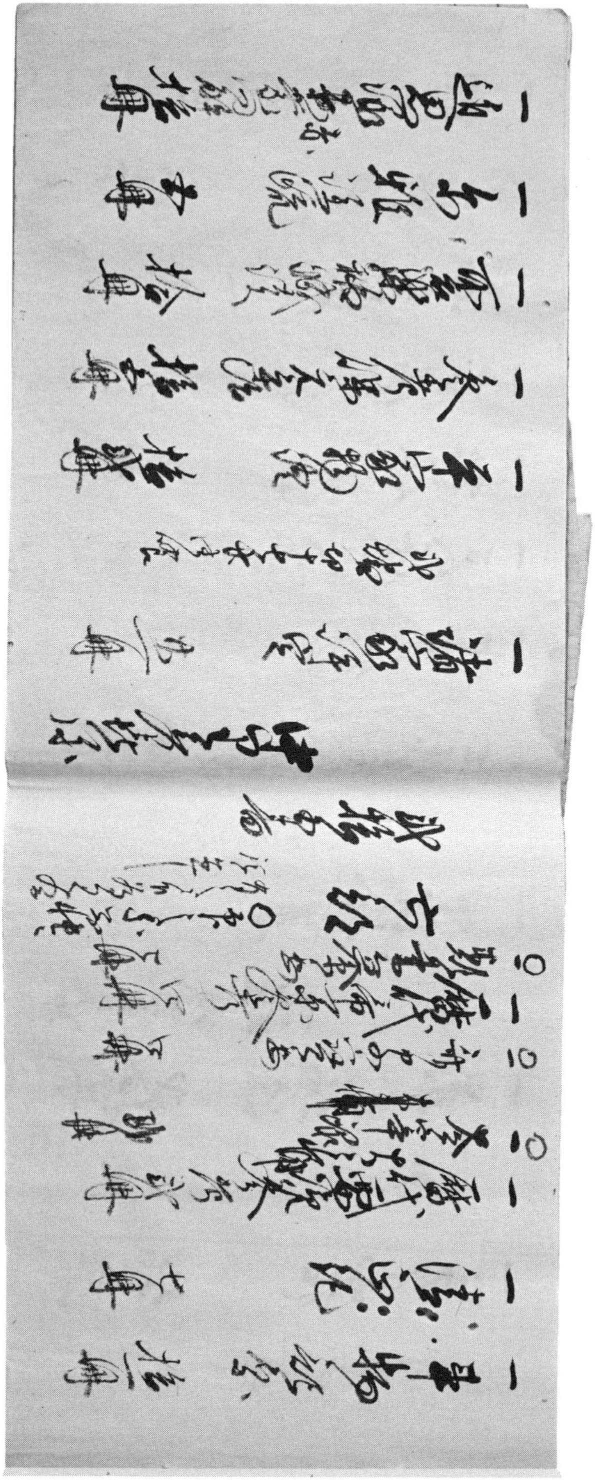

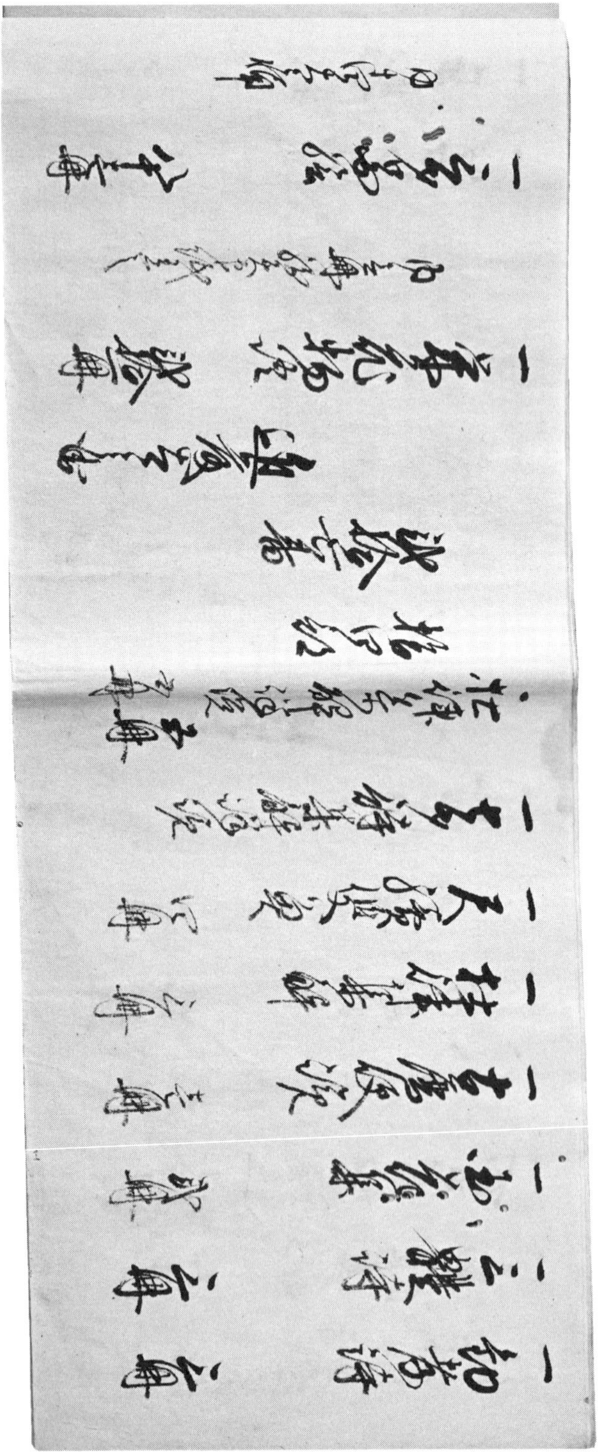

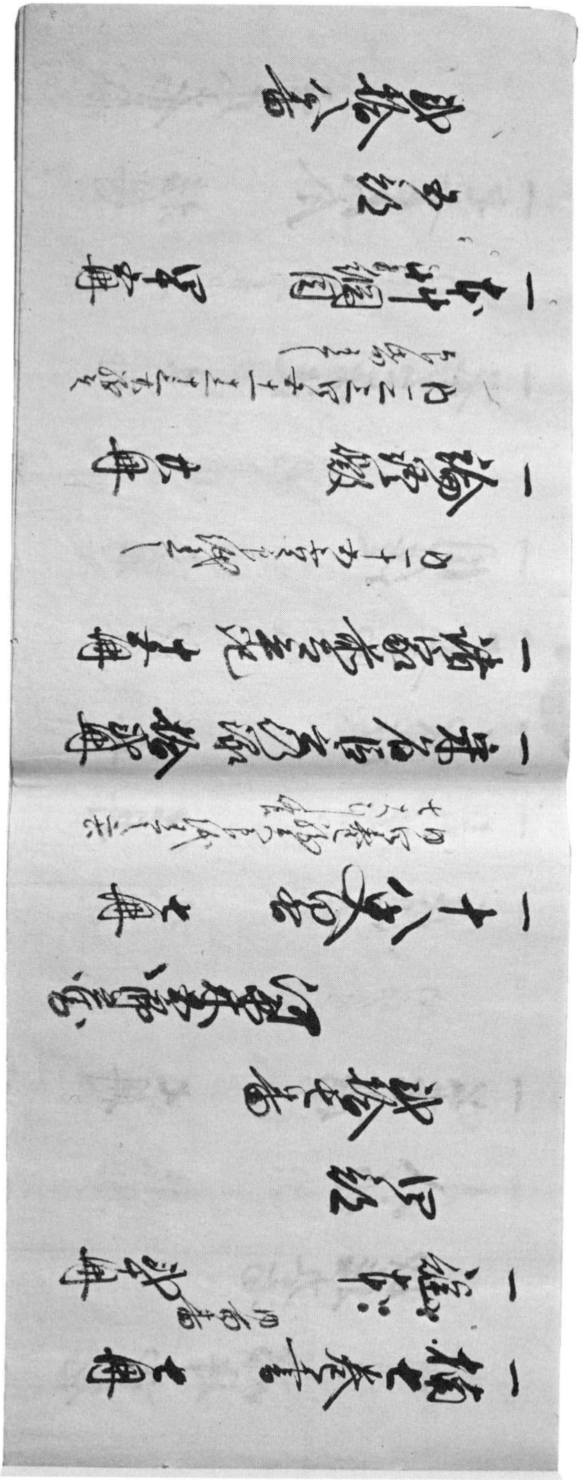

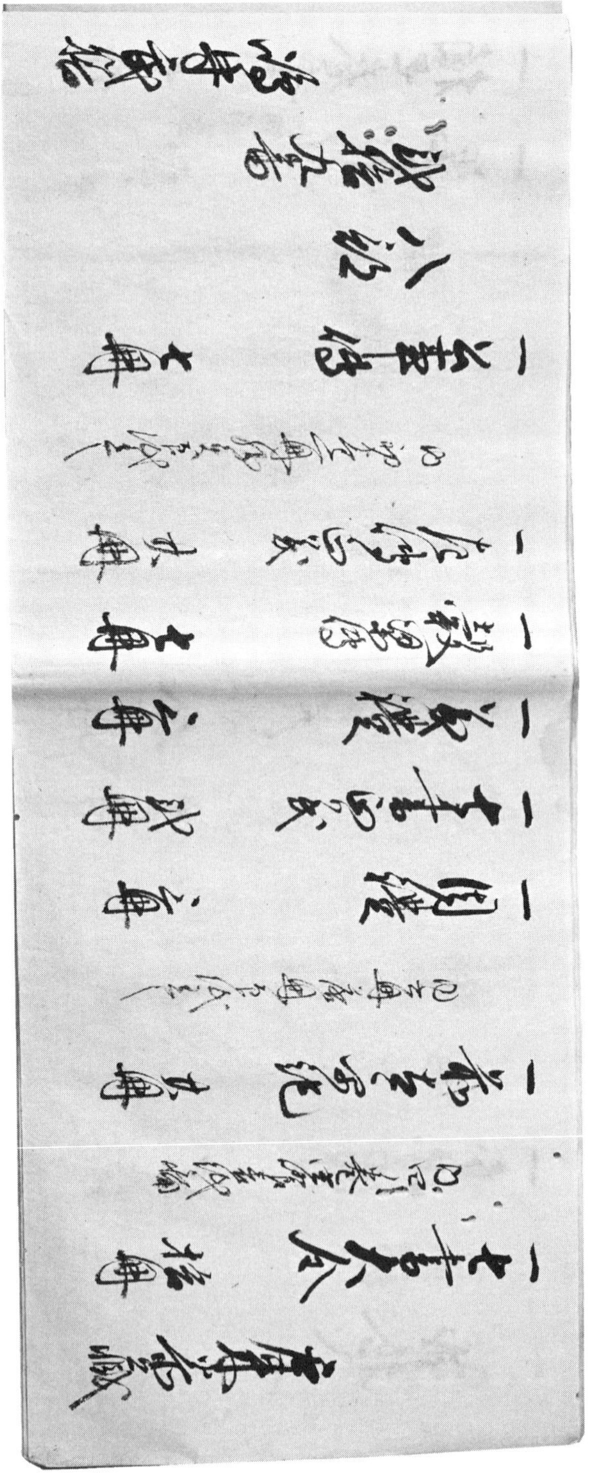

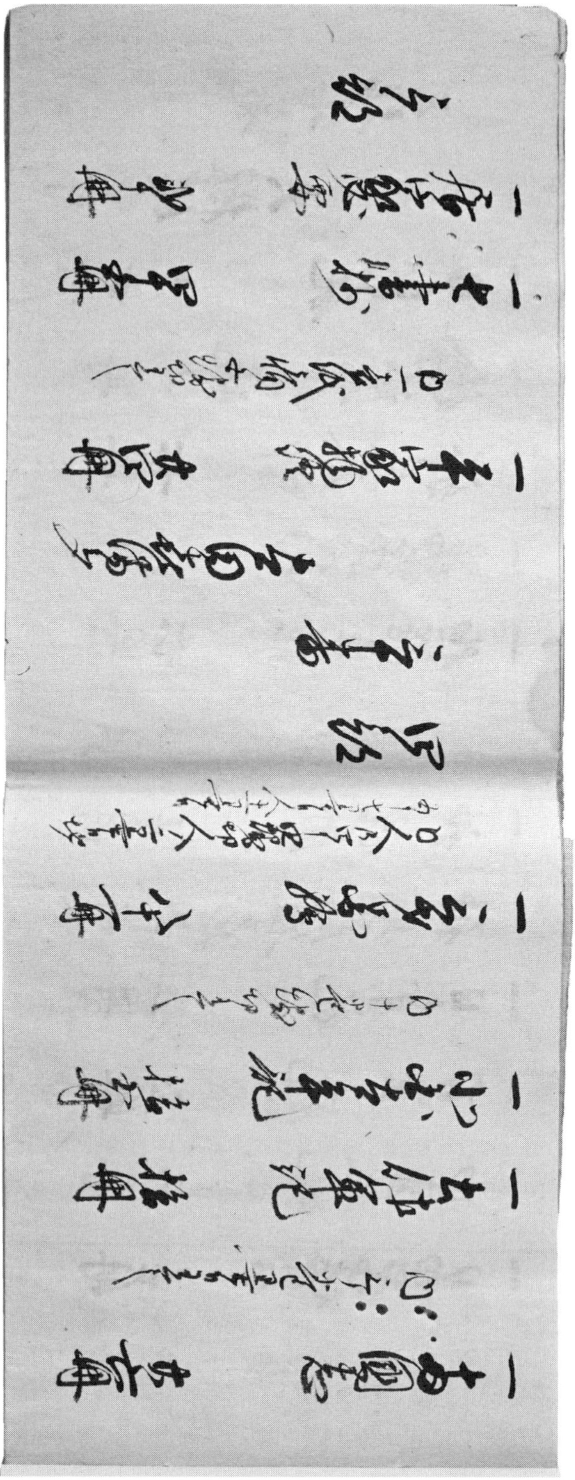

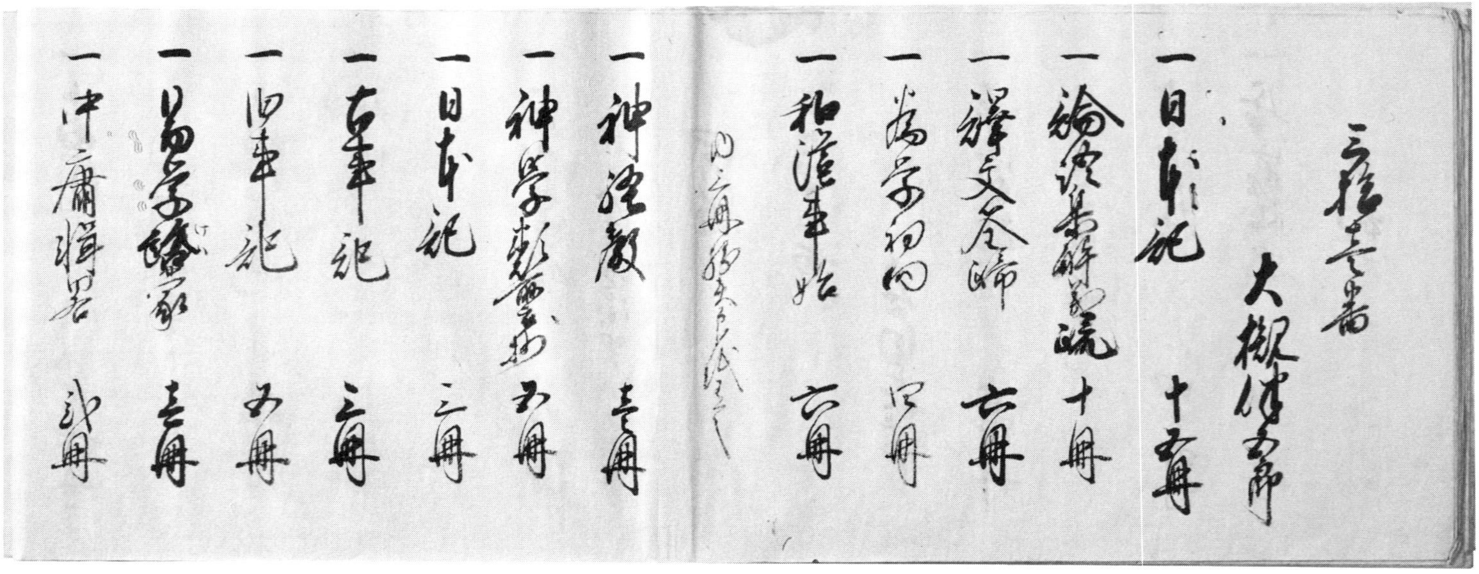

三拾壱番　大槻修二郎

一 日本紀　十五冊

一 論語集解義疏　十冊

一 譯文筌蹄　六冊

一 為学初問　四冊

一 和漢年契　六冊

〆五部四拾壱冊

一 神道叢　壱冊

一 神学撃蒙抄　五冊

一 日本紀　二冊

一 古事記　三冊

一 旧事紀　五冊

一 易学啓《けい》蒙　壱冊

一 中庸輯略　弐冊

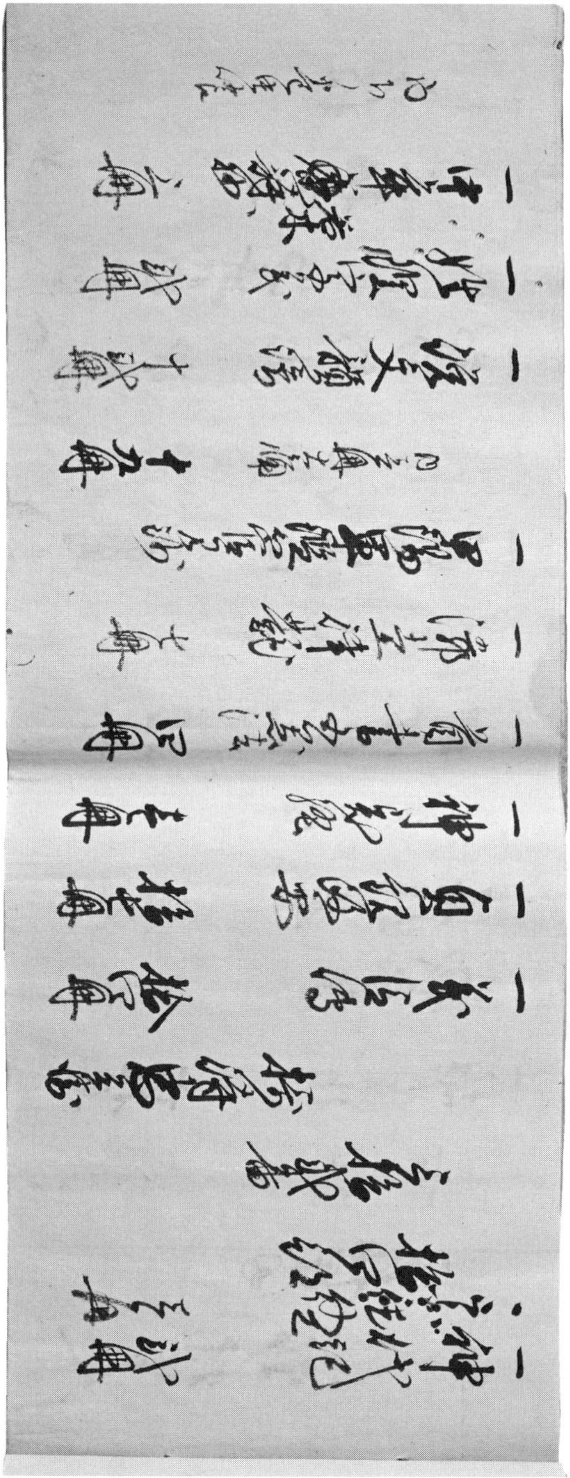

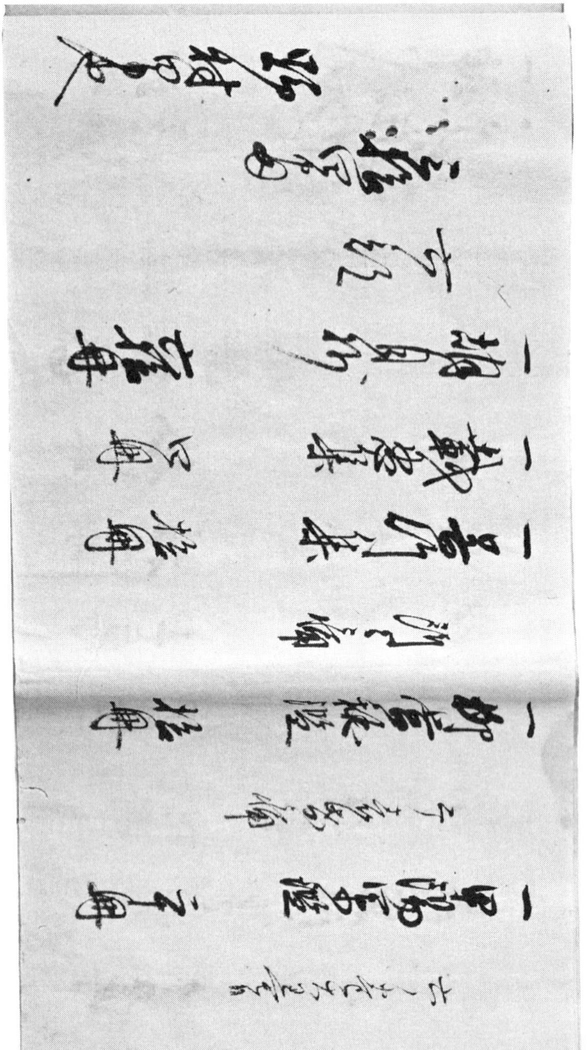

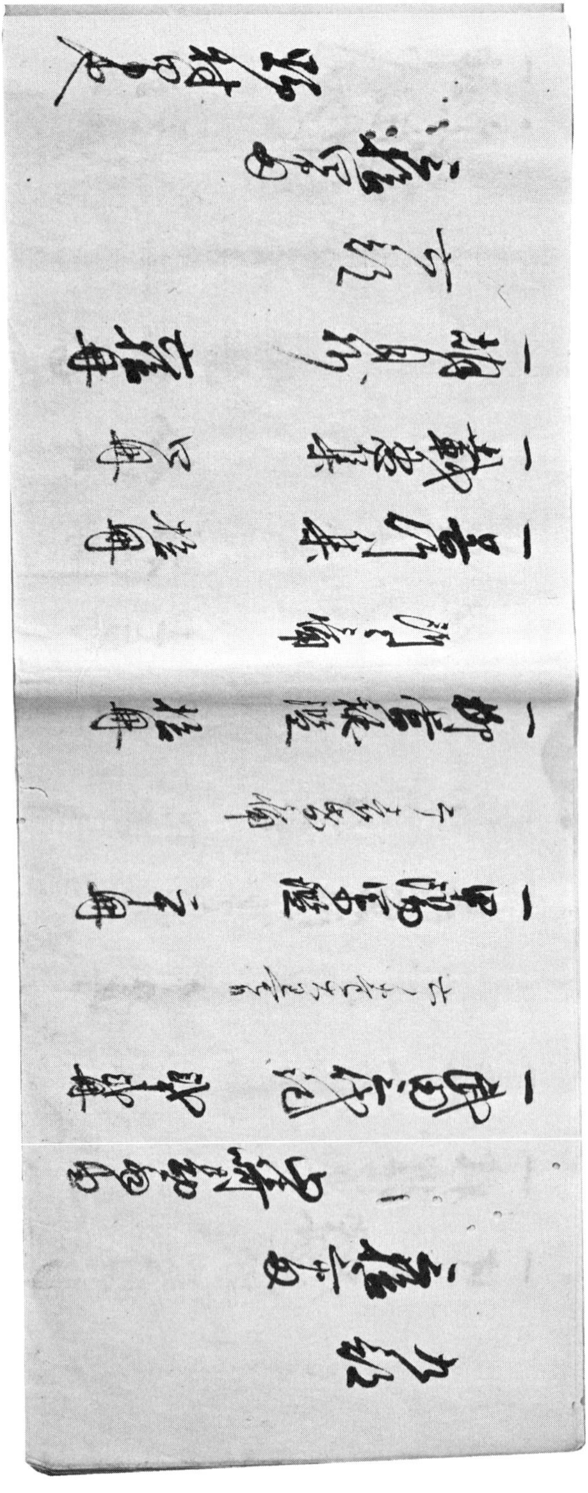

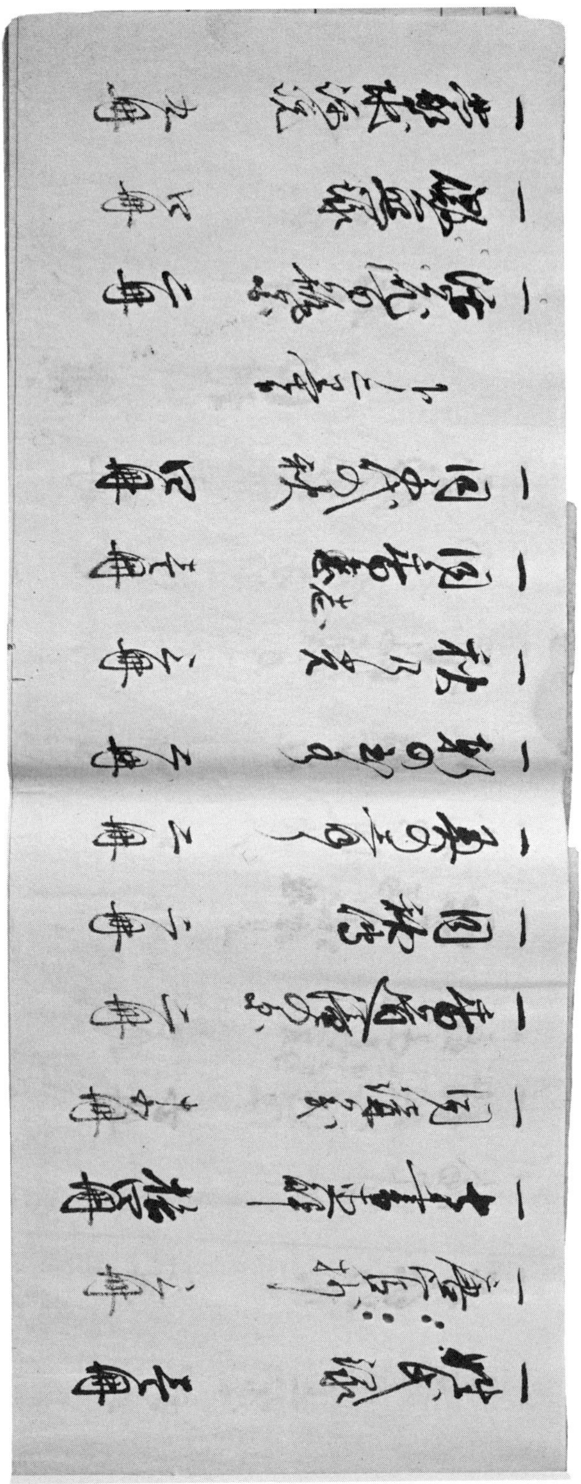

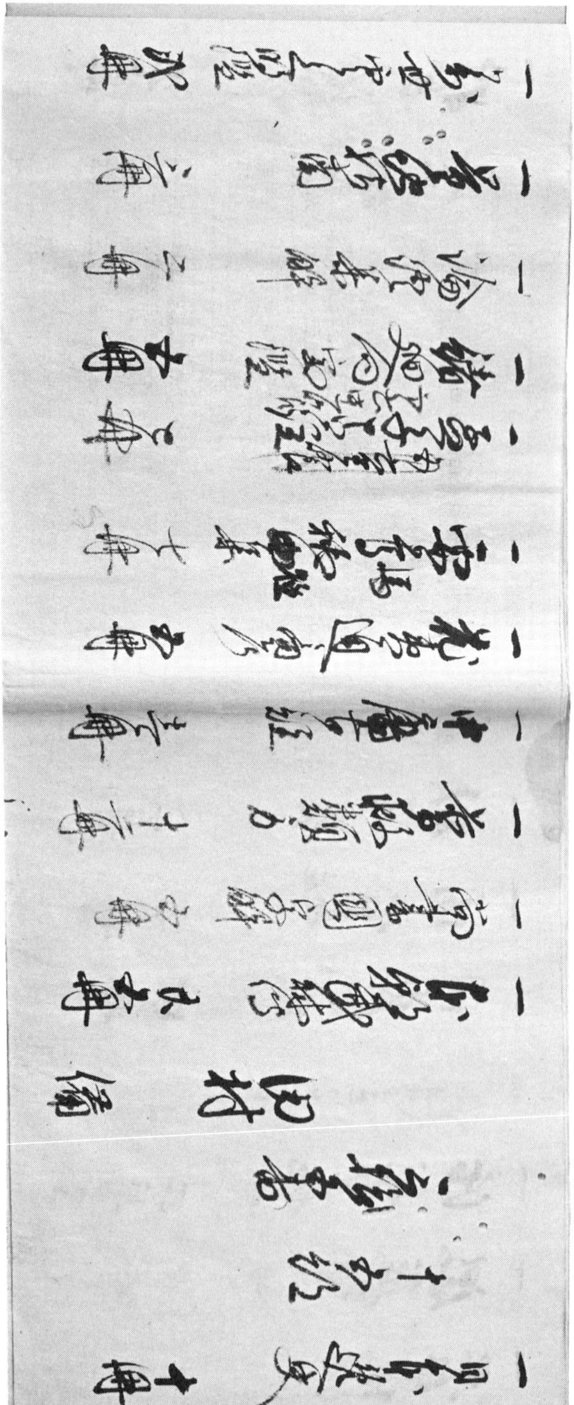

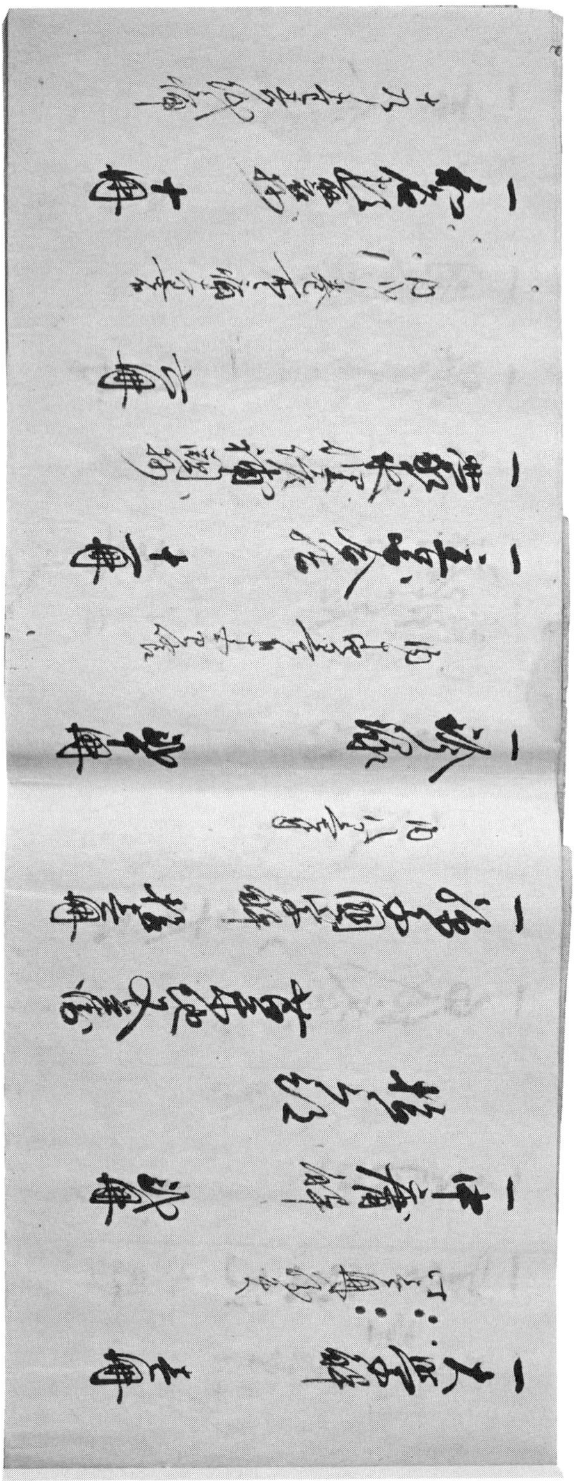

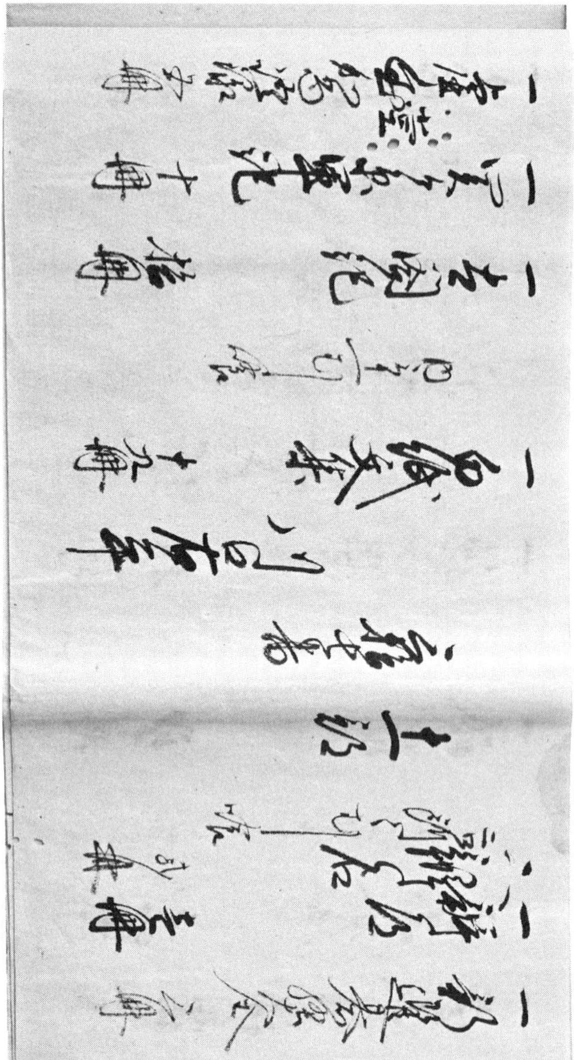

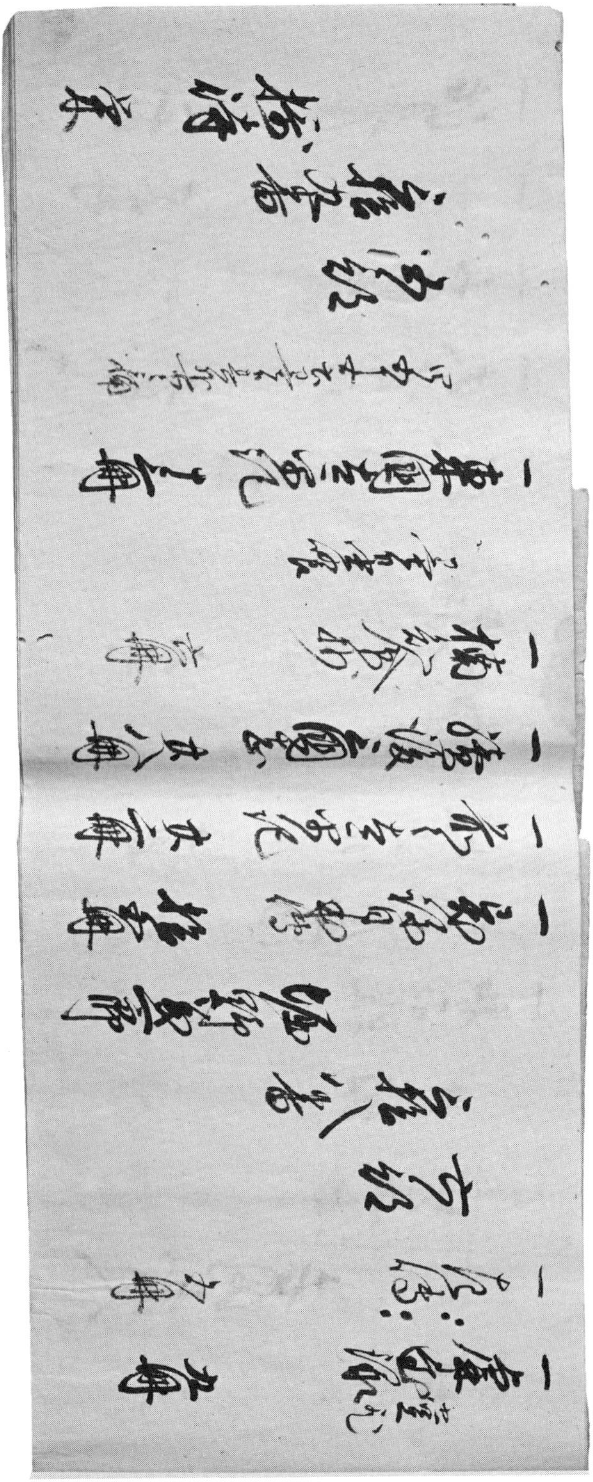

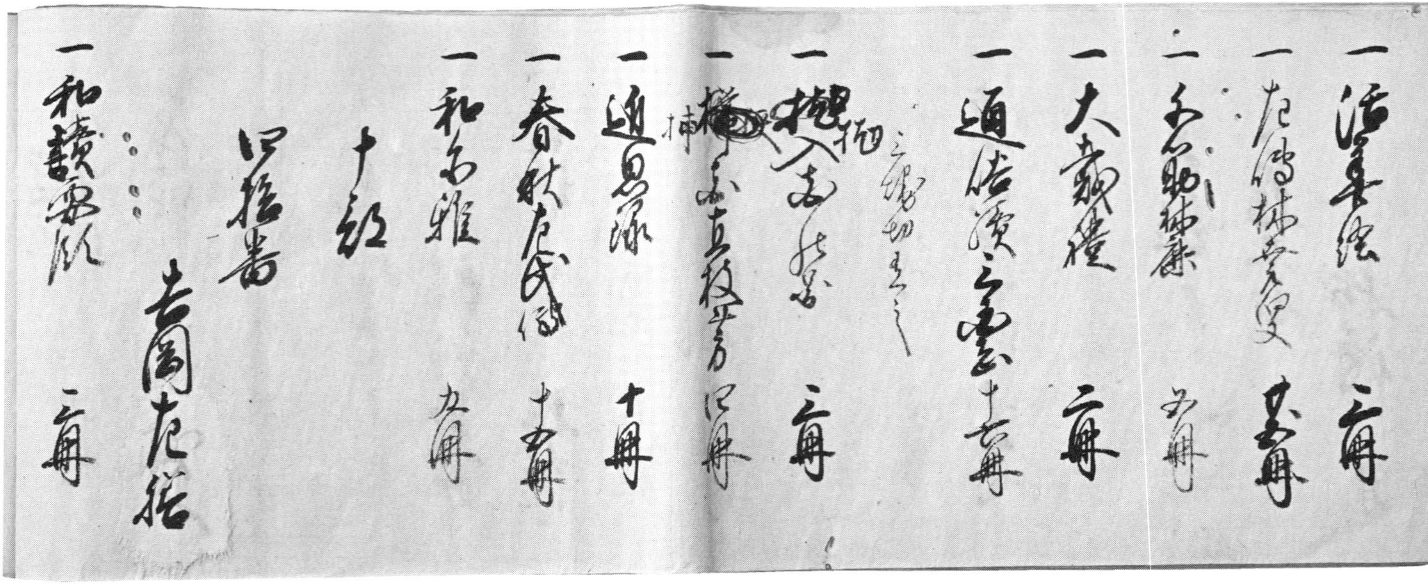

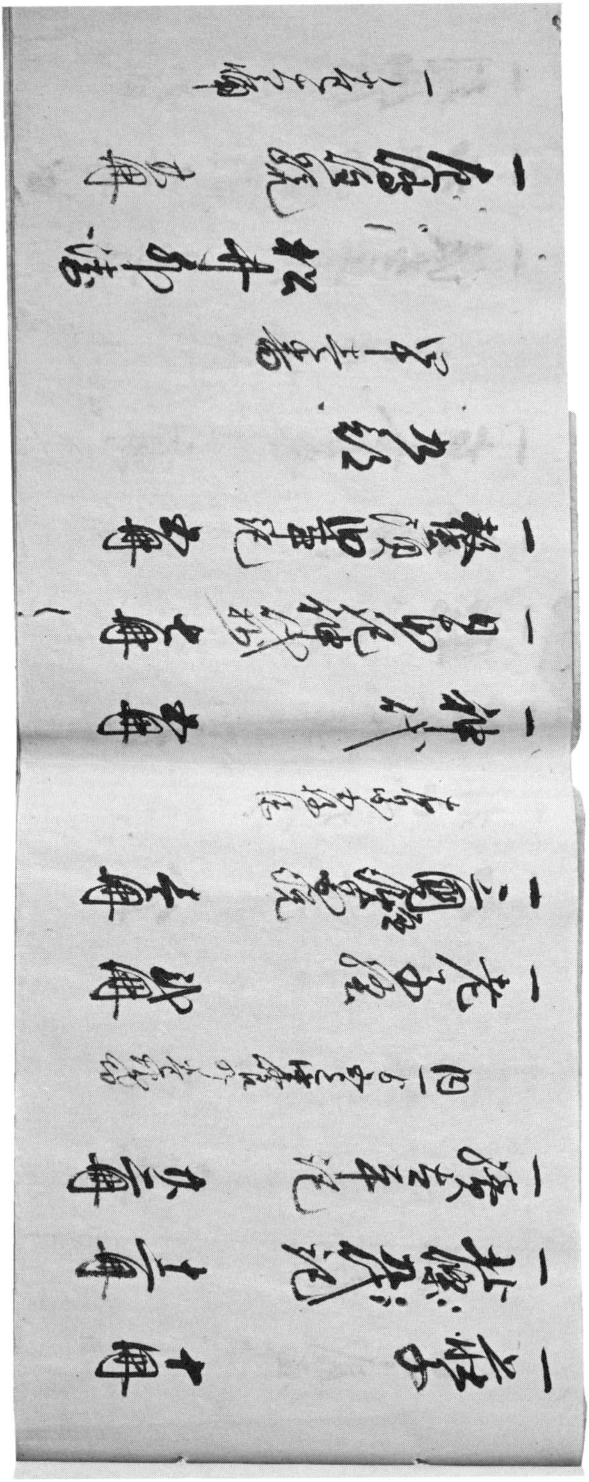

[illegible]

一 易[illegible]　三冊

一 [illegible]　三冊

一 [illegible]　三冊

一 [illegible]　八冊

一 [illegible]　三冊

一 [illegible]　三冊

一 [illegible]　五冊

一 [illegible]　十冊

一 古文真宝　二冊

[illegible]

一 [illegible]　六冊

一 [illegible]　十二冊

一 [illegible]　廿冊

二六二

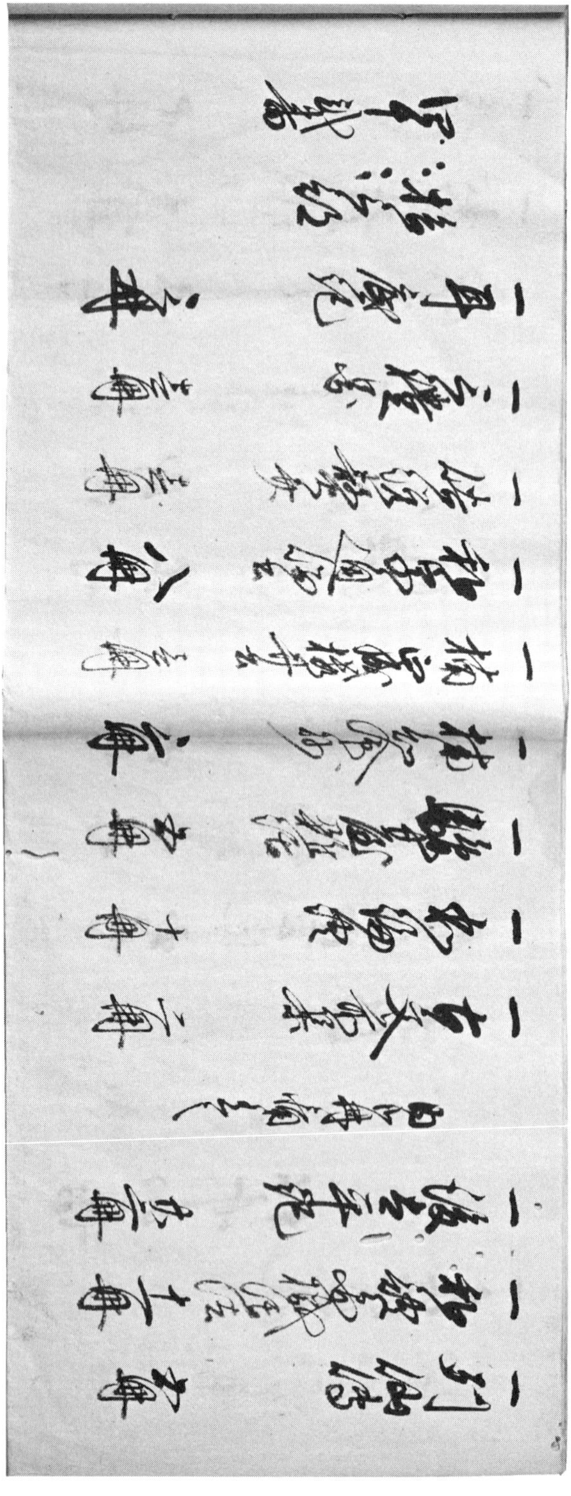

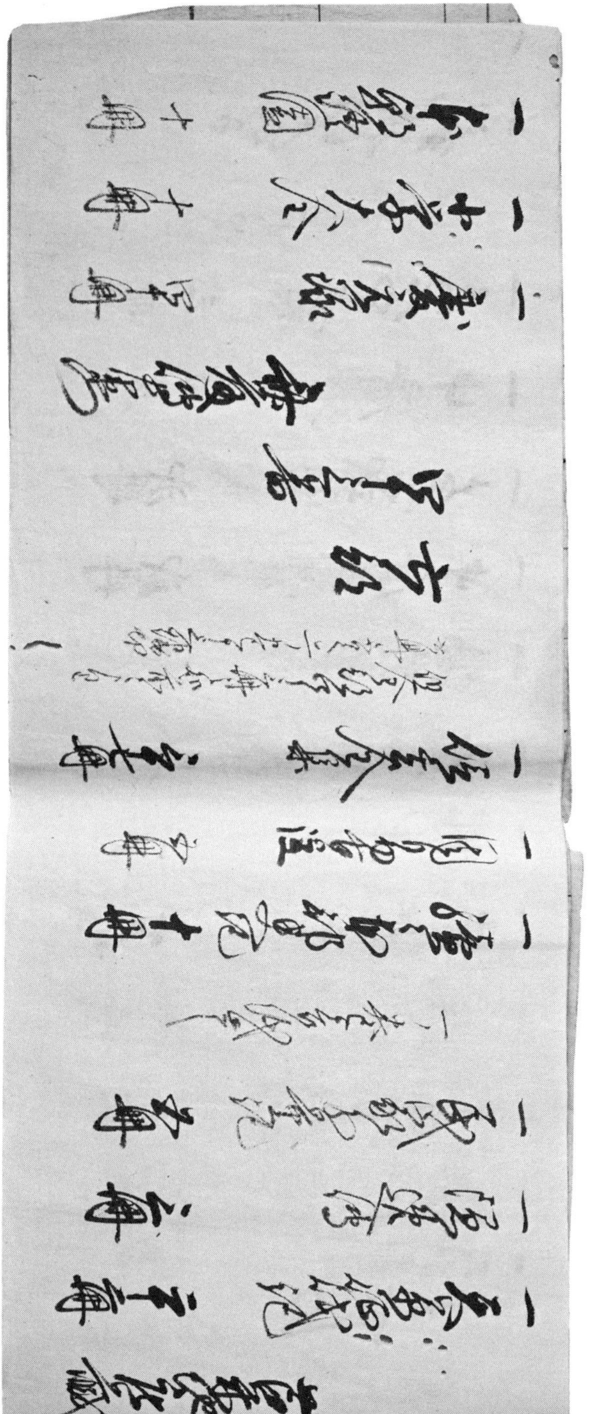

一 新板四[illegible]字 六冊

[illegible]

一 大学章句 三冊

一 中庸章句 四冊

一 大学或問[illegible] 弐冊

一 中庸或問[illegible] 弐冊

一 論語[illegible] 十九冊

一 孟子[illegible] 拾冊

一 （中庸）[illegible] 二冊

一 中庸或問 壱冊

一 荘子 十冊

一 [illegible]詩集 一冊

一 尚書 六冊

一 大学或問 壱冊

：十六[illegible]

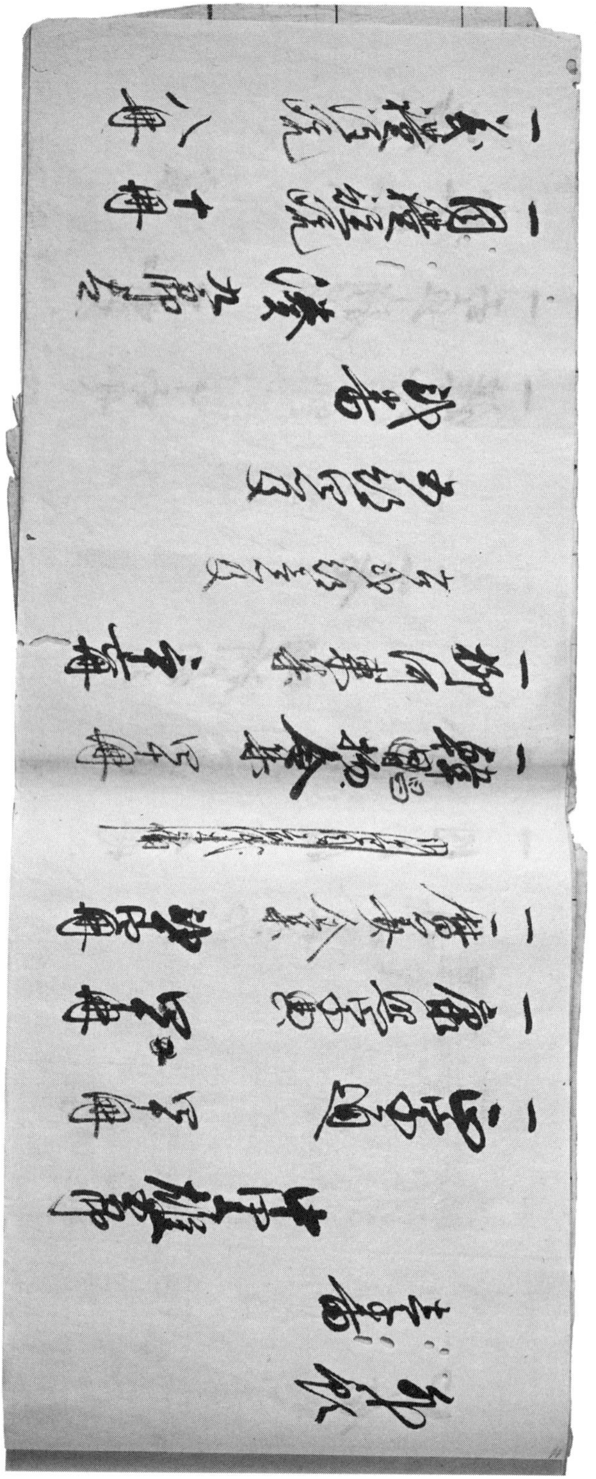

一 〻禮記集註大文　四冊

一 [illegible]義　[illegible]冊

一 五車韻瑞　廿四冊

一 禮記注疏　十五冊
六匁六分

三番
山崎勘[illegible]

一 論語[illegible]別　二冊

一 周易伝　十冊
内十二冊[illegible]

一 [illegible]圖絵　五冊

一 湖月抄　六十冊

一 [illegible]　十八冊
〻五匁六分

四番

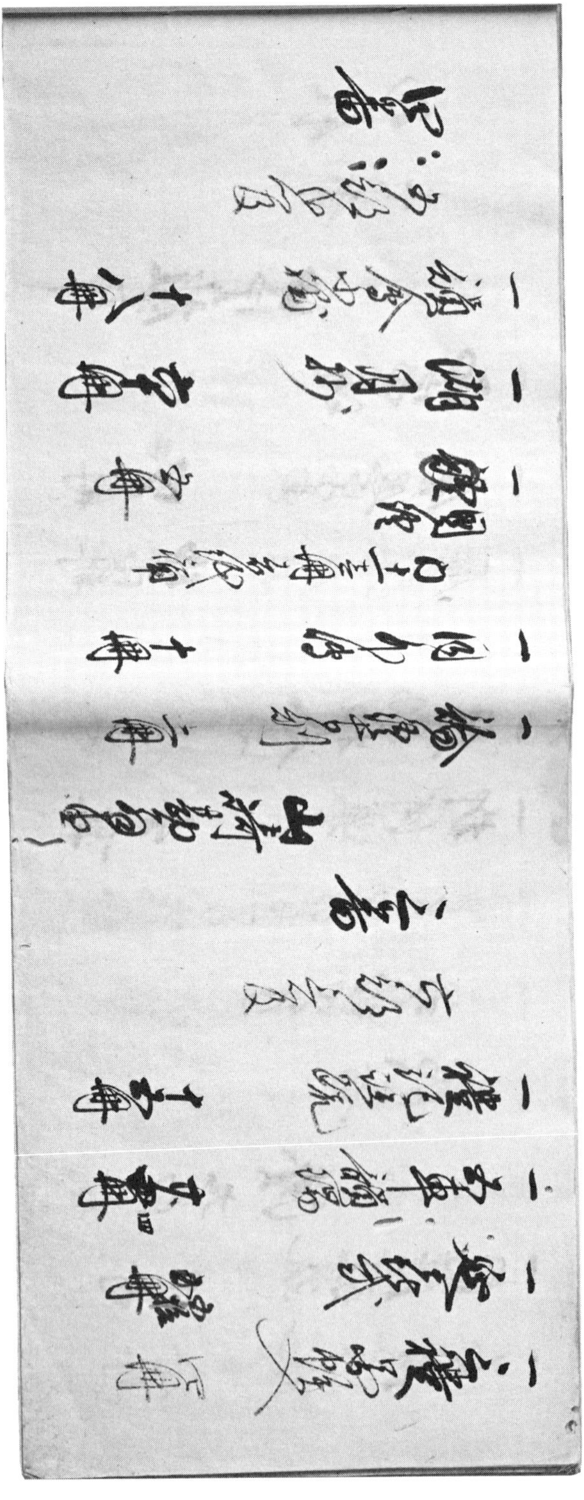

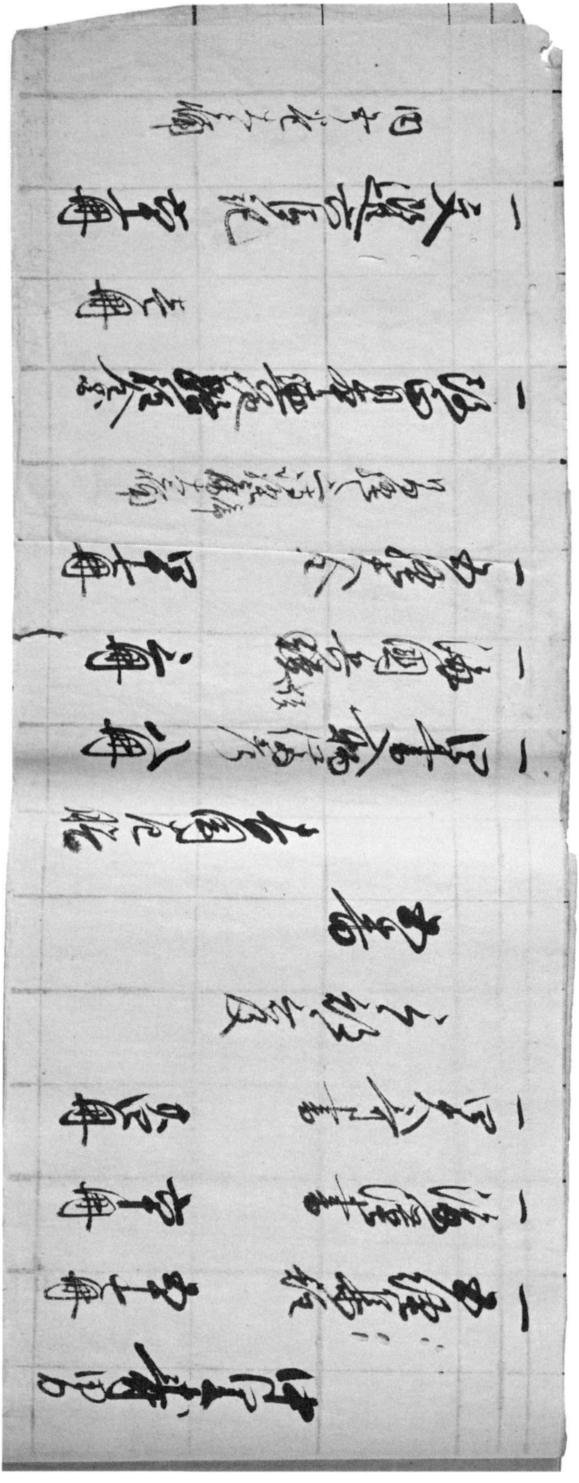

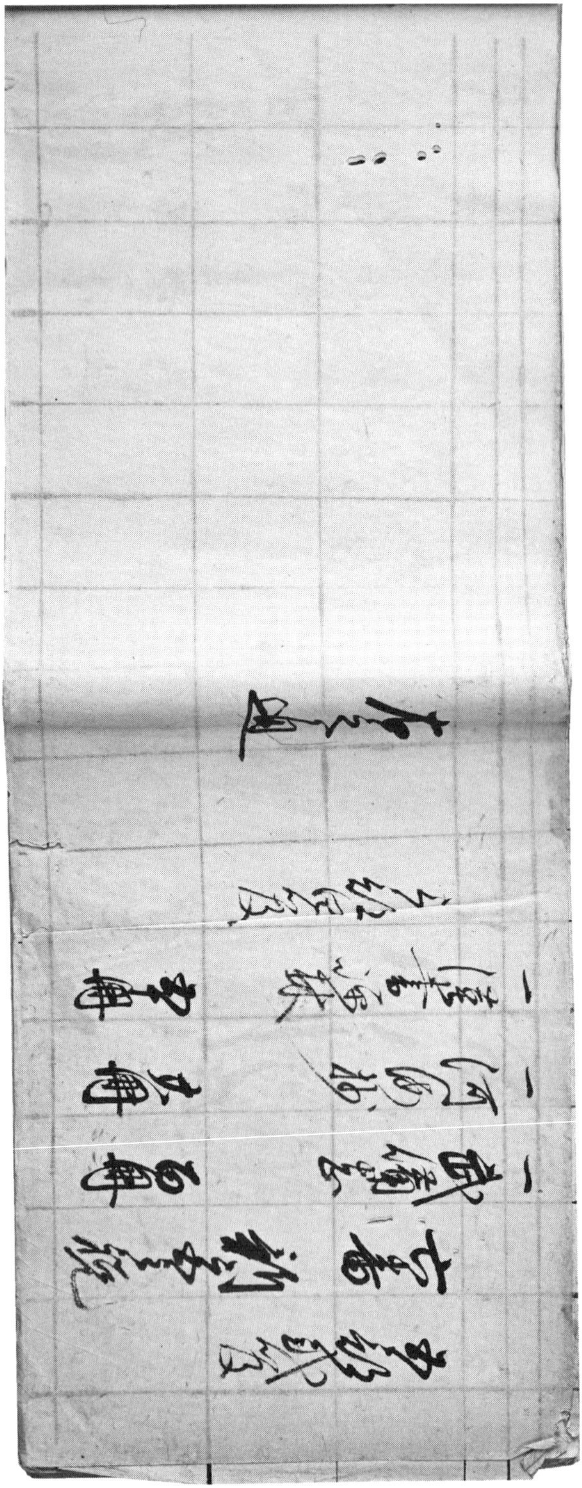

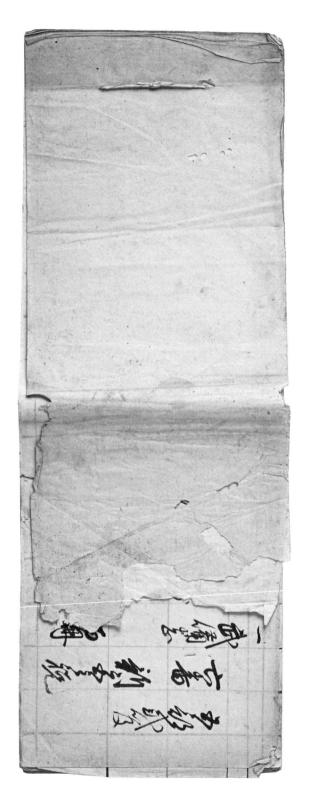

④ 書物改目録

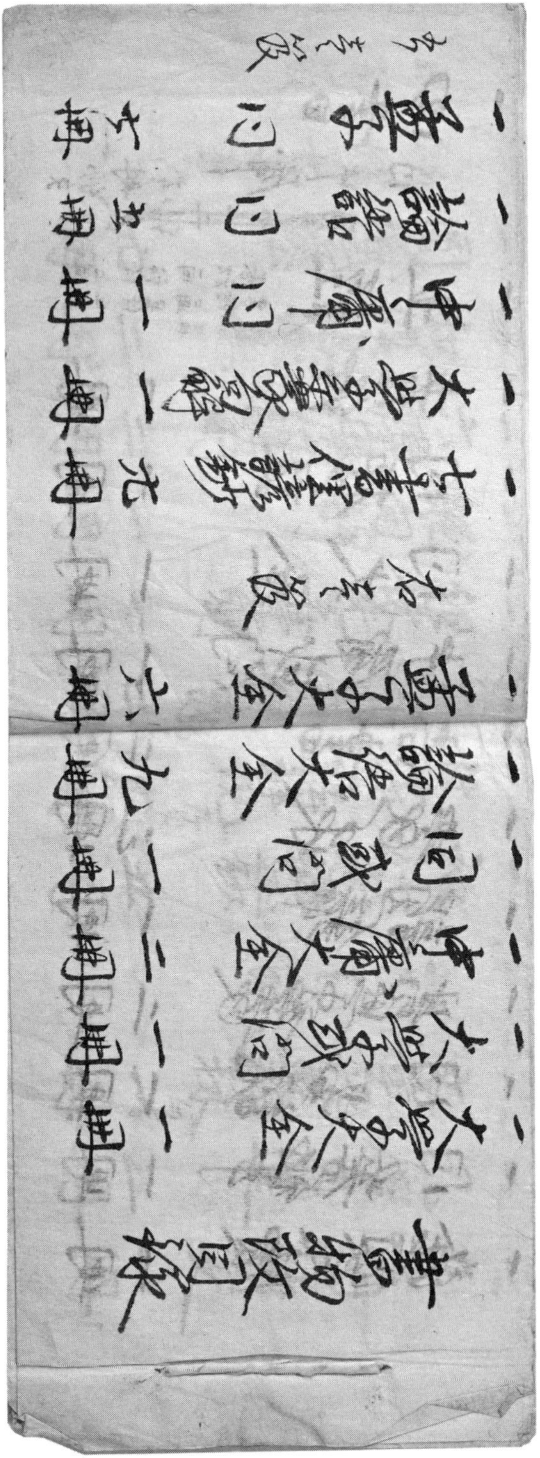

書物改目録
一 大学大全 一冊
一 大学或問 一冊
一 中庸大全 二冊
一 同或問 一冊
一 論語大全 九冊
一 孟子大全 六冊
右壱笈
一 七書俚諺鈔 九冊
一 大学[illegible]句解 一冊
一 中庸 同 一冊
一 論語 同 五冊
一 孟子 同 七冊
右壱笈

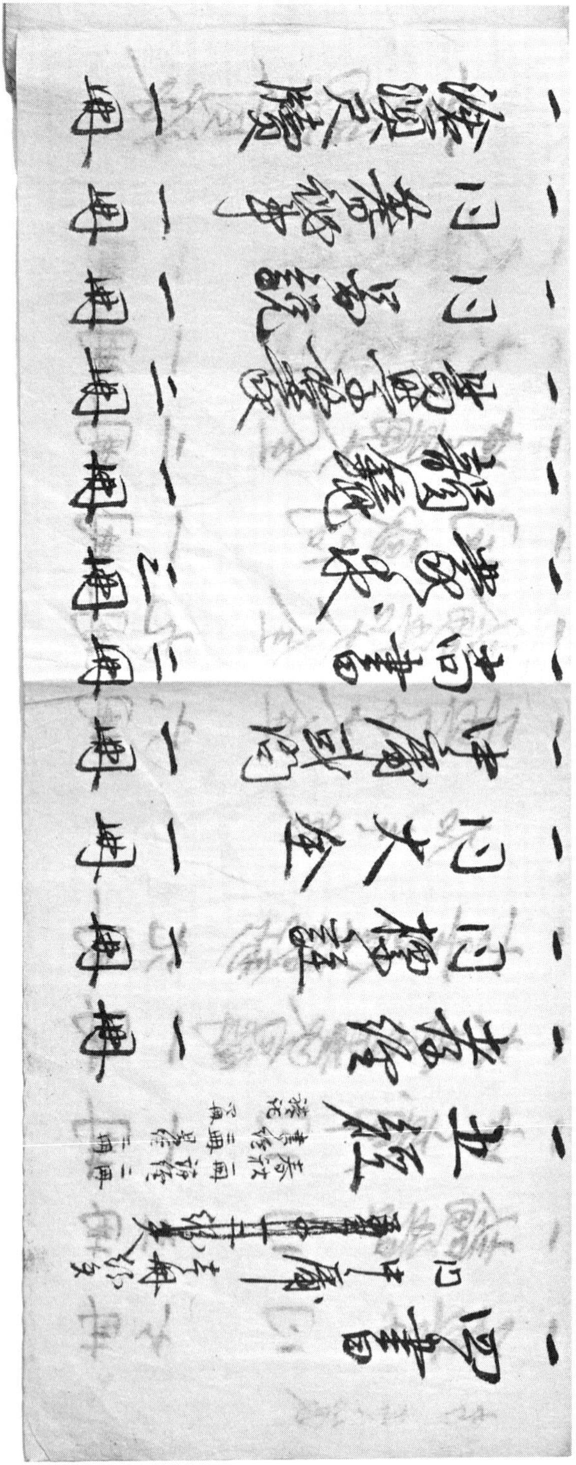
一 四書　内 中庸 壱冊 紛失　~~四書中十一冊紛失~~　[illegible]
一 五經　春秋 一冊　詩經 二冊　書經 二冊　易經 二冊　禮記 [illegible]冊
一 孝經　一冊
一 同標註　一冊
一 同大全　一冊
一 中庸或問　一冊
一 尚書　二冊
一 蒙求　三冊
一 韻鏡　一冊
一 易學啓蒙　二冊
一 同 易説　一冊
一 同 蓍□□　一冊
一 滄溟尺牘　一冊

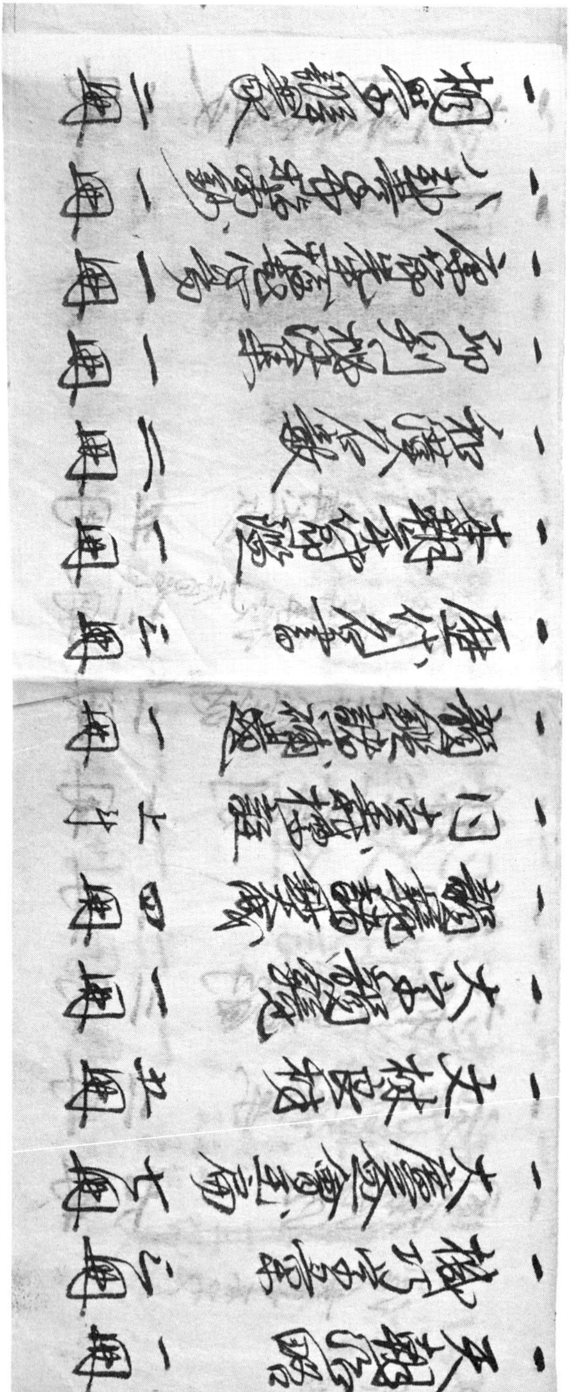

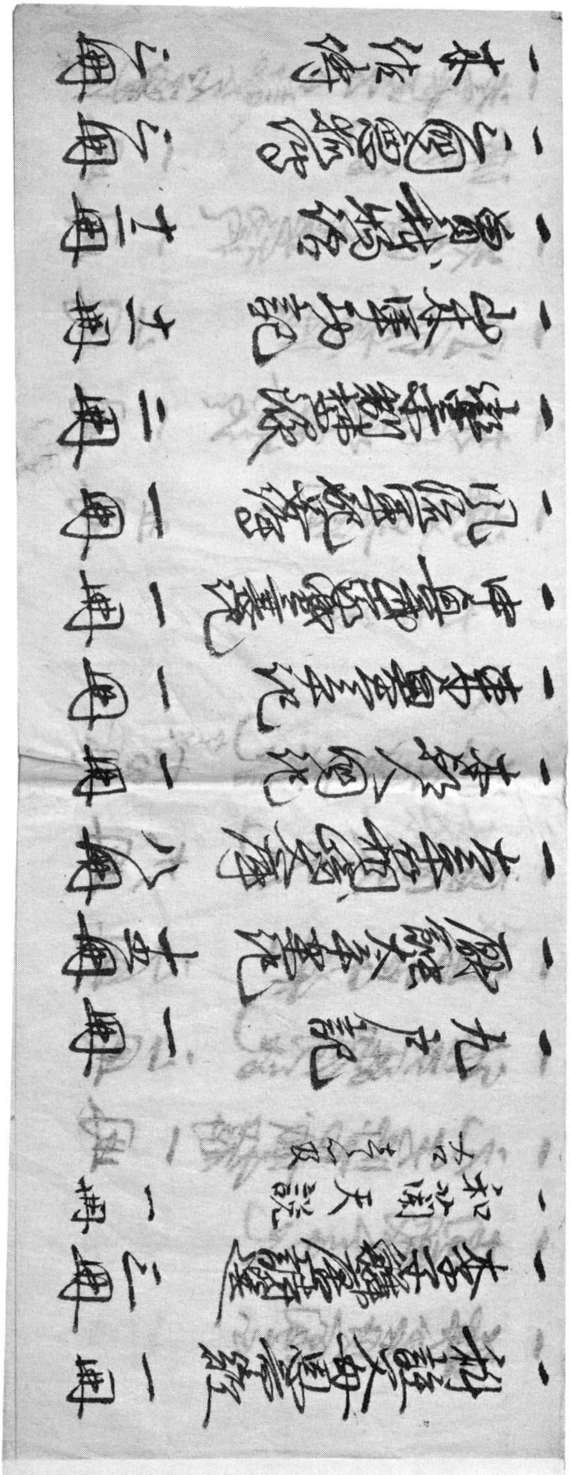
一 科註父母恩重経 一冊
一 李于鱗唐詩選 三冊
一 和蘭天説 一冊
一 厭蝕太平楽記 十五冊
一 九戸記 一冊
一 [illegible] 八冊
一 本朝人国記 一冊
一 東国太平記 一冊
一 中興武家盛衰記 一冊
一 風流軍配団 一冊
一 [illegible] 二冊
一 山本軍功記 十二冊
一 曾我物語 十二冊
一 三国悪狐伝 二冊
一 本佐伝 二冊

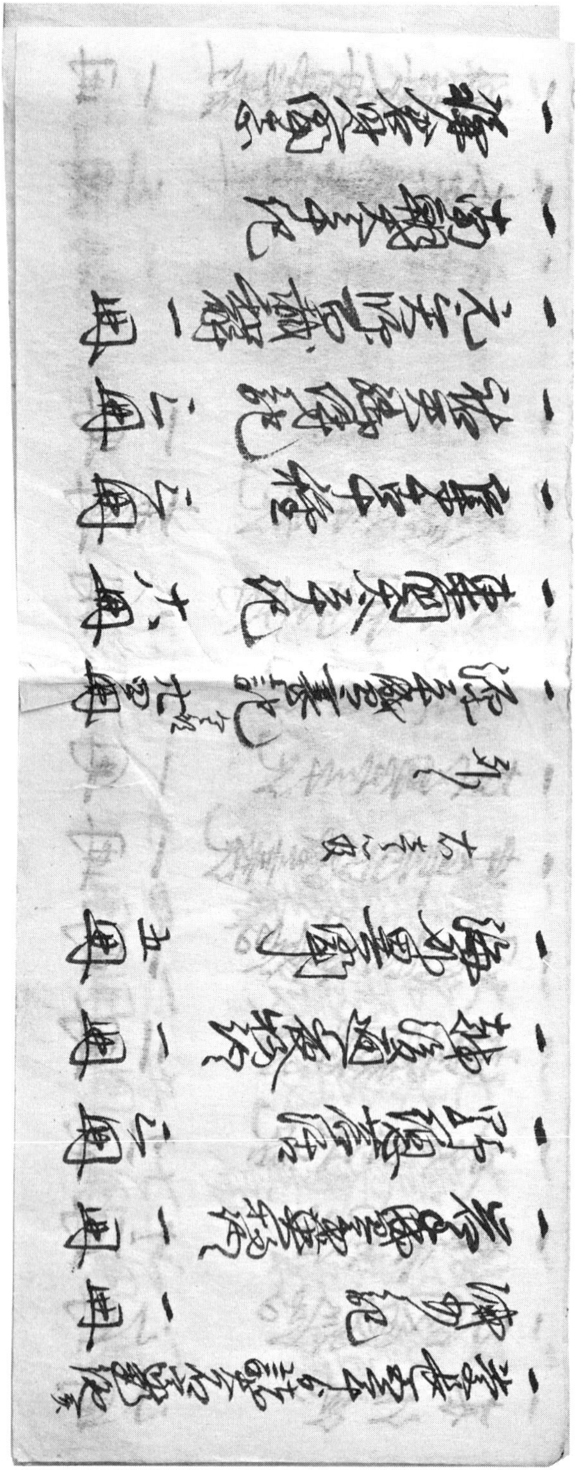

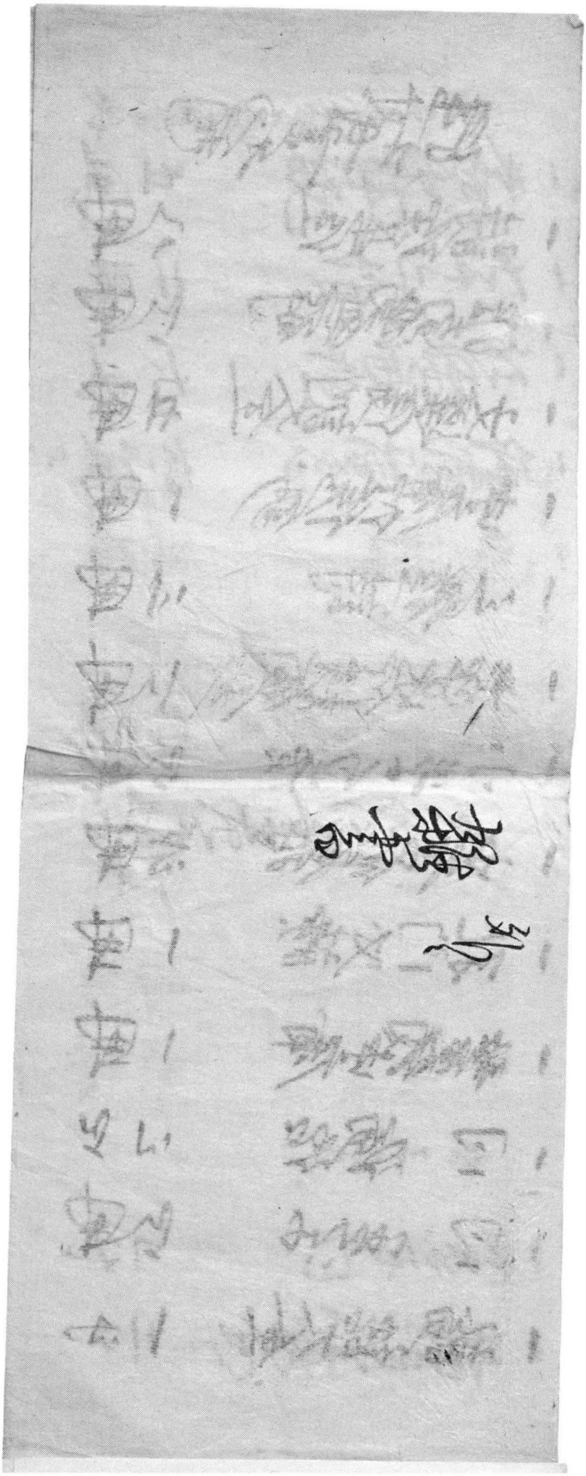

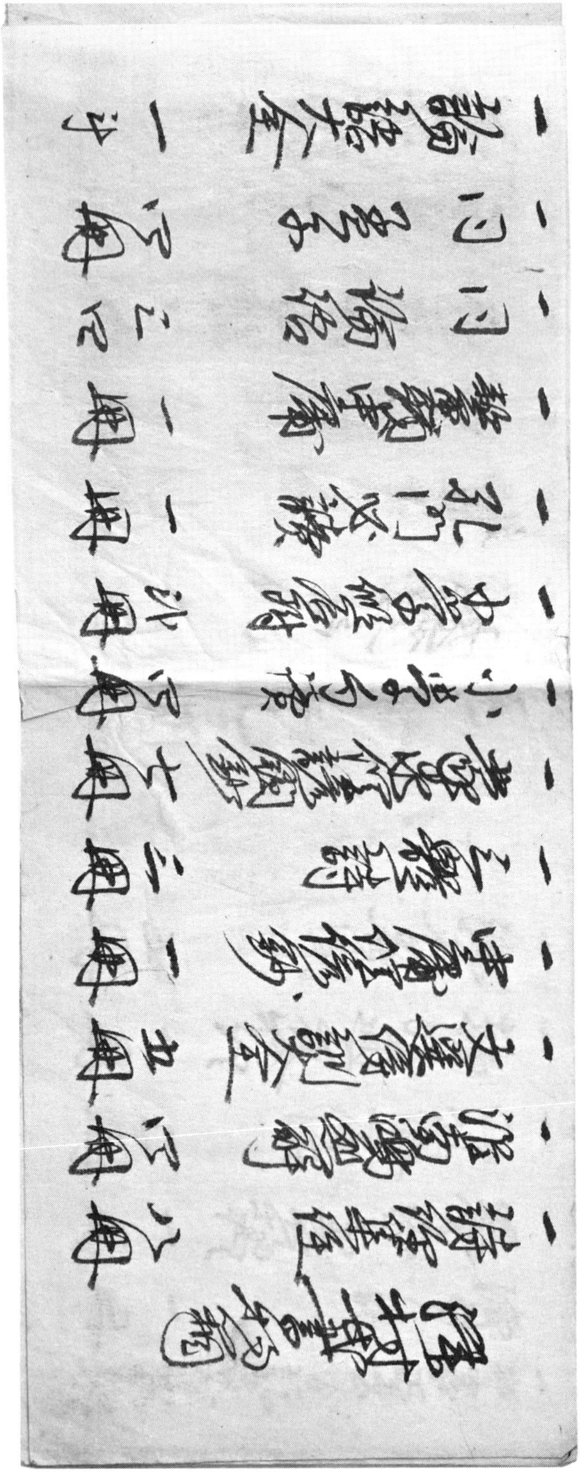

津村氏書物扣

一 詩経集注　八冊

一 淮南鴻烈解　四冊

一 文選傍訓全　五冊

一 中庸俚諺鈔　一冊

一 三体詩　三冊

一 蒙求俚諺[illegible]鈔　七冊

一 小学句読　四冊

一 小学仮名附　[illegible]冊

一 孔門必読　一冊

一 鼇頭中庸　一冊

一 同 論語　二[illegible]

一 同 孟子　四冊

一 論語大全　一計

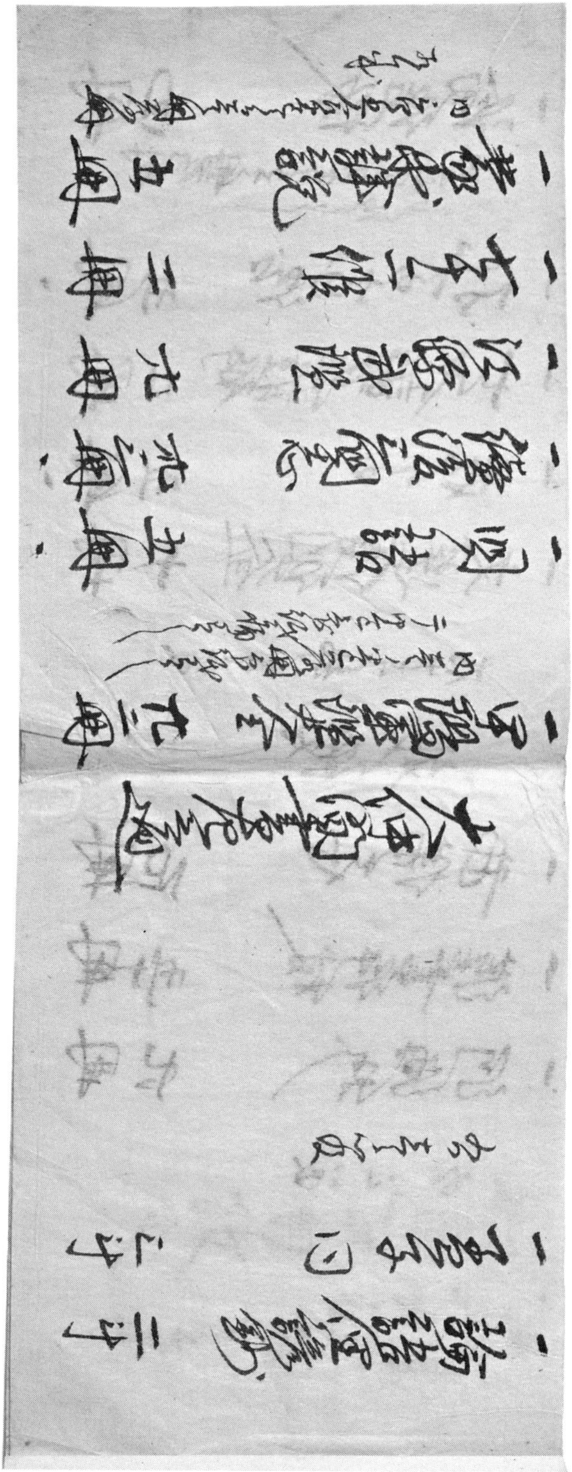

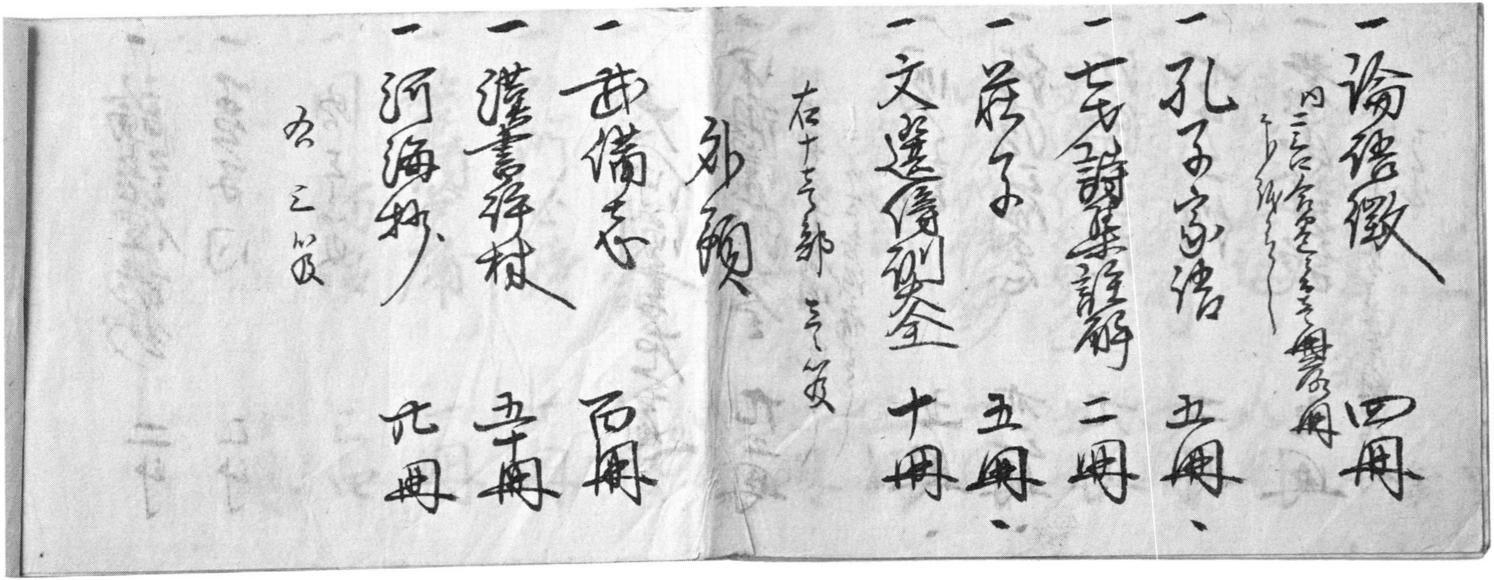

一 論語徴　四冊
内二三[illegible]冊
不足[illegible]
一 孔子家語　五冊
一 毛詩集註解　二冊
一 荘子　五冊
一 文選傍訓全　十冊
右十壱部　壱之段
外題
一 武備志　百冊
一 漢書評林　五十冊
一 河海抄　廿冊
右　弐之段

⑤

（書物目録）

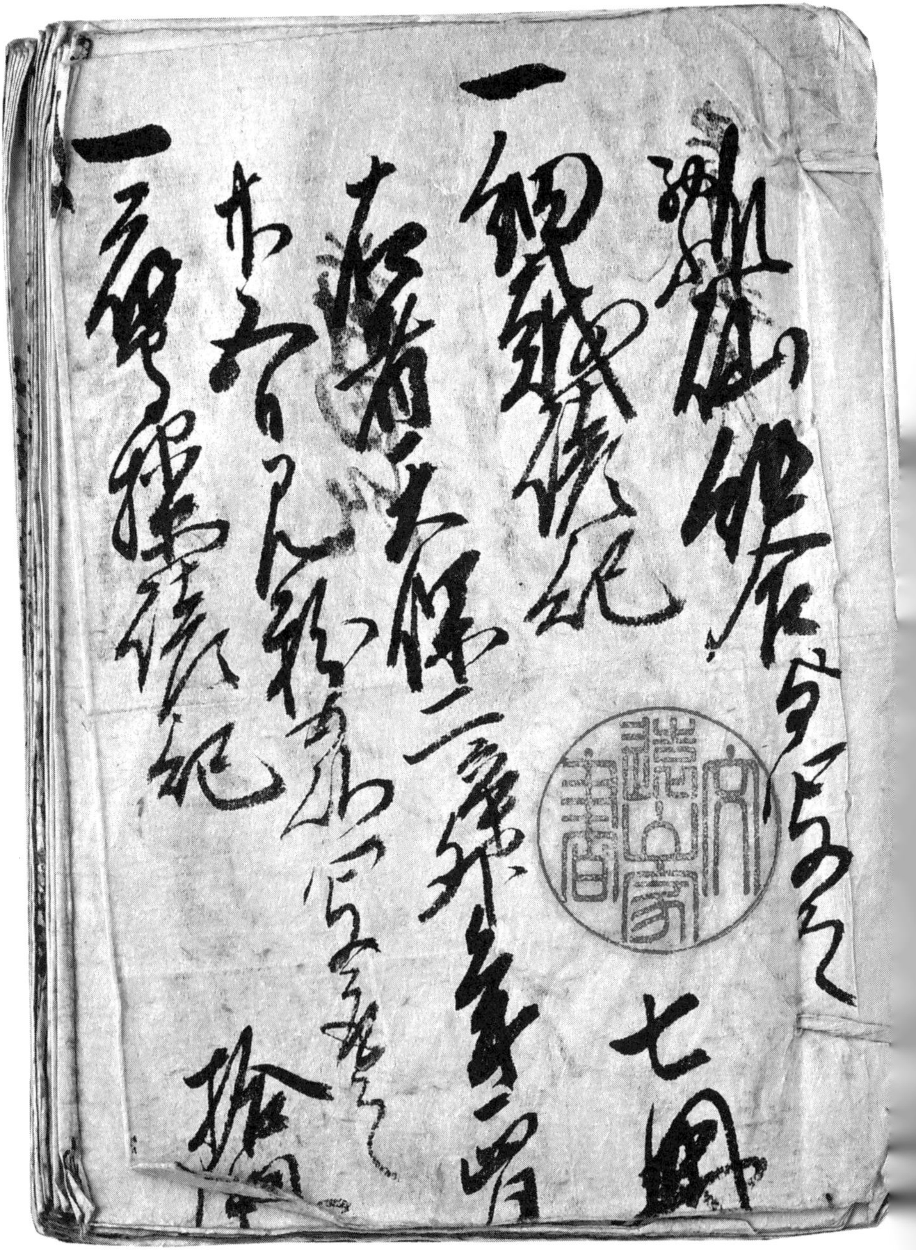

左氏閔公年七月十七日
右閉門可以写本之
一纏之東都史記　捲角
諸遣一之深之更至後女年
十八之縁釋續紀歴代法安

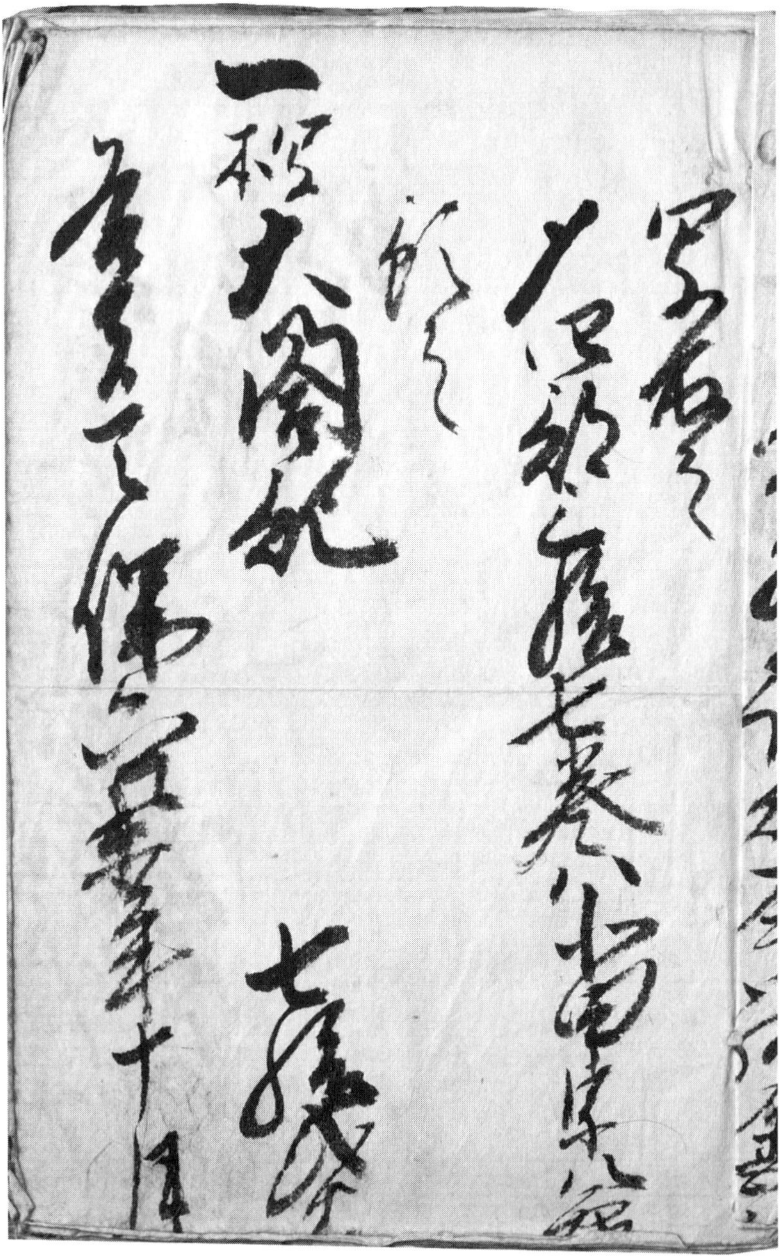

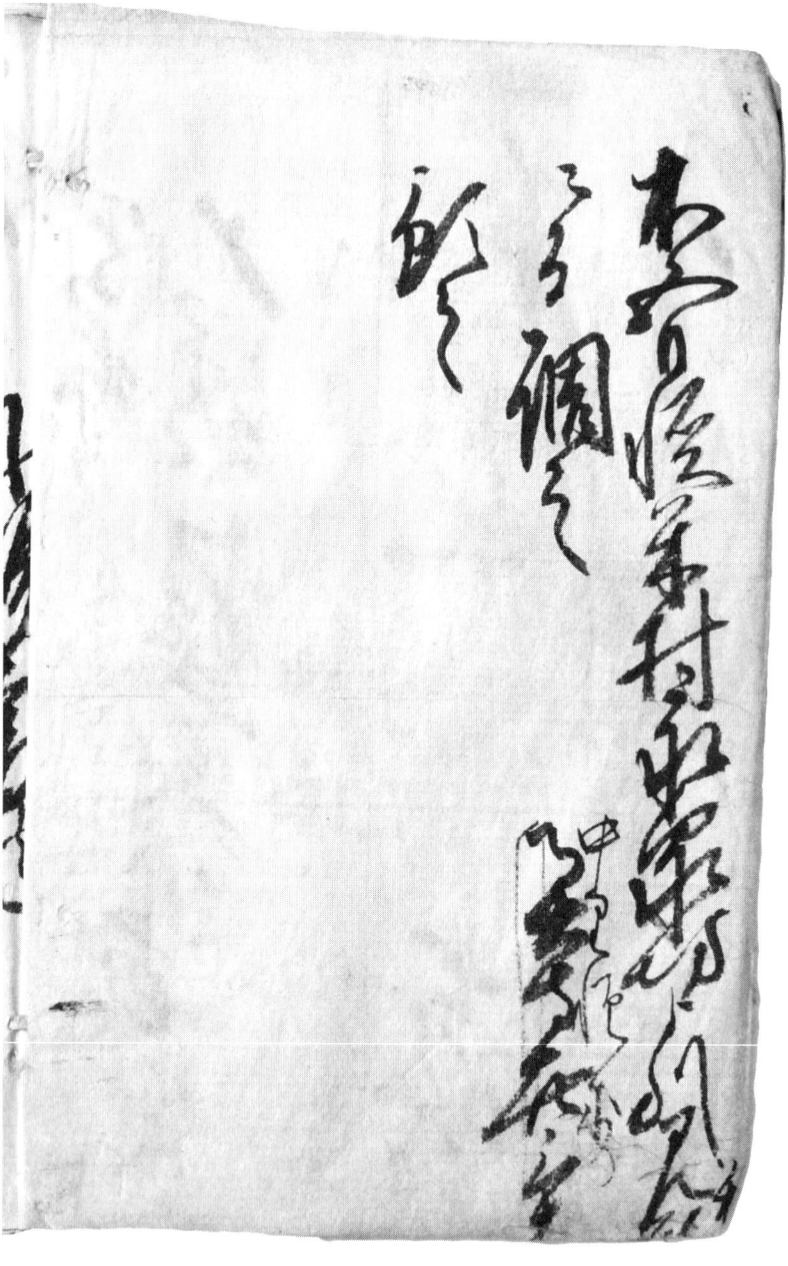

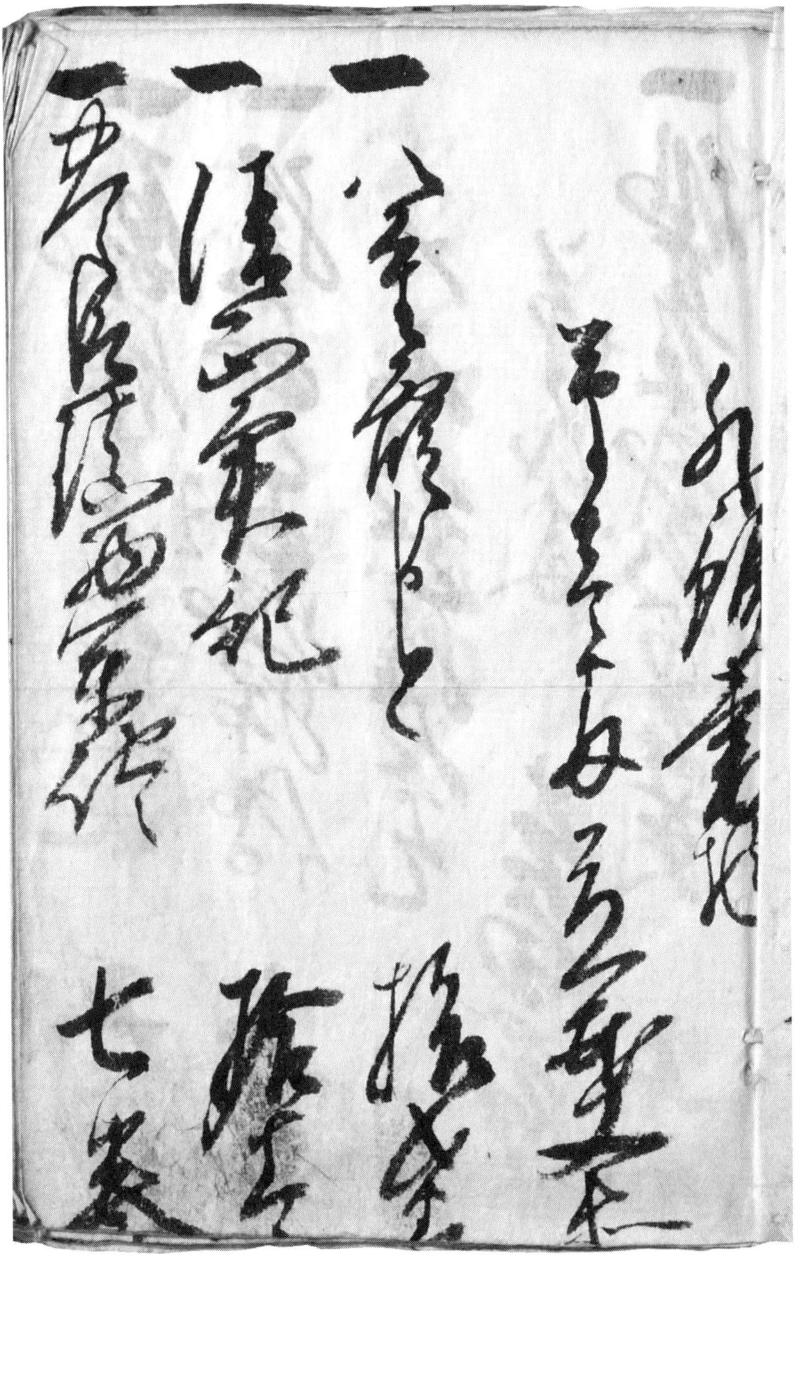

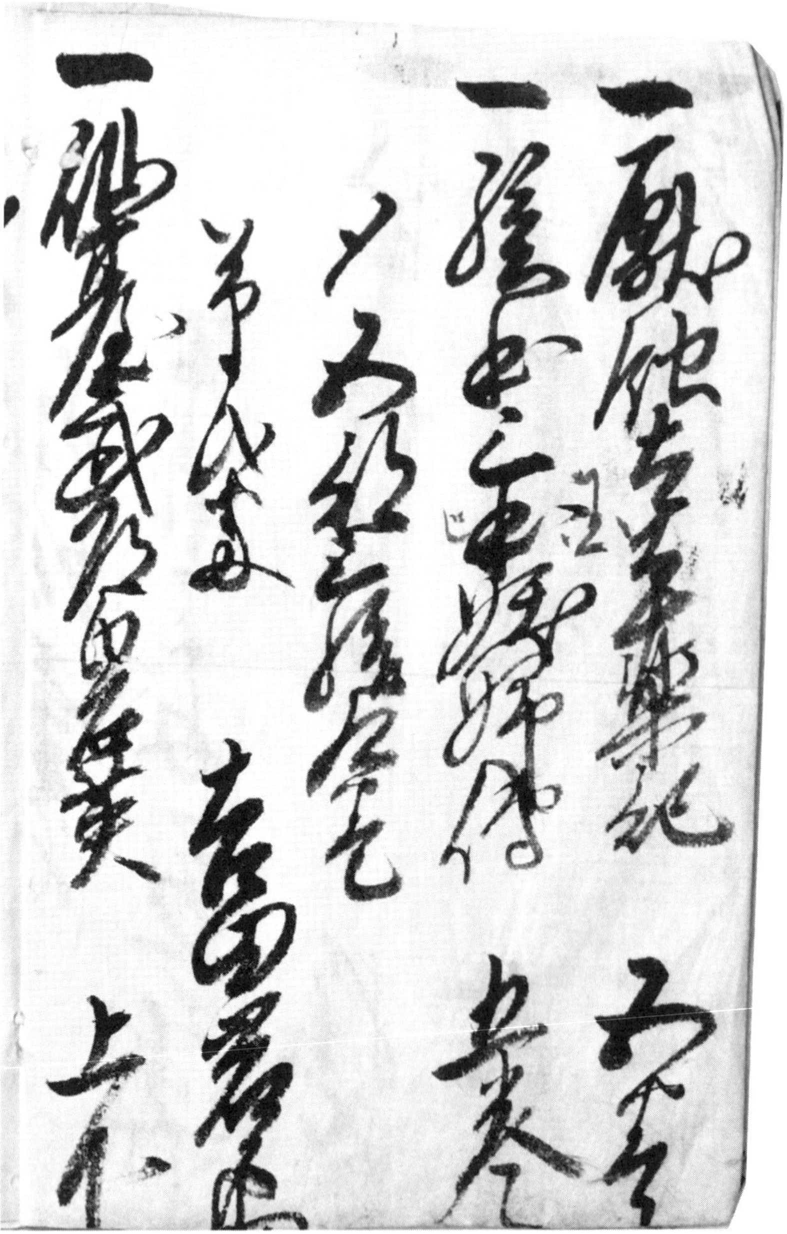

〆
第三書写本六冊
一 孝経集註 六冊
一 訓譯示蒙 上下
一 中庸問学解

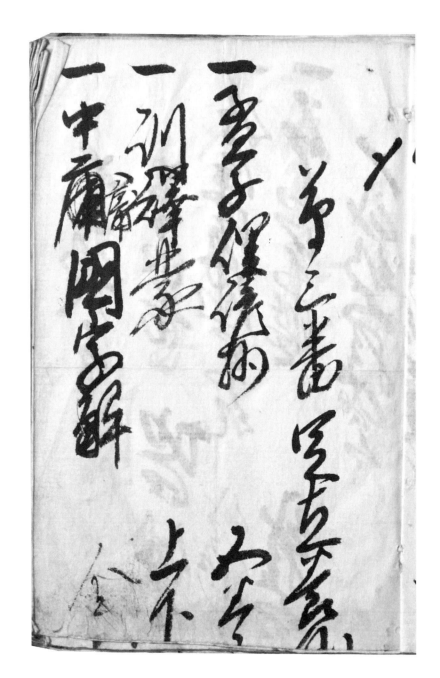

十二月八日
第四番　[illegible]
一[illegible]
一石山[illegible]
十[illegible]

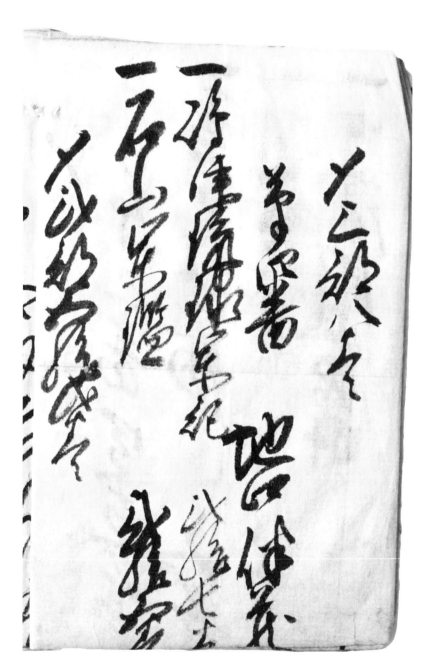

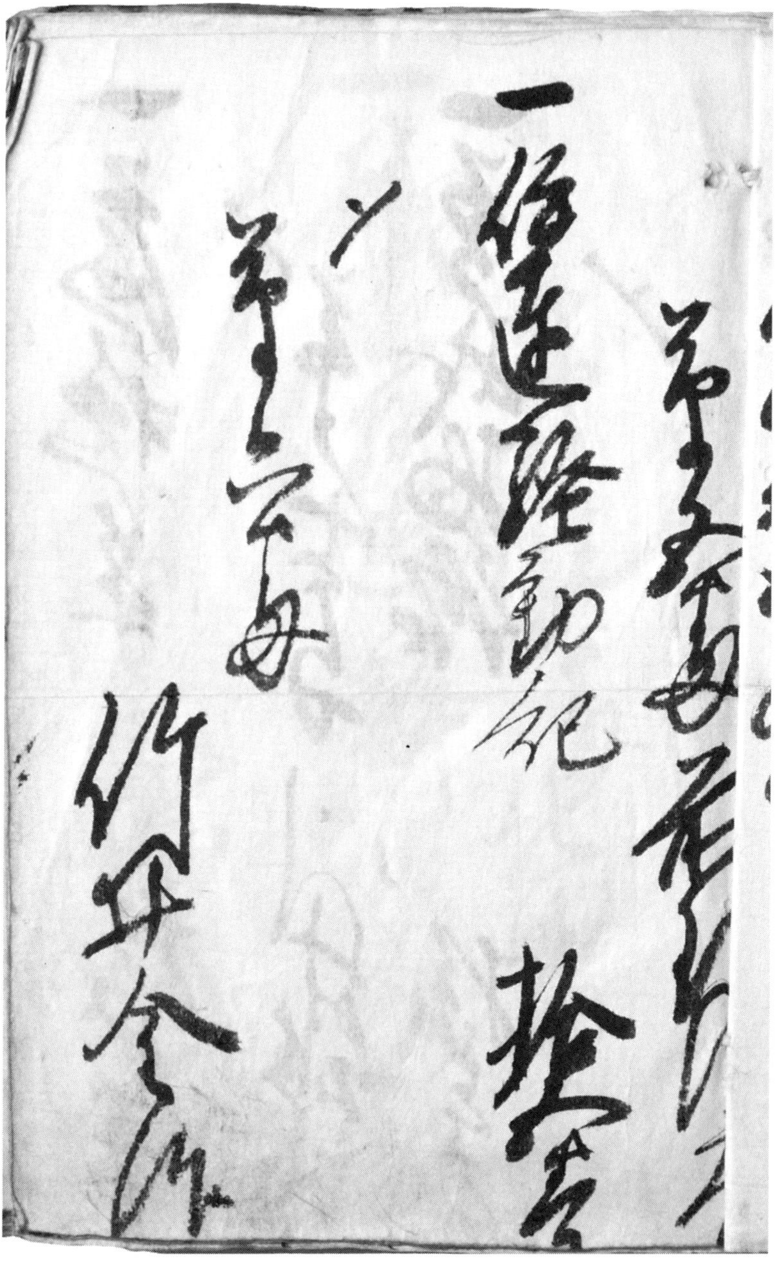

一　尾張筆　　福嶋屋

ソ　着り七寸ヨリ八寸ニ仕様ニ

一　美濃紙録　　福島屋

上

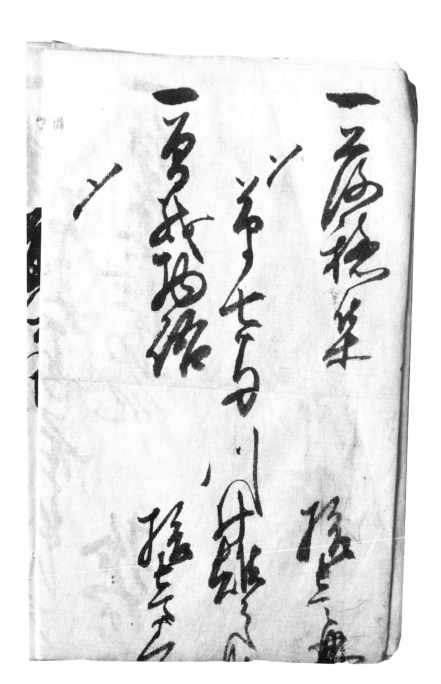

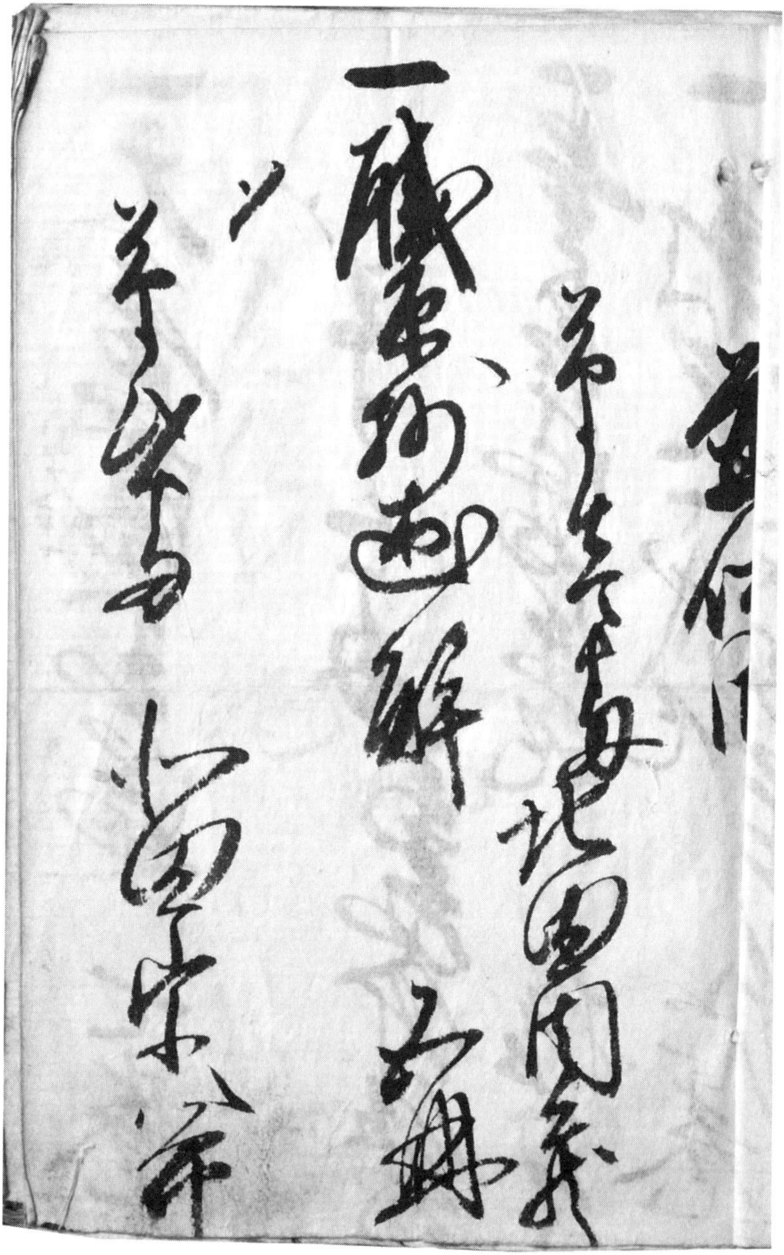

一大[illegible]經　七巻

一[illegible]

一[illegible]記　[illegible]

一[illegible]一代記　[illegible]巻

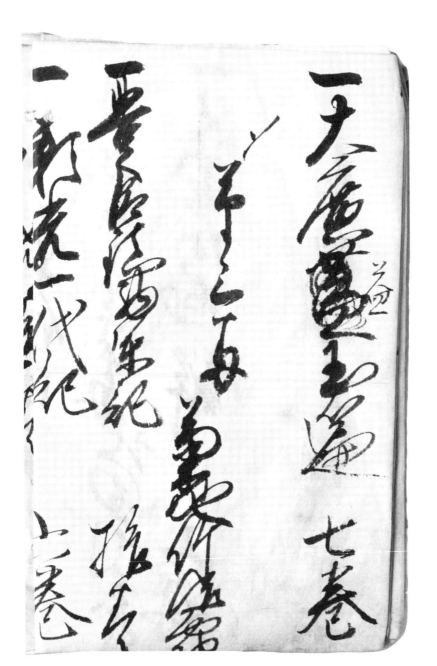

一 [illegible]

[illegible]

一 江[illegible]記

一 武江[illegible]記

一 年[illegible]

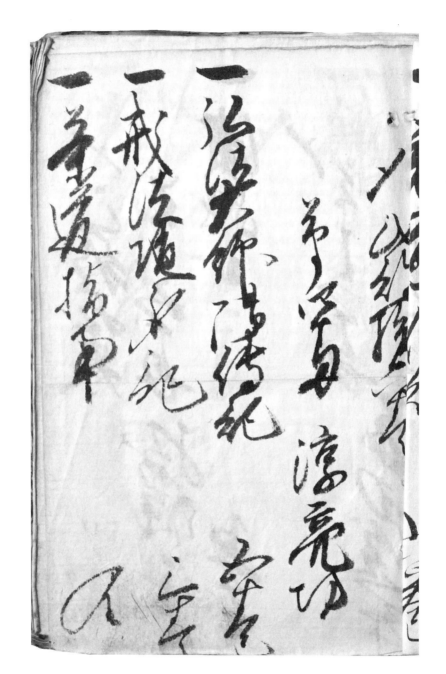

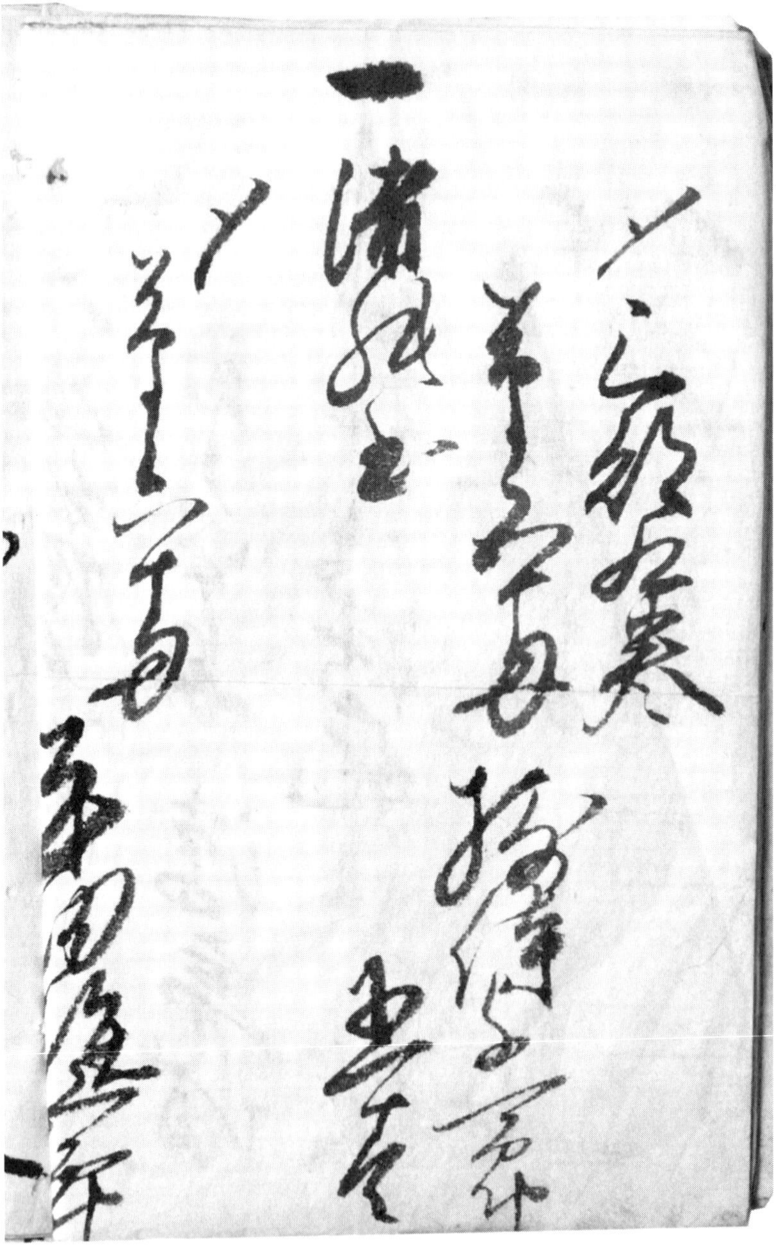

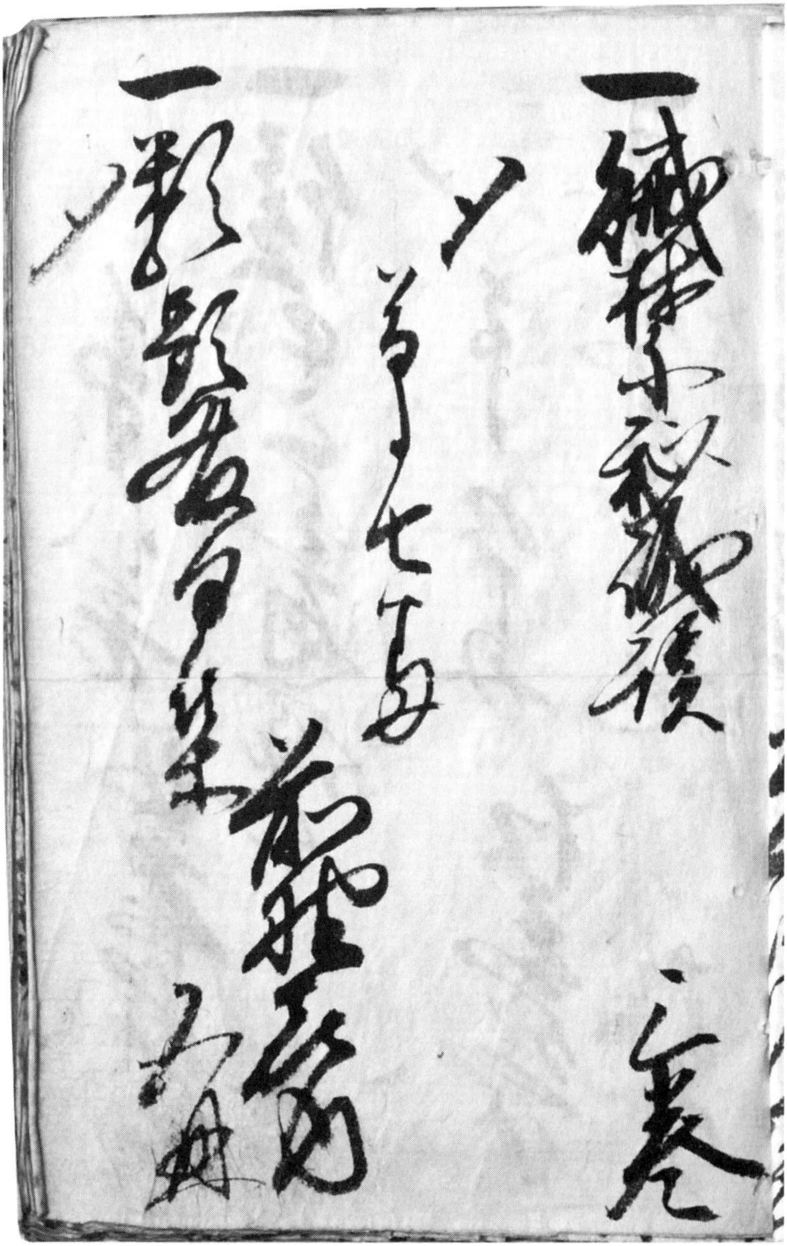

第八巻　出雇留守

一　修業之遍歴　金

ノ　第九巻　在島縁道

一　座書吉年記　投宿

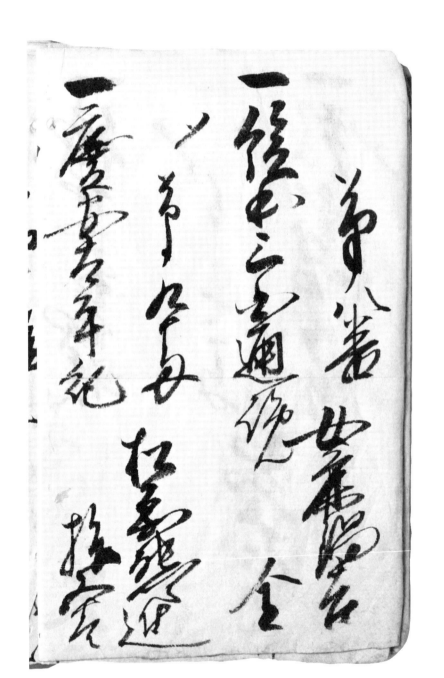

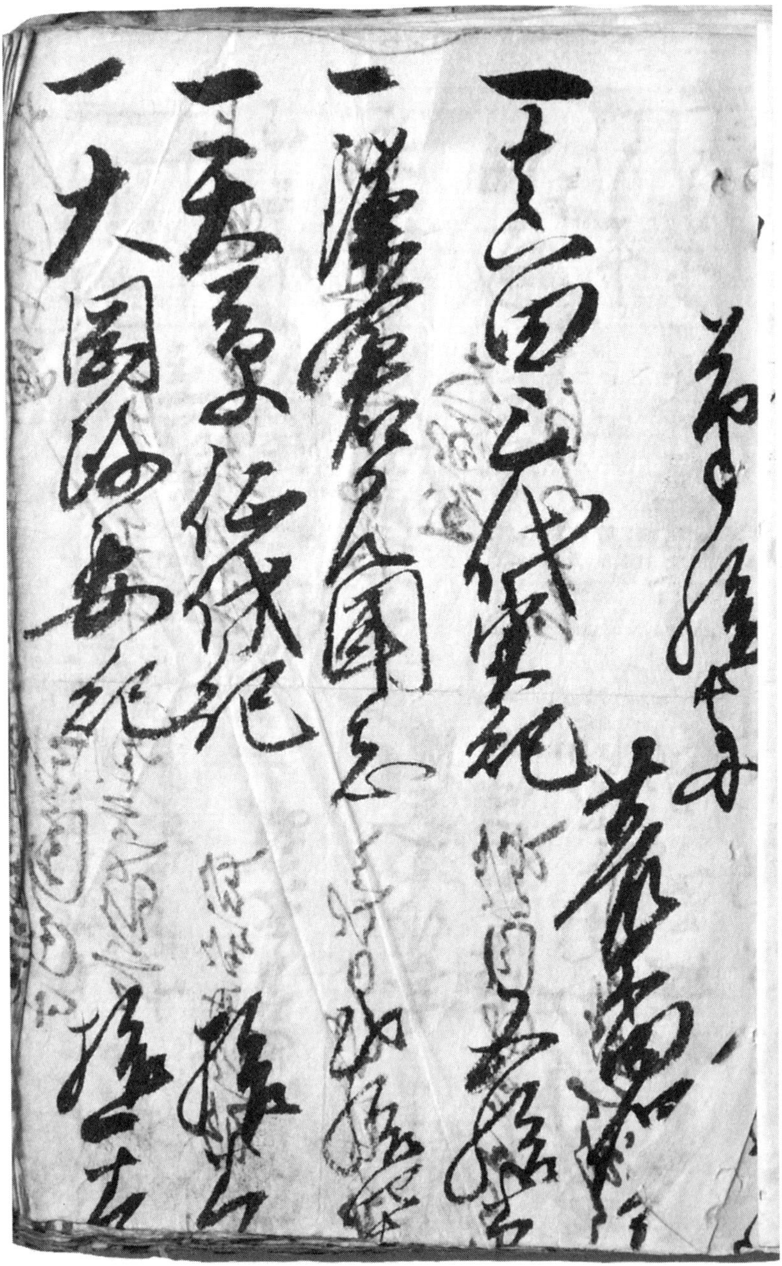

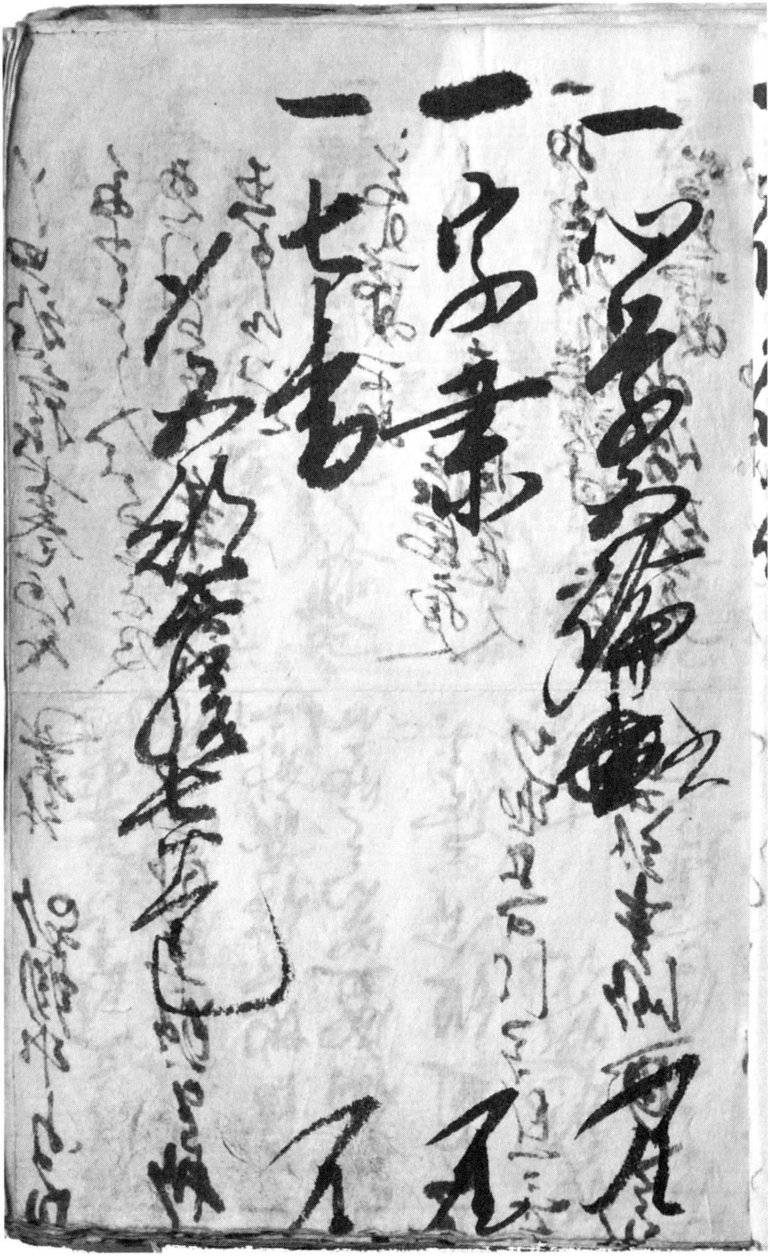

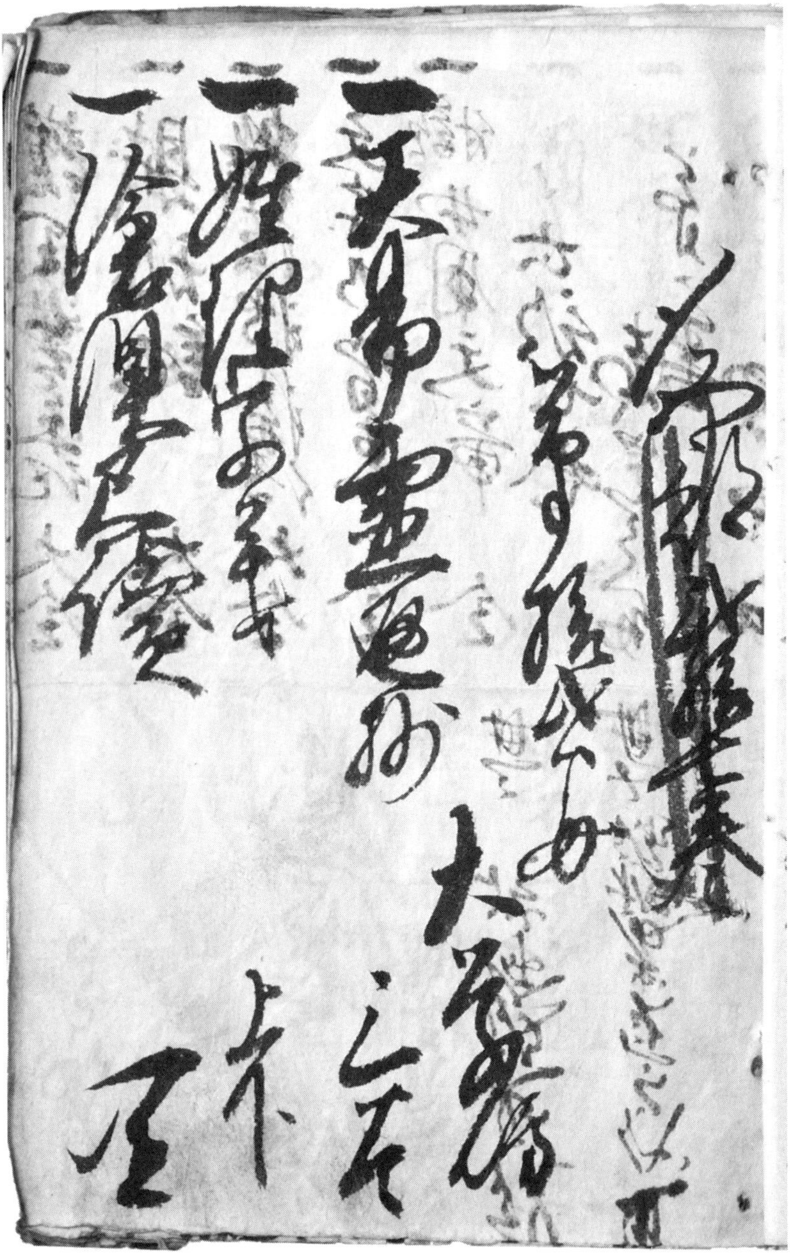

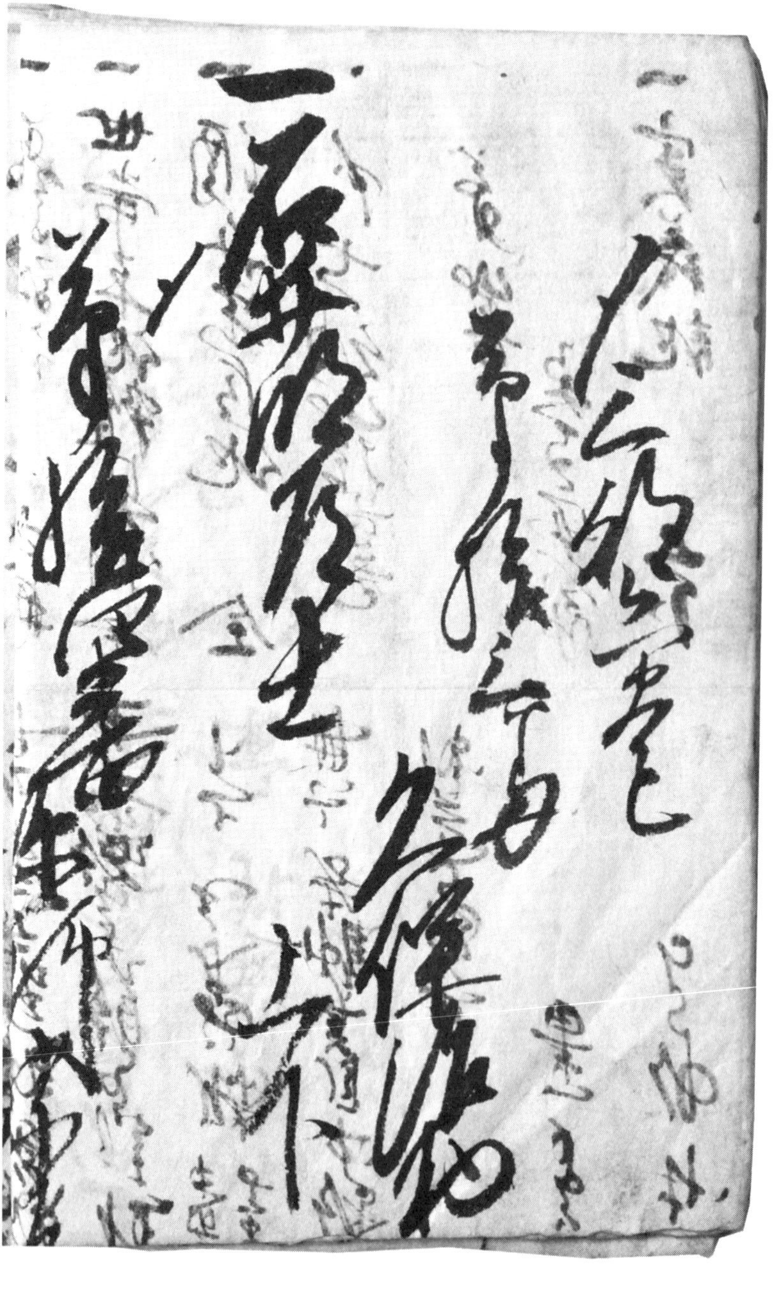

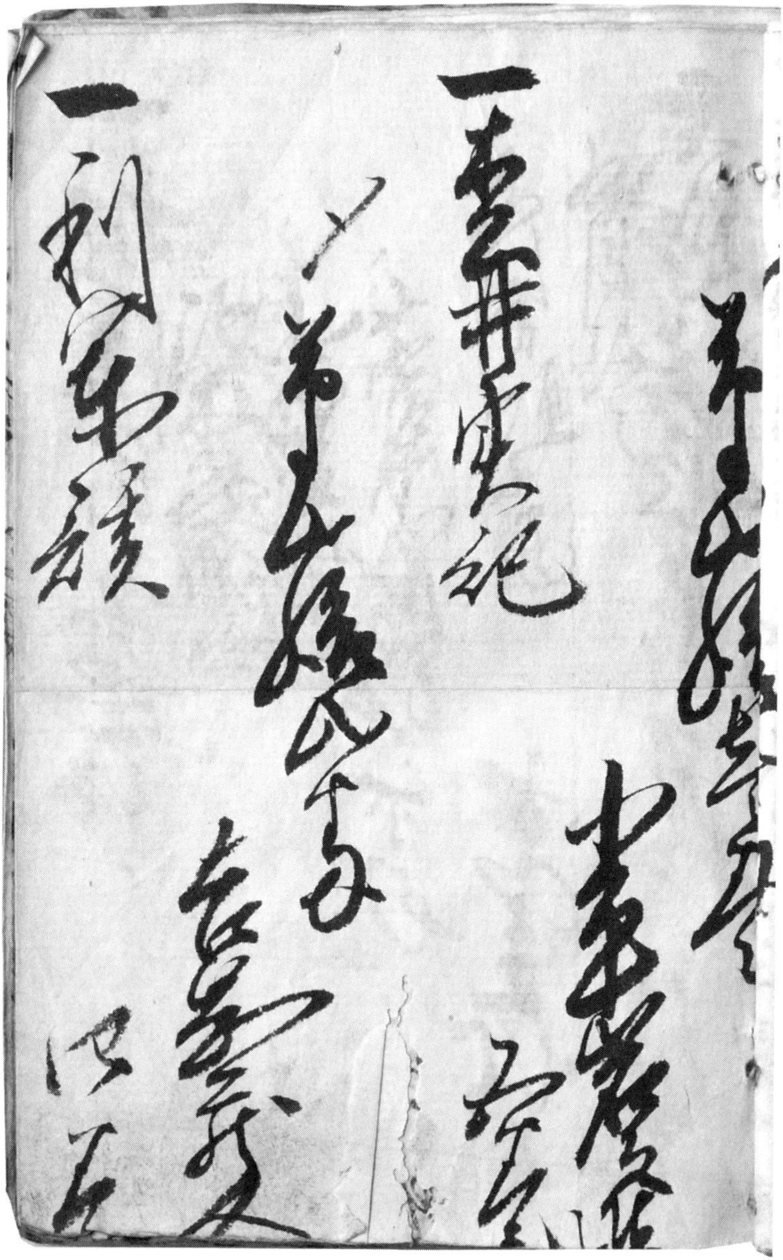

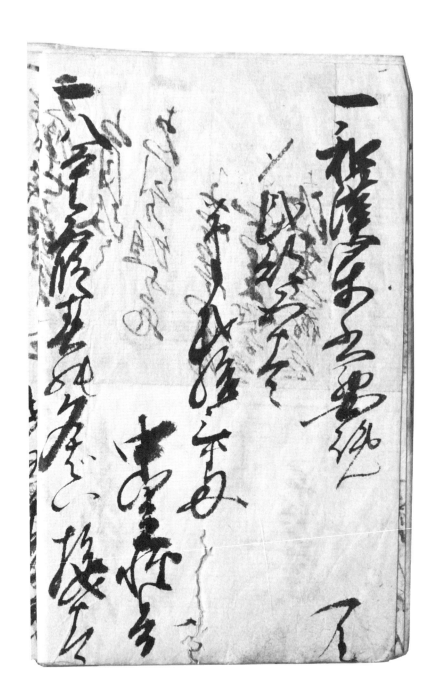

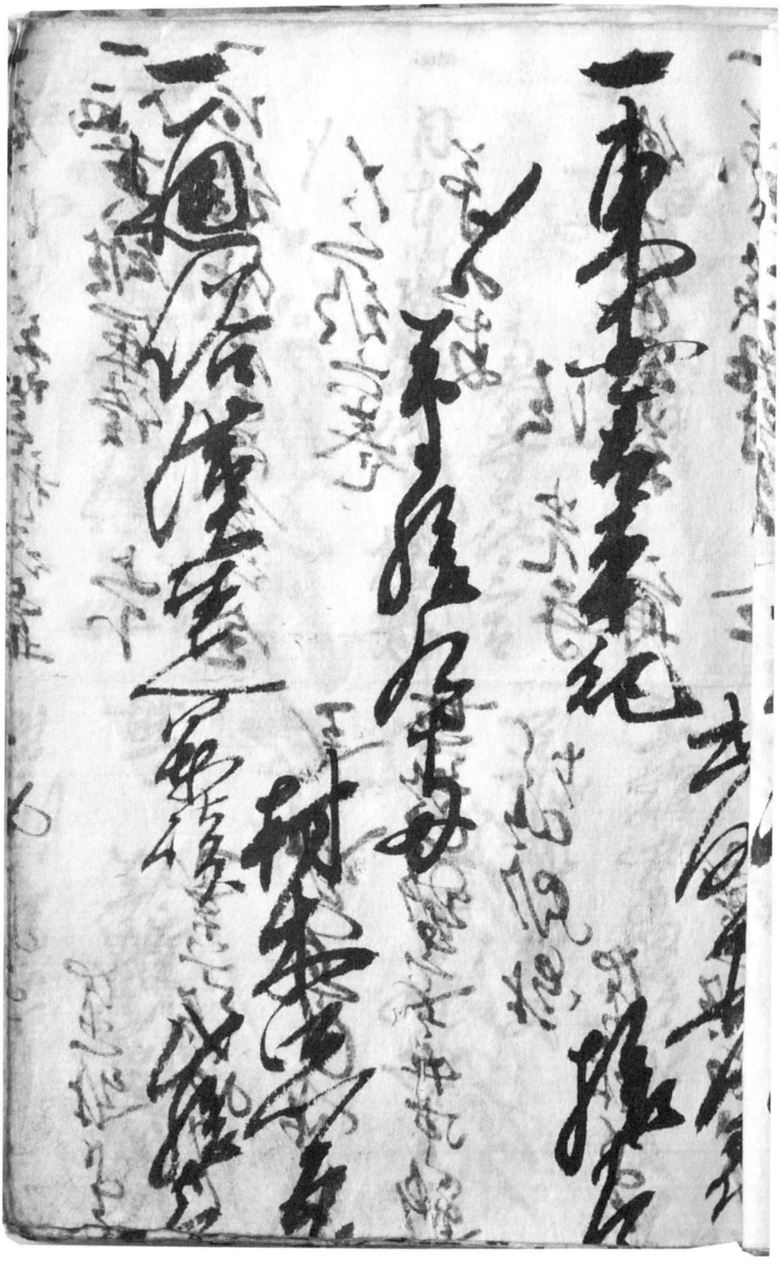

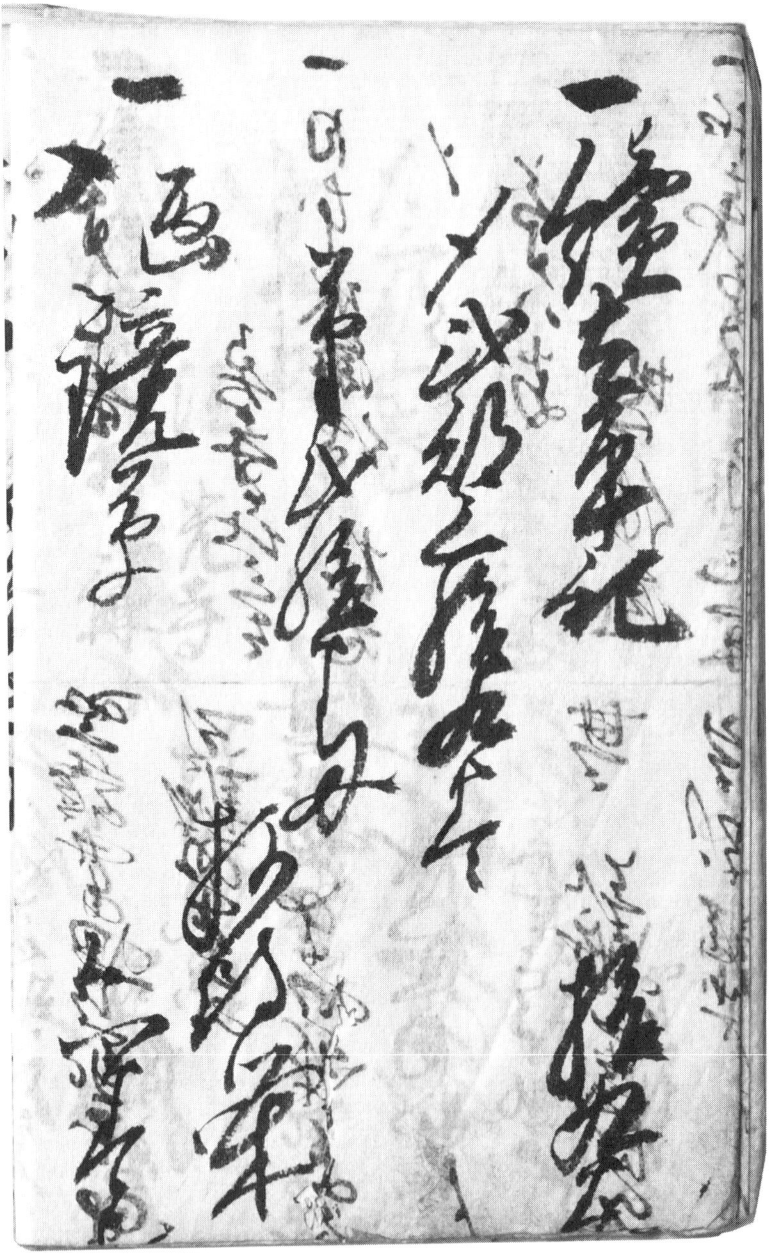

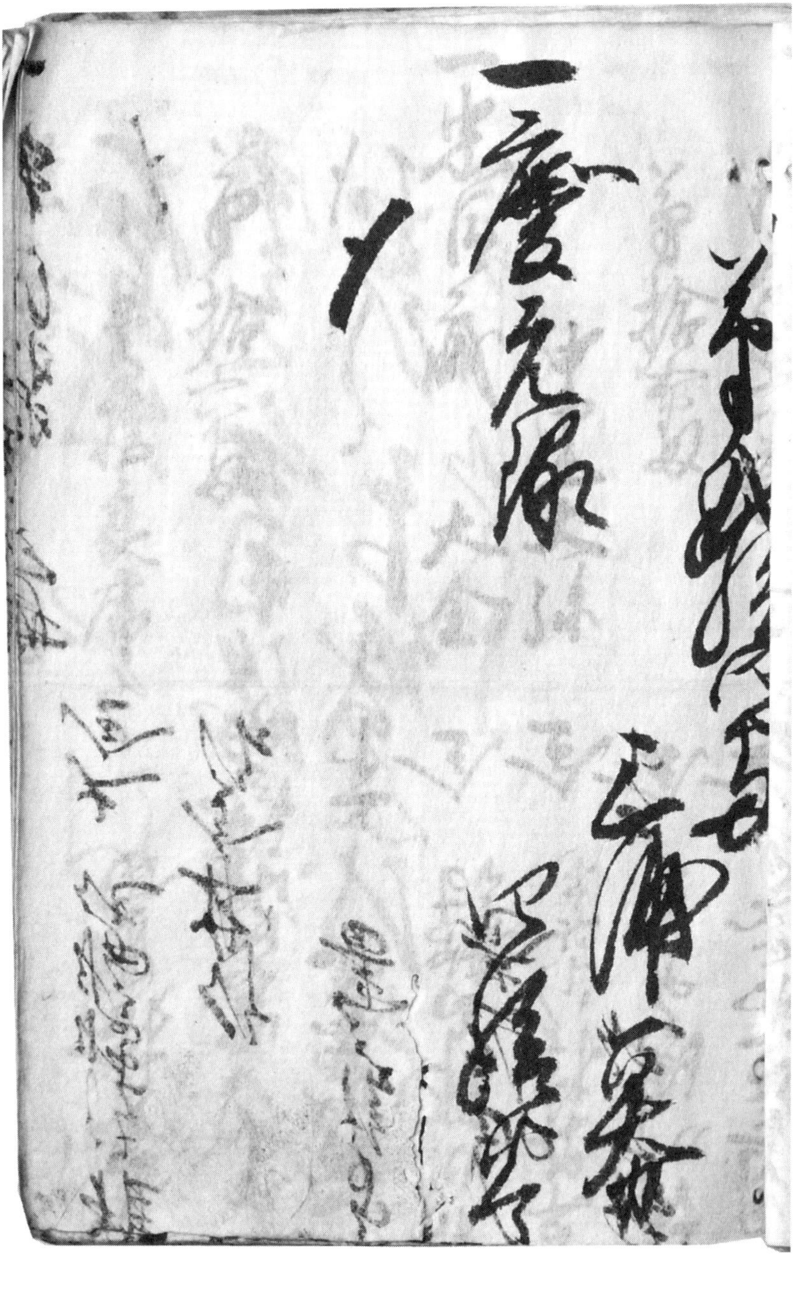

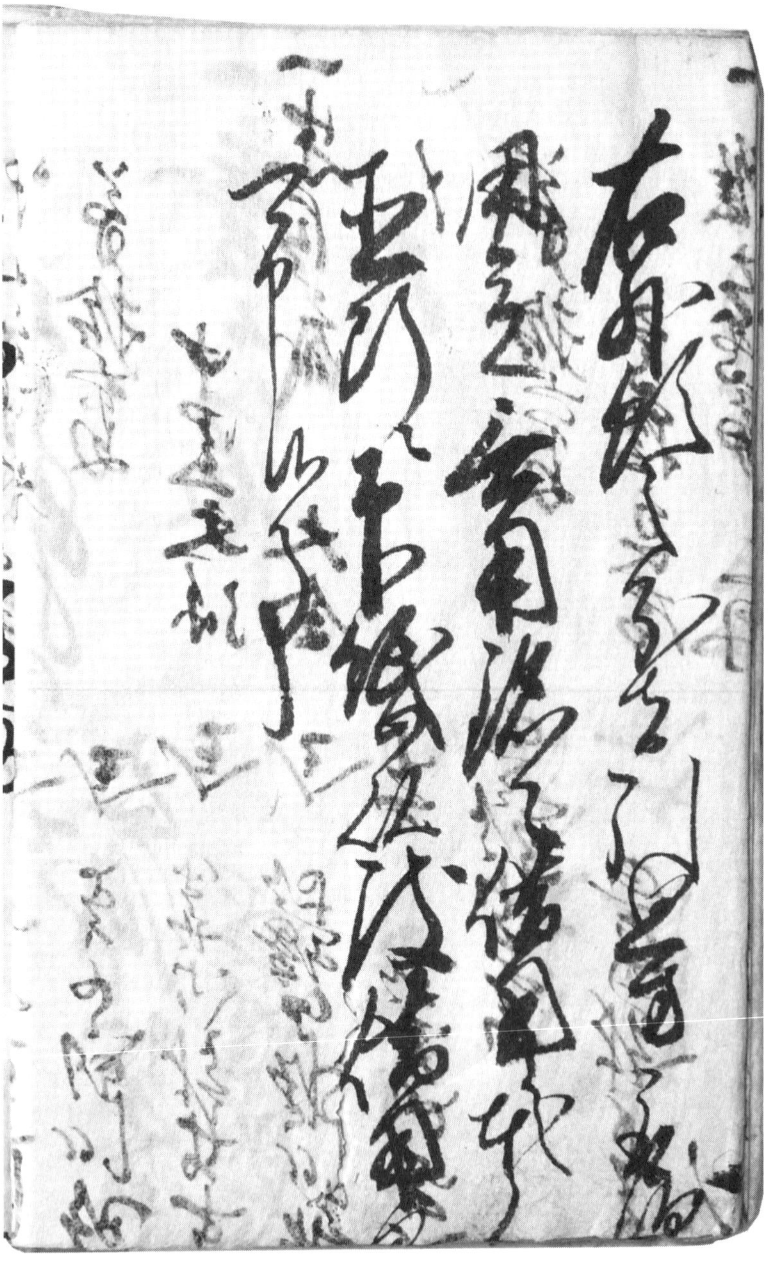

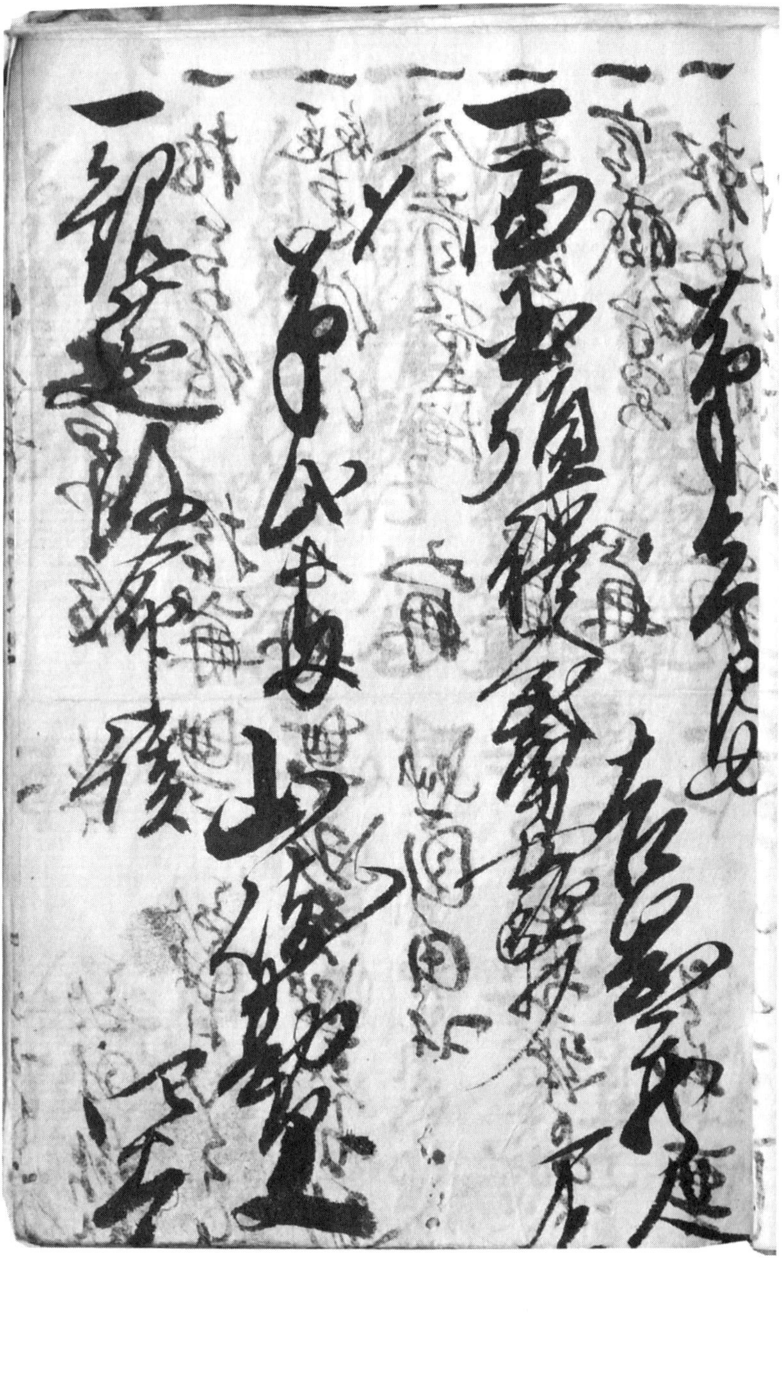

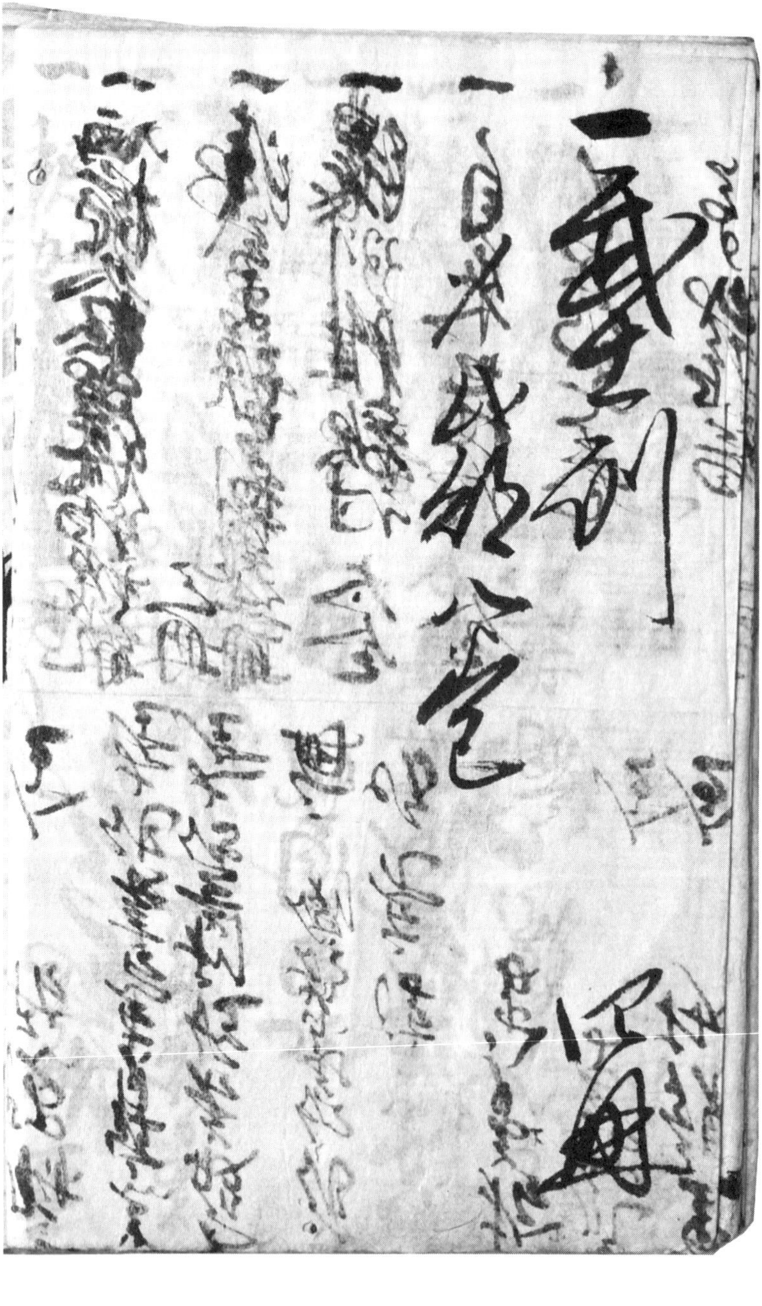

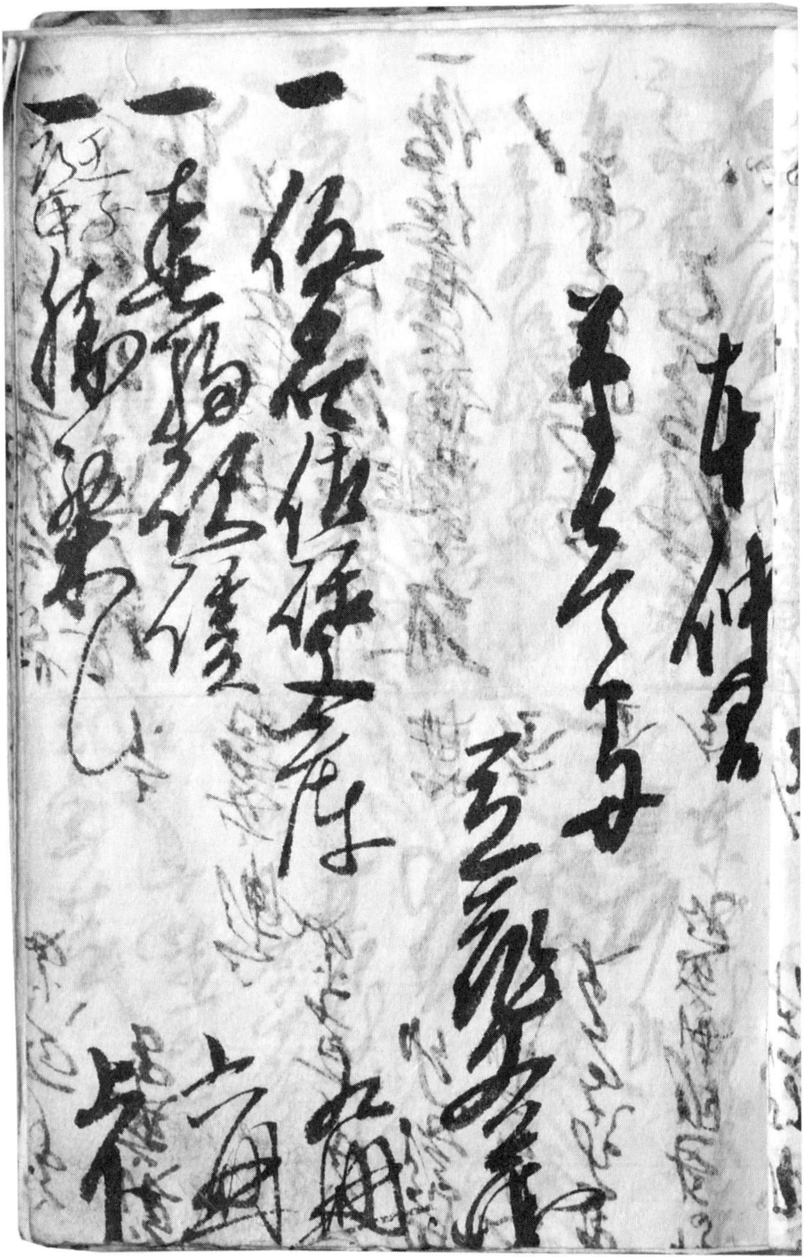

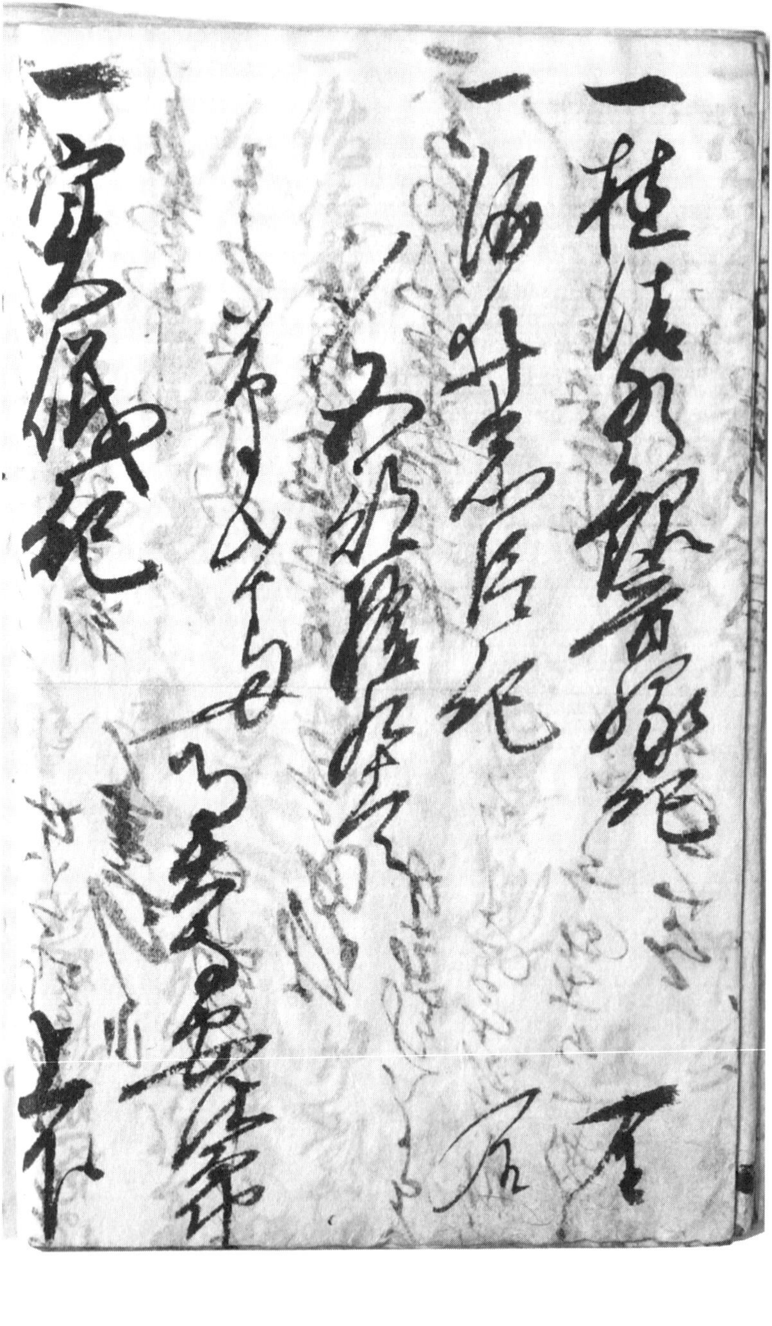

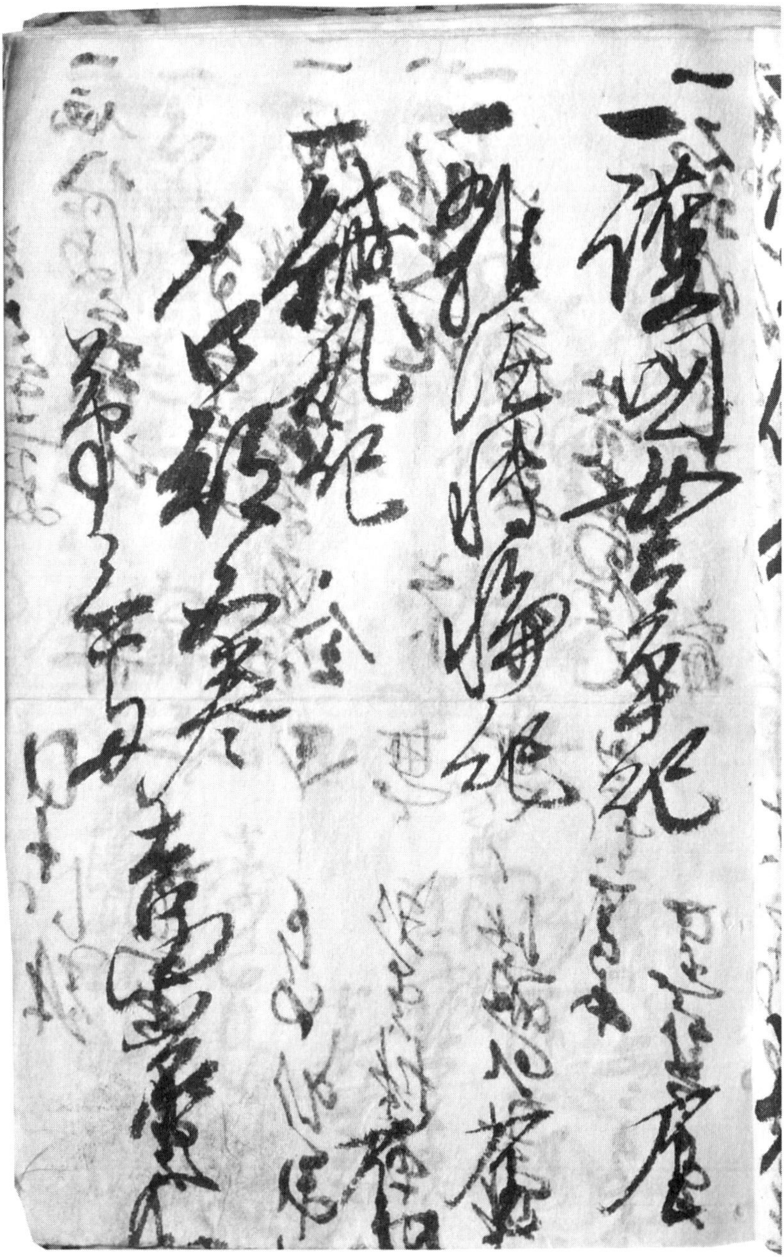

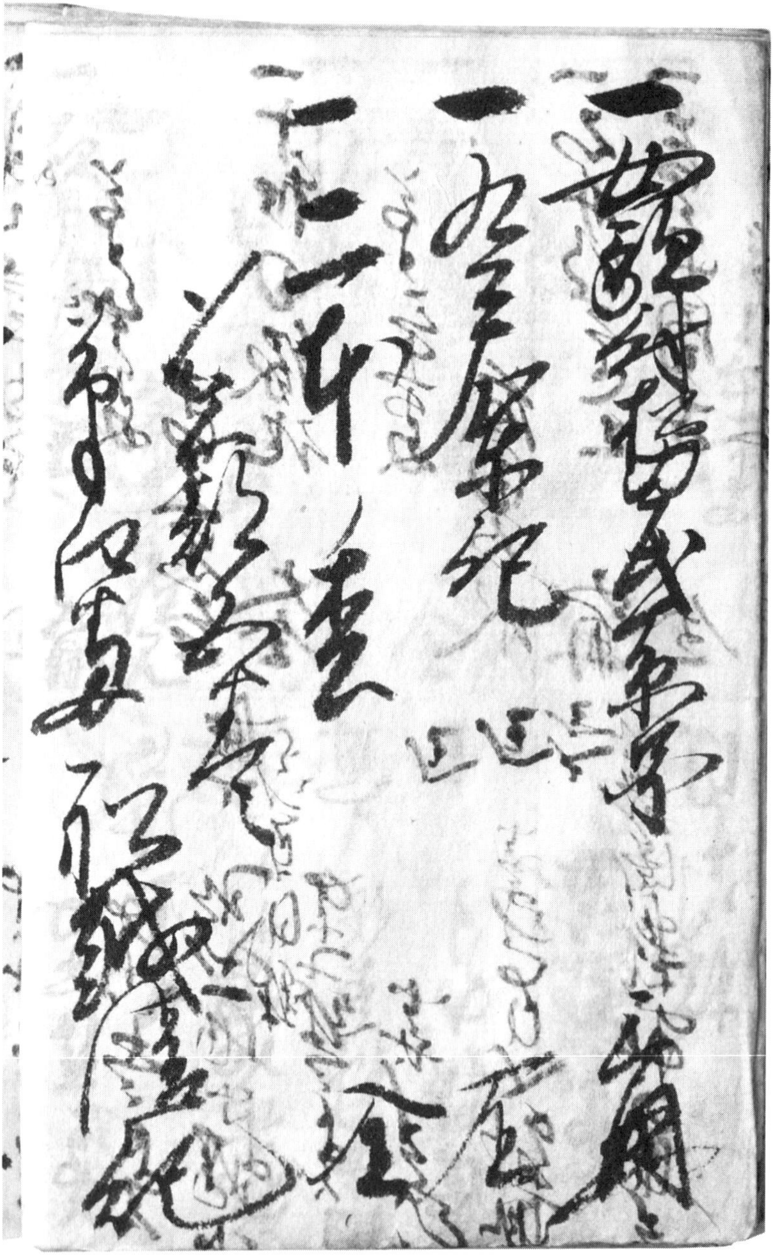

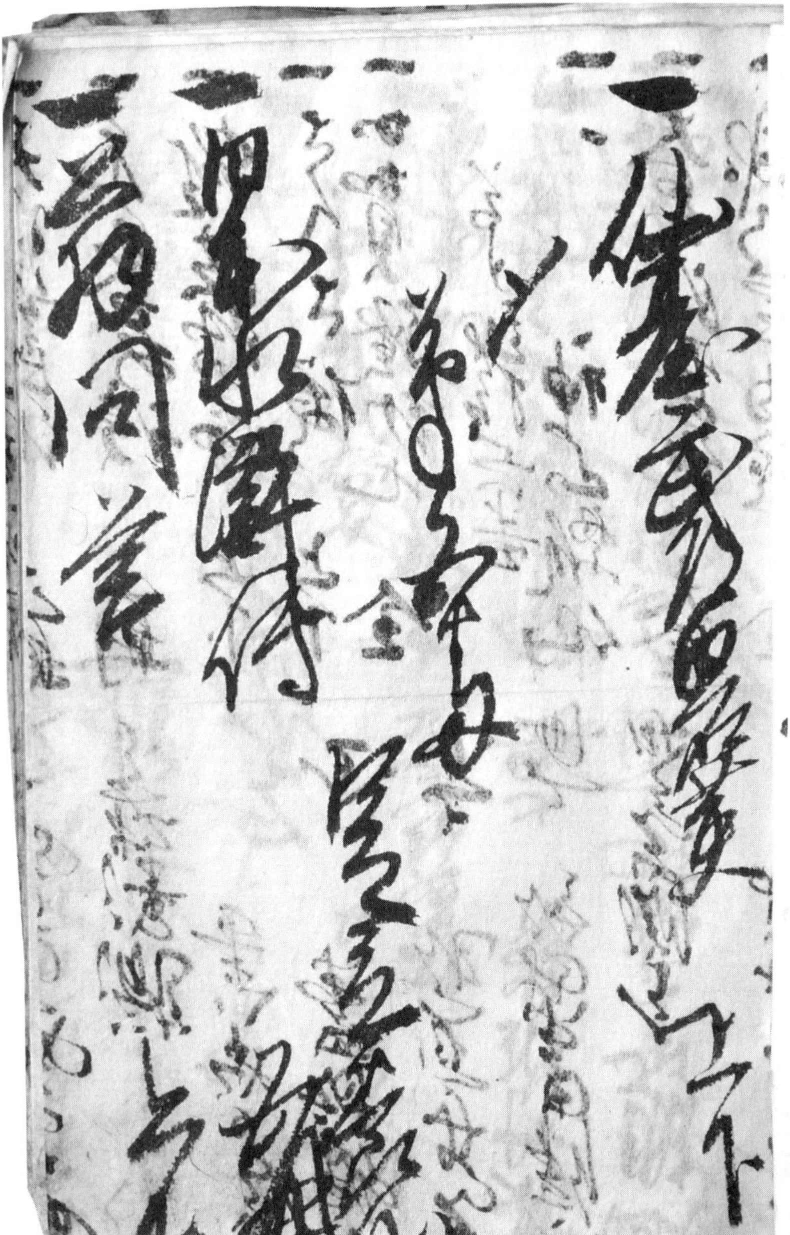

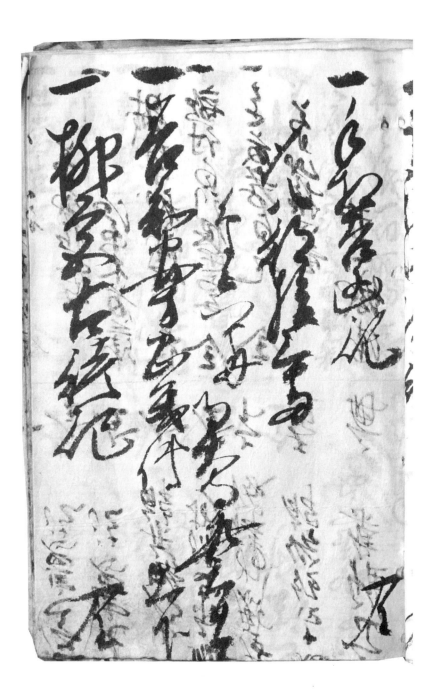

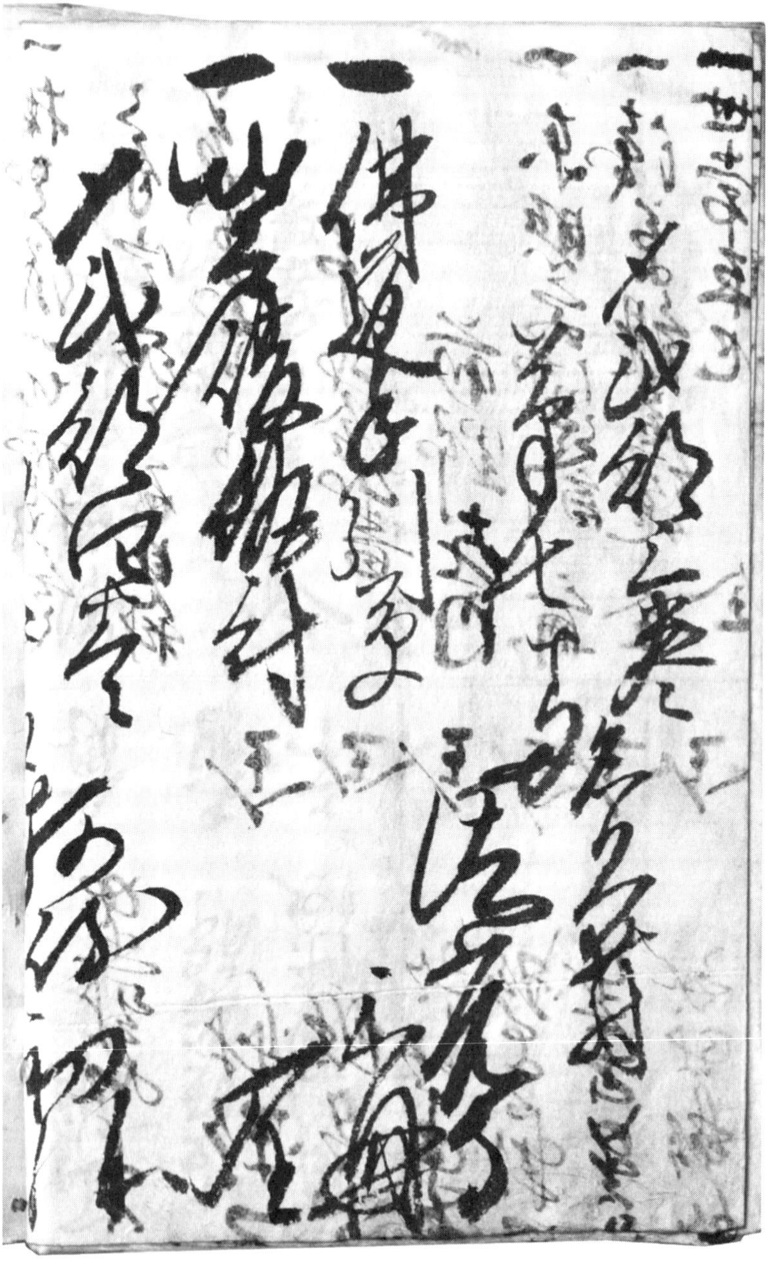

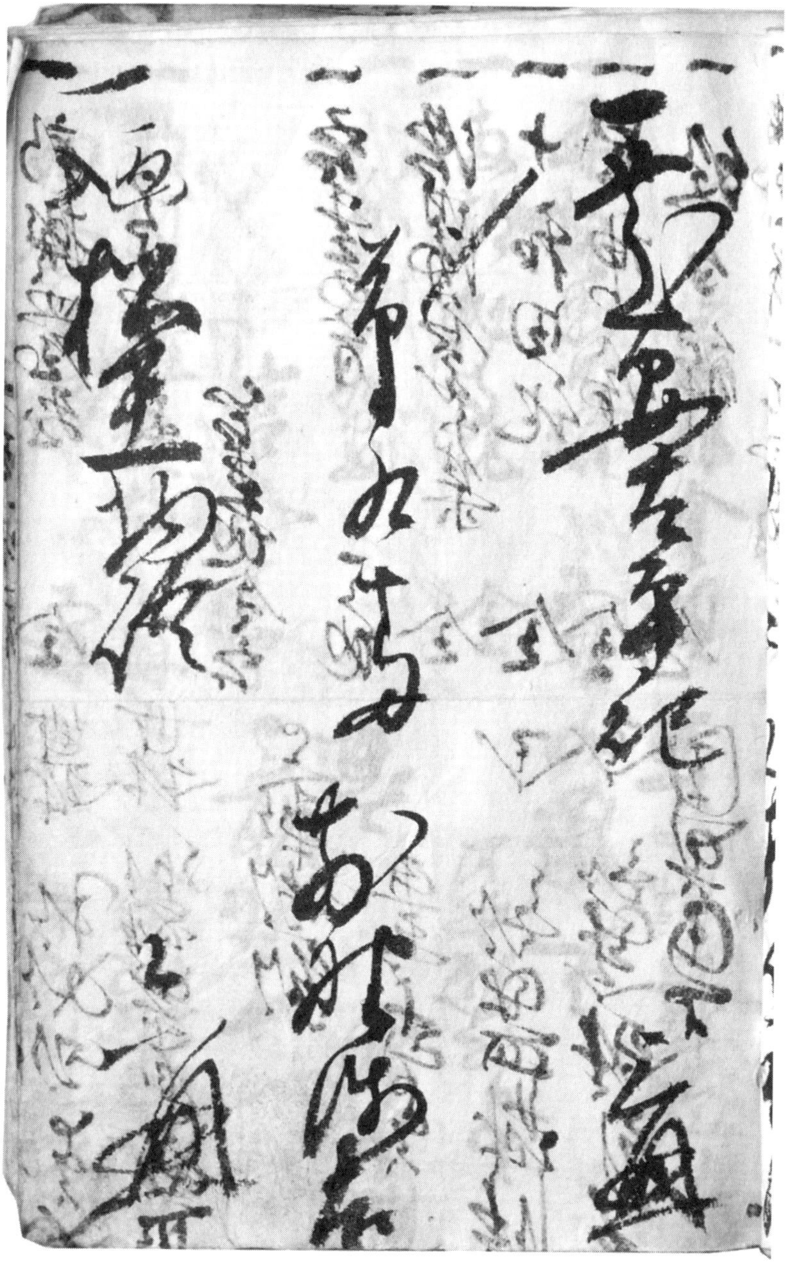

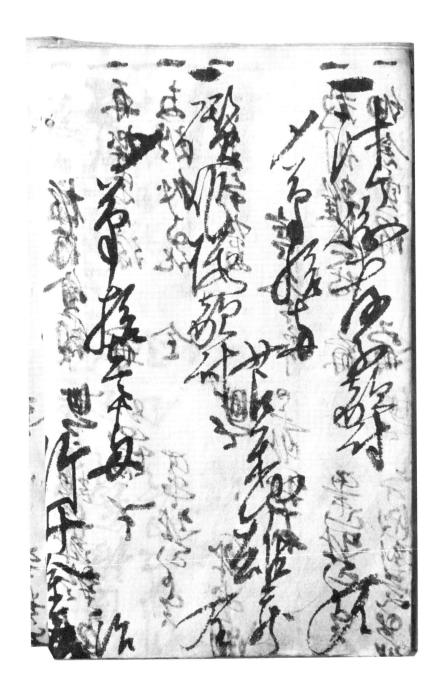

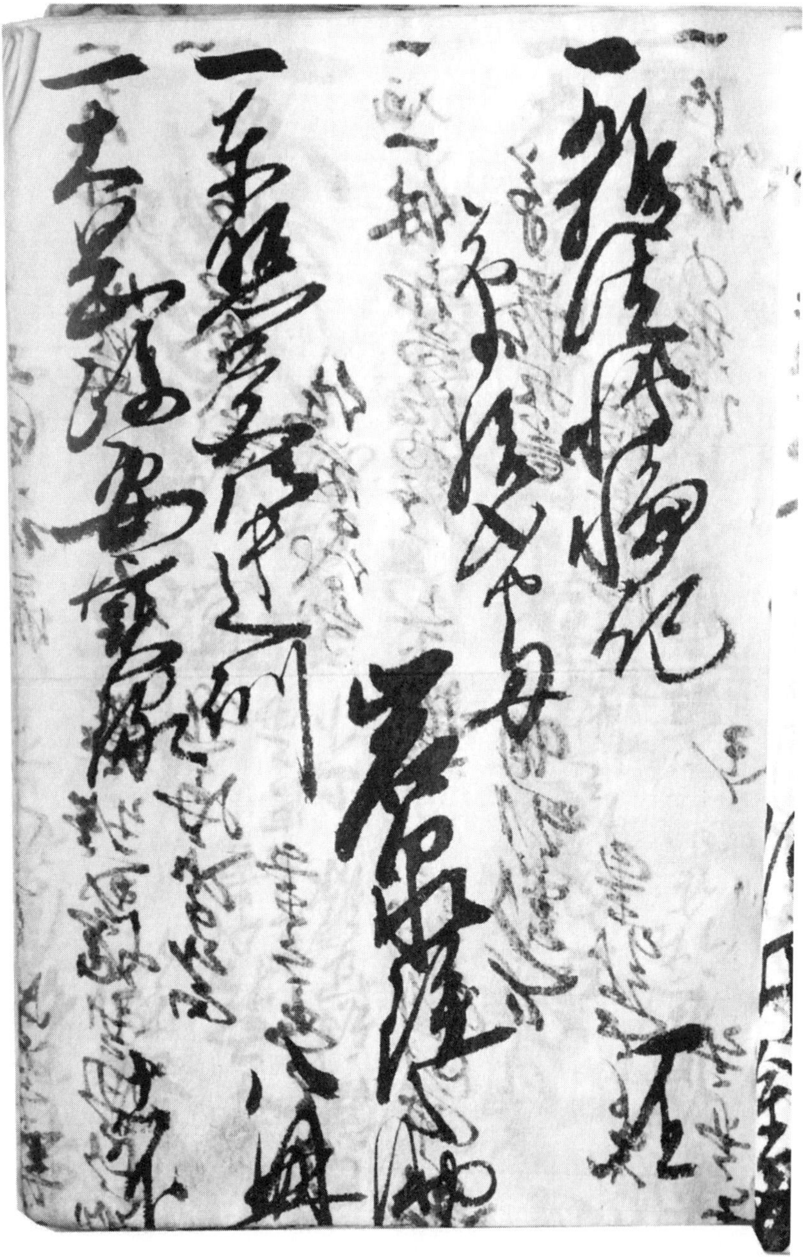

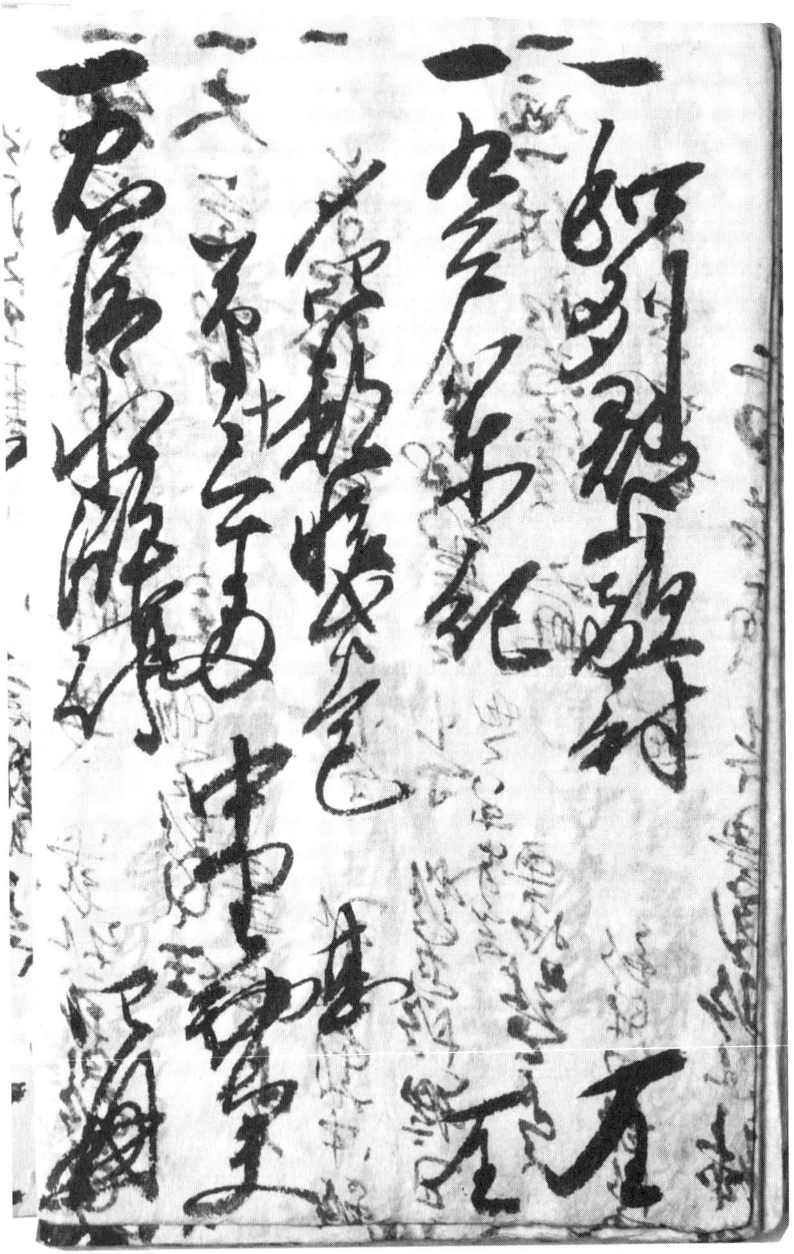

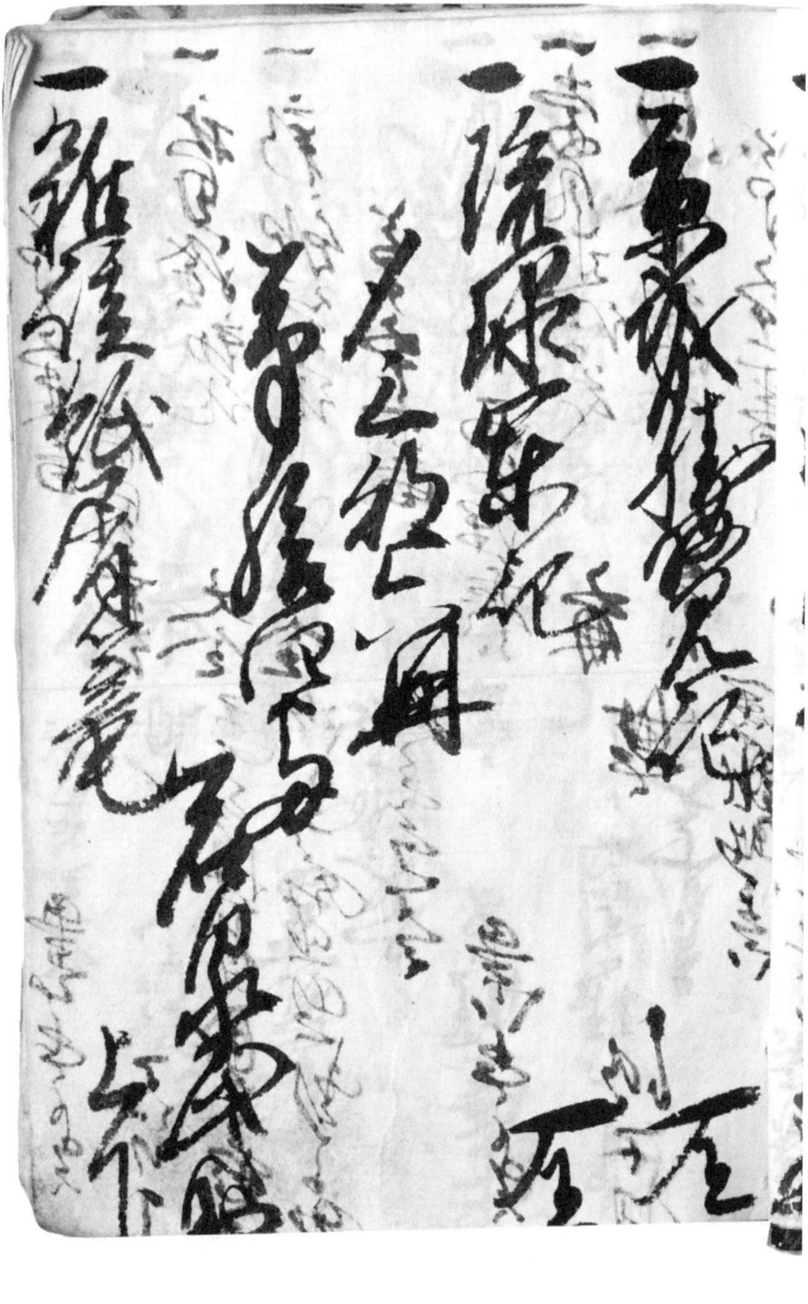

一 [illegible]

一 [illegible]

一 [illegible]

一 [illegible]

一 [illegible]

一 [illegible]

一 [illegible]

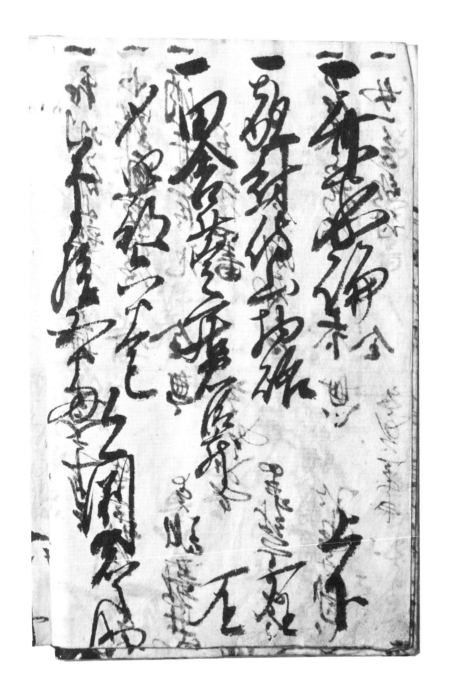

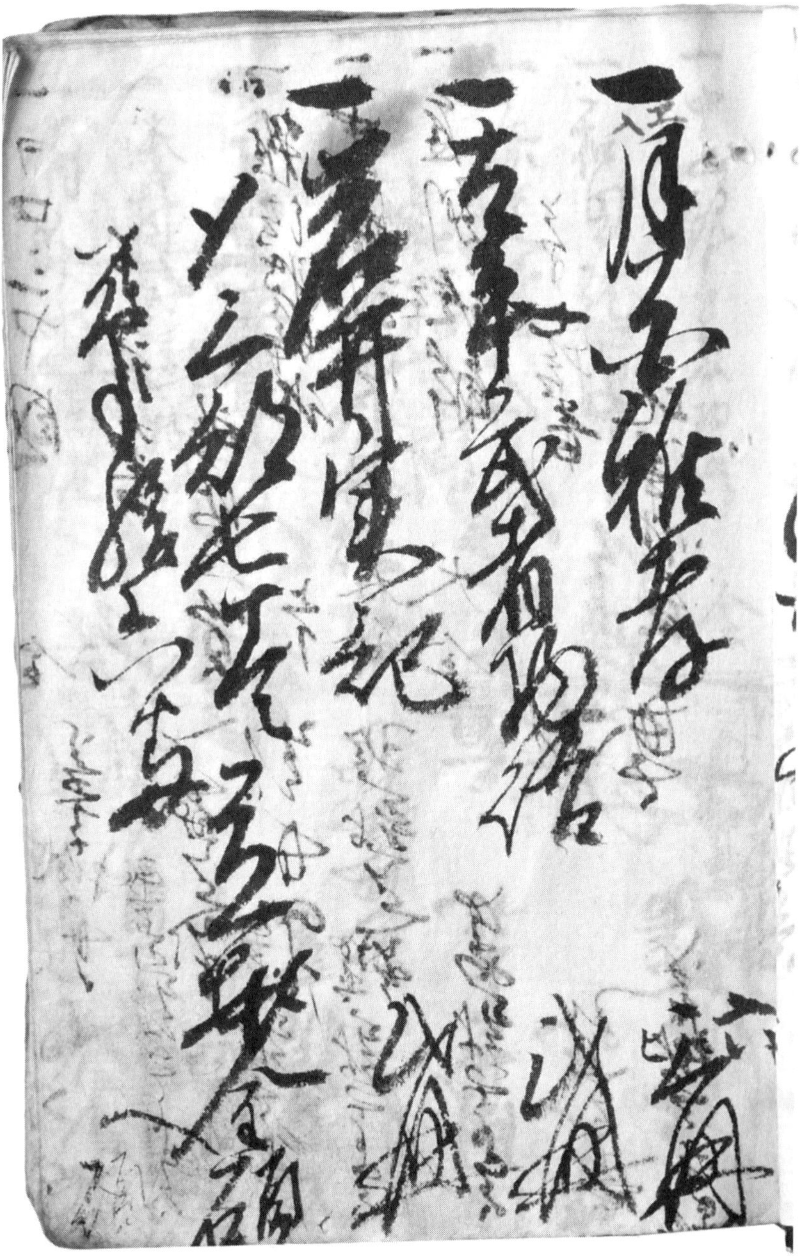

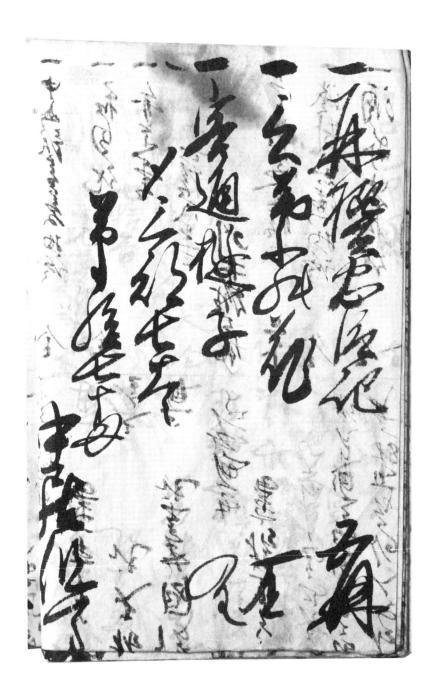

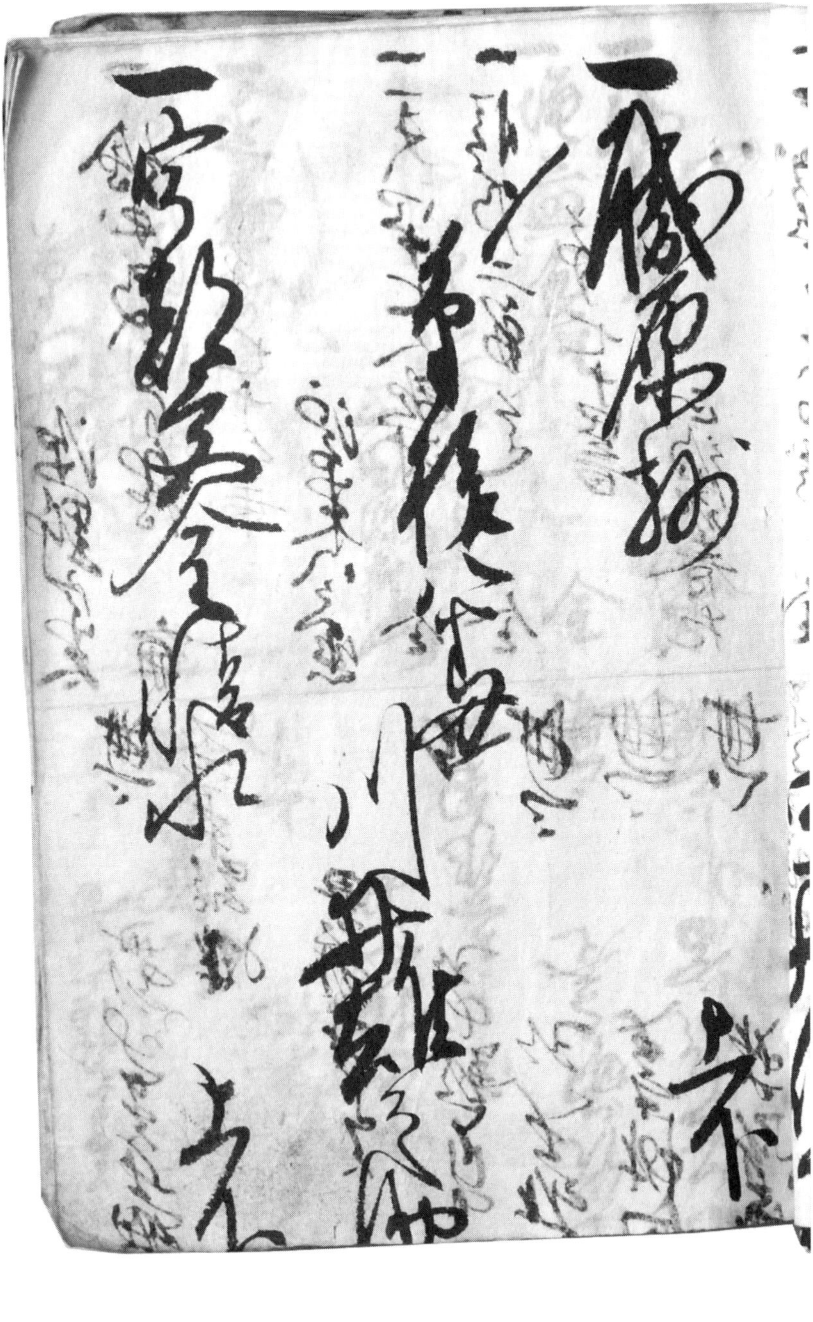

一 湊[illegible]之[illegible]
一 浦[illegible]
一 可口之[illegible]
一 [illegible]
一 [illegible]

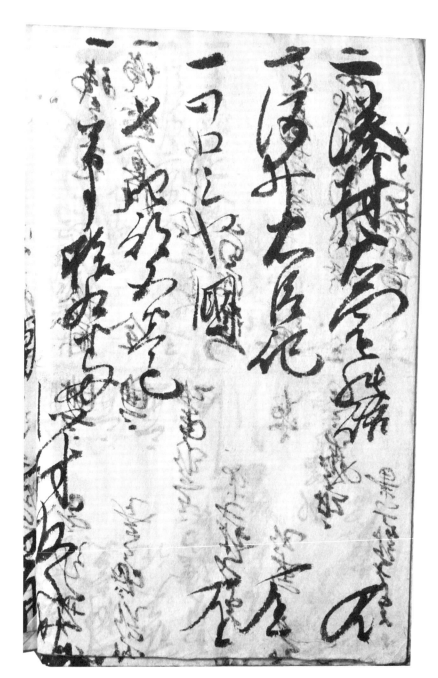

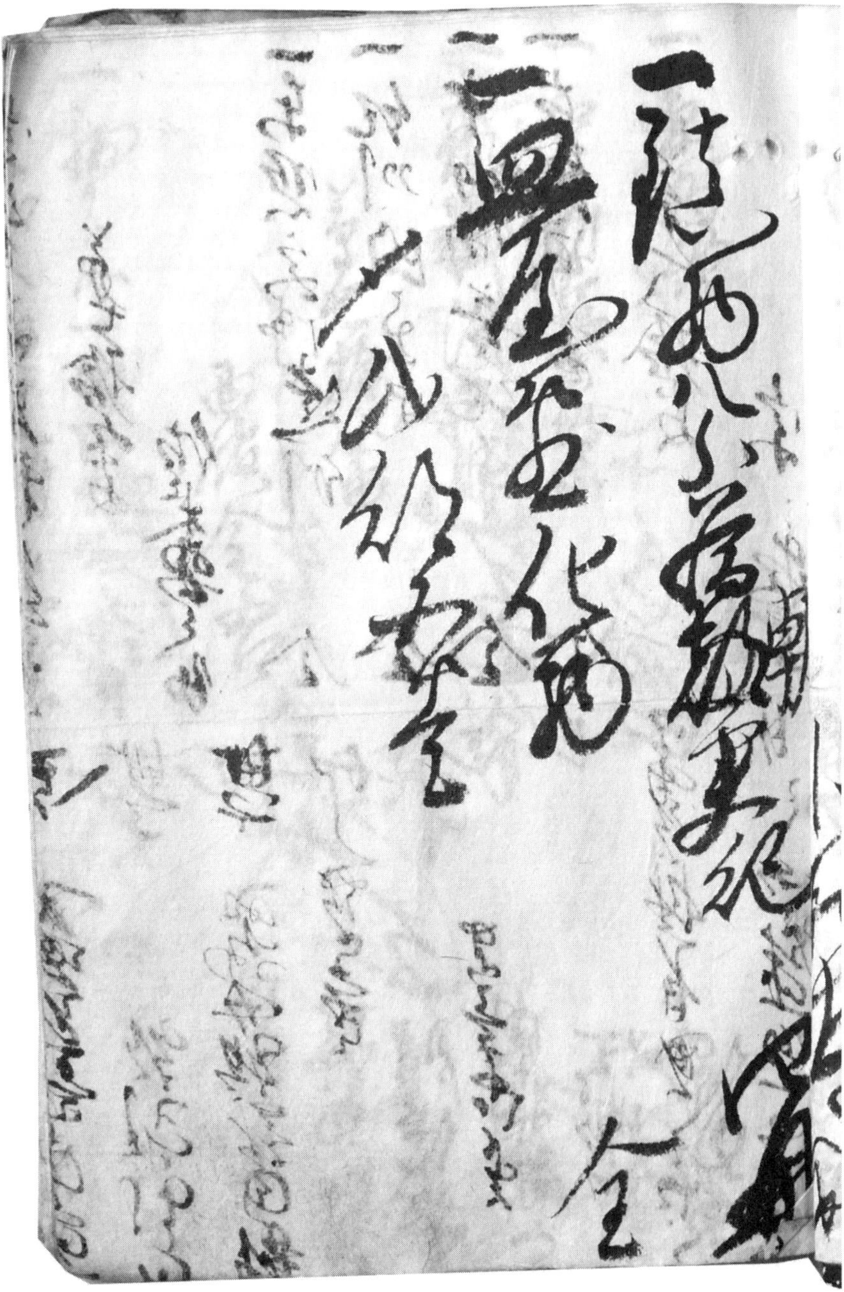

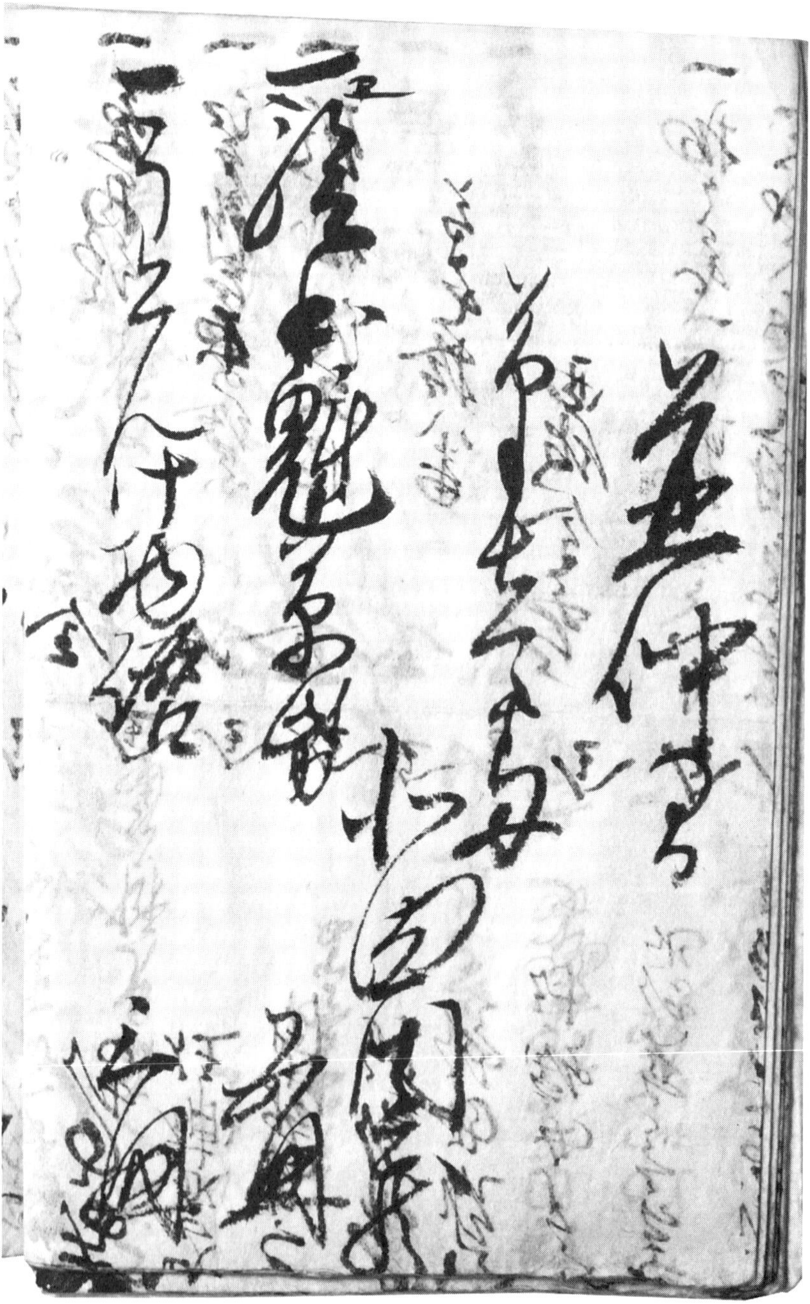

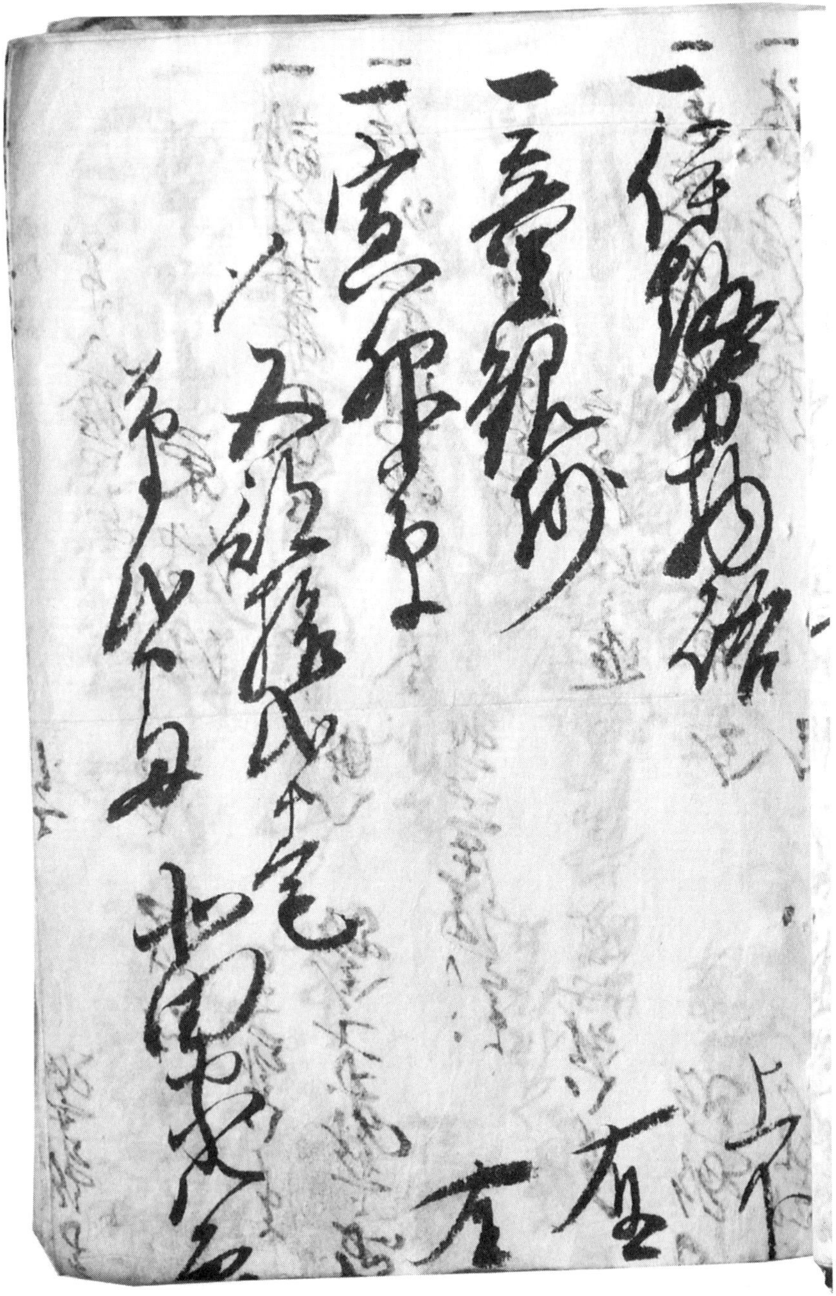

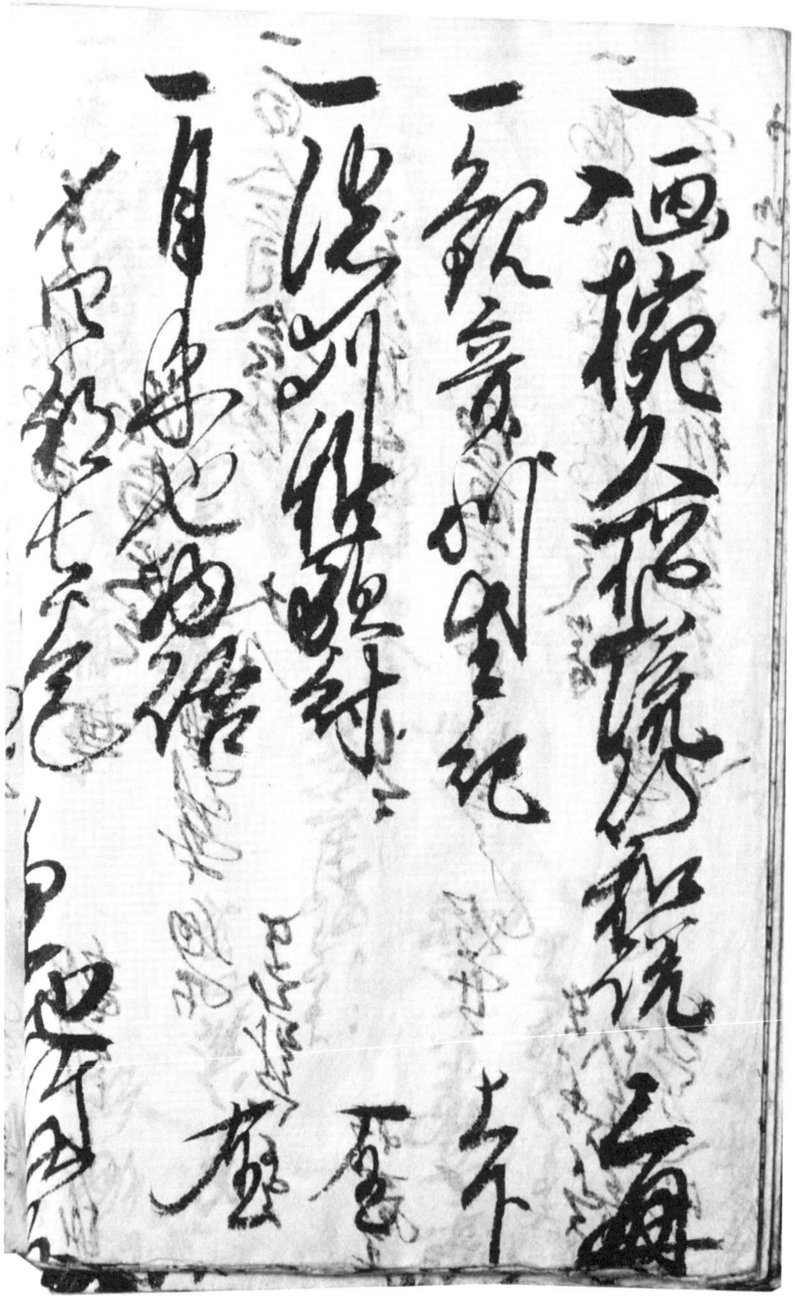

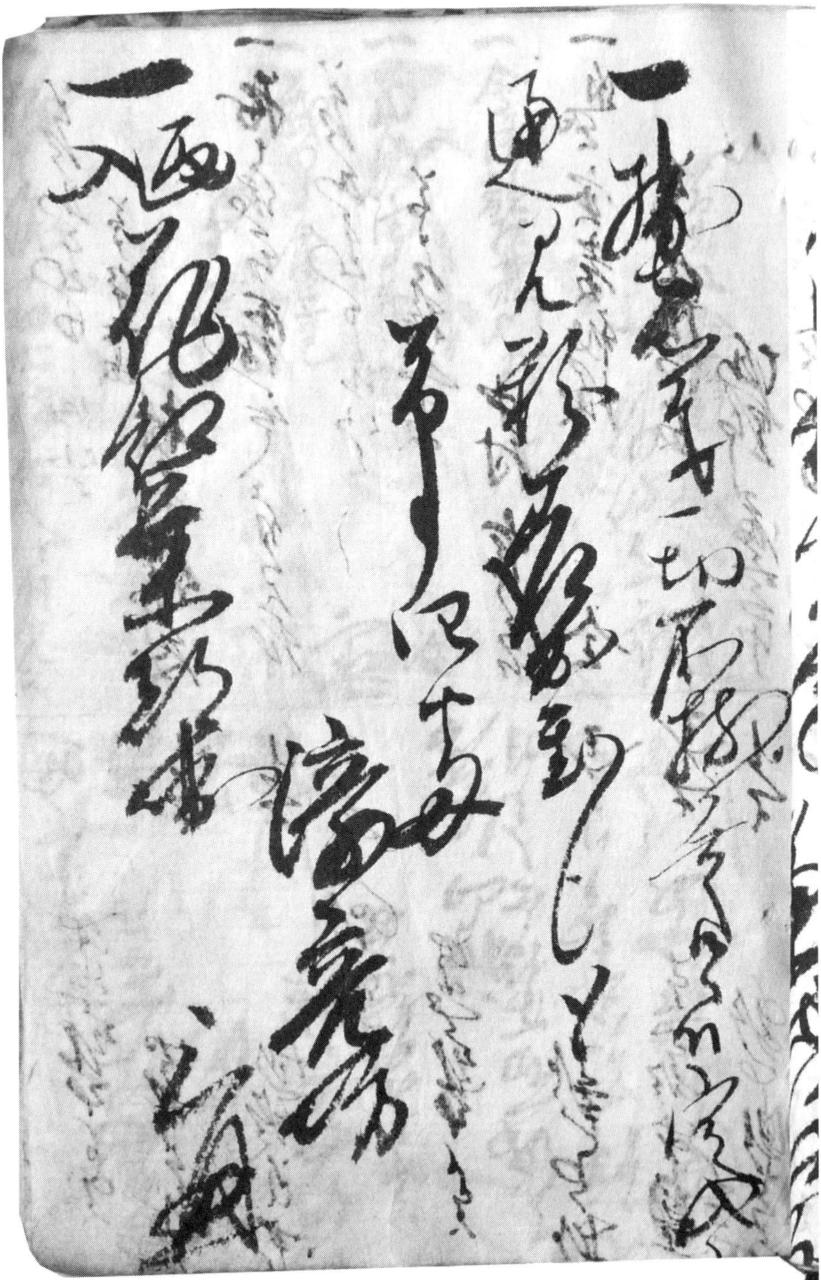

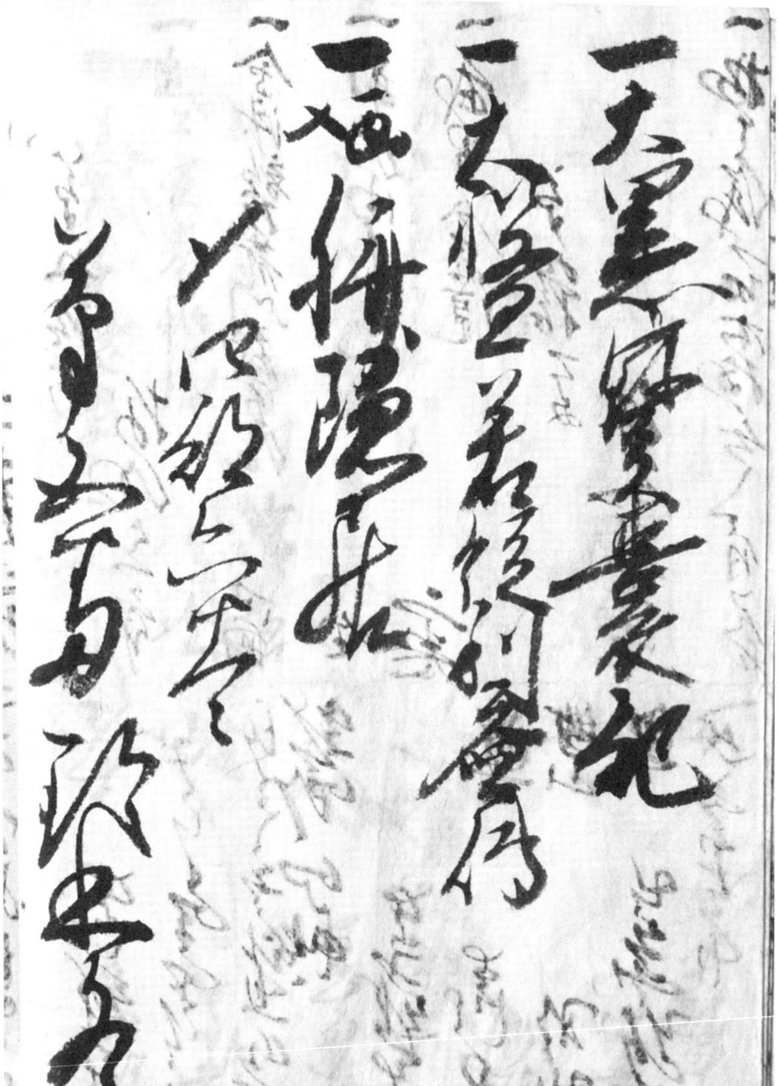

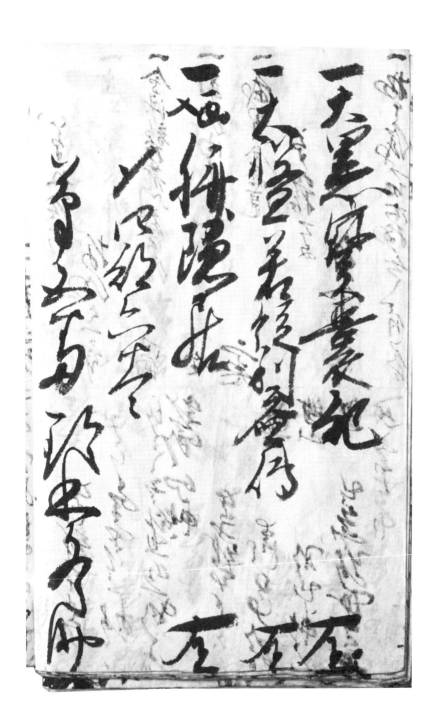

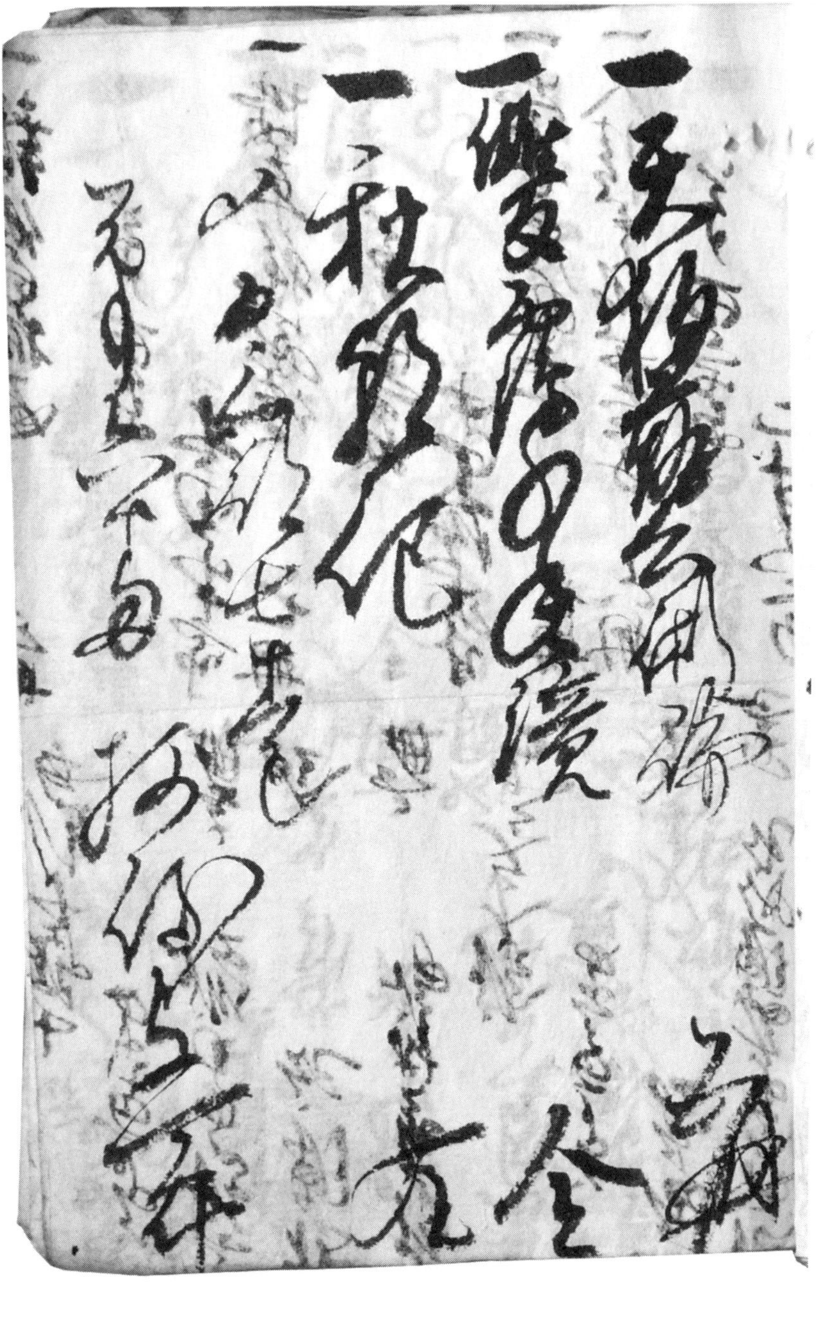

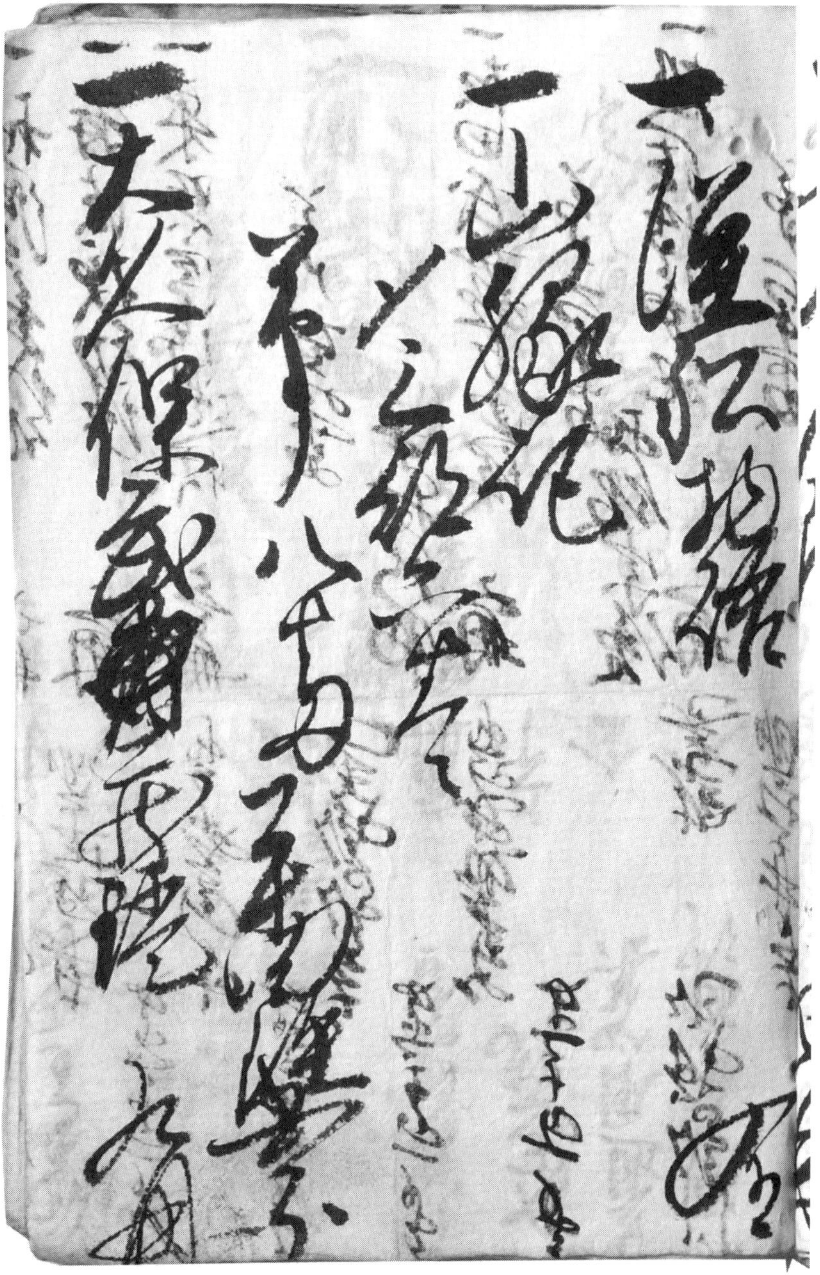

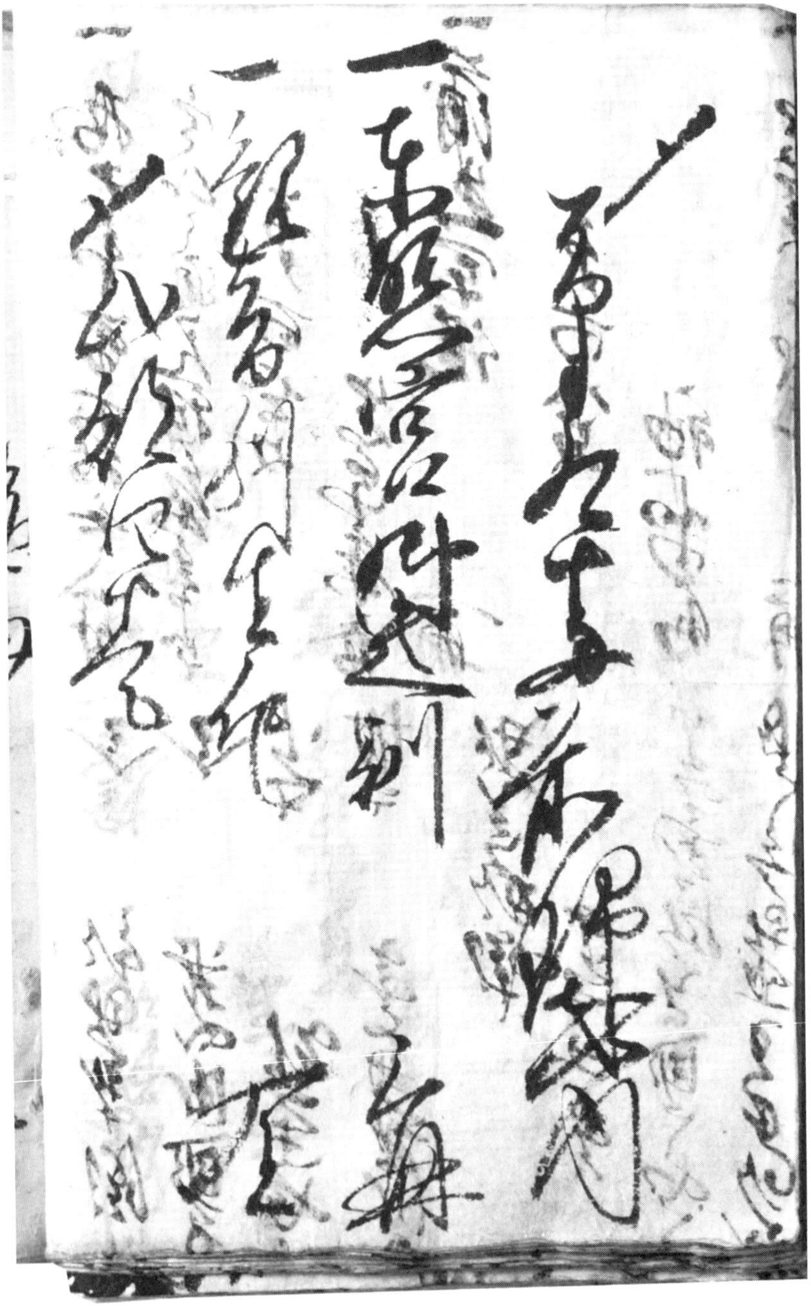

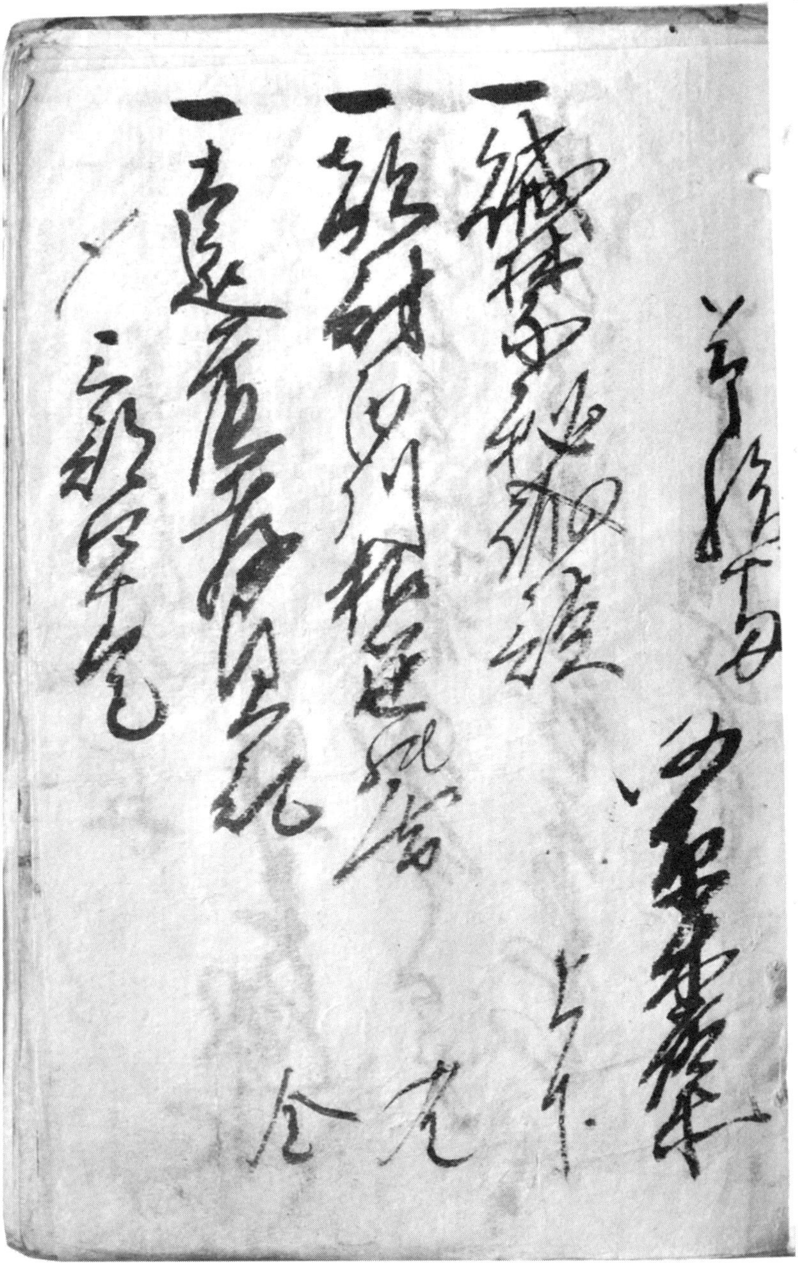

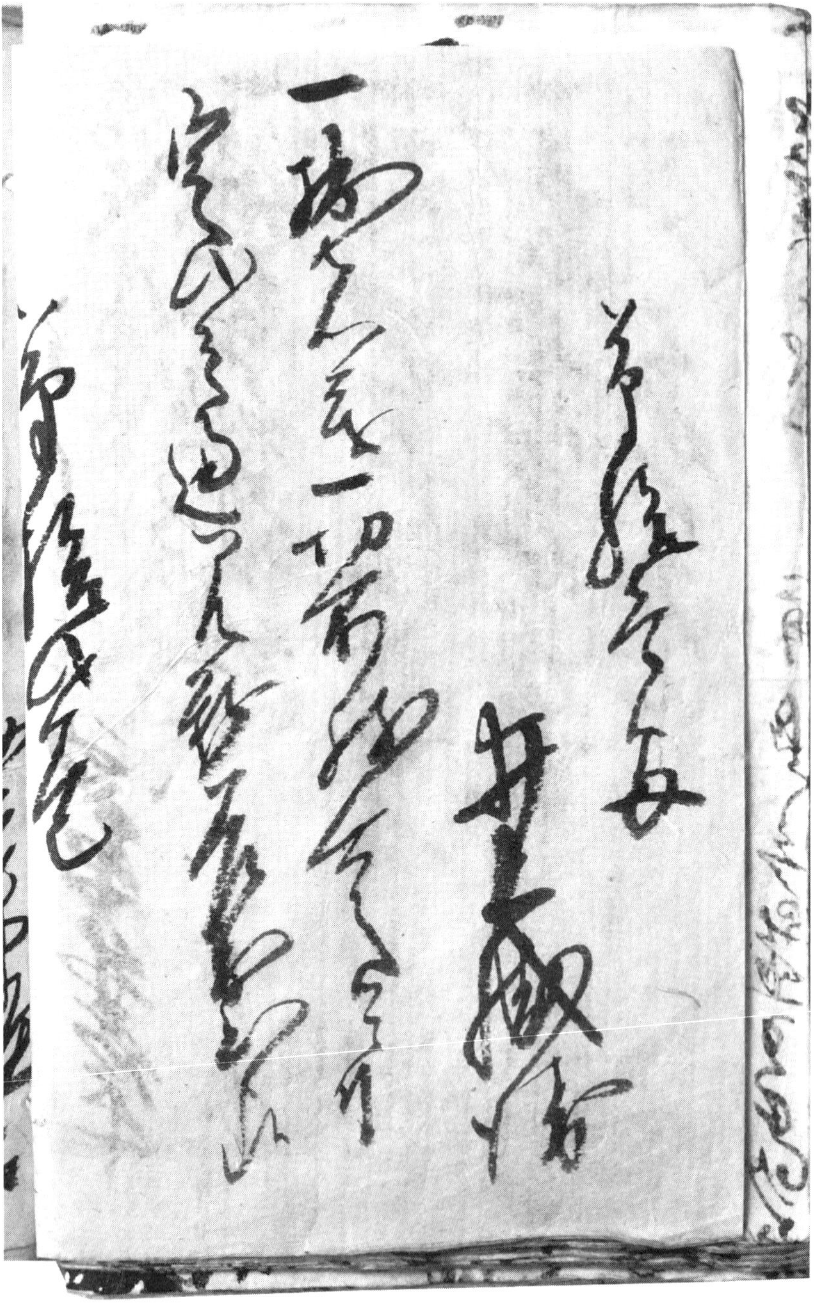

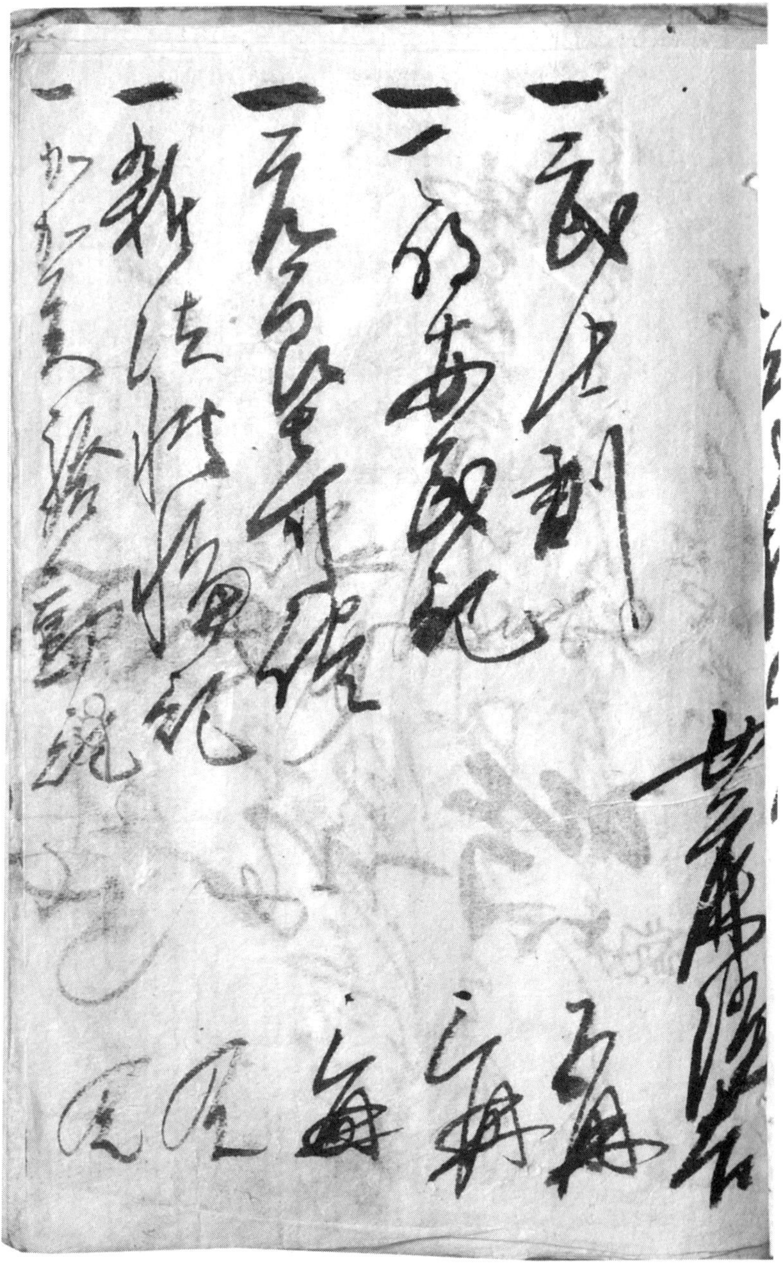

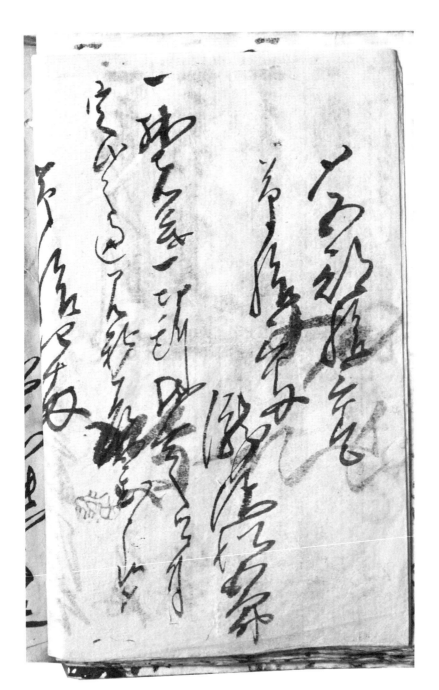

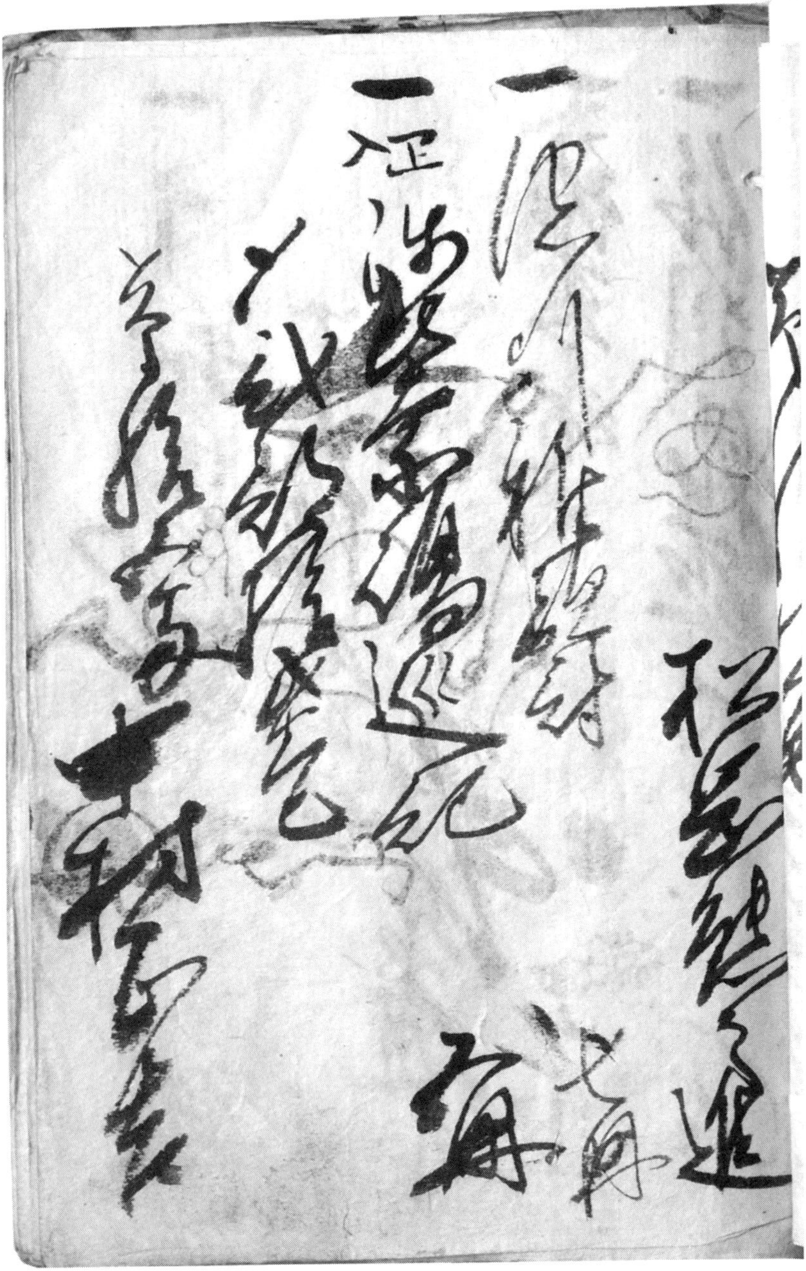

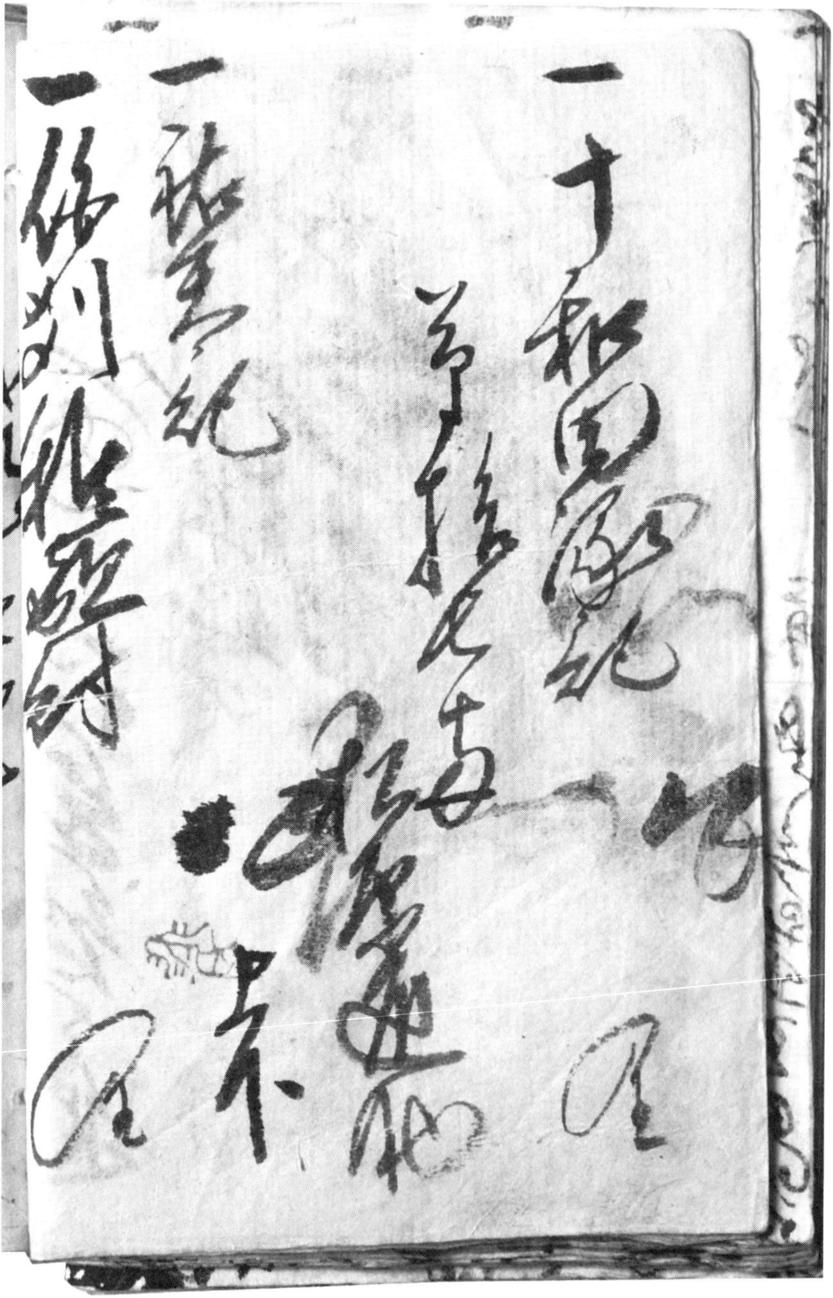

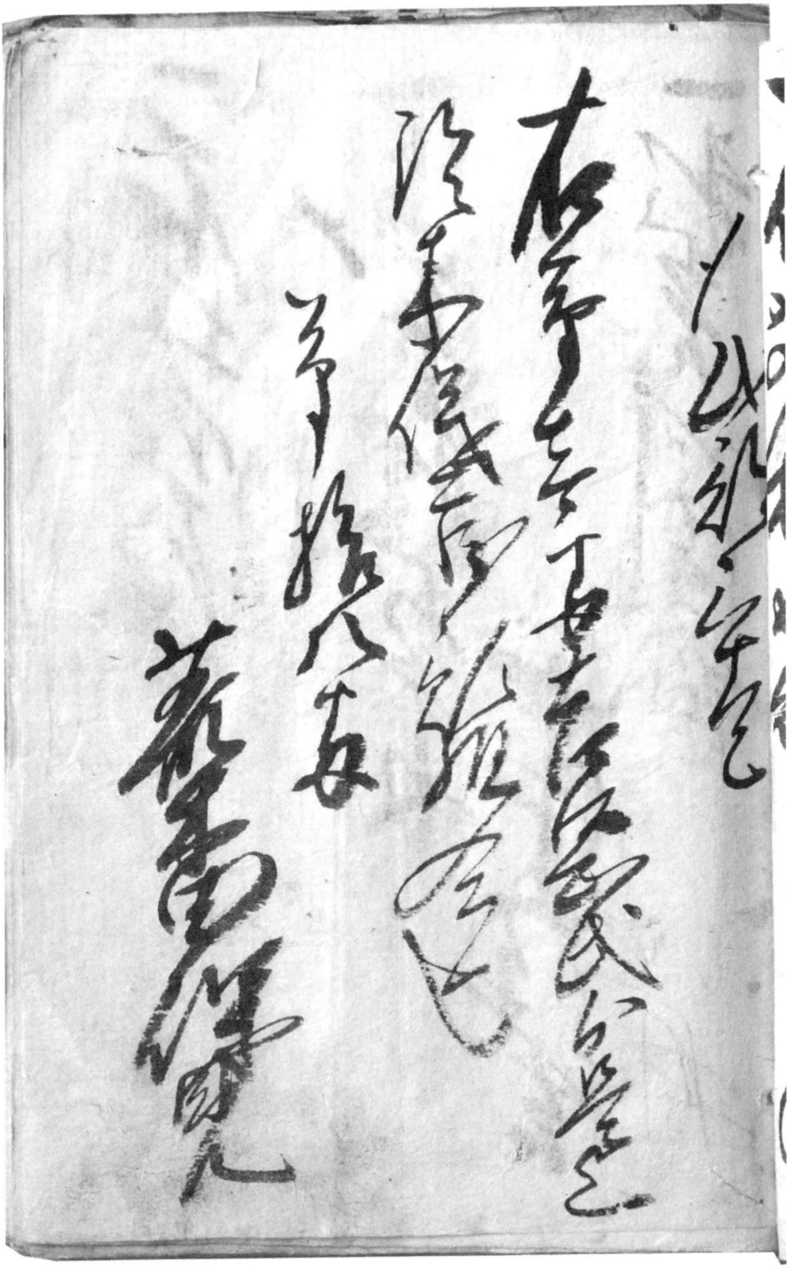

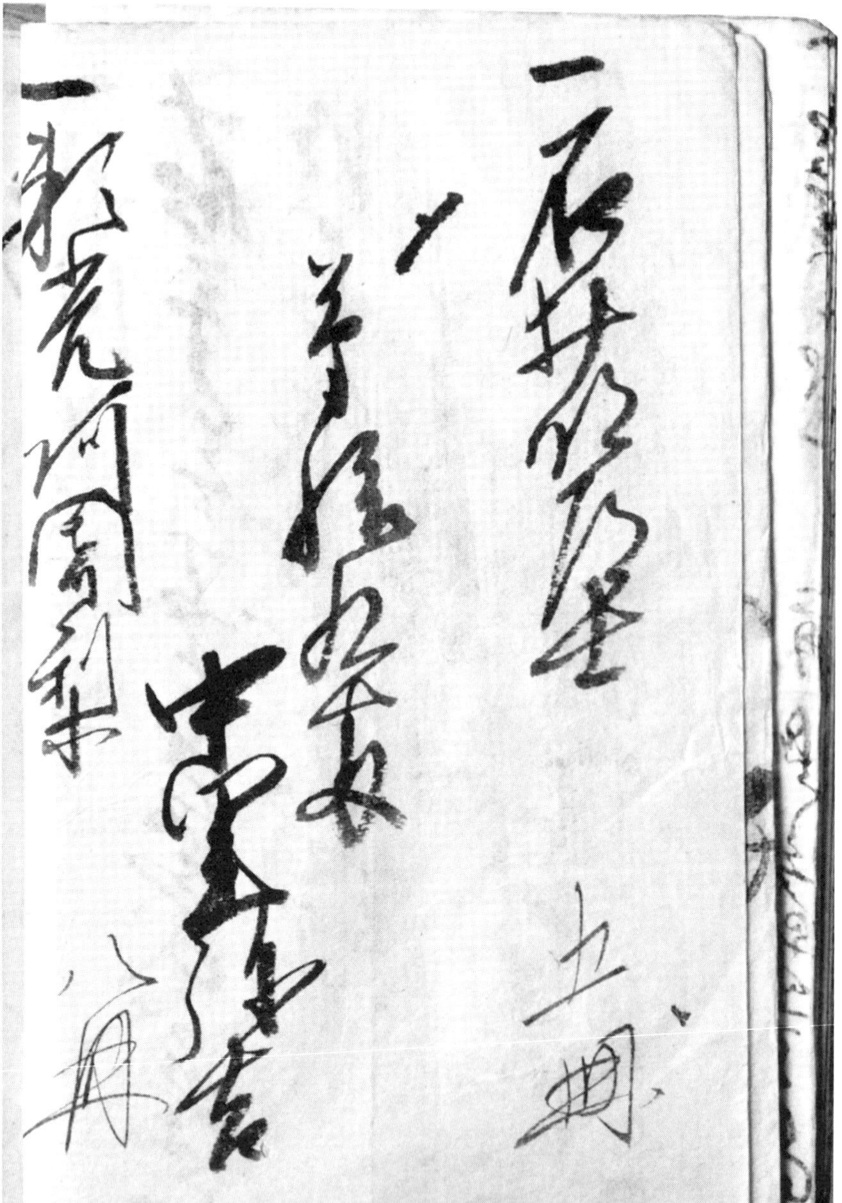
一　石井修理亮　五冊
八冊

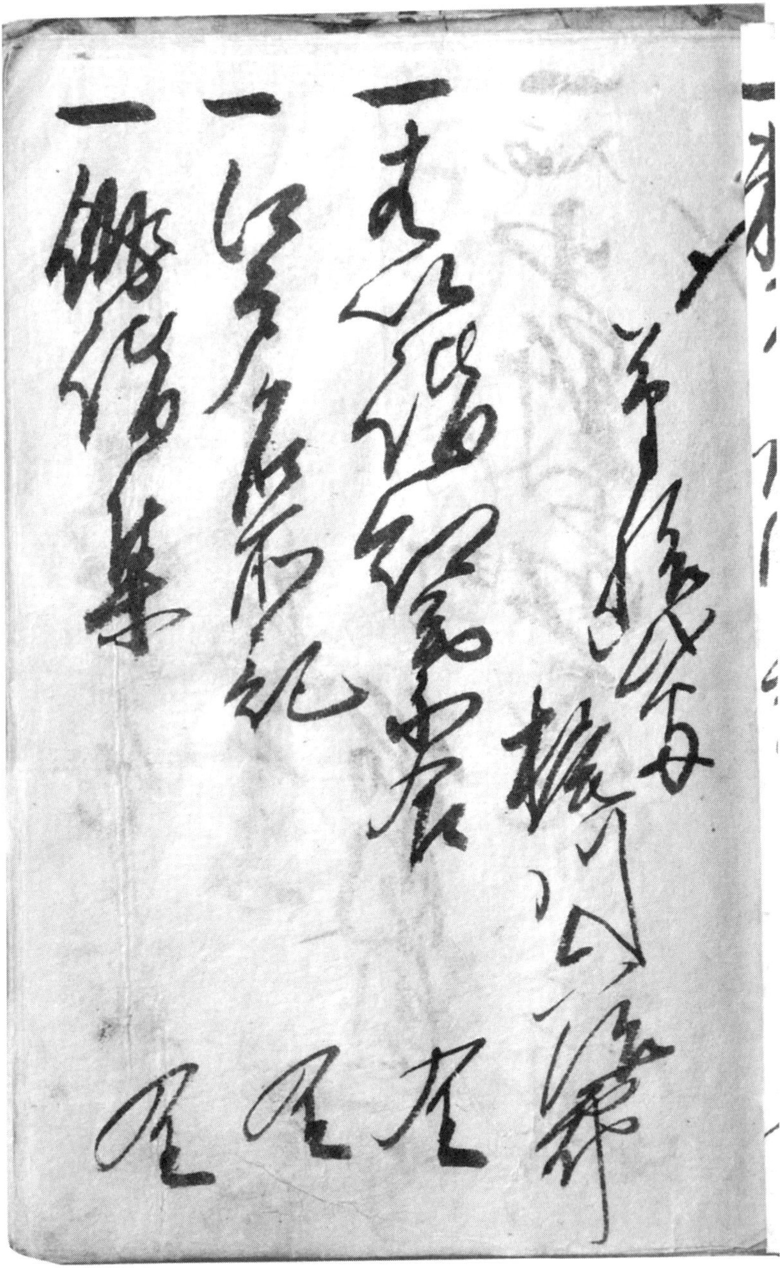

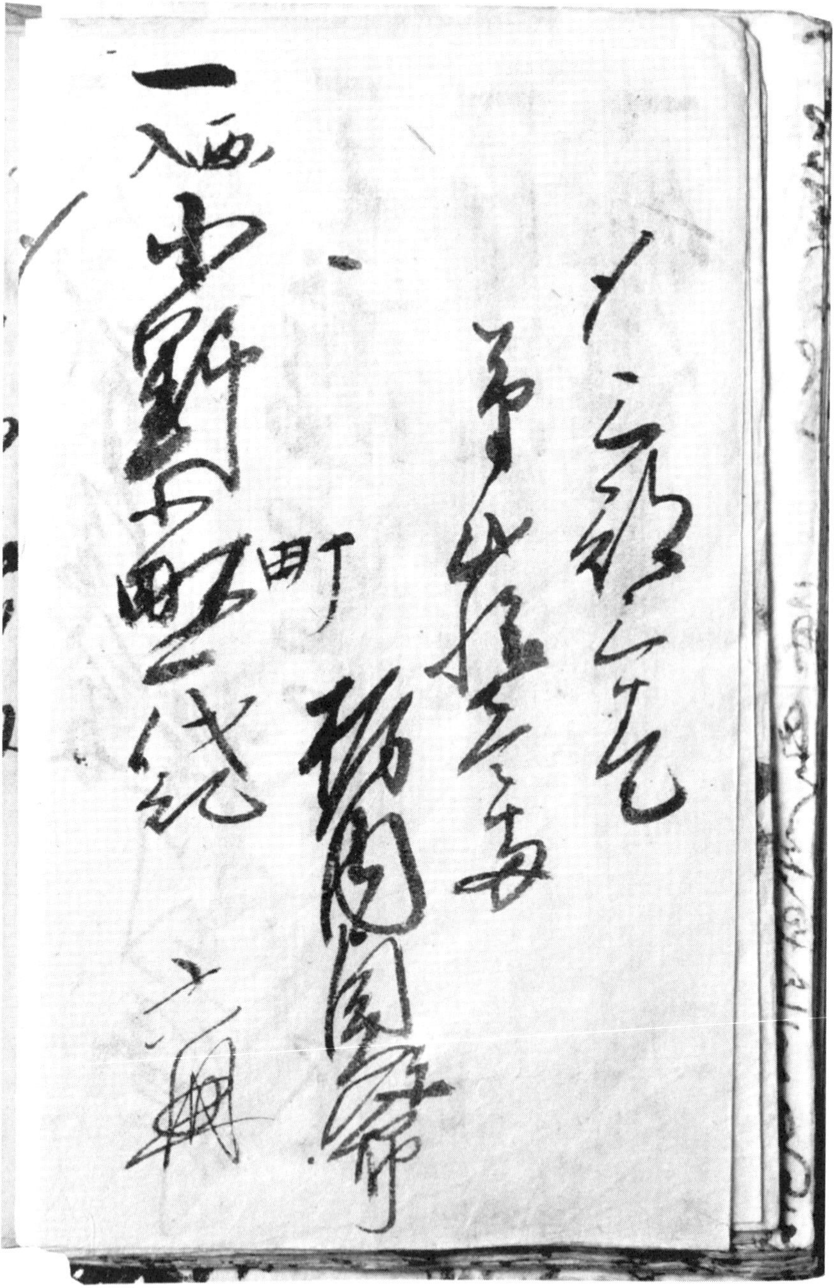

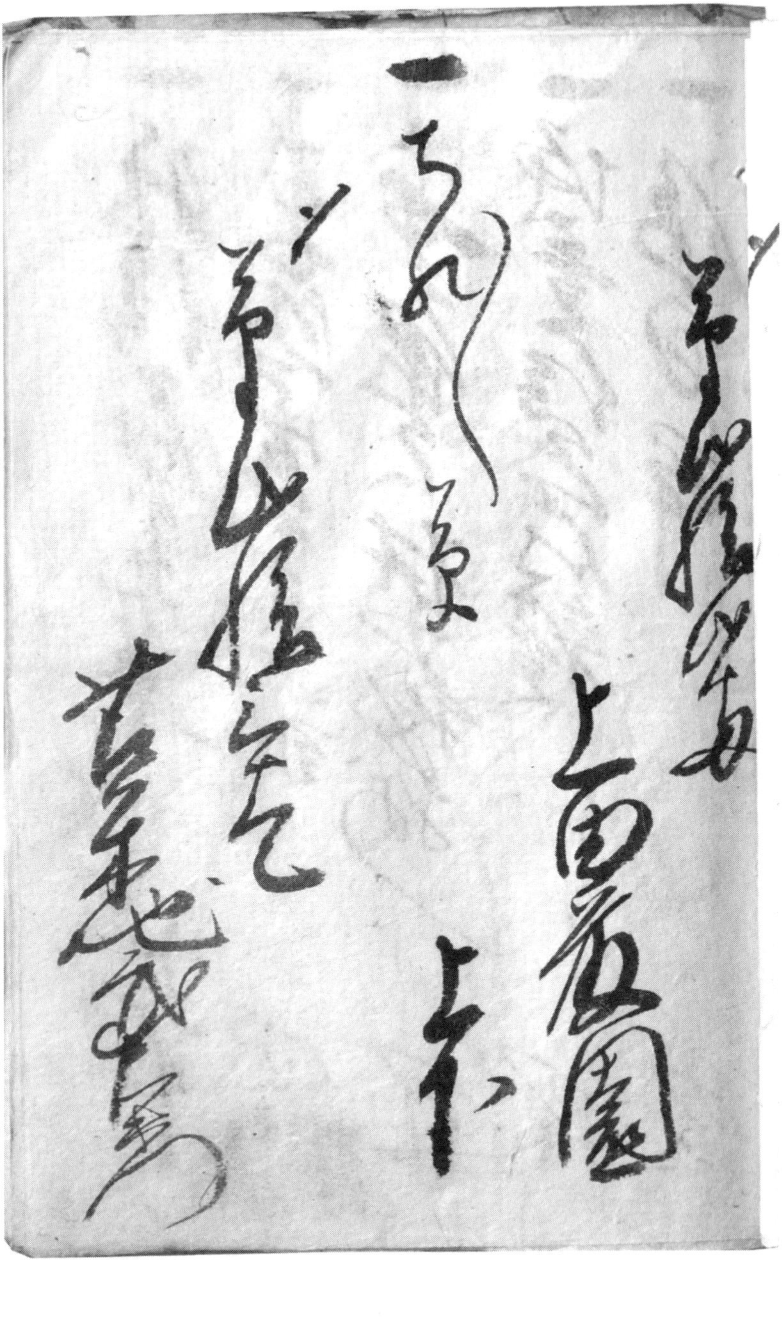

一 諸名家集 上下 冊

一 東照宮御遺訓 冊

一 大[illegible]林[illegible]秘抄 冊

一 謡[illegible]雑[illegible] 冊

一 論[illegible]句解 冊

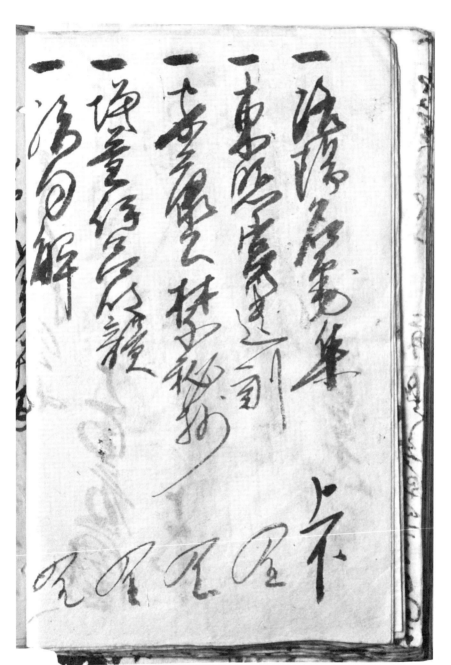

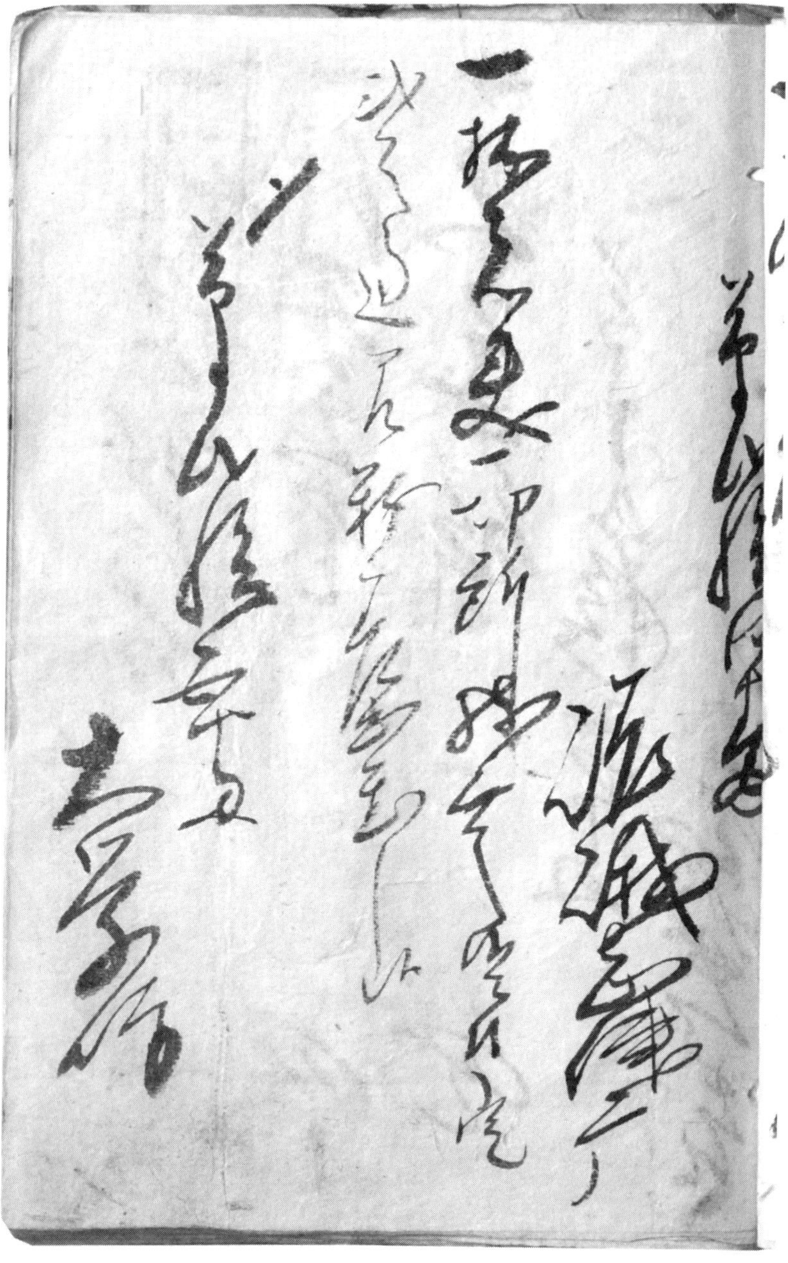

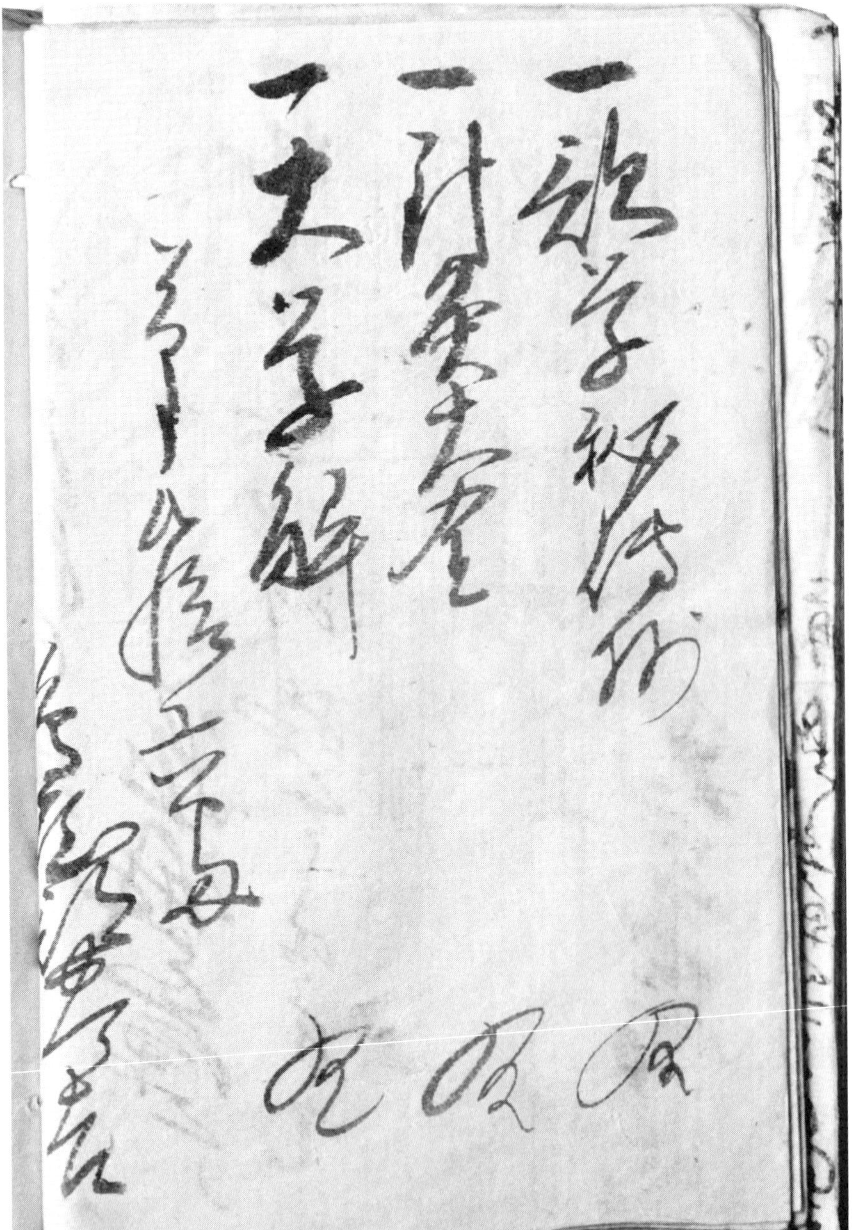

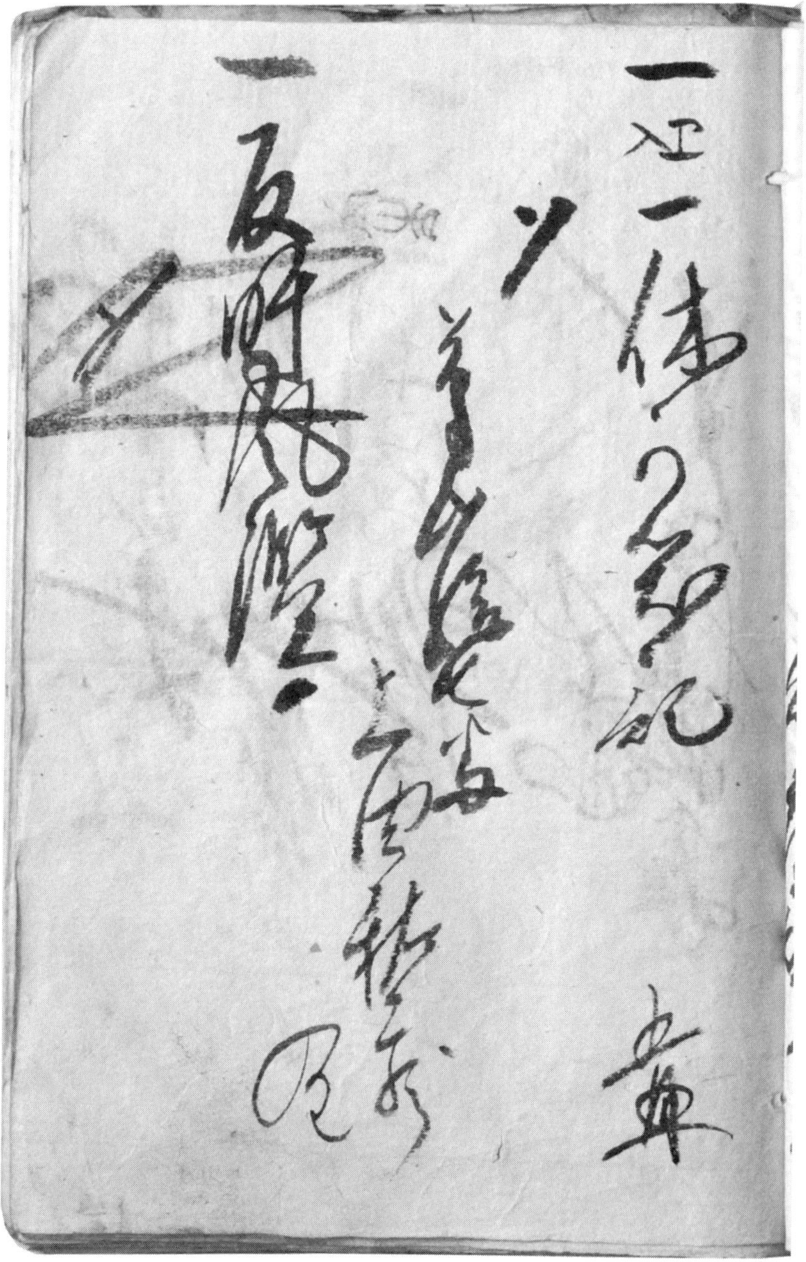

[illegible]毎
[illegible]
一 入
一 一件[illegible]上下
一 [illegible]毎

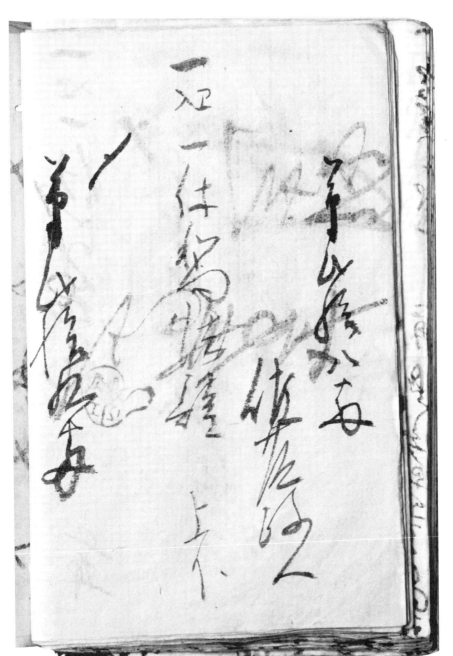

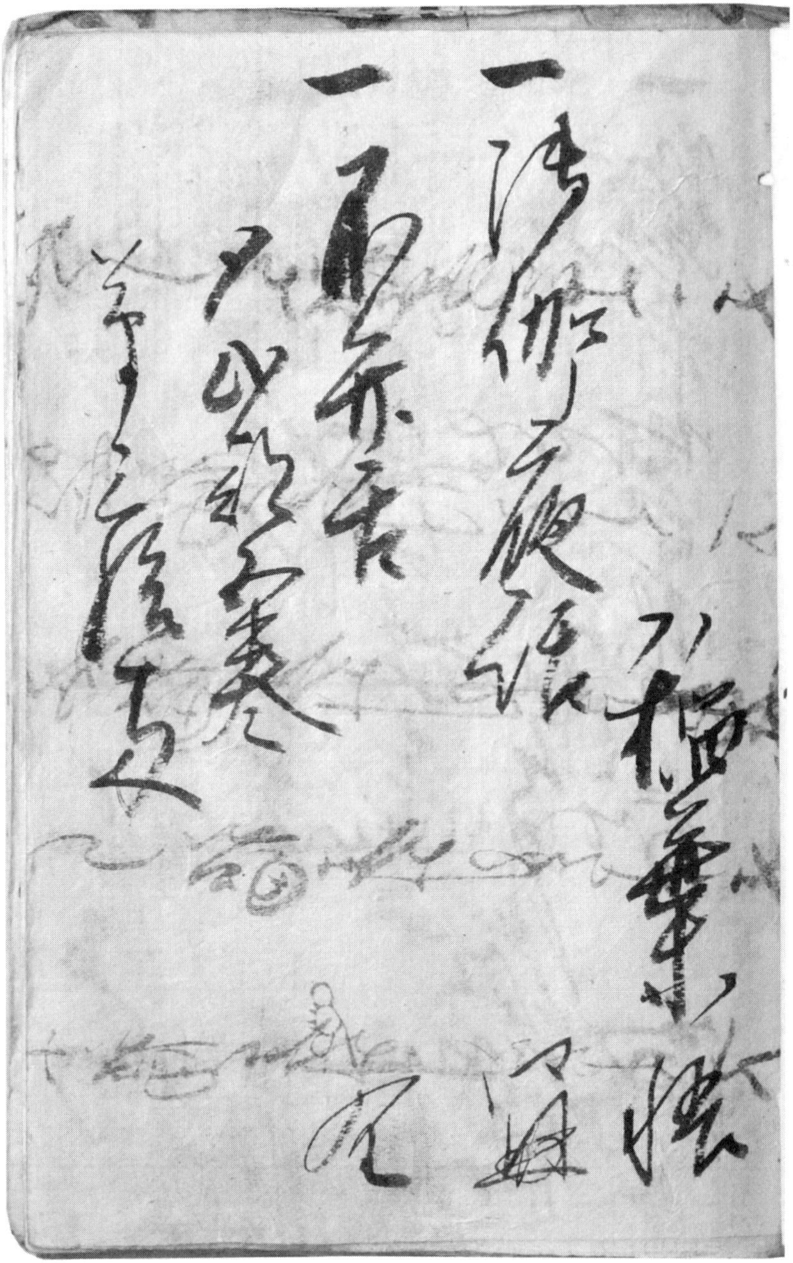

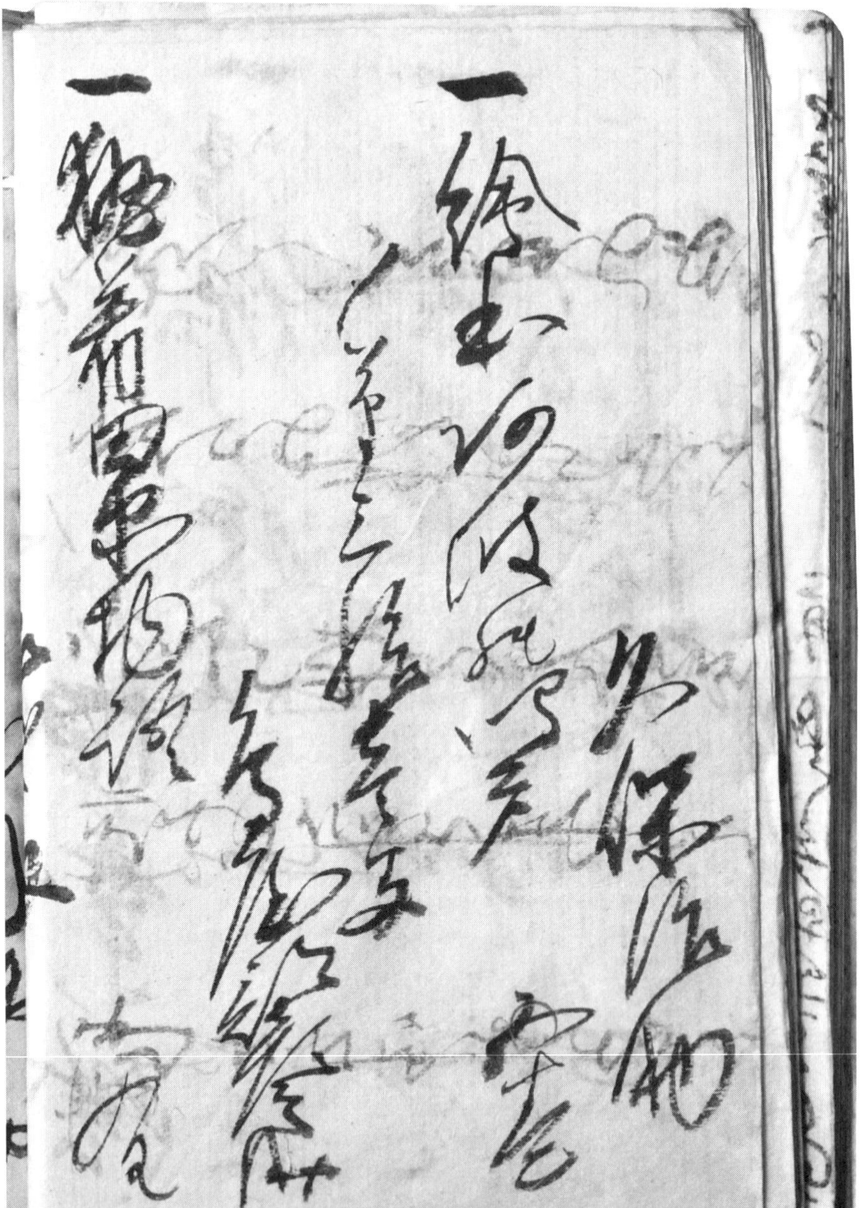

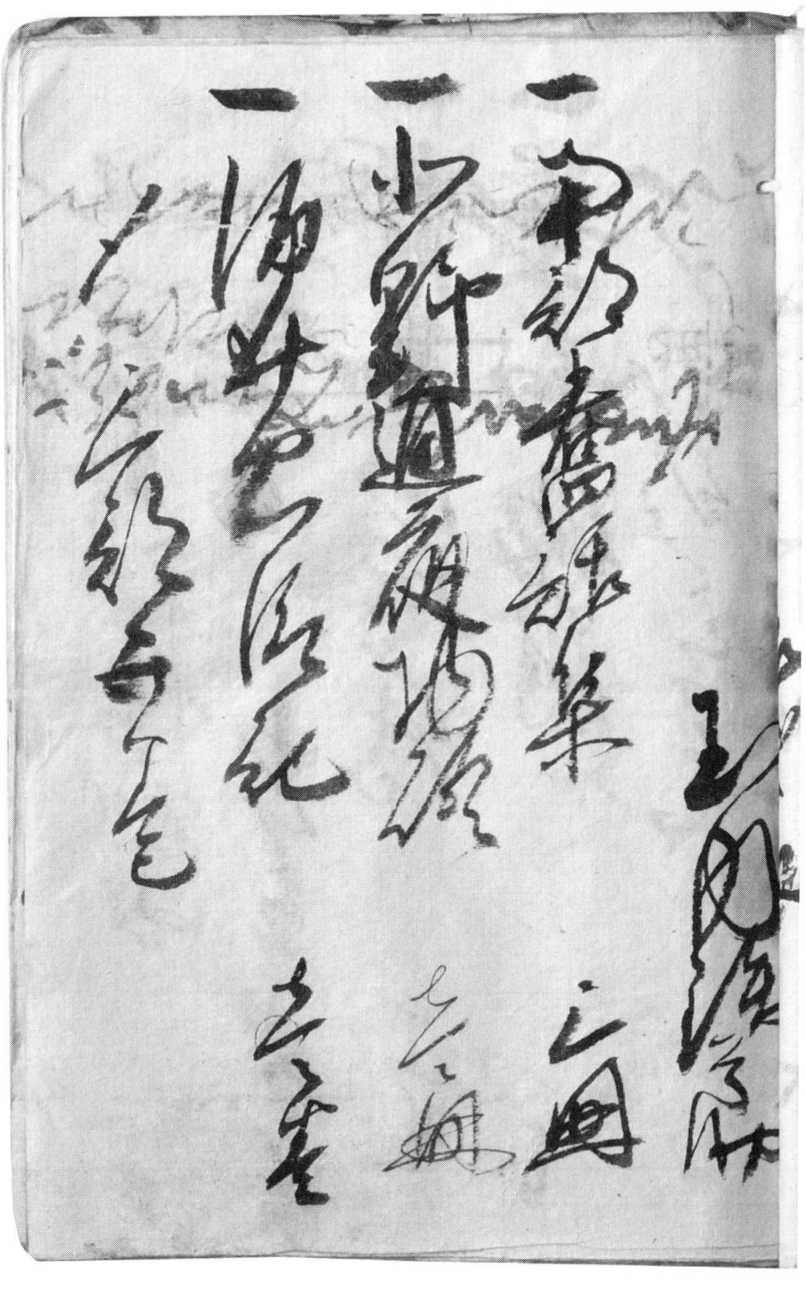

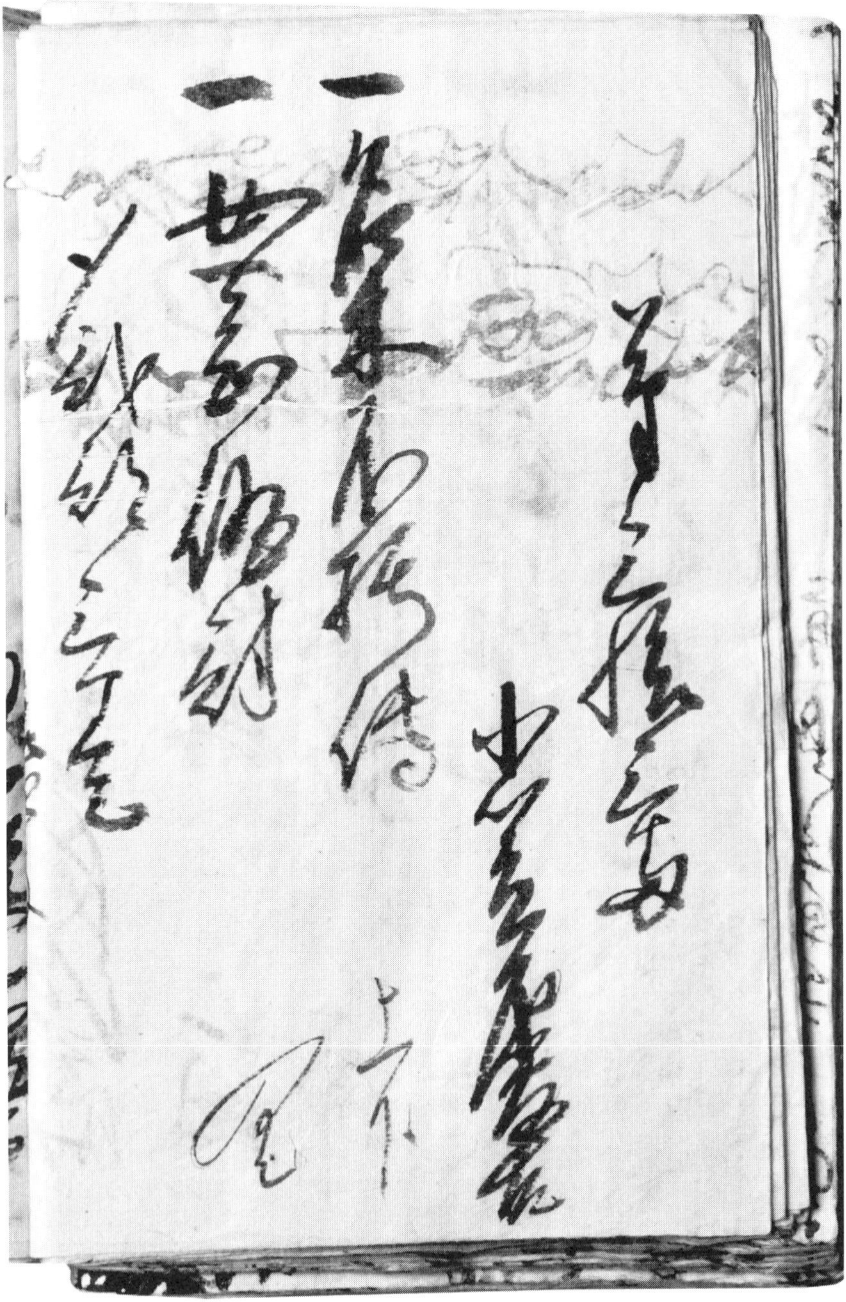

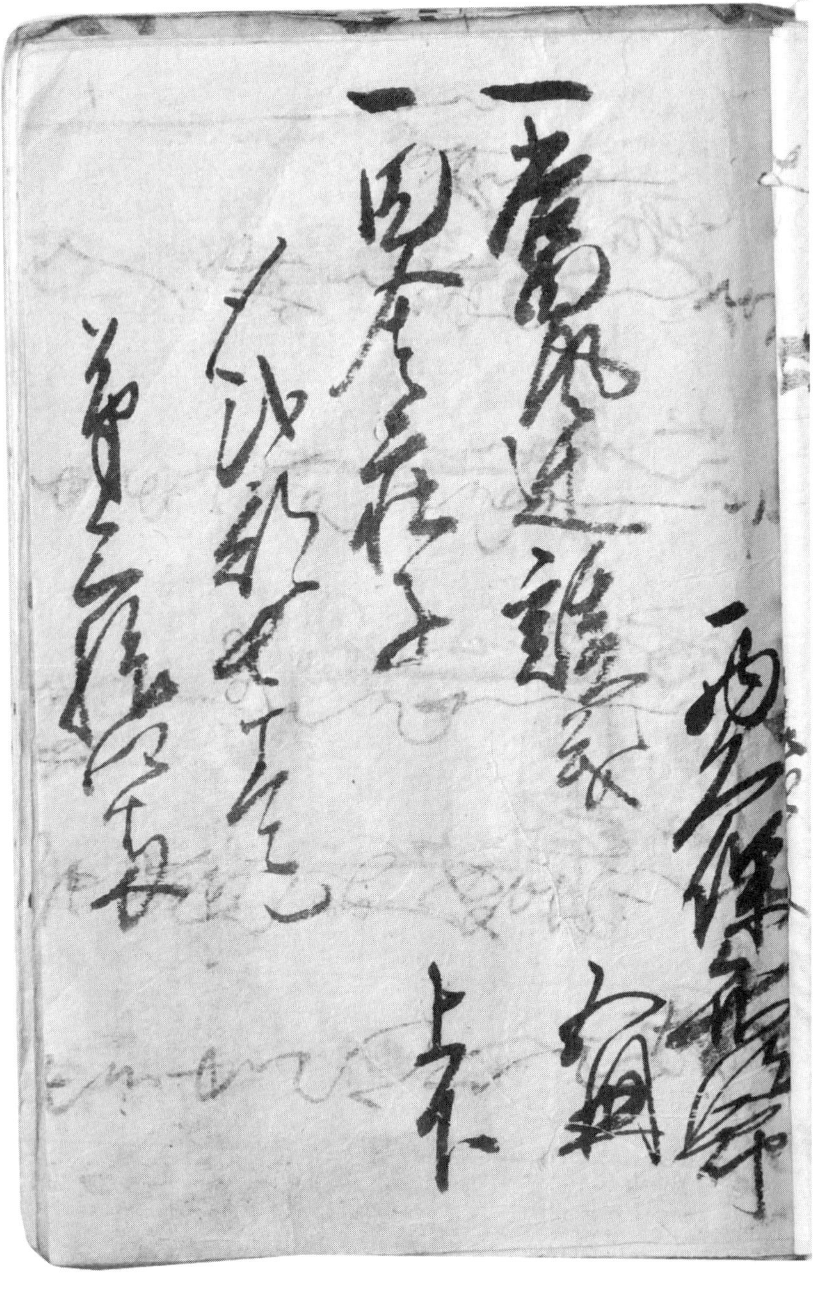

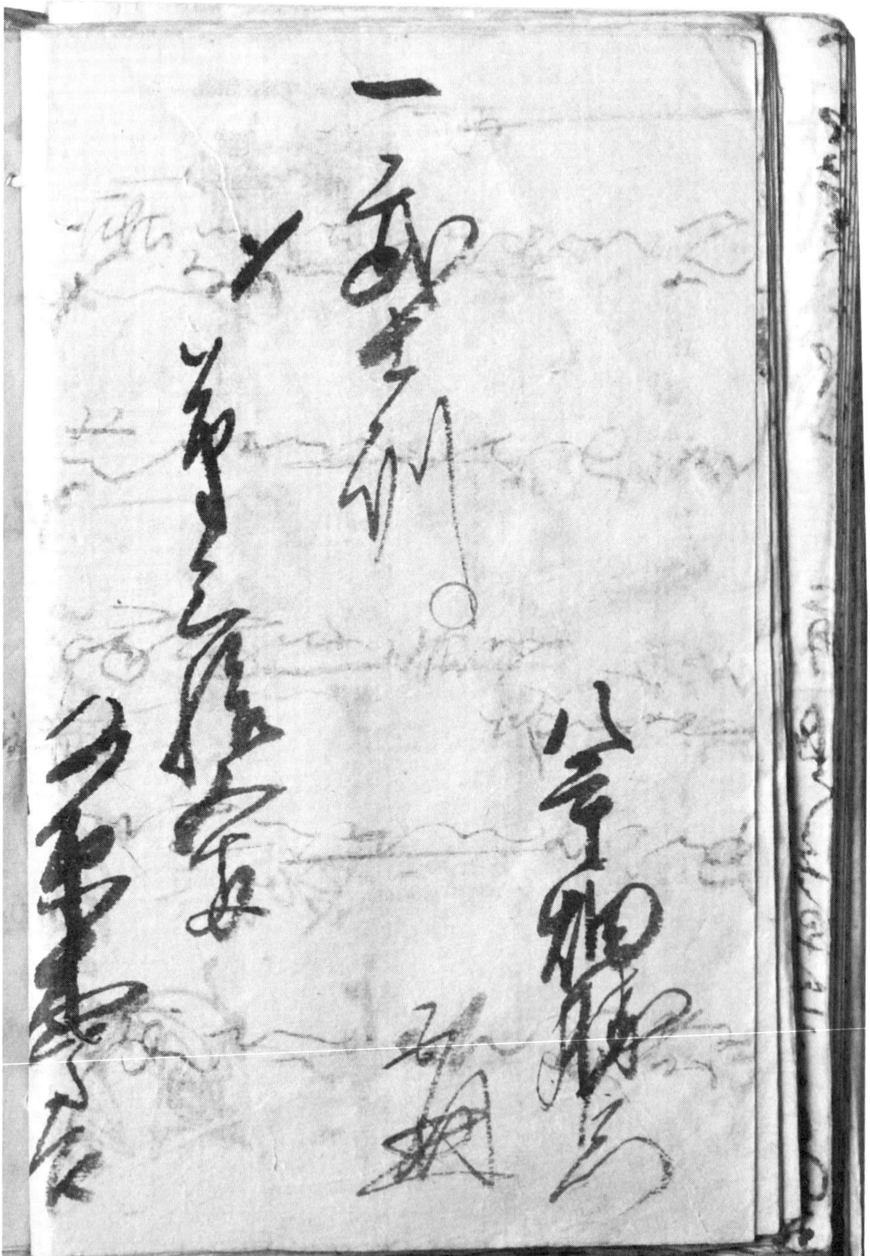

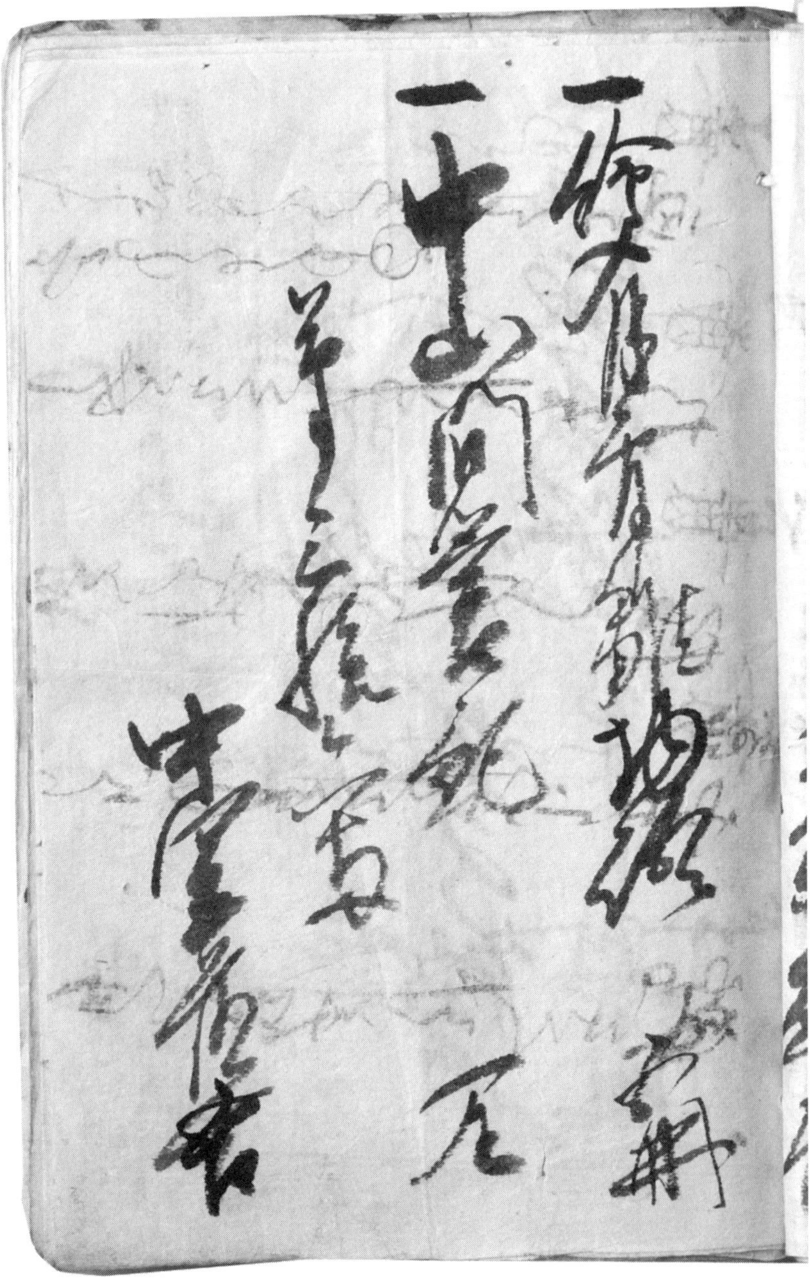

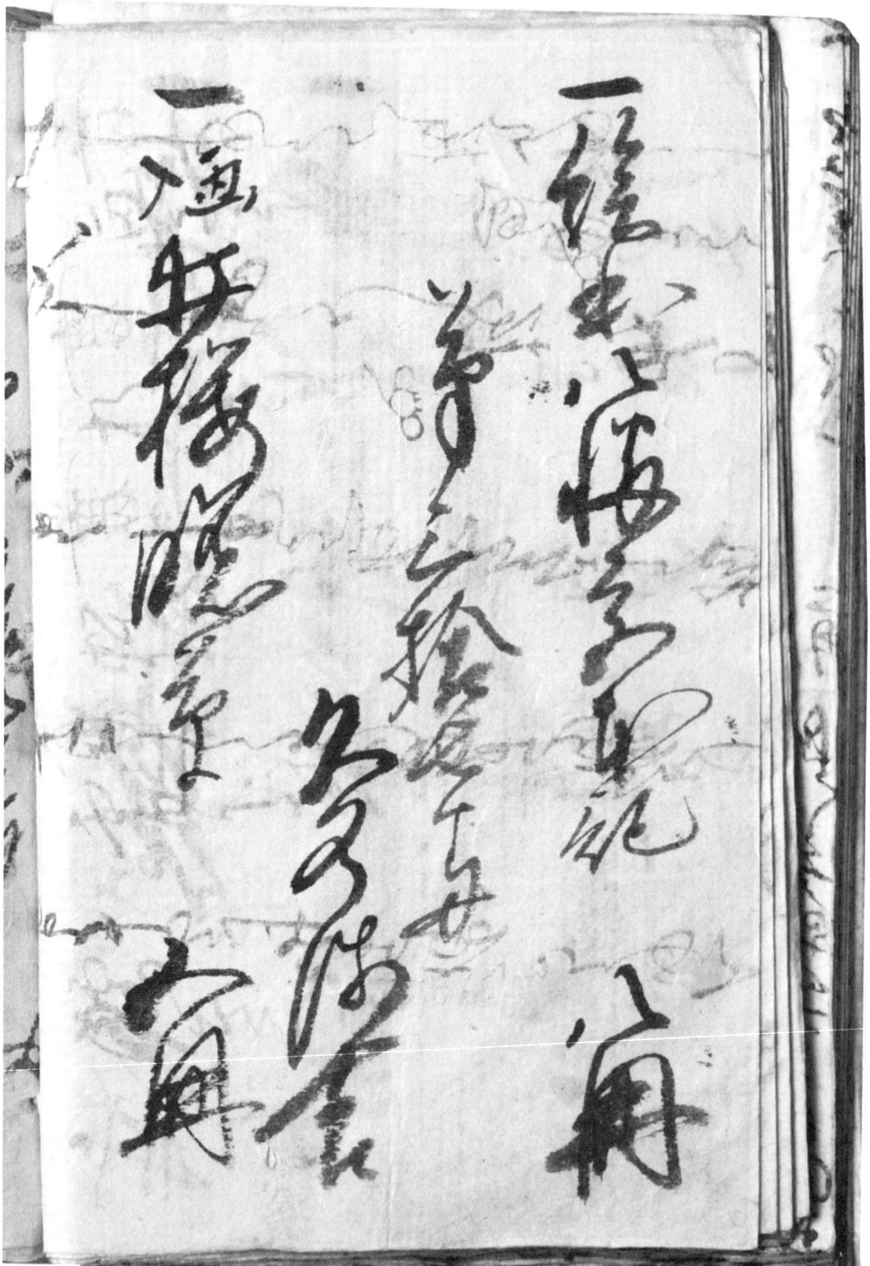

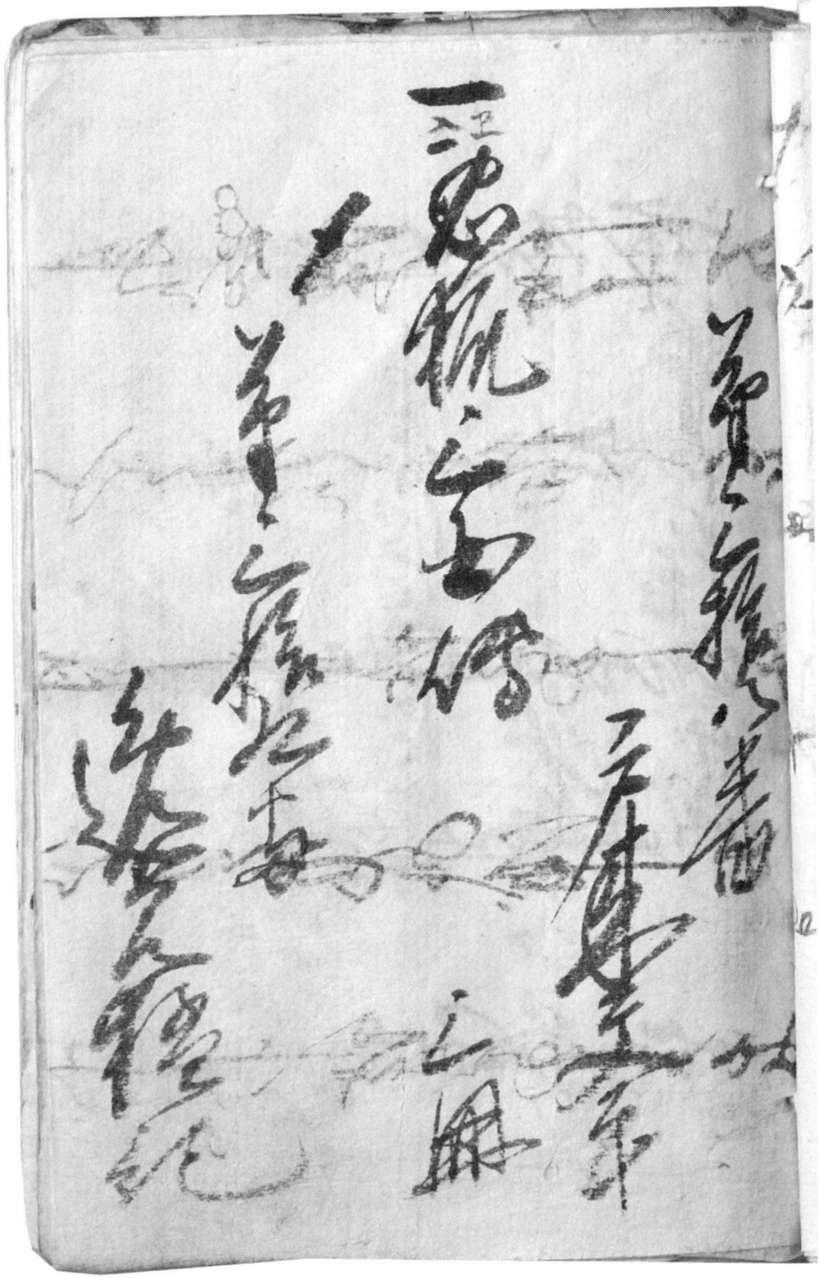

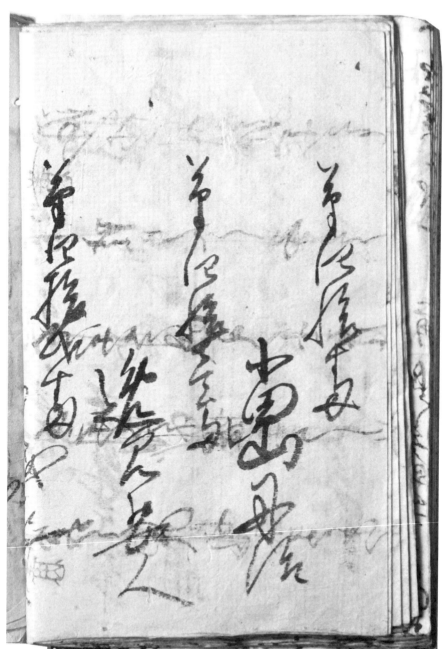

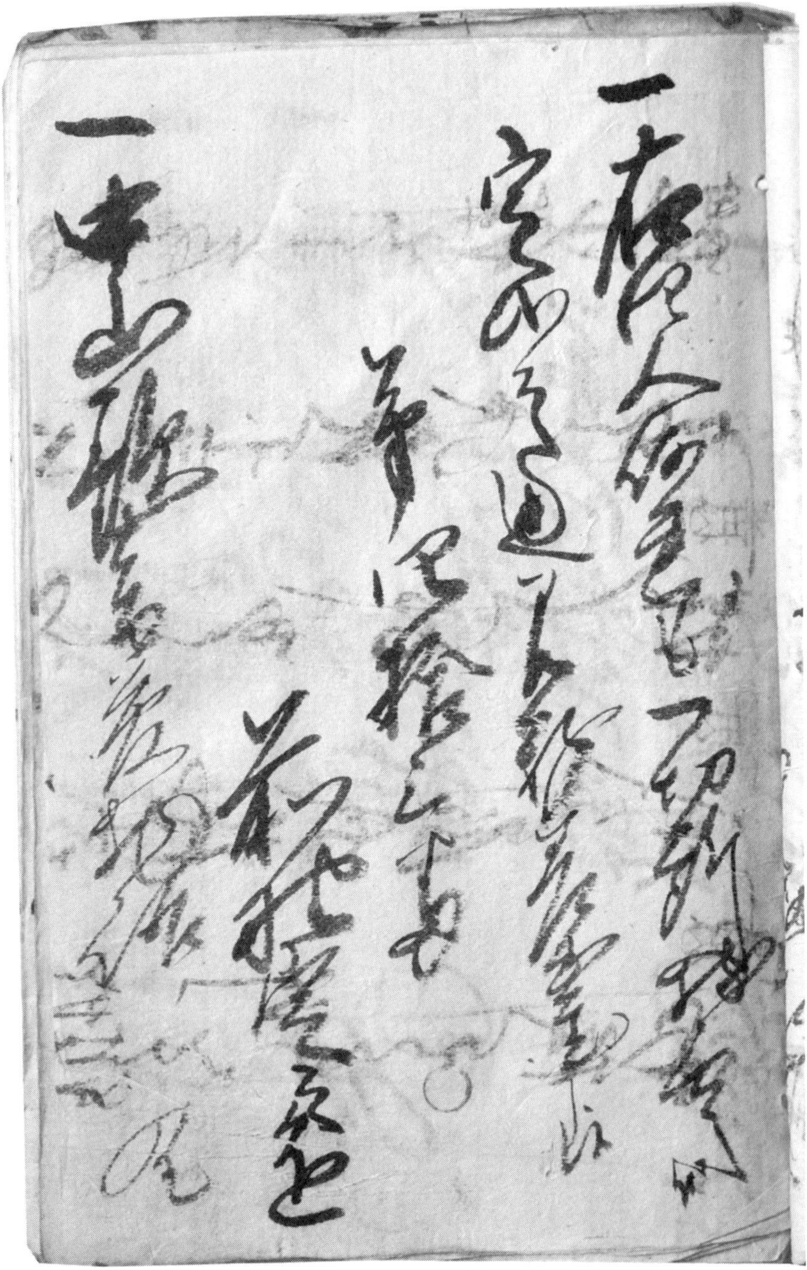

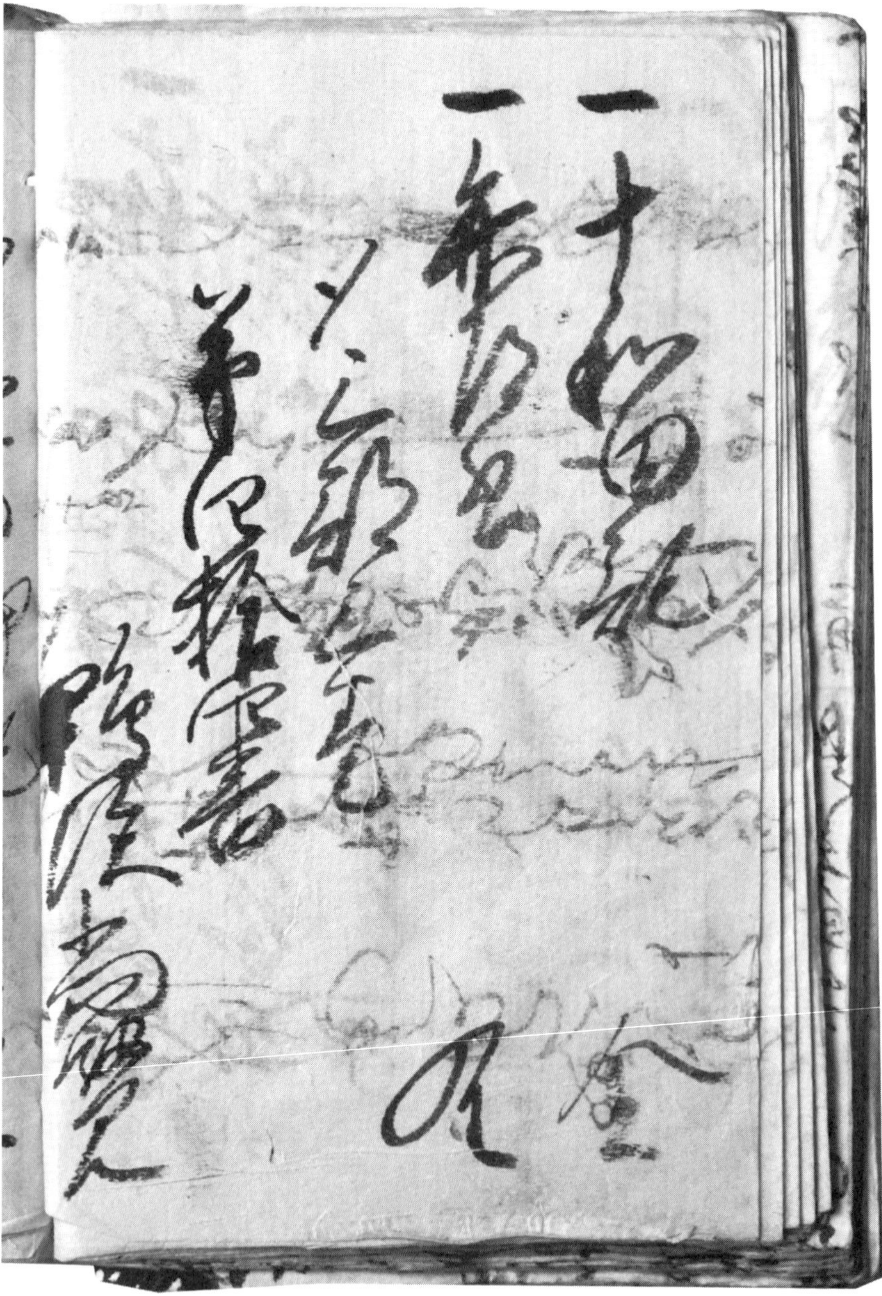

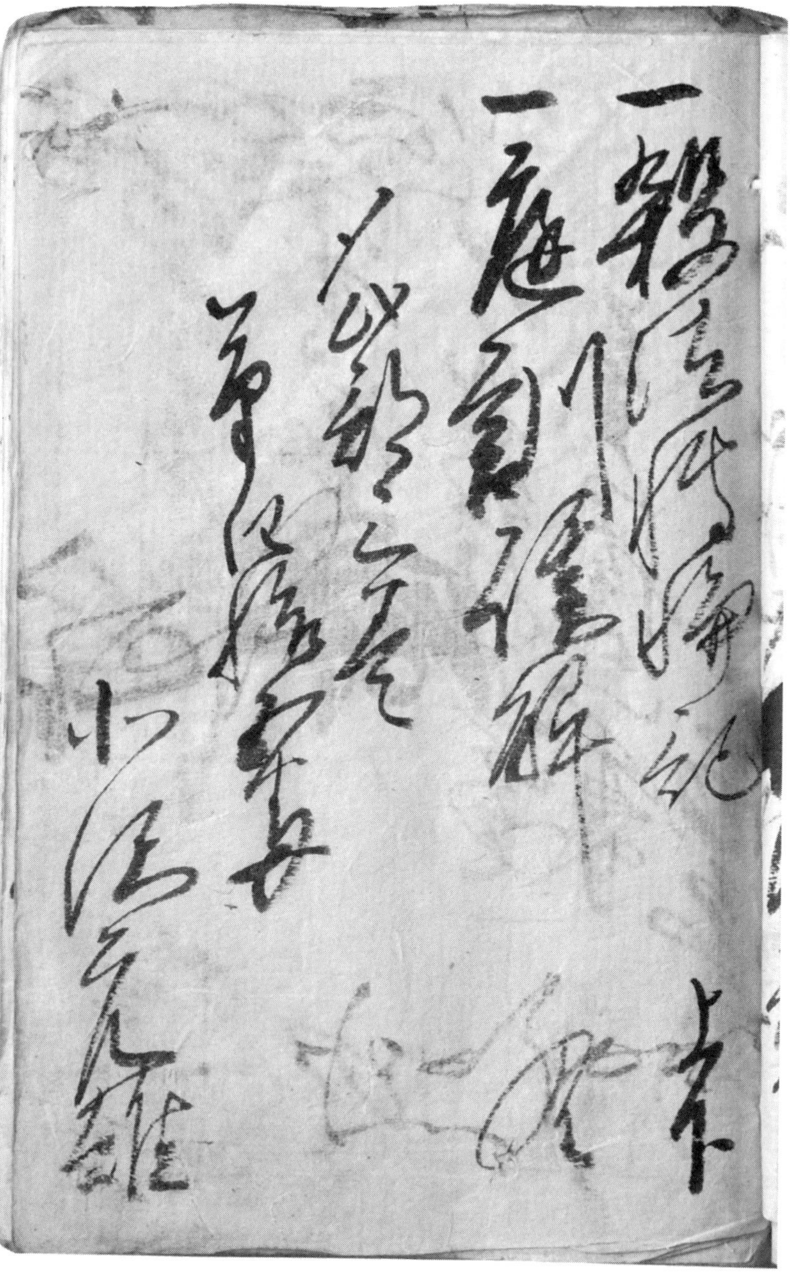

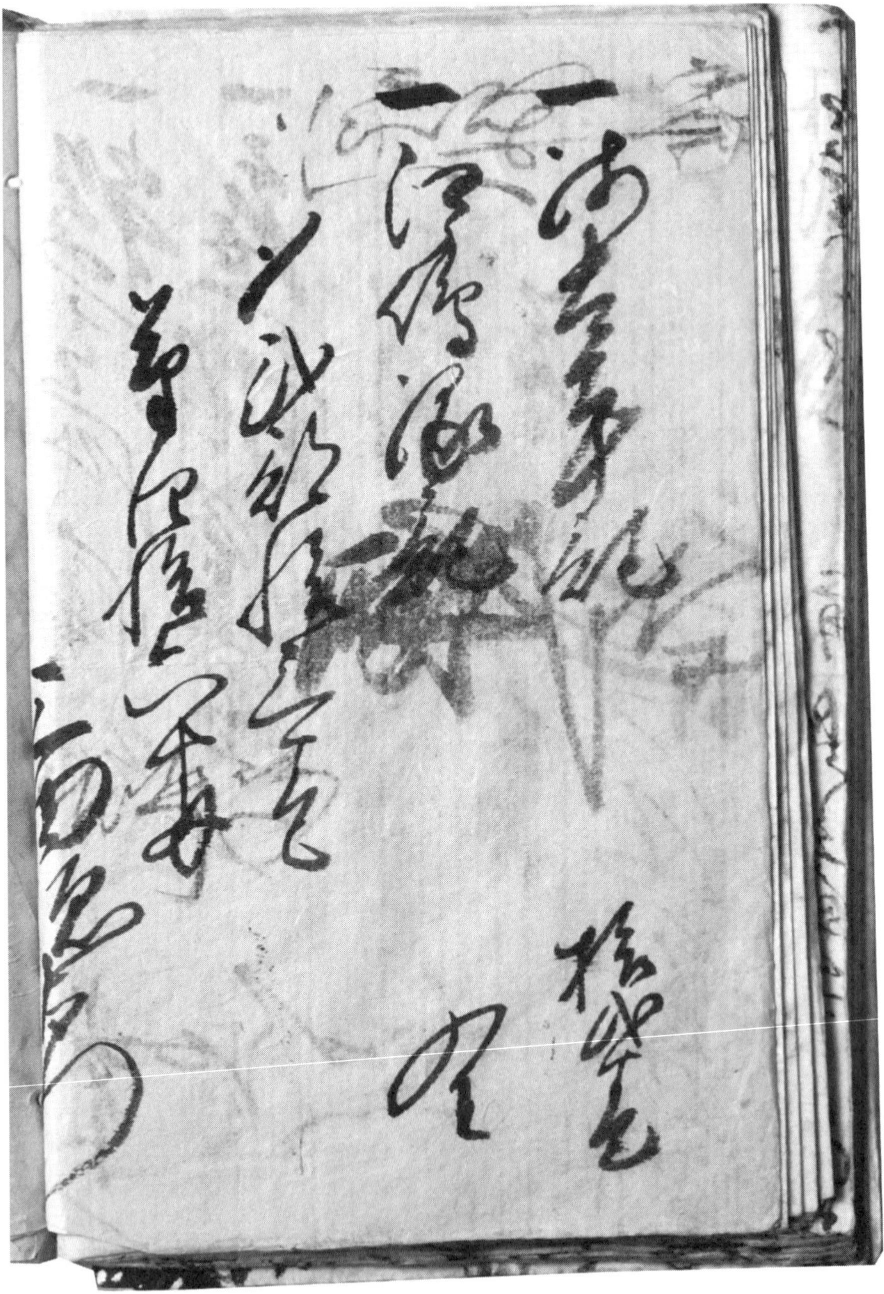

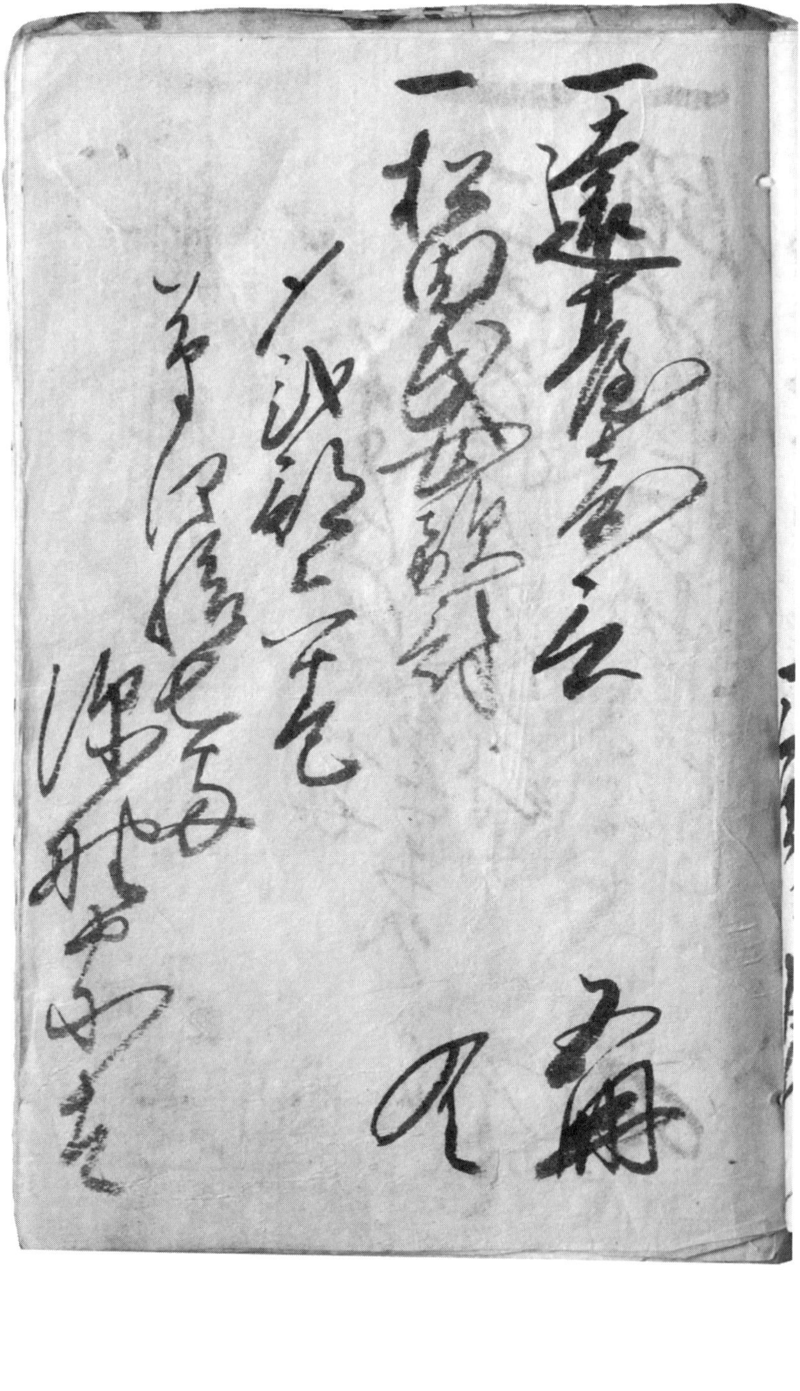

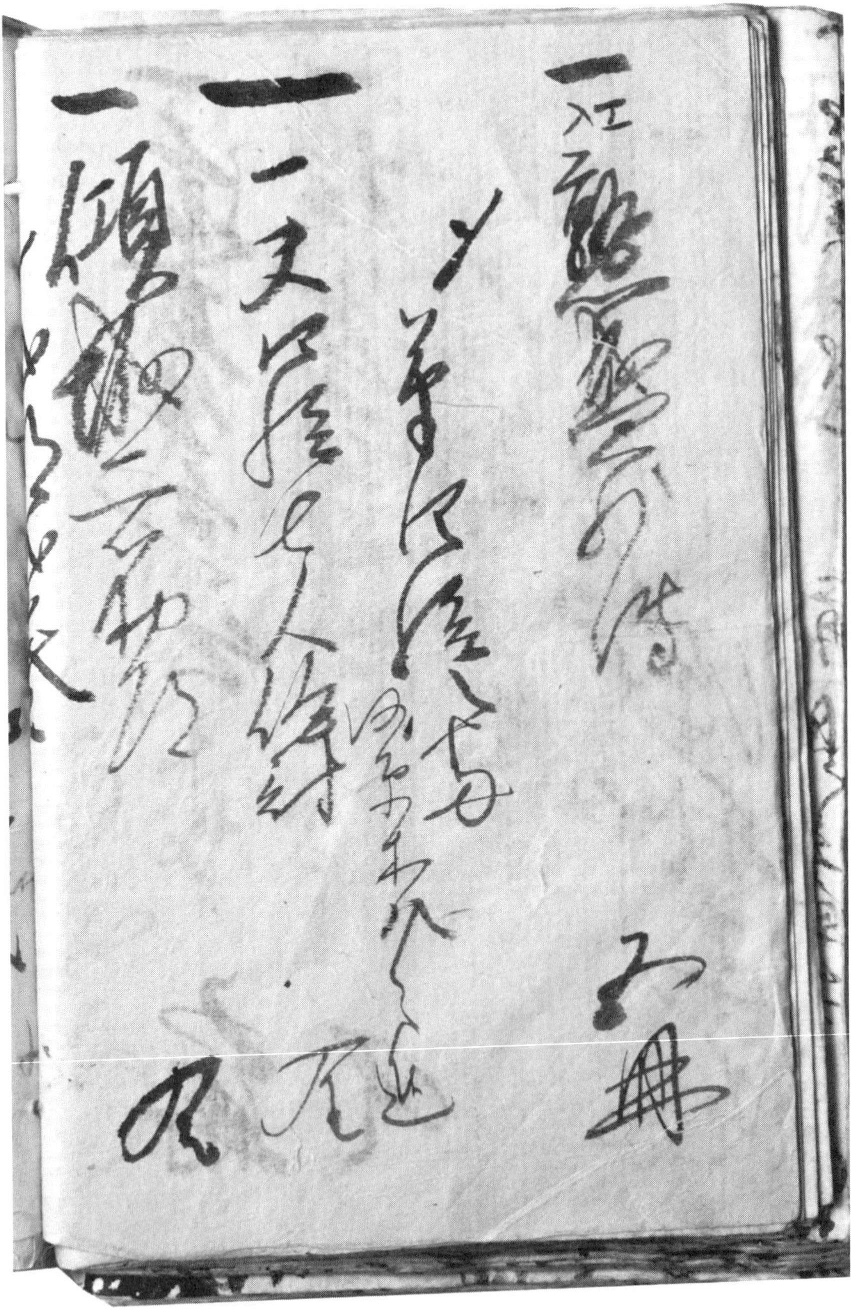

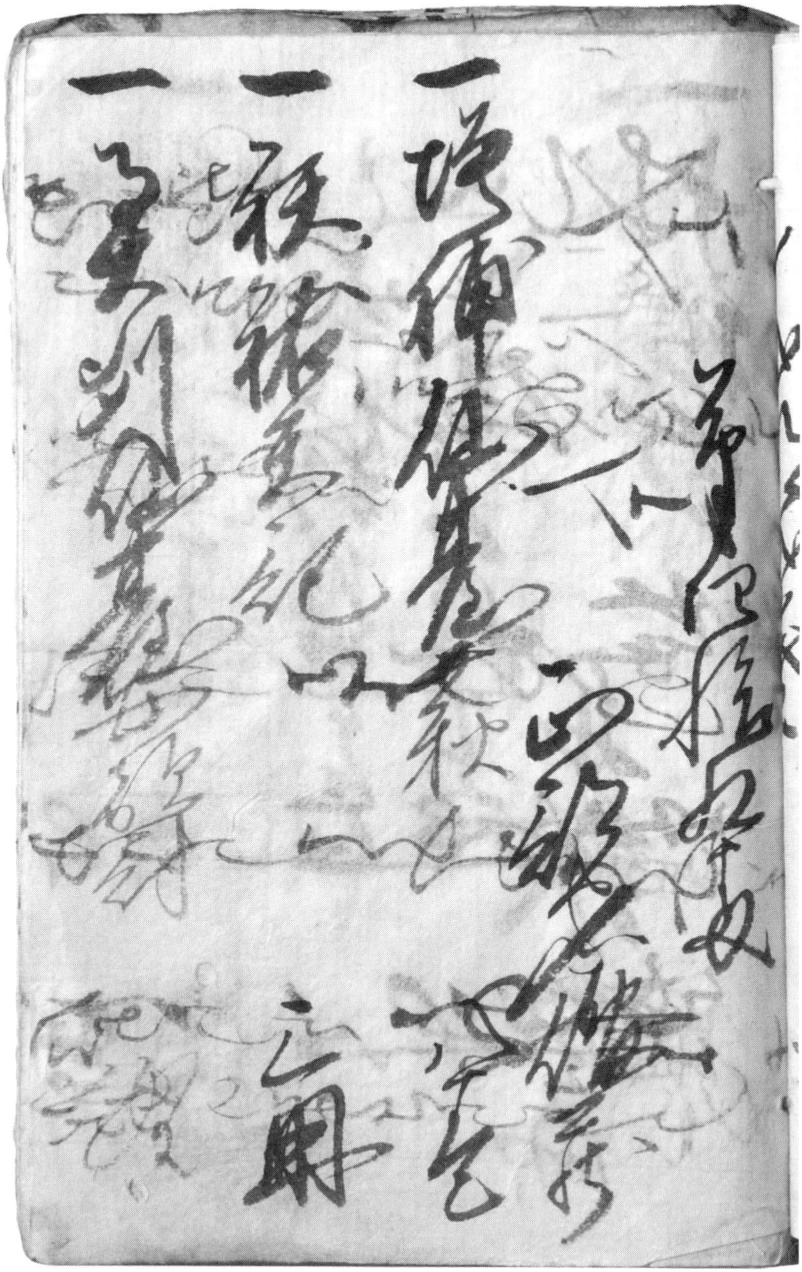

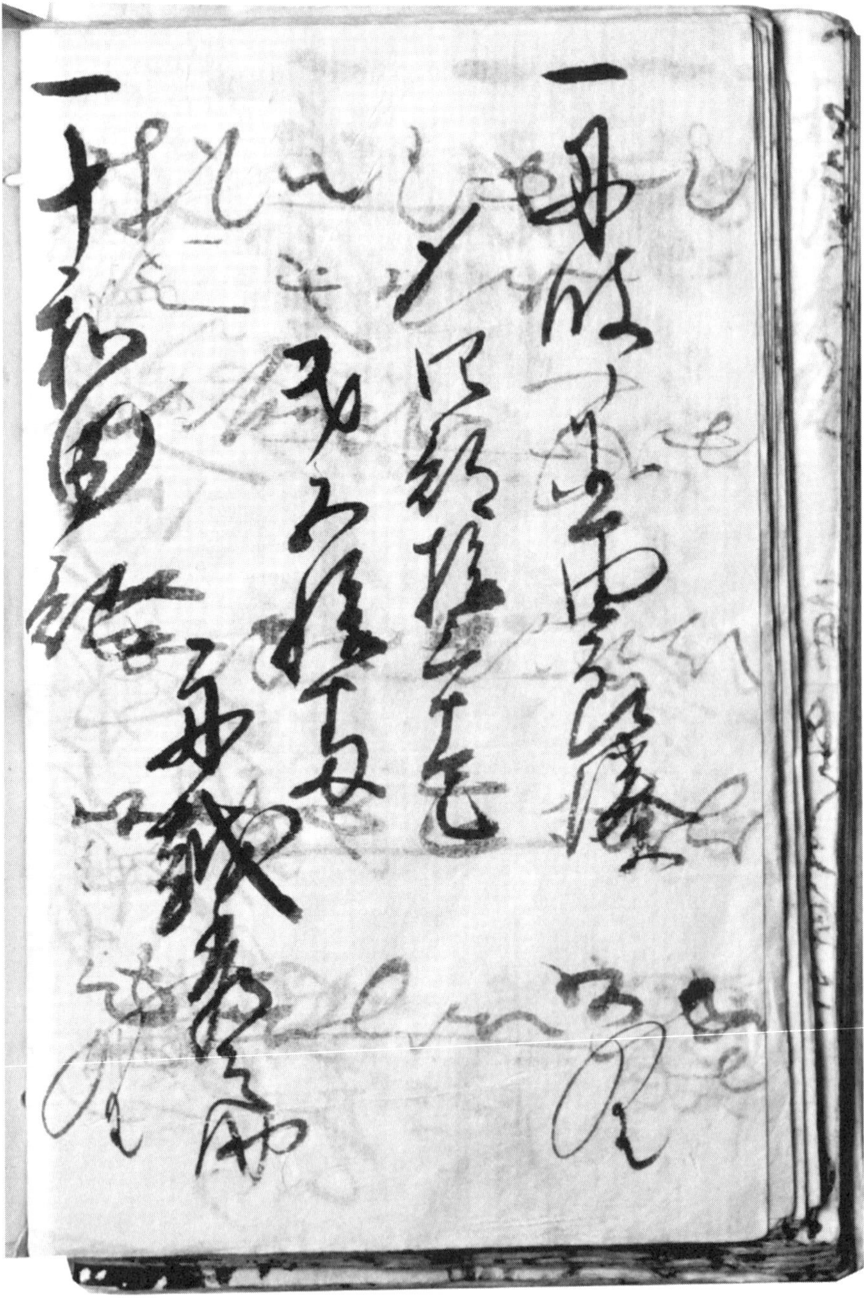

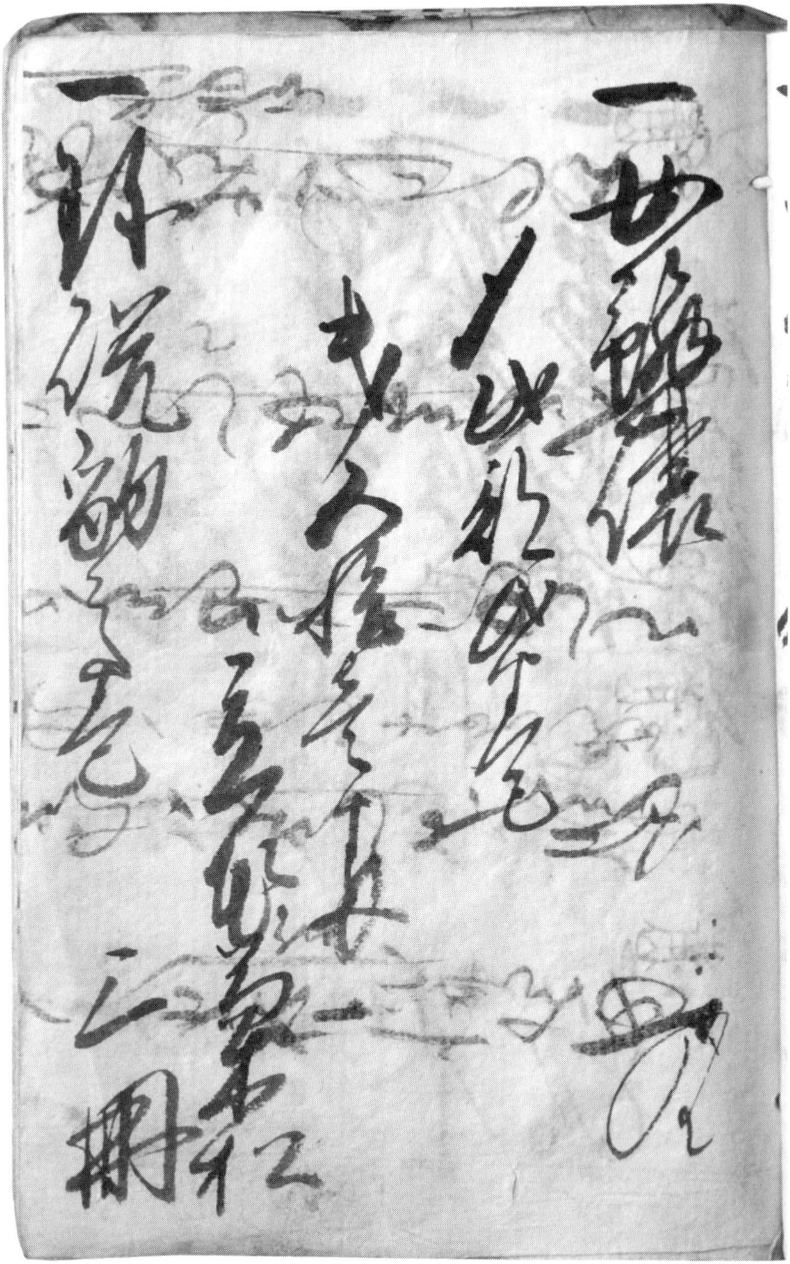

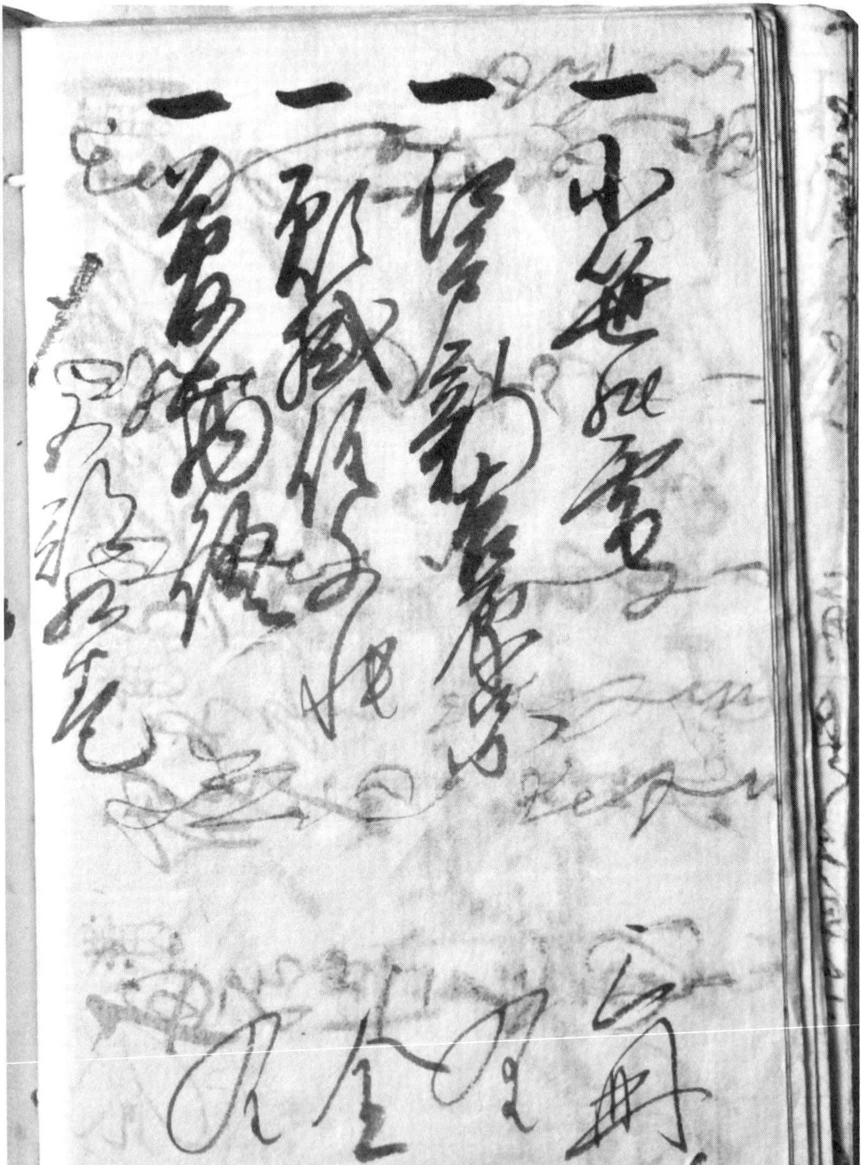

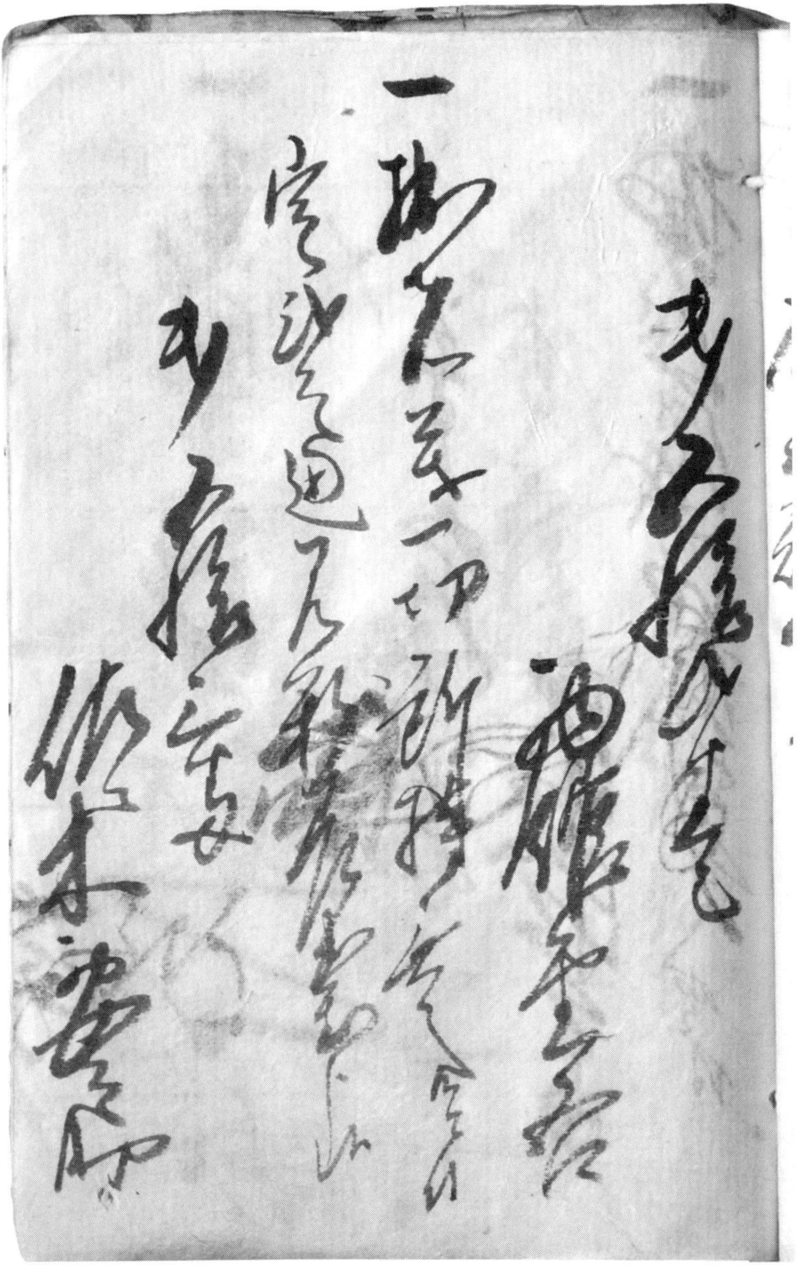

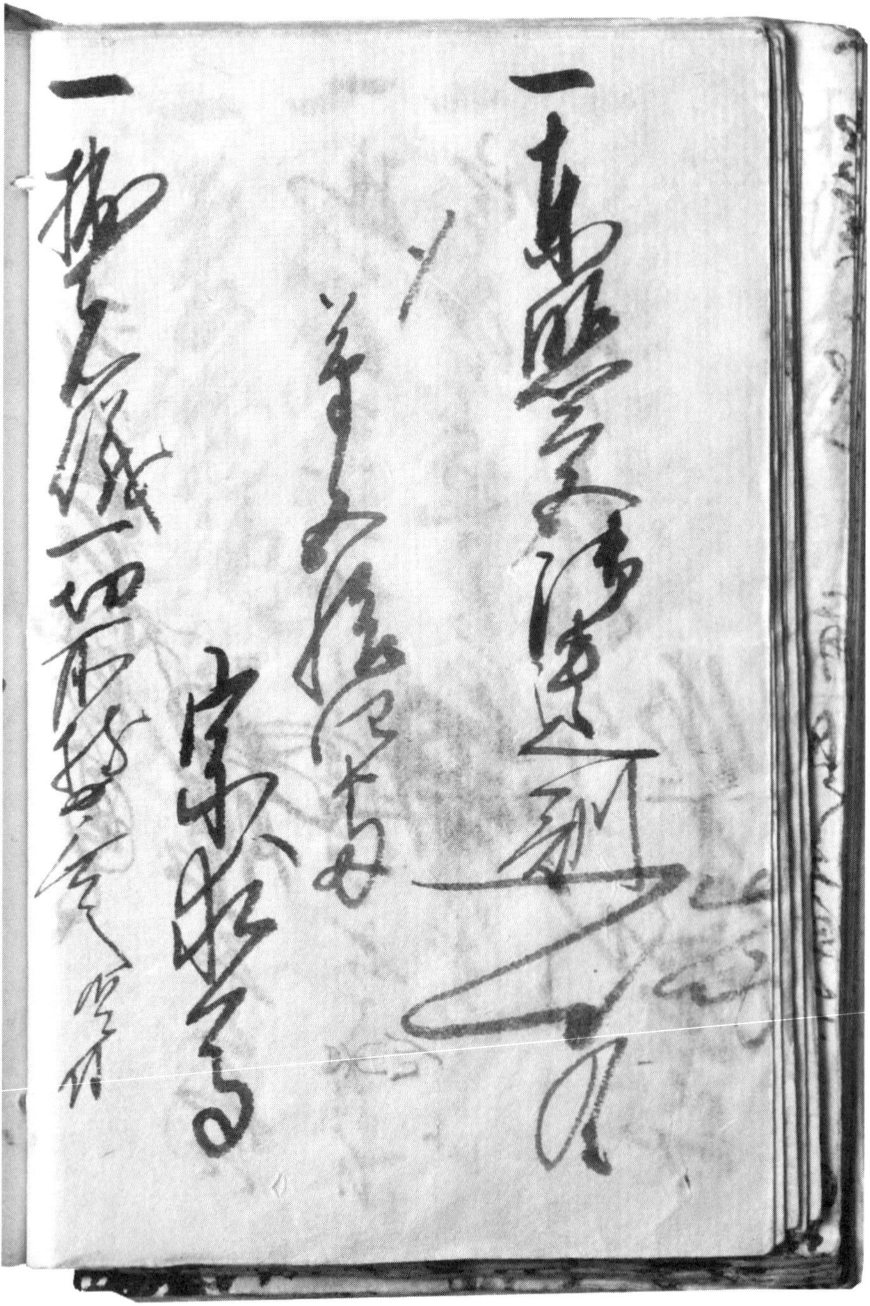

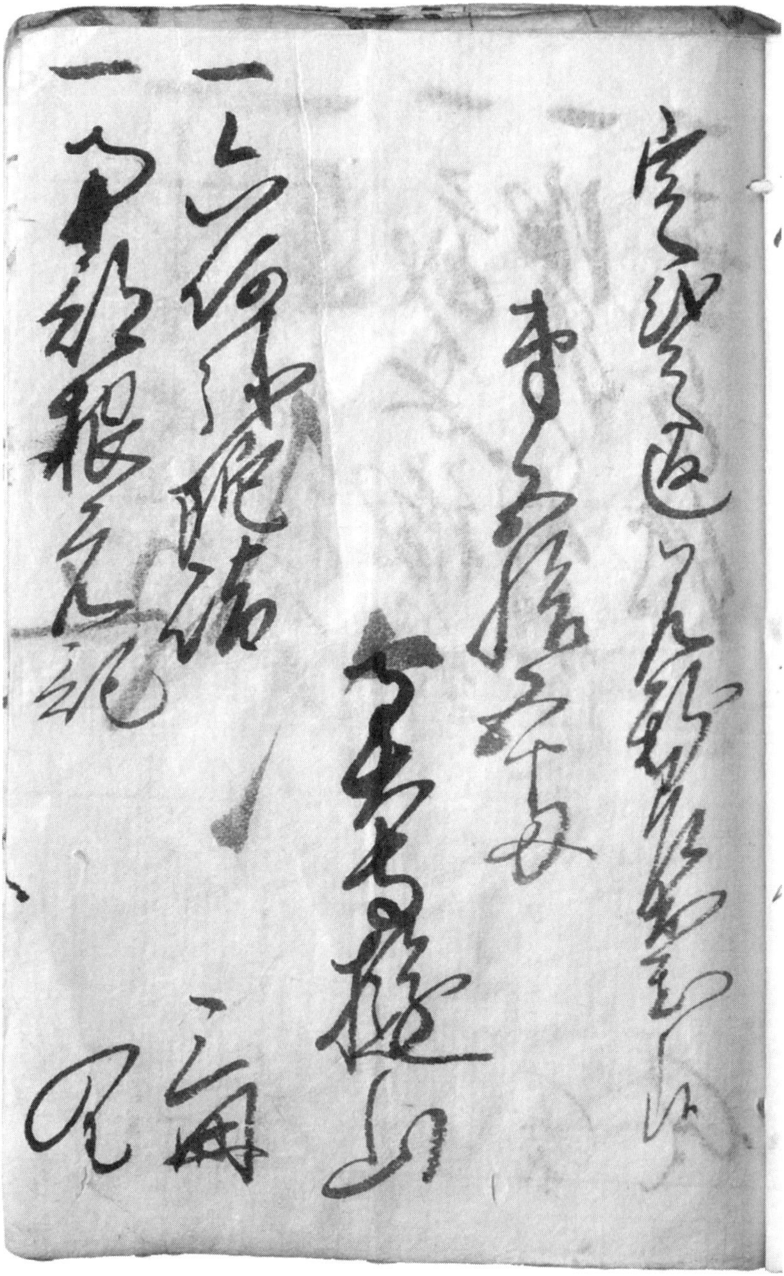

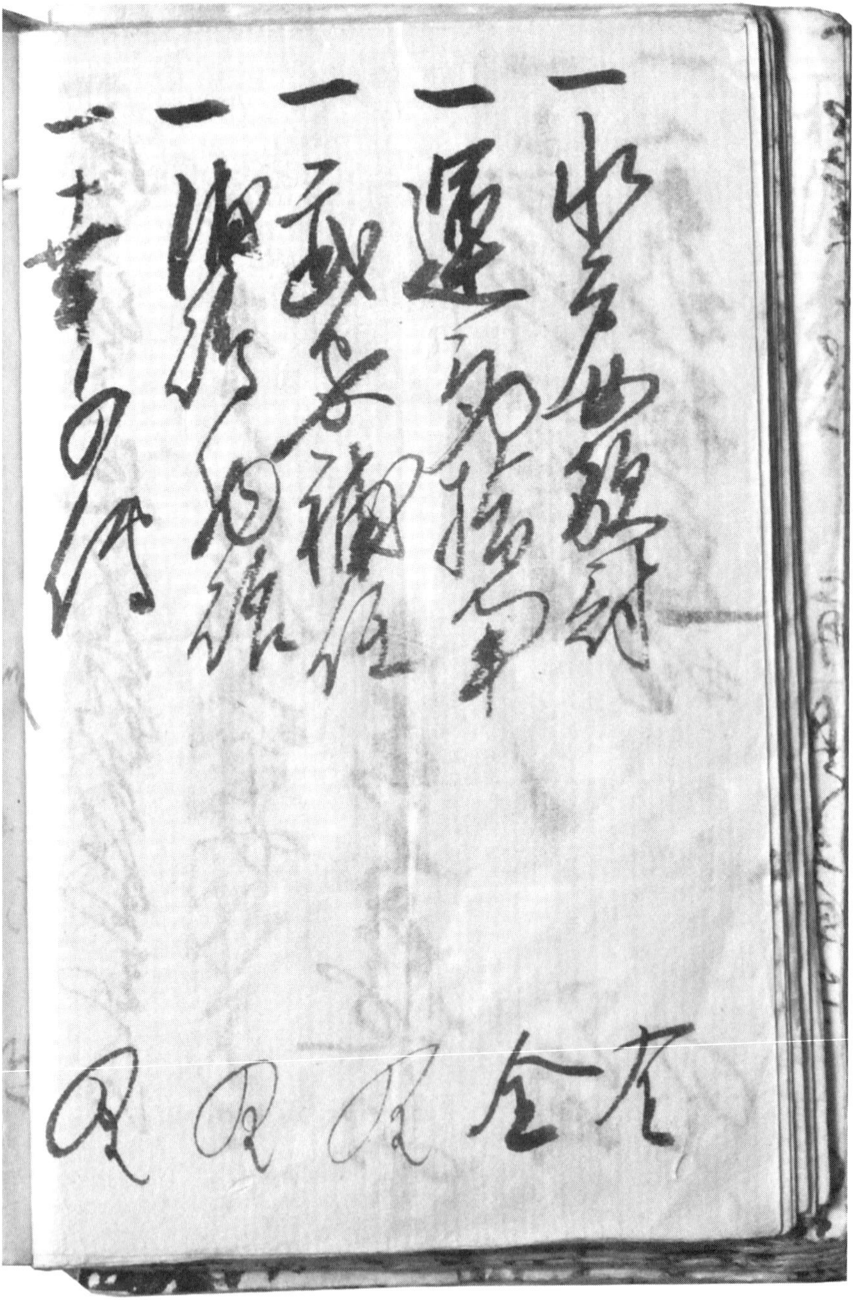

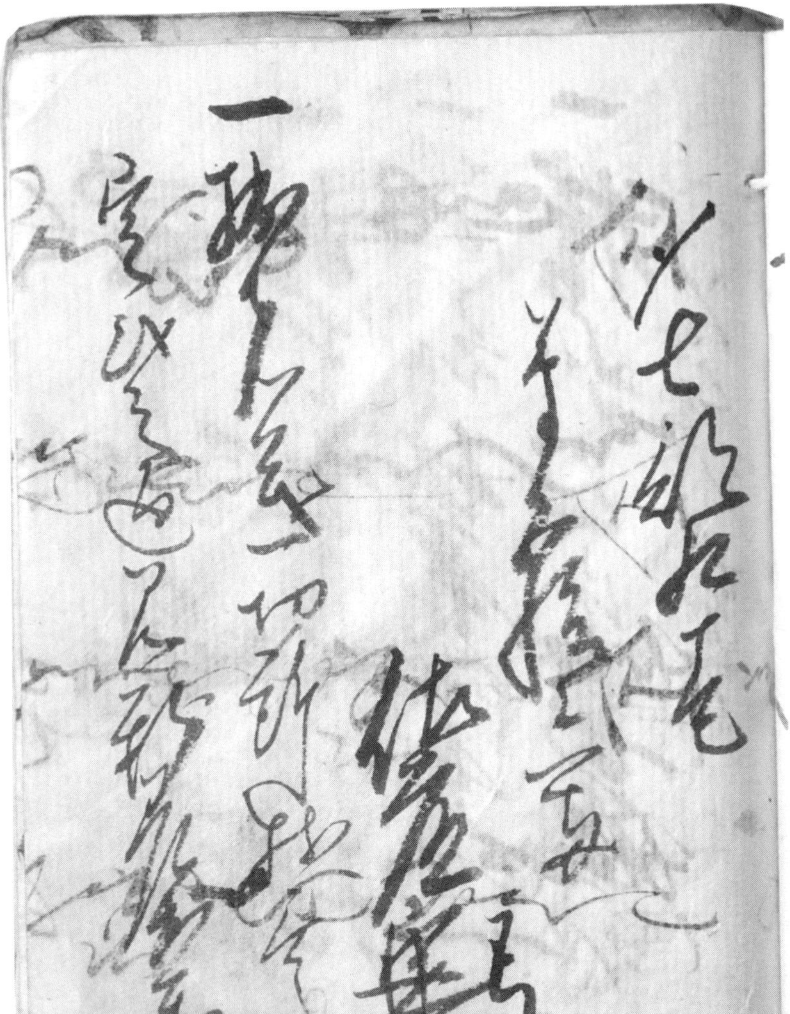

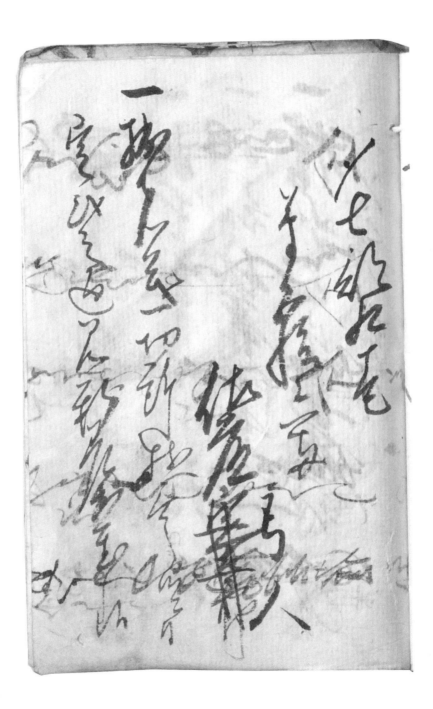

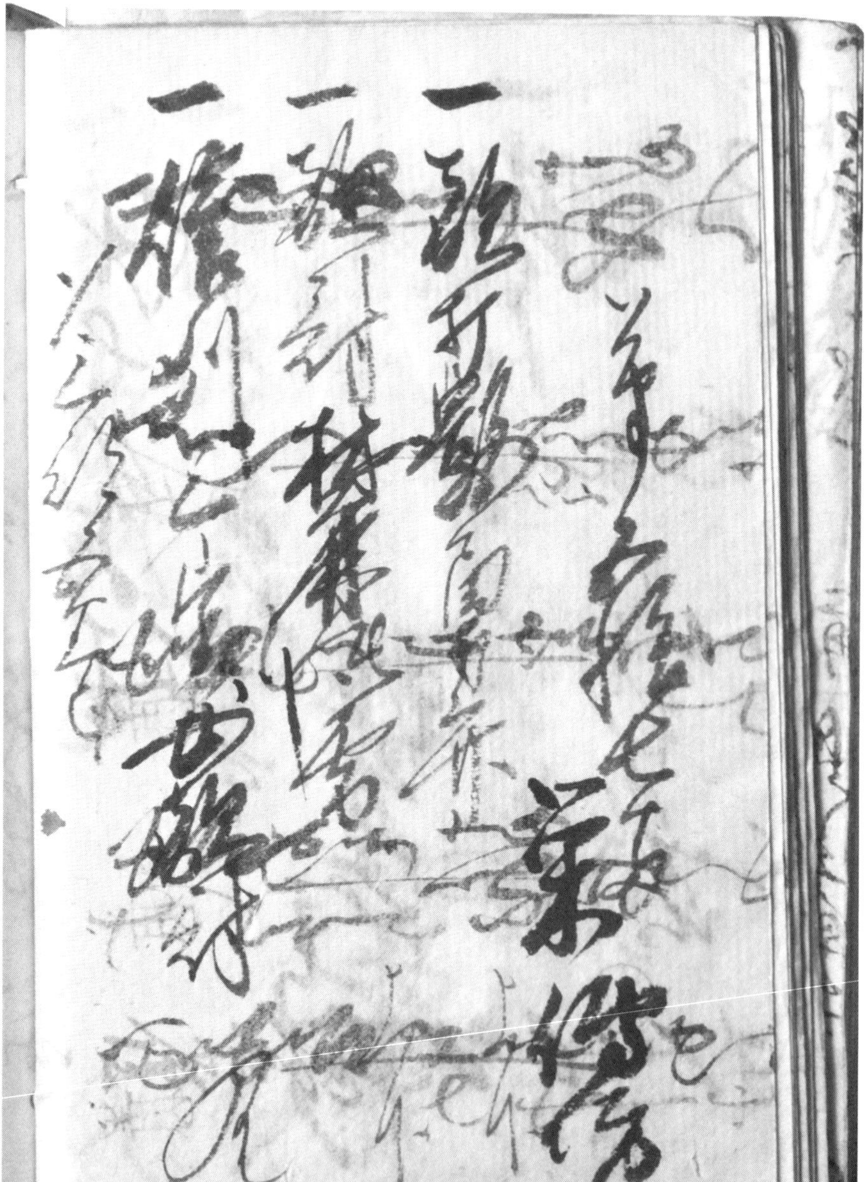

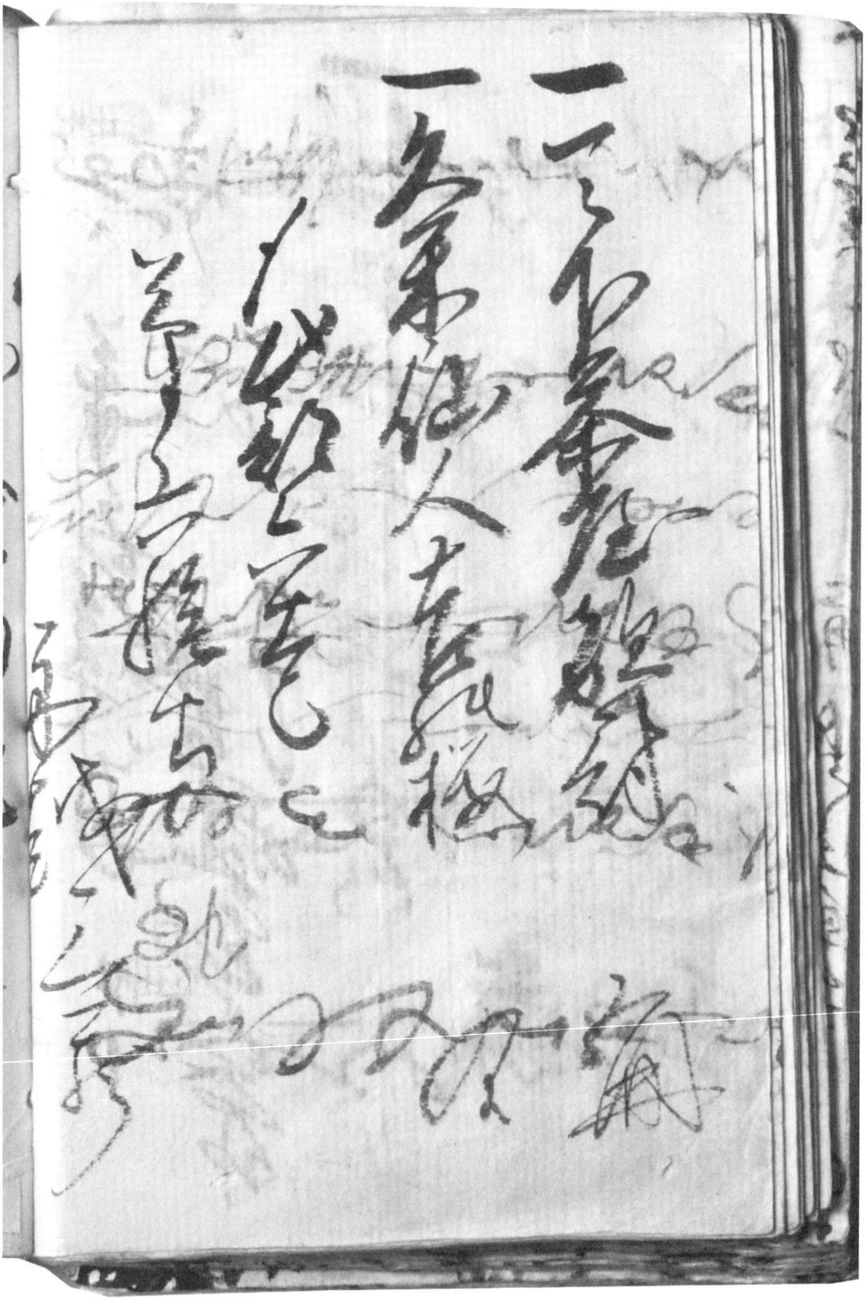

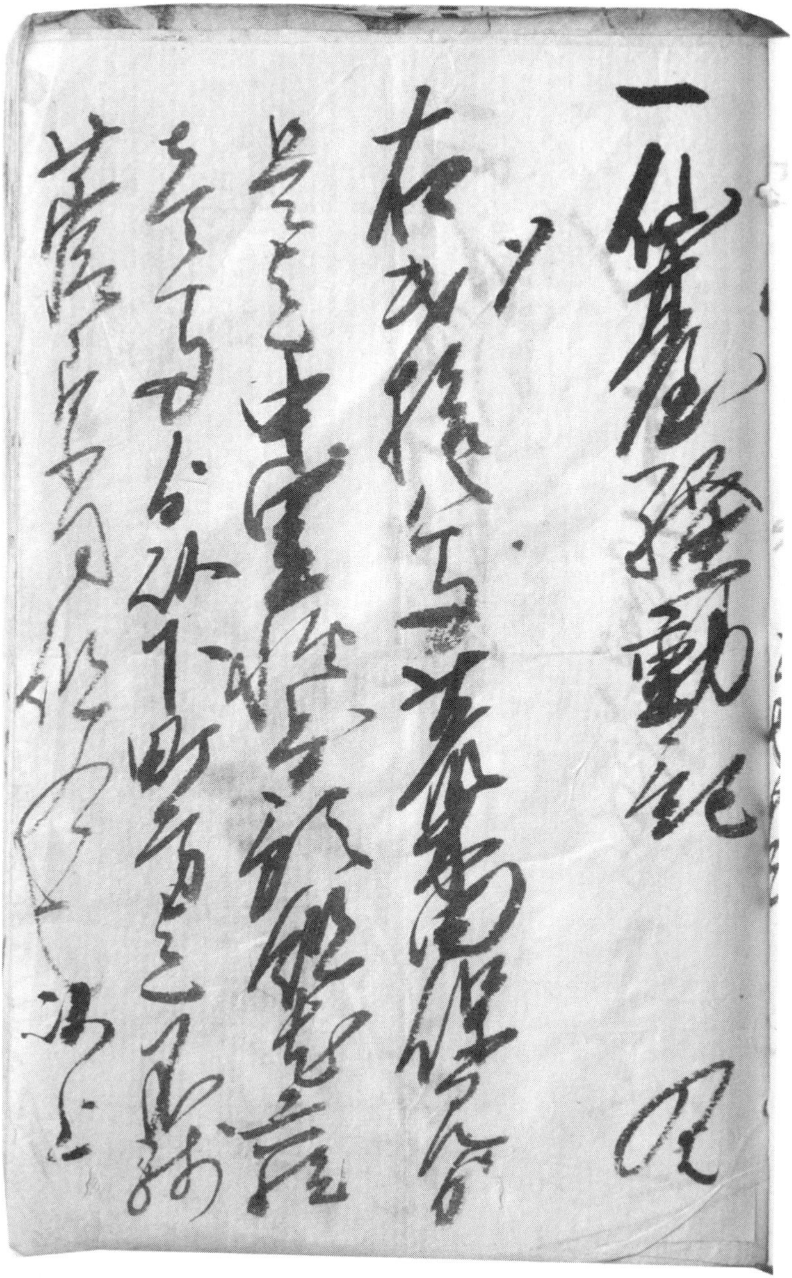

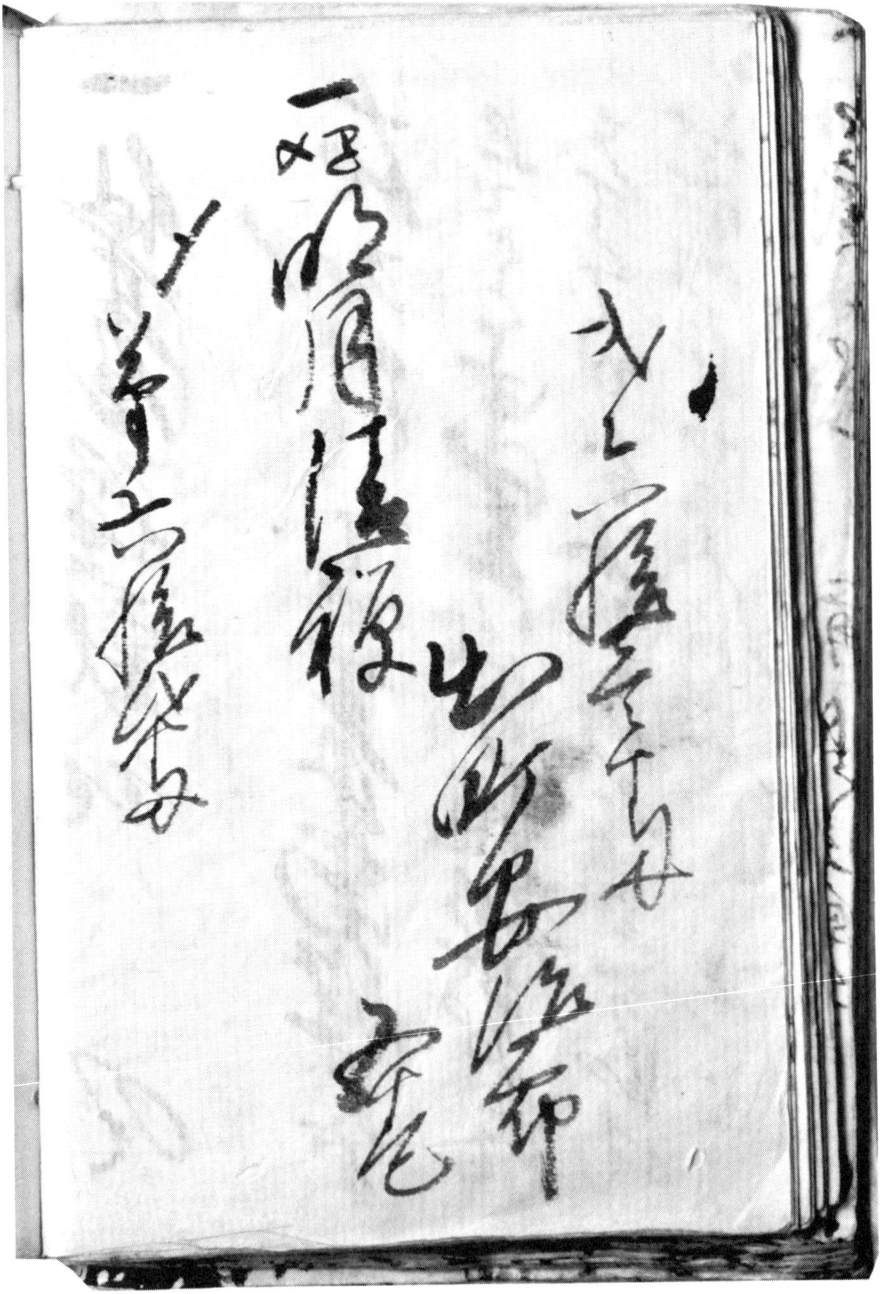

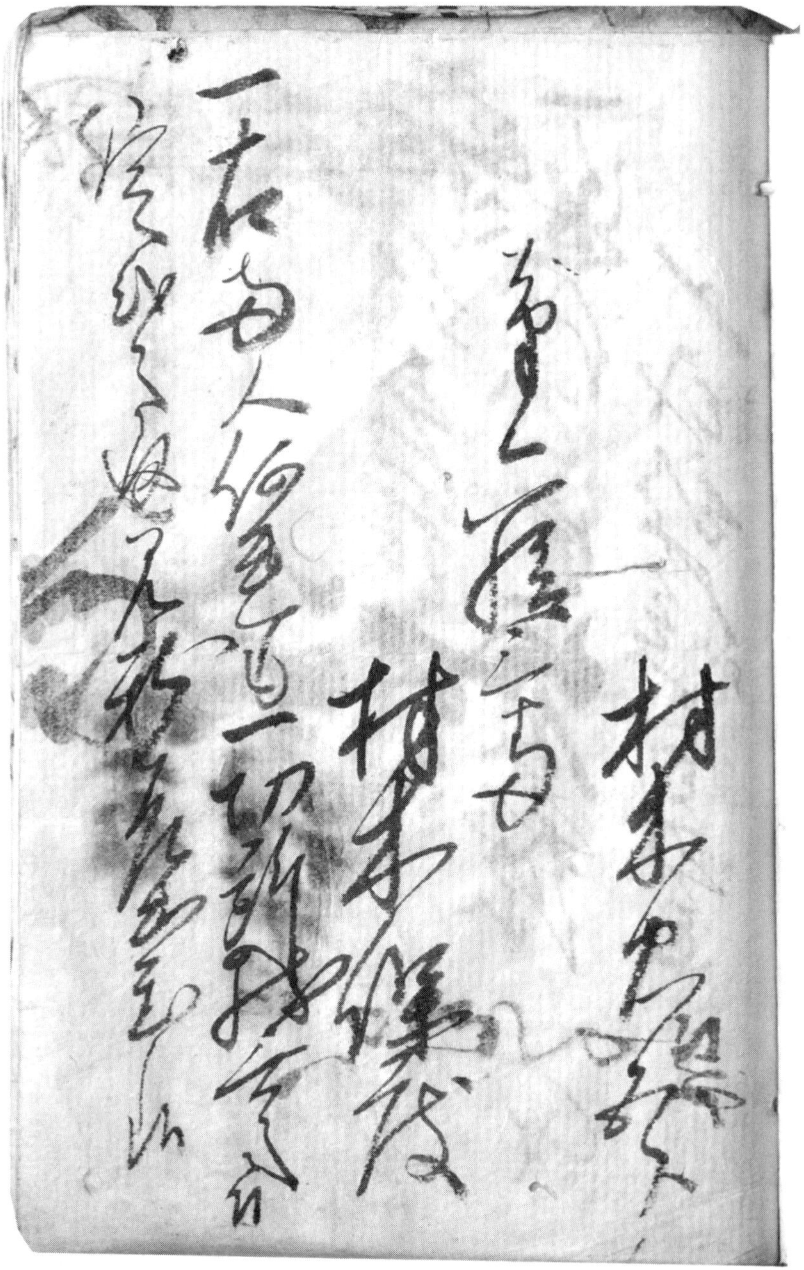

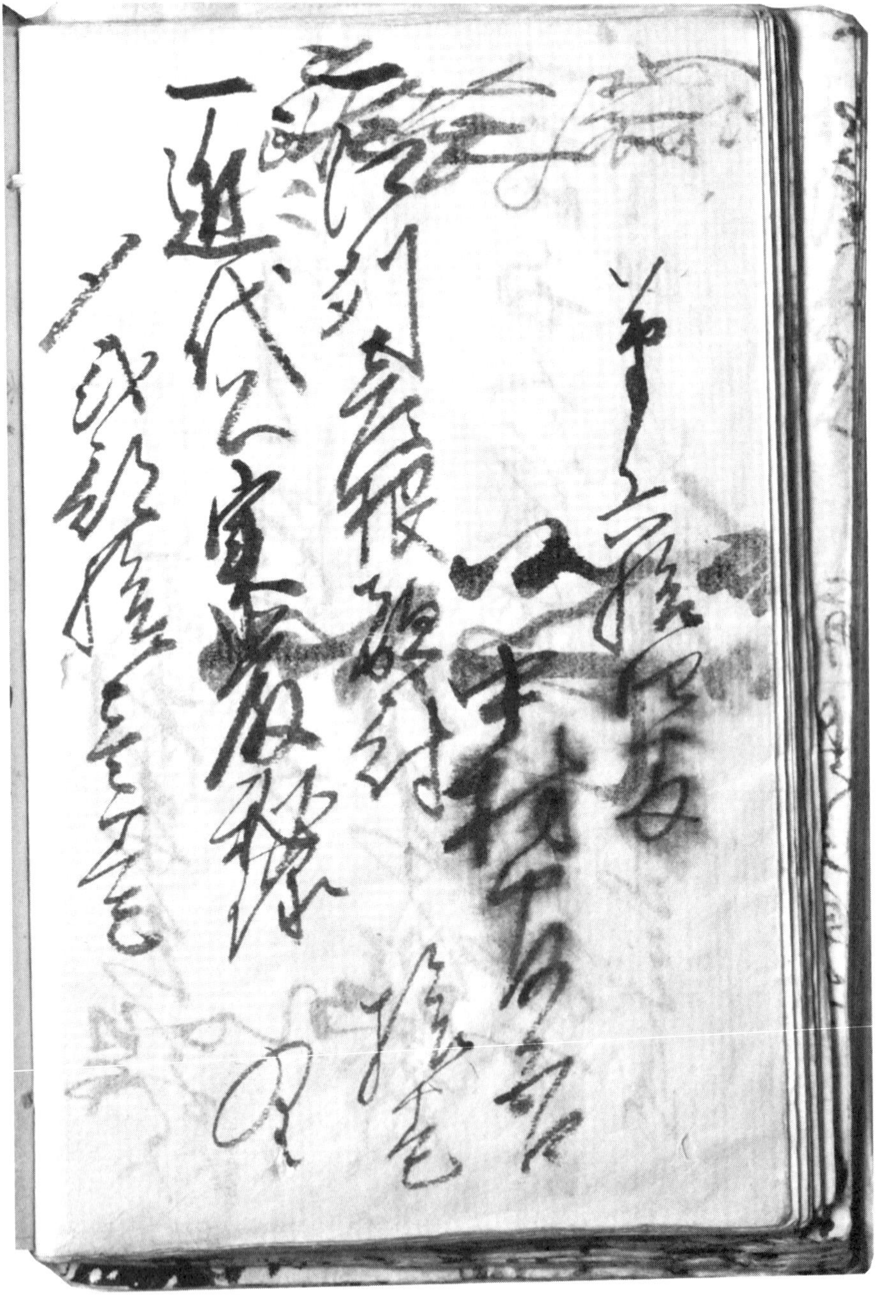

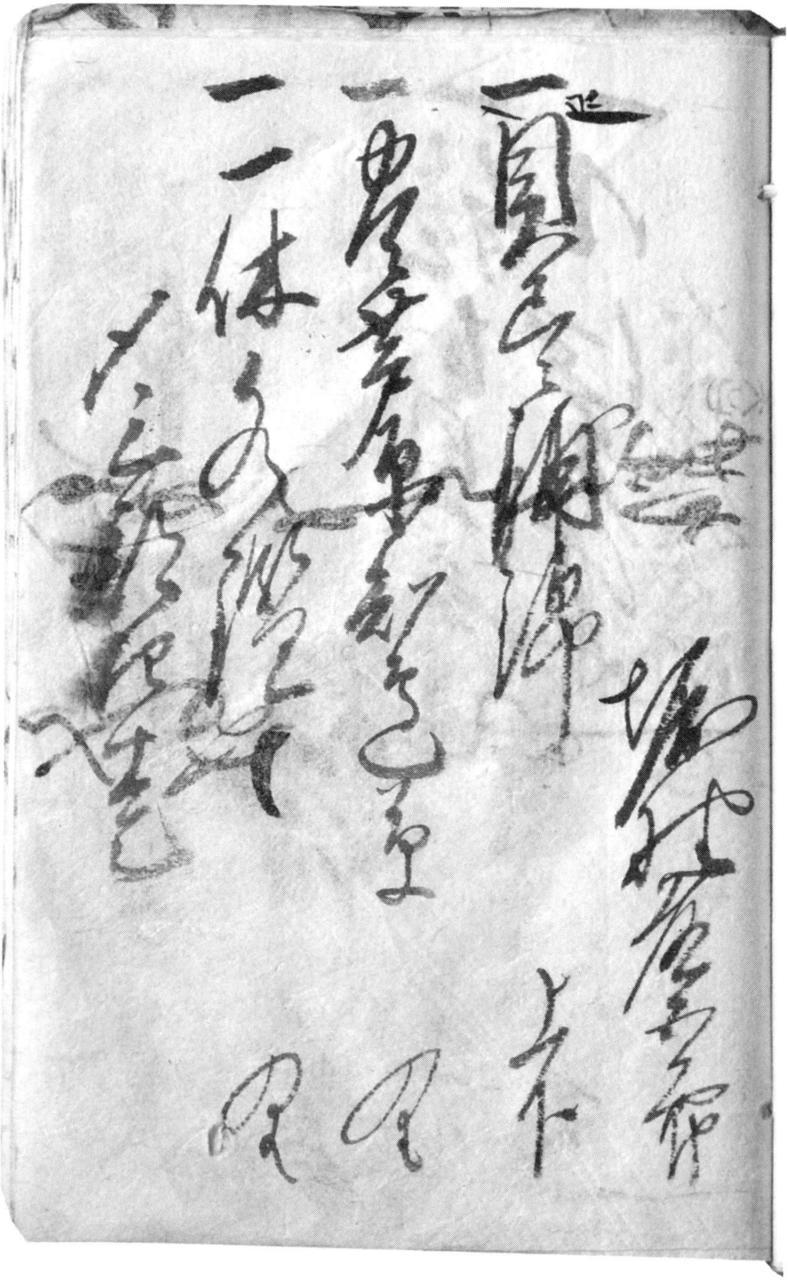

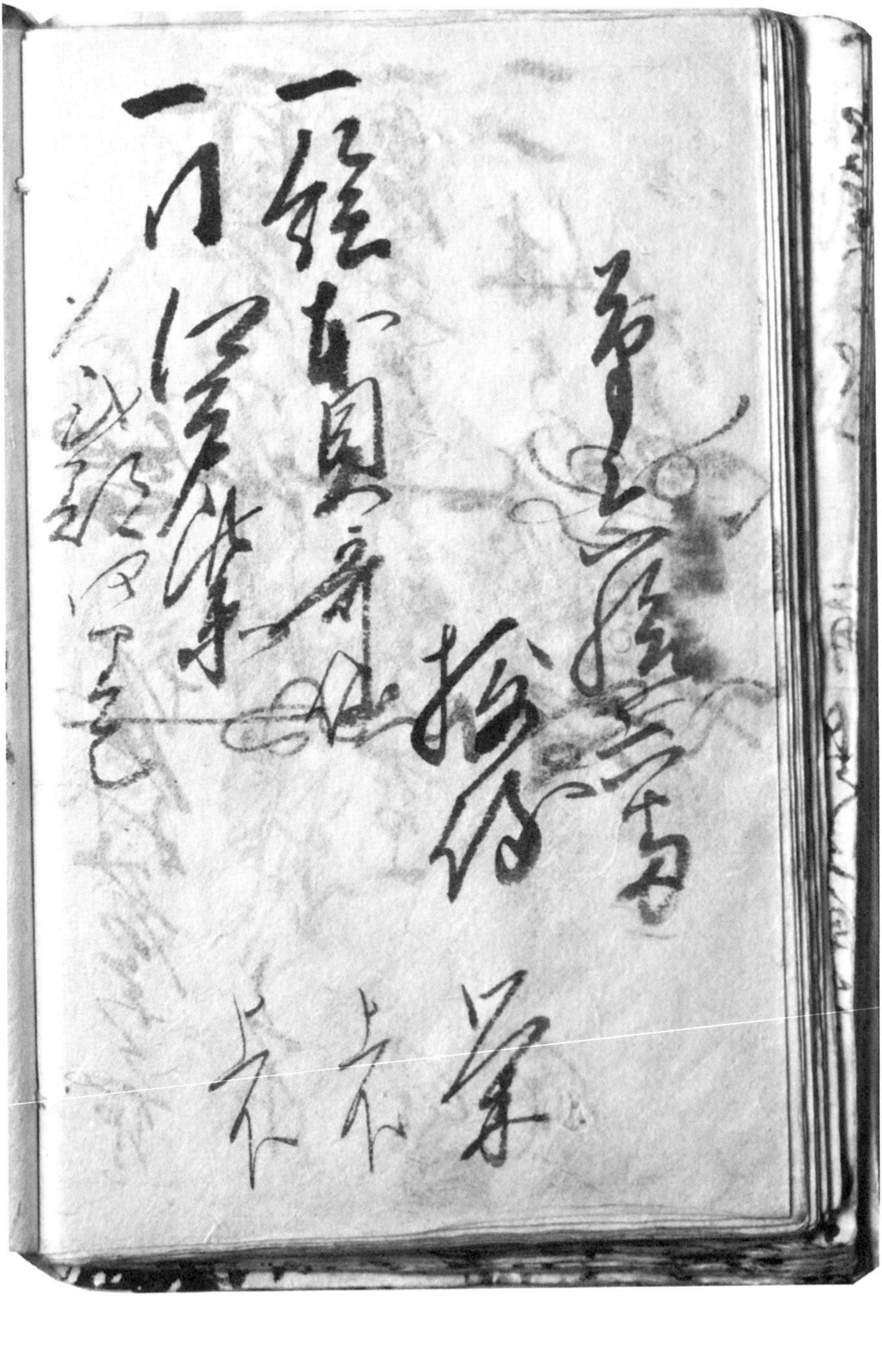

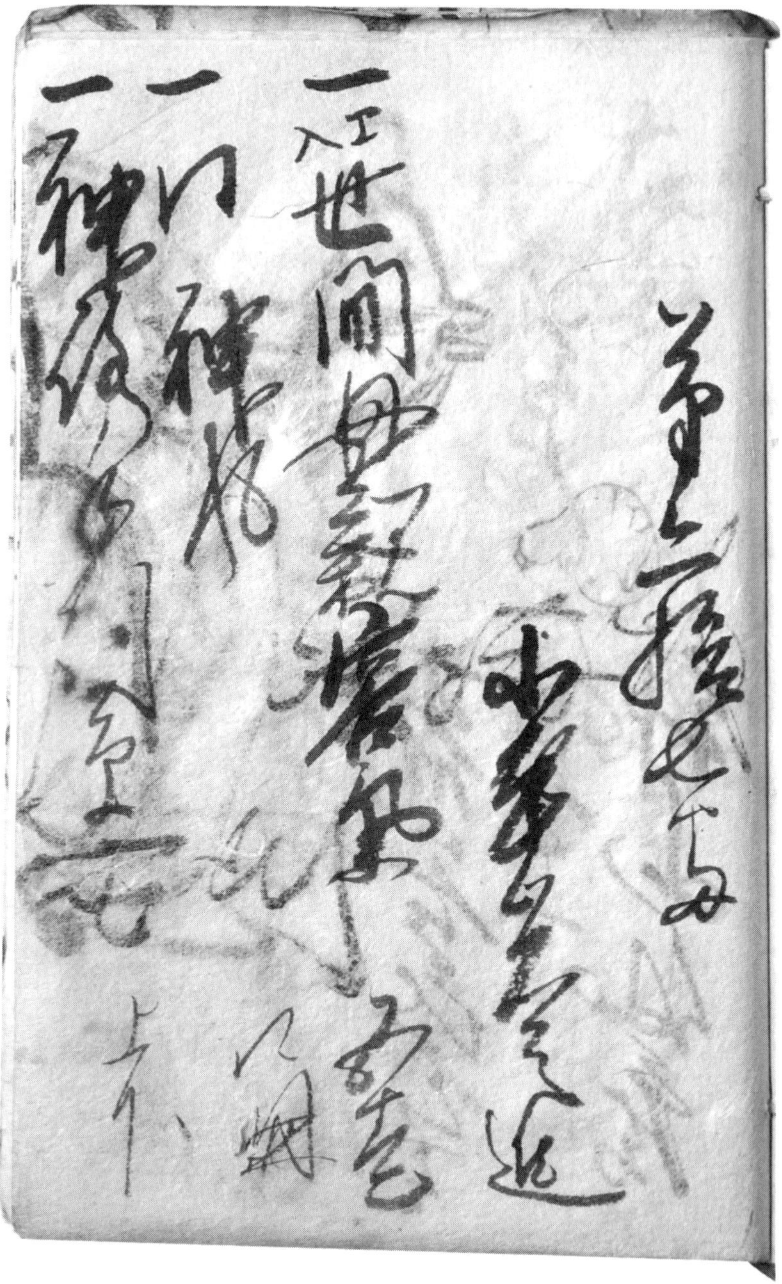

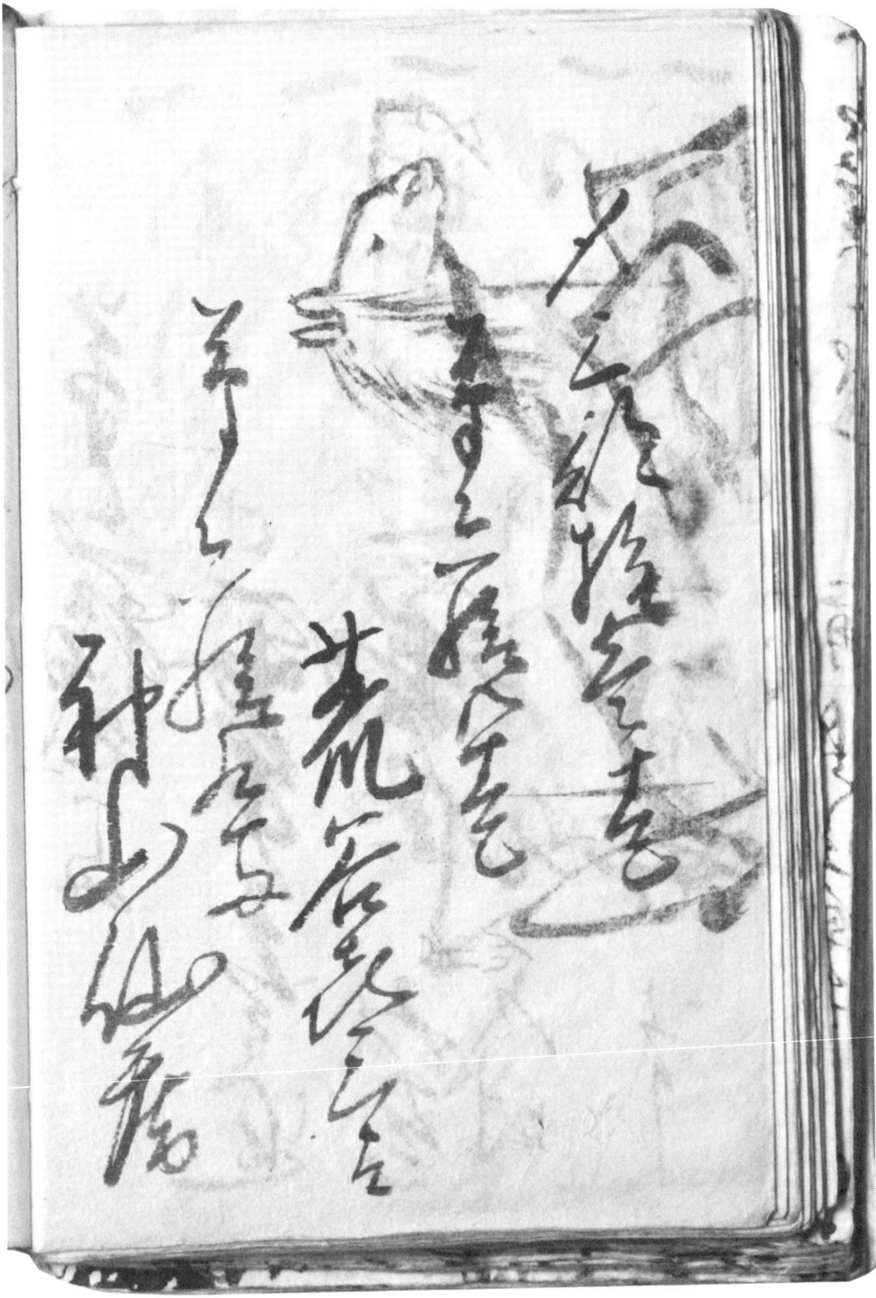

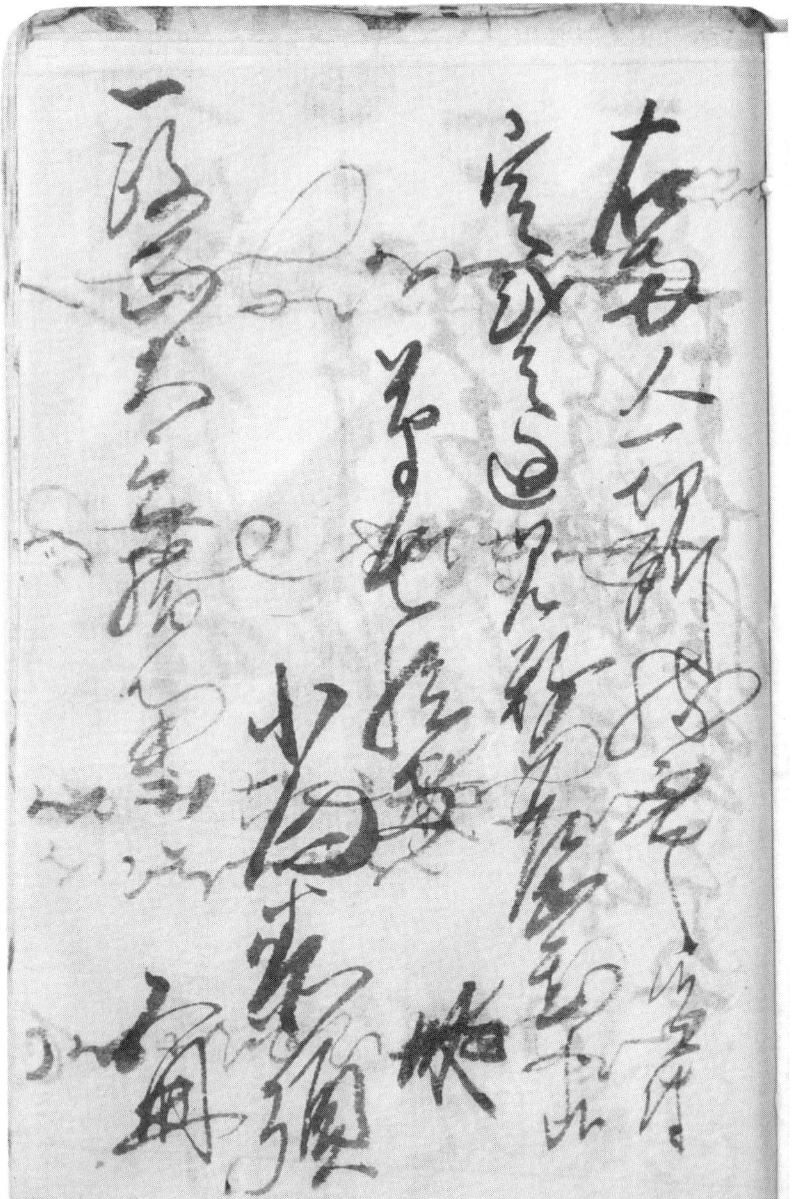

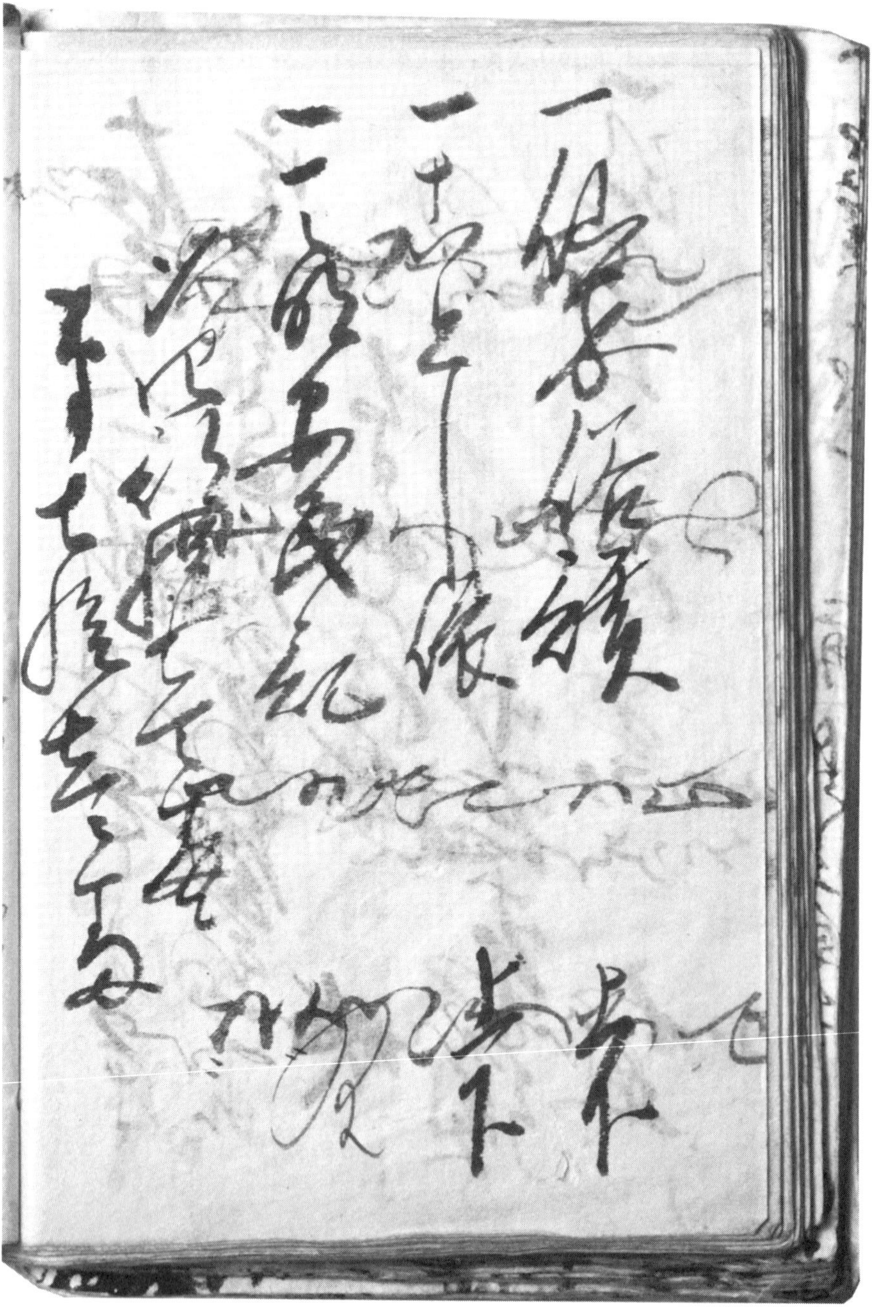

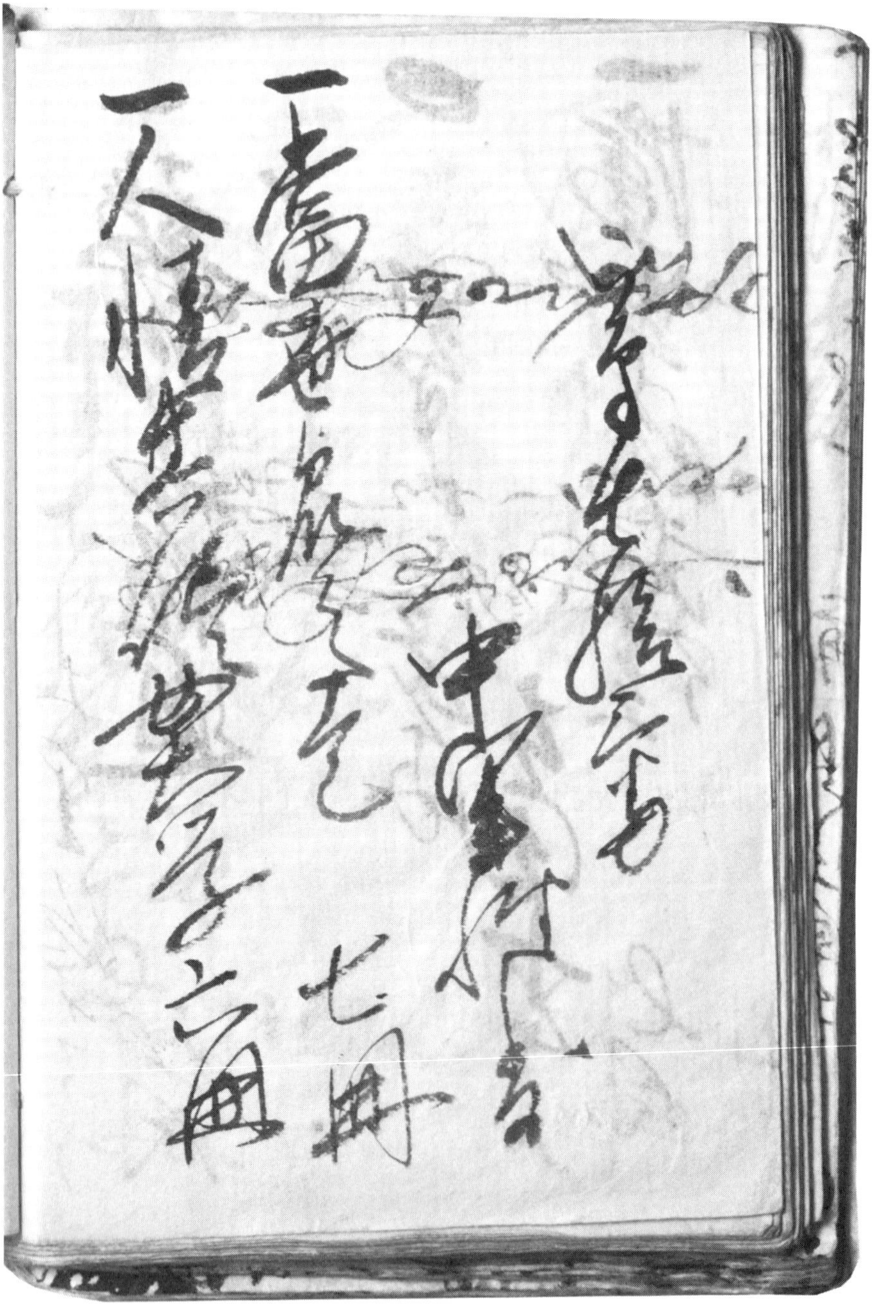

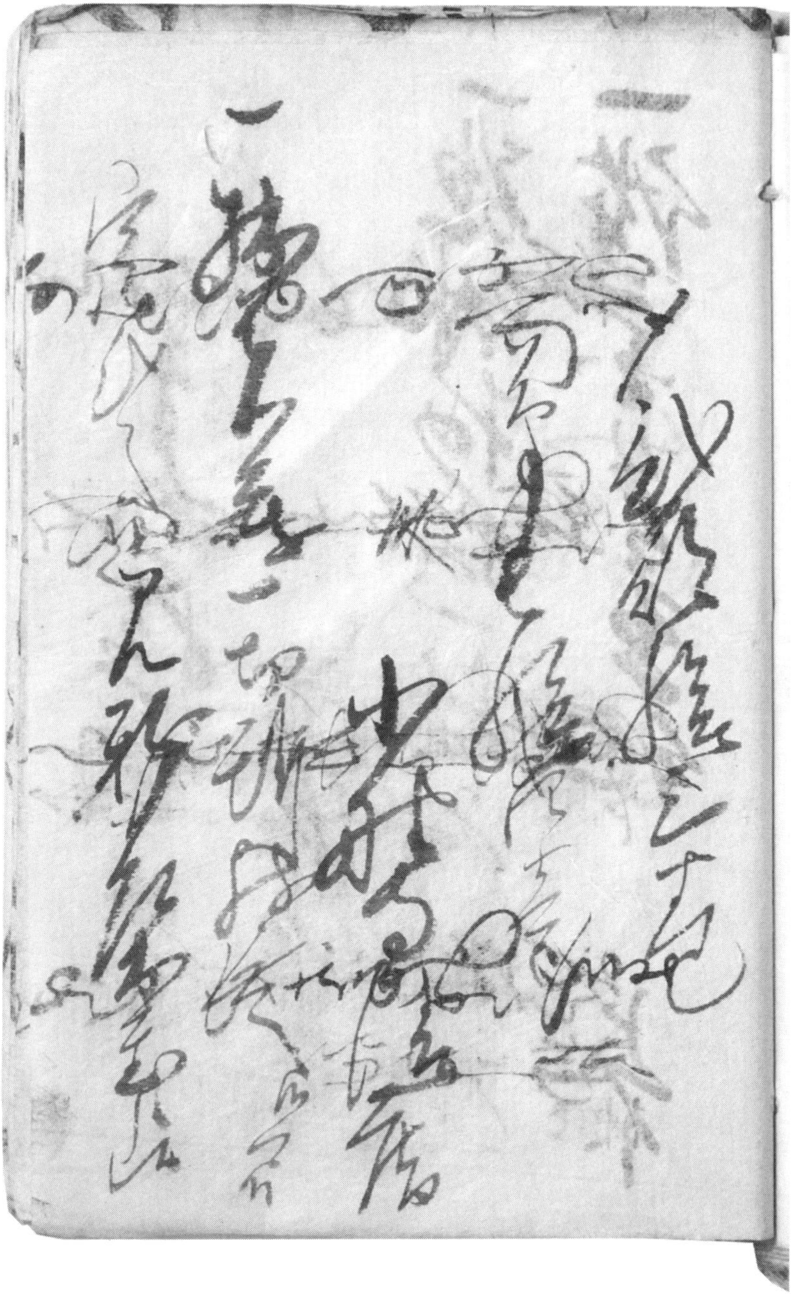

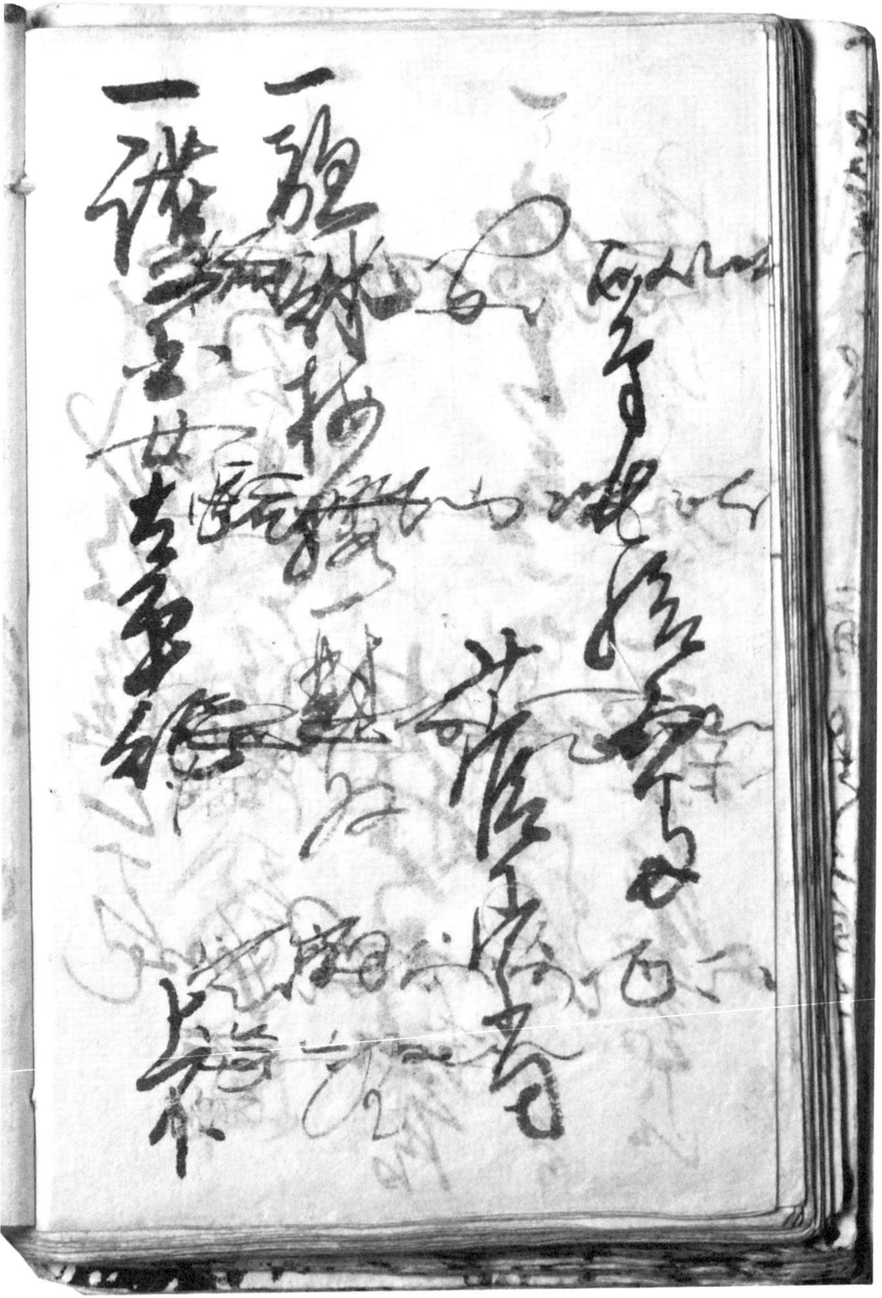

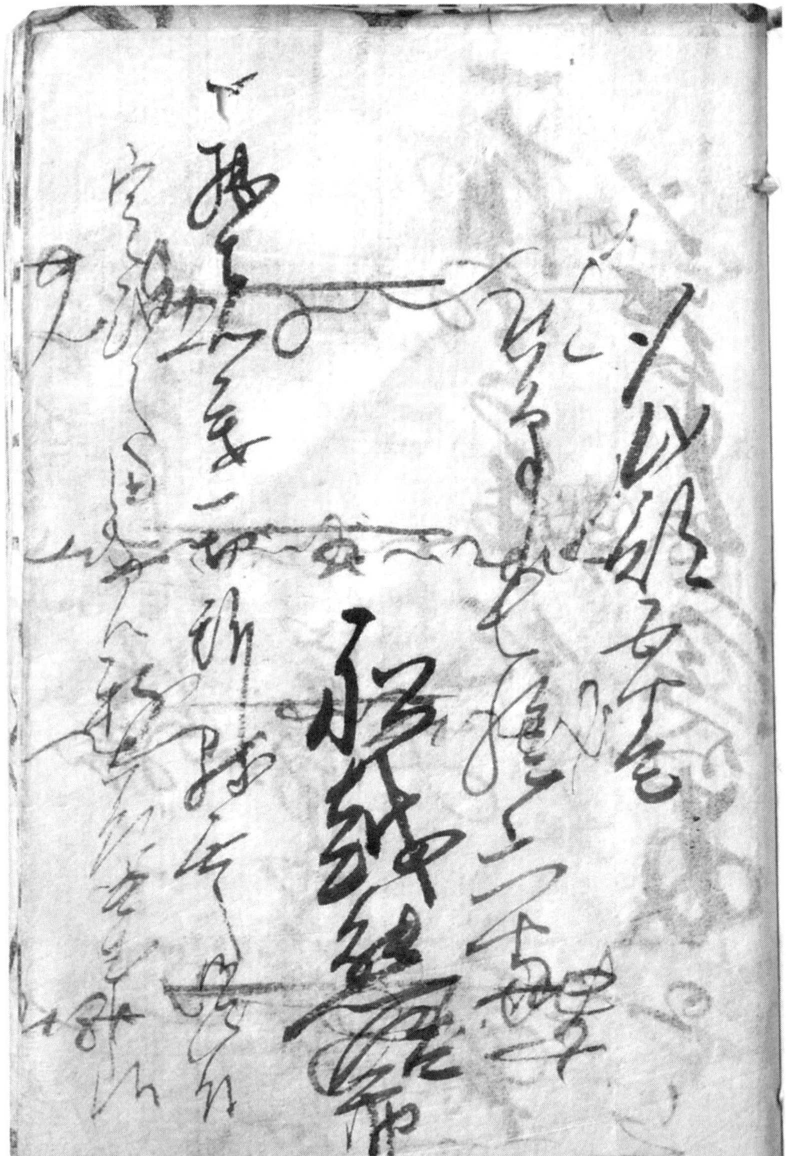

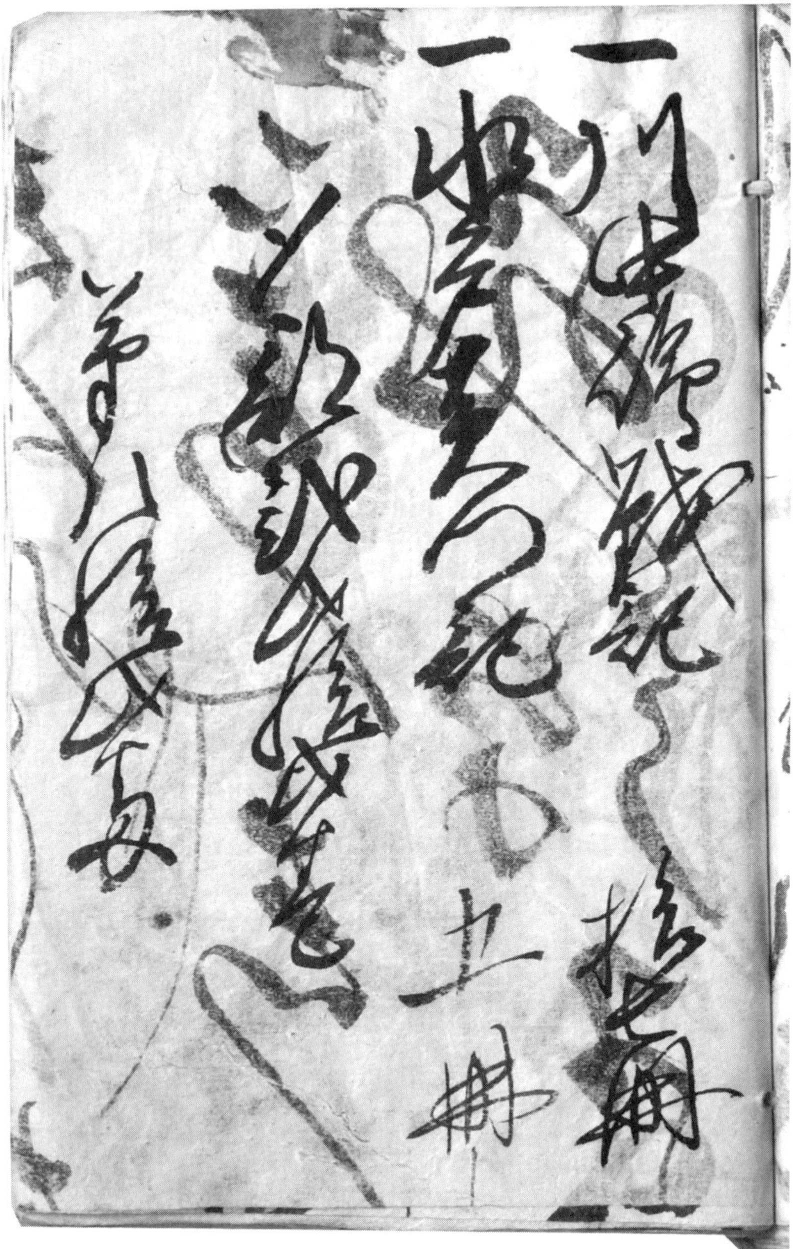

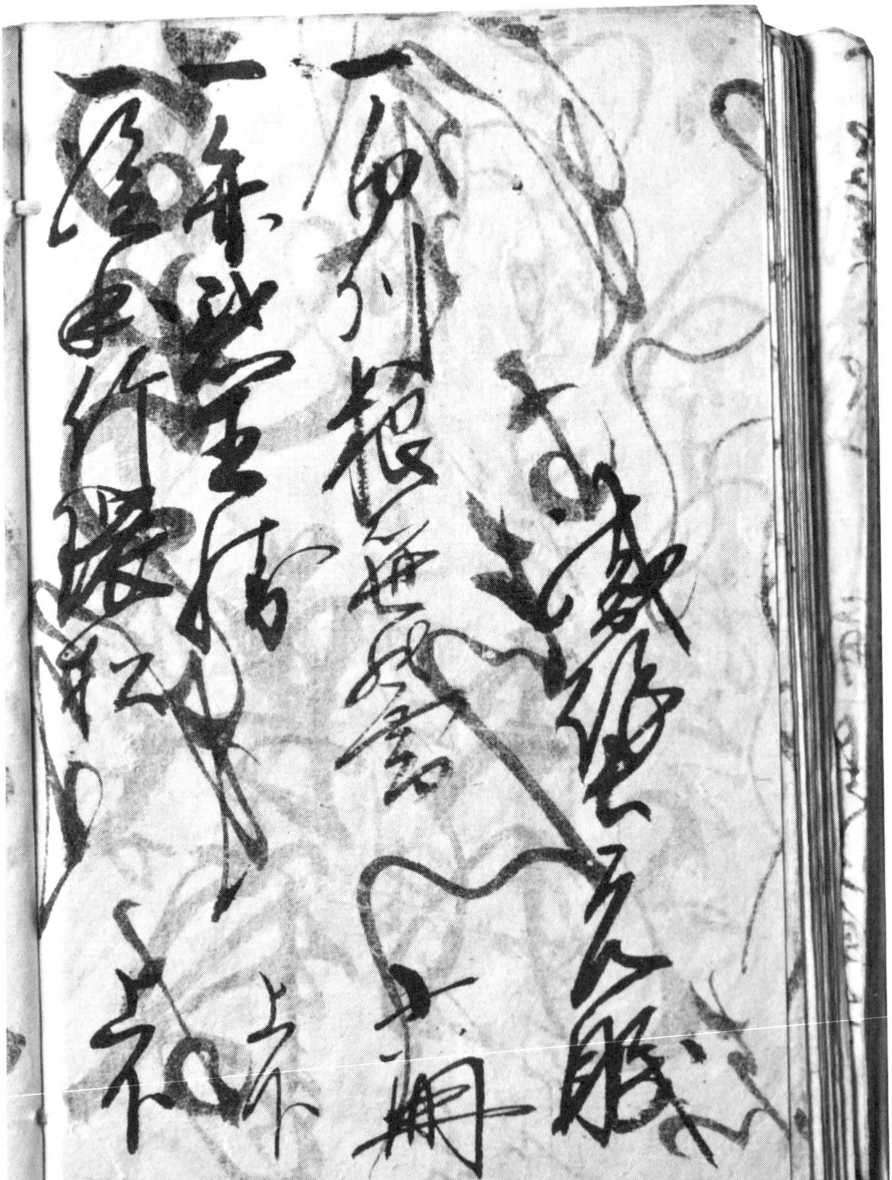

一 [illegible] 同

一 [illegible] 同

一 [illegible] 同

一 [illegible] 同

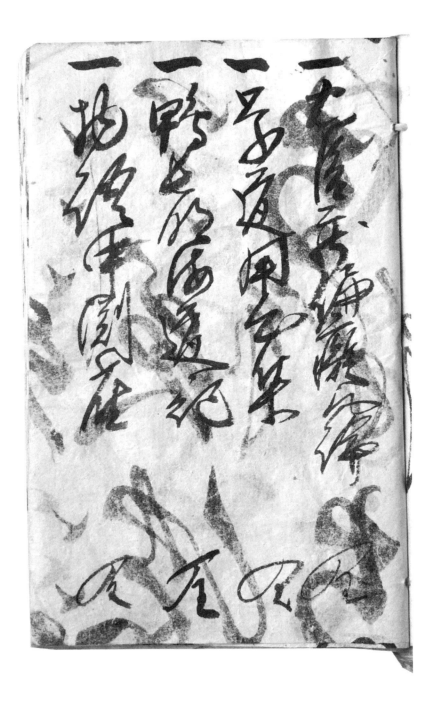

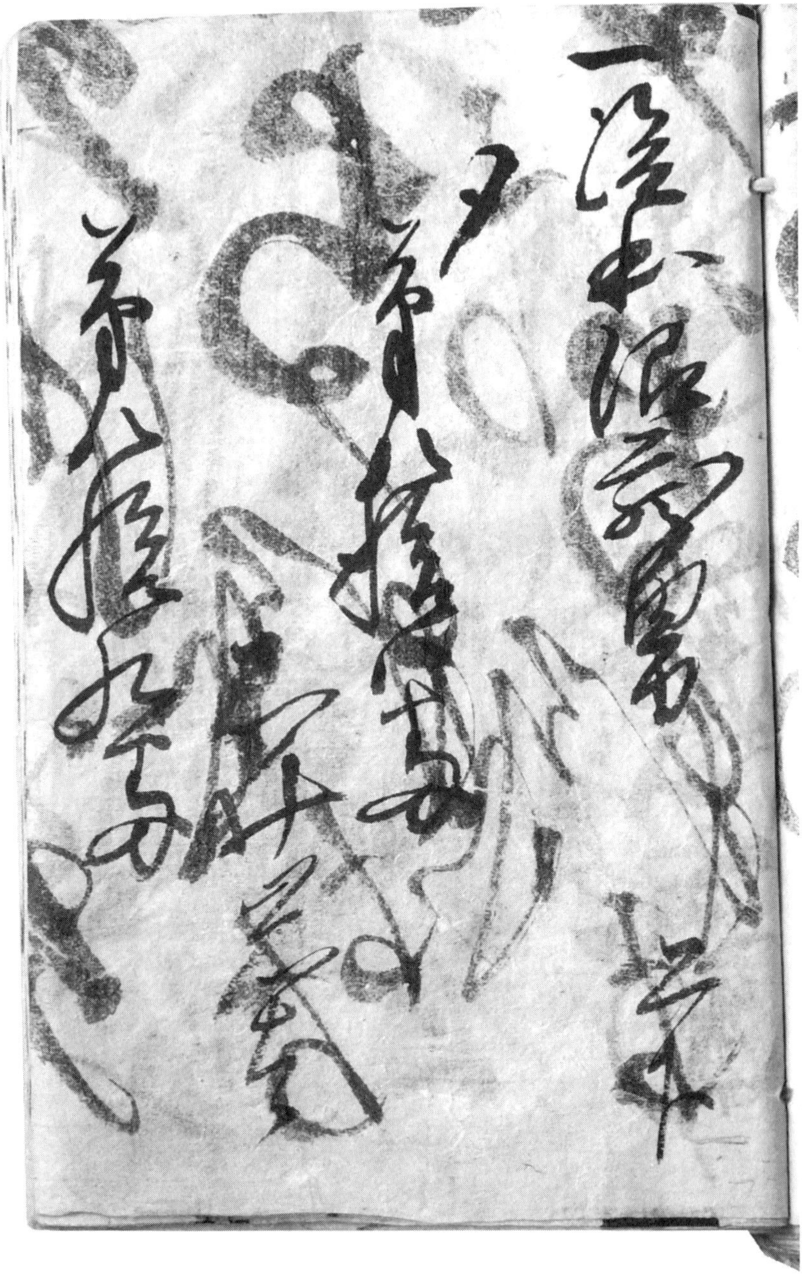

一 [illegible]

一 [illegible]

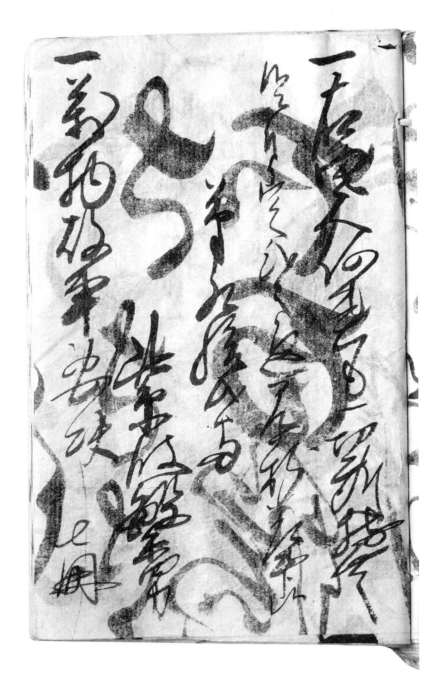

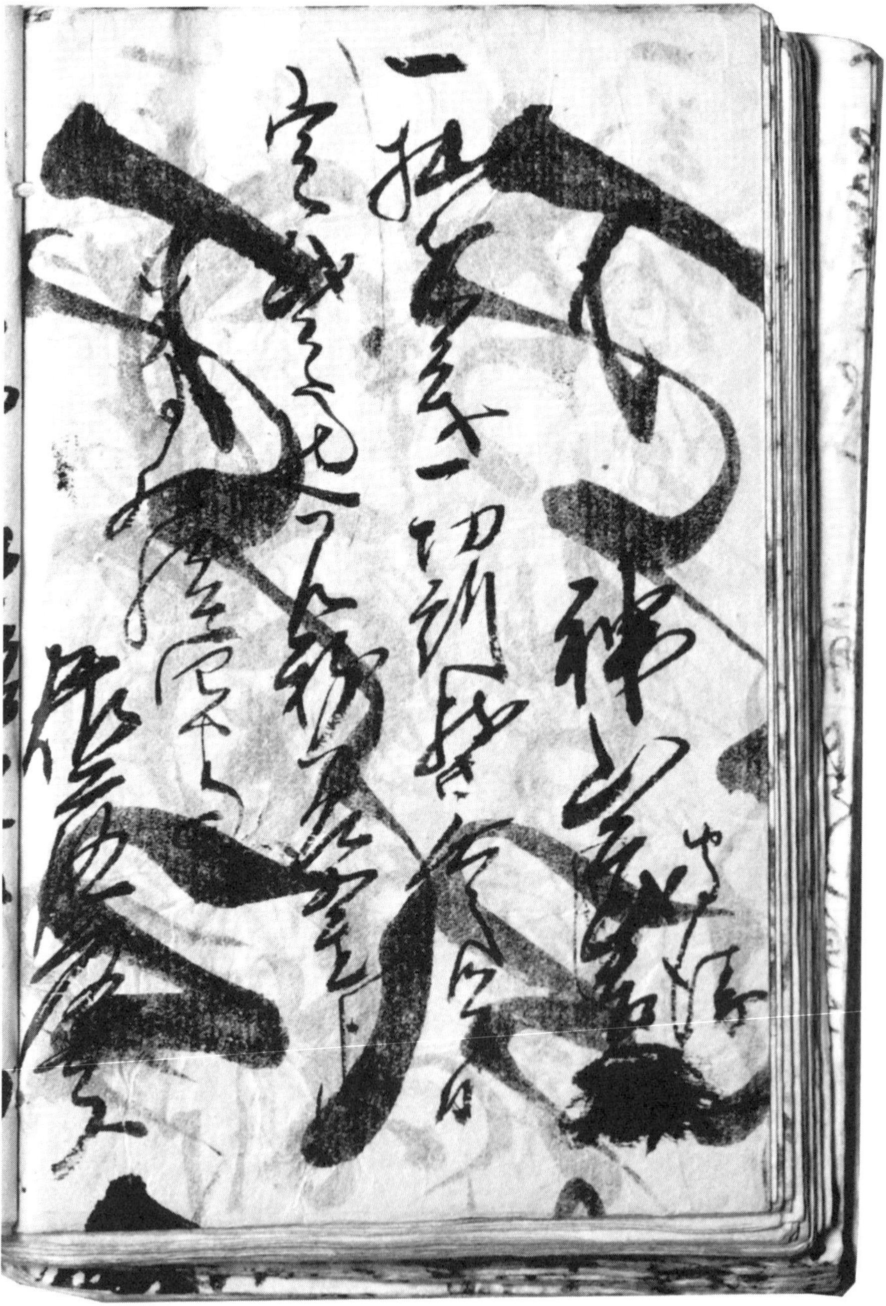

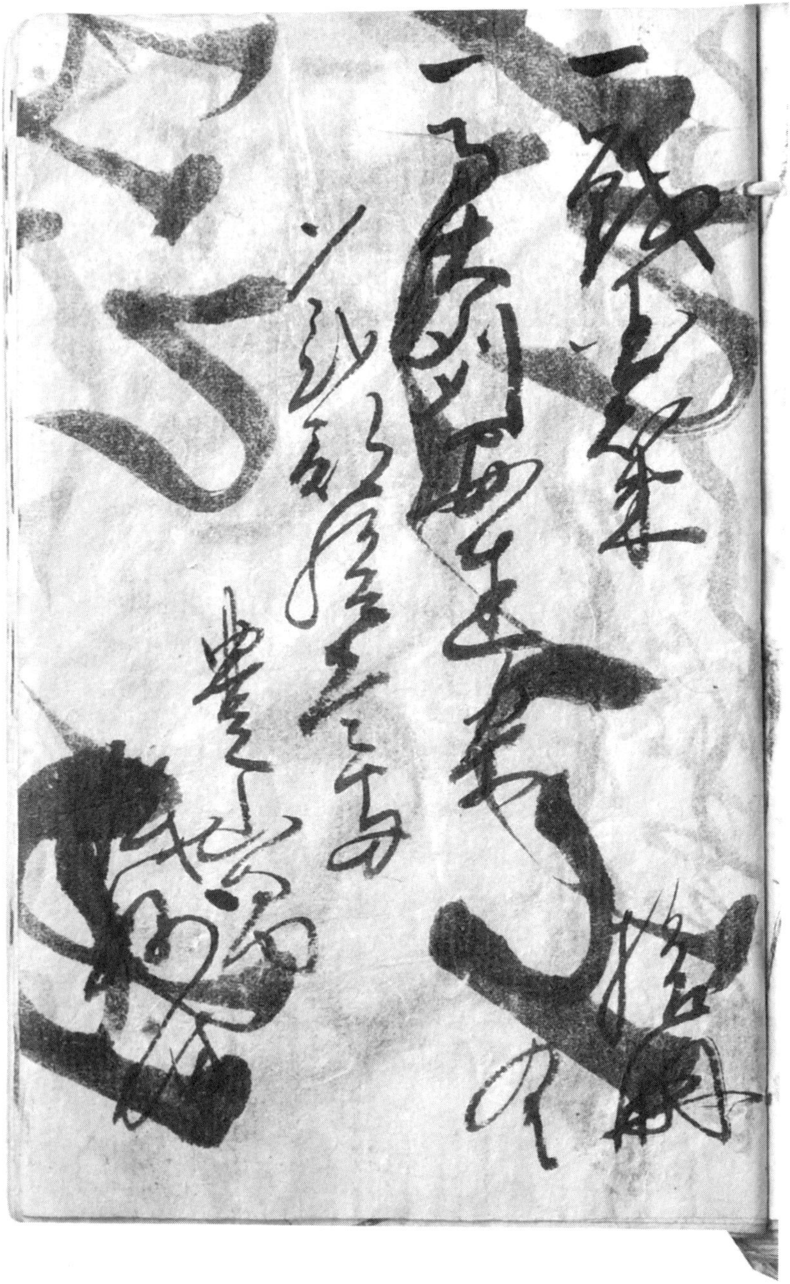

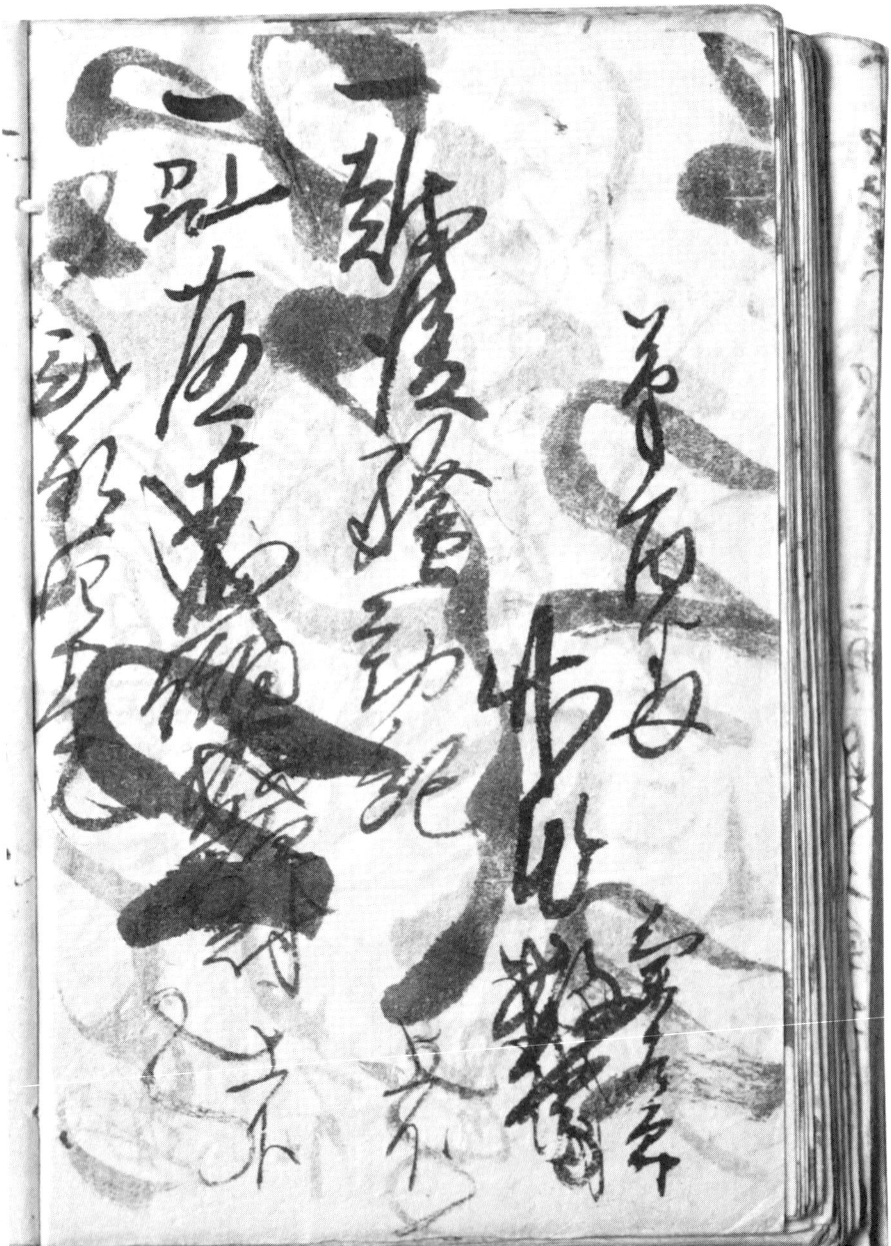

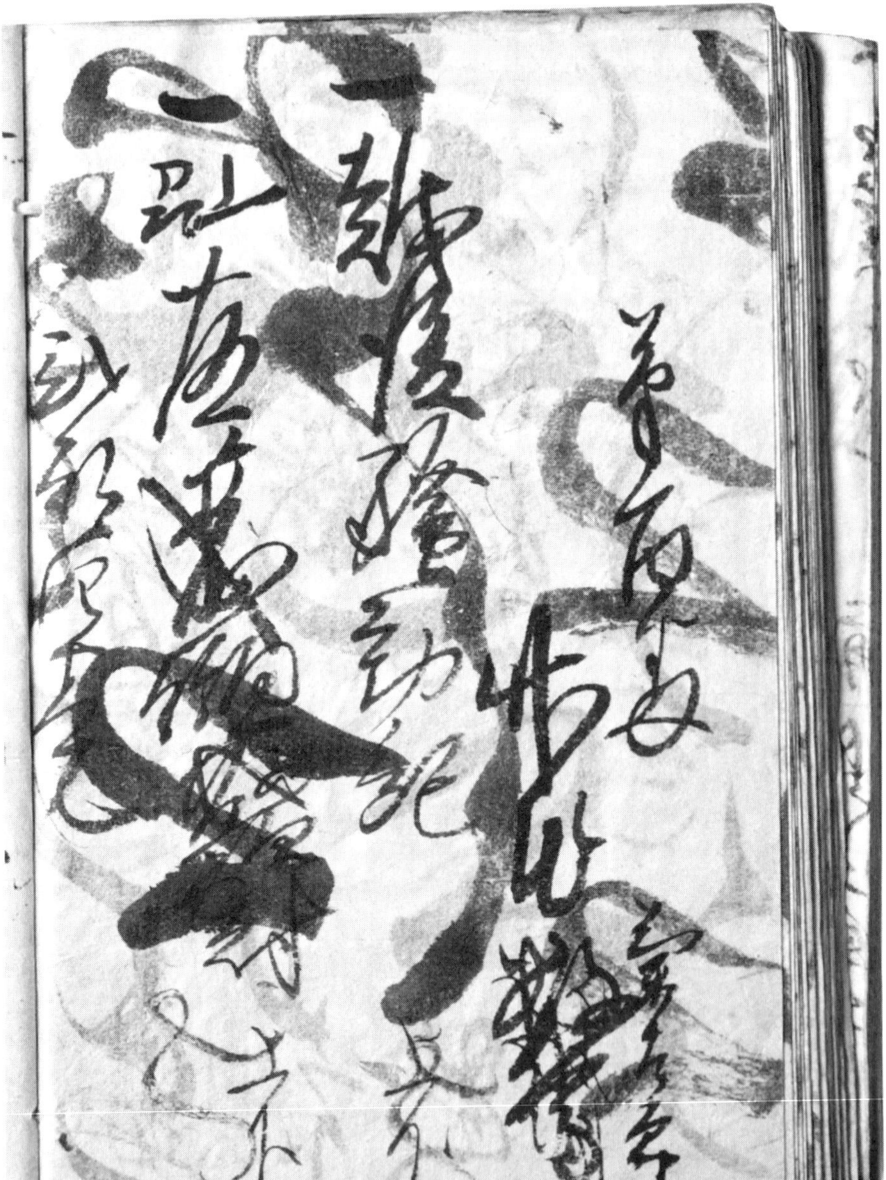

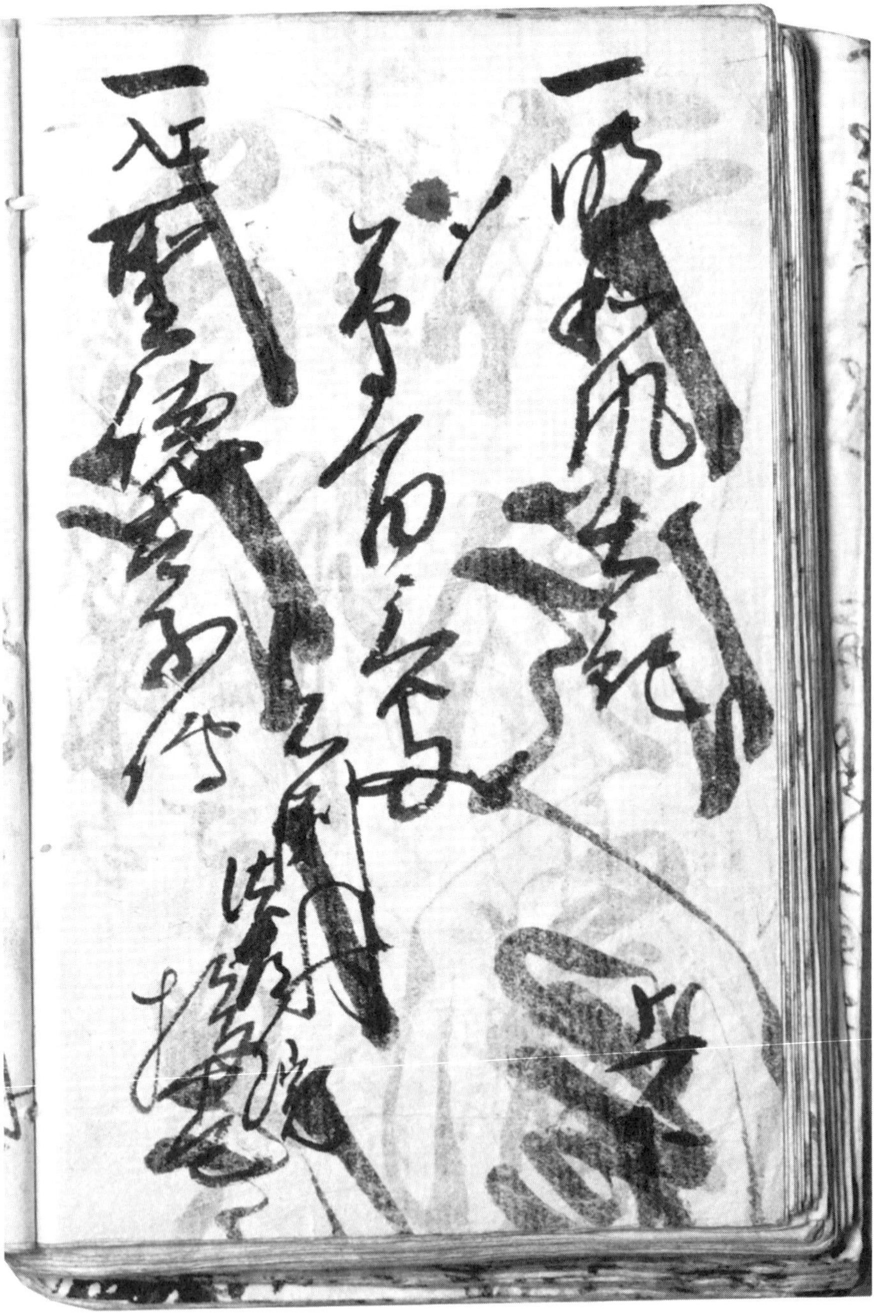

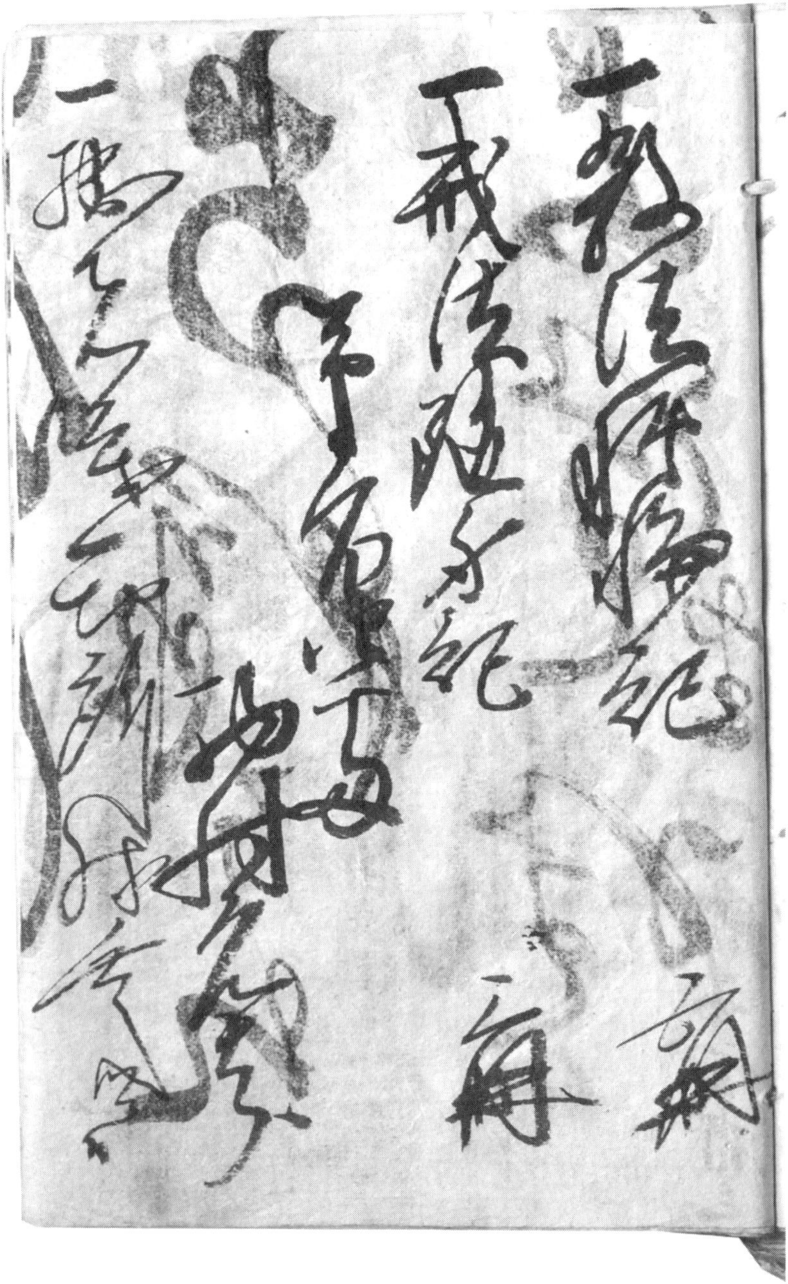

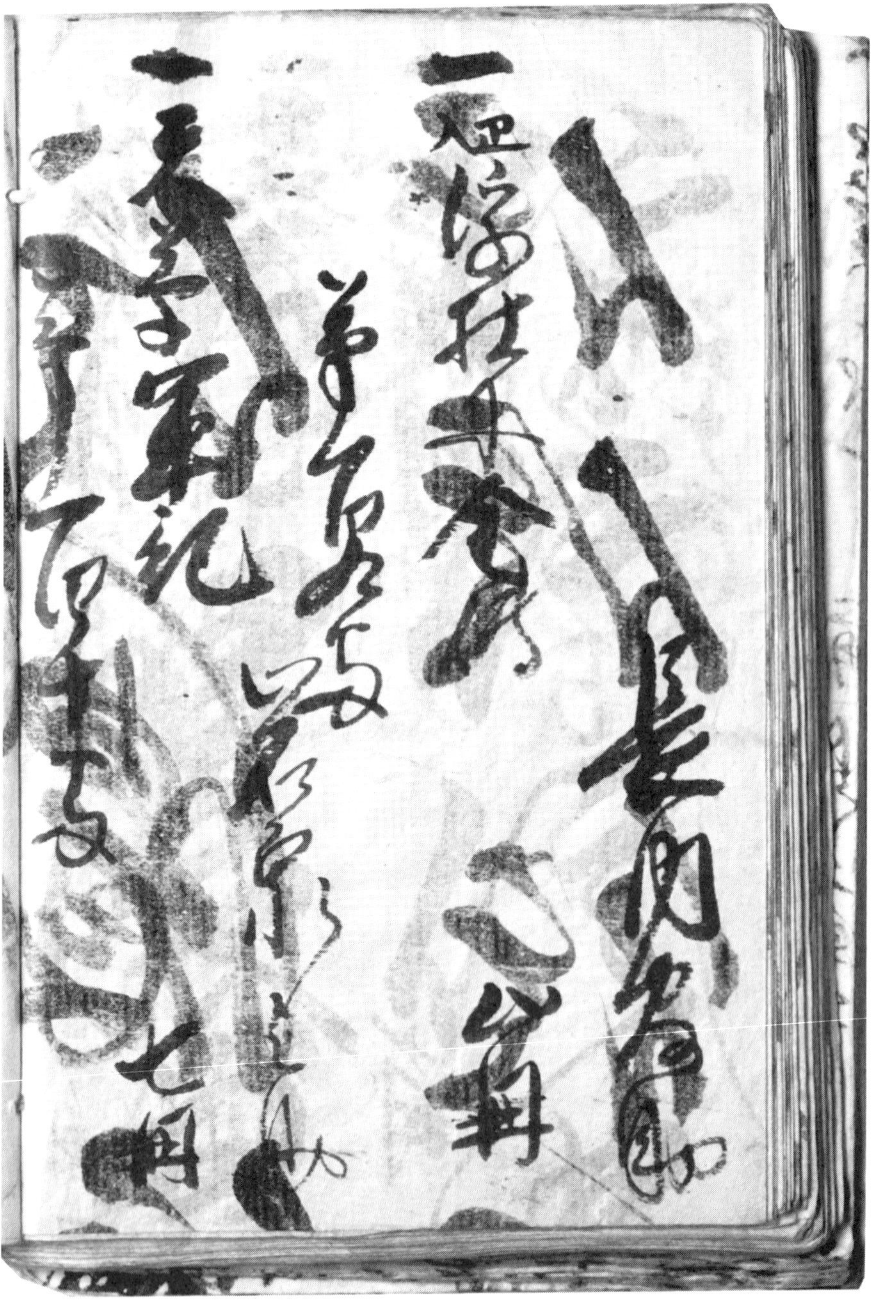

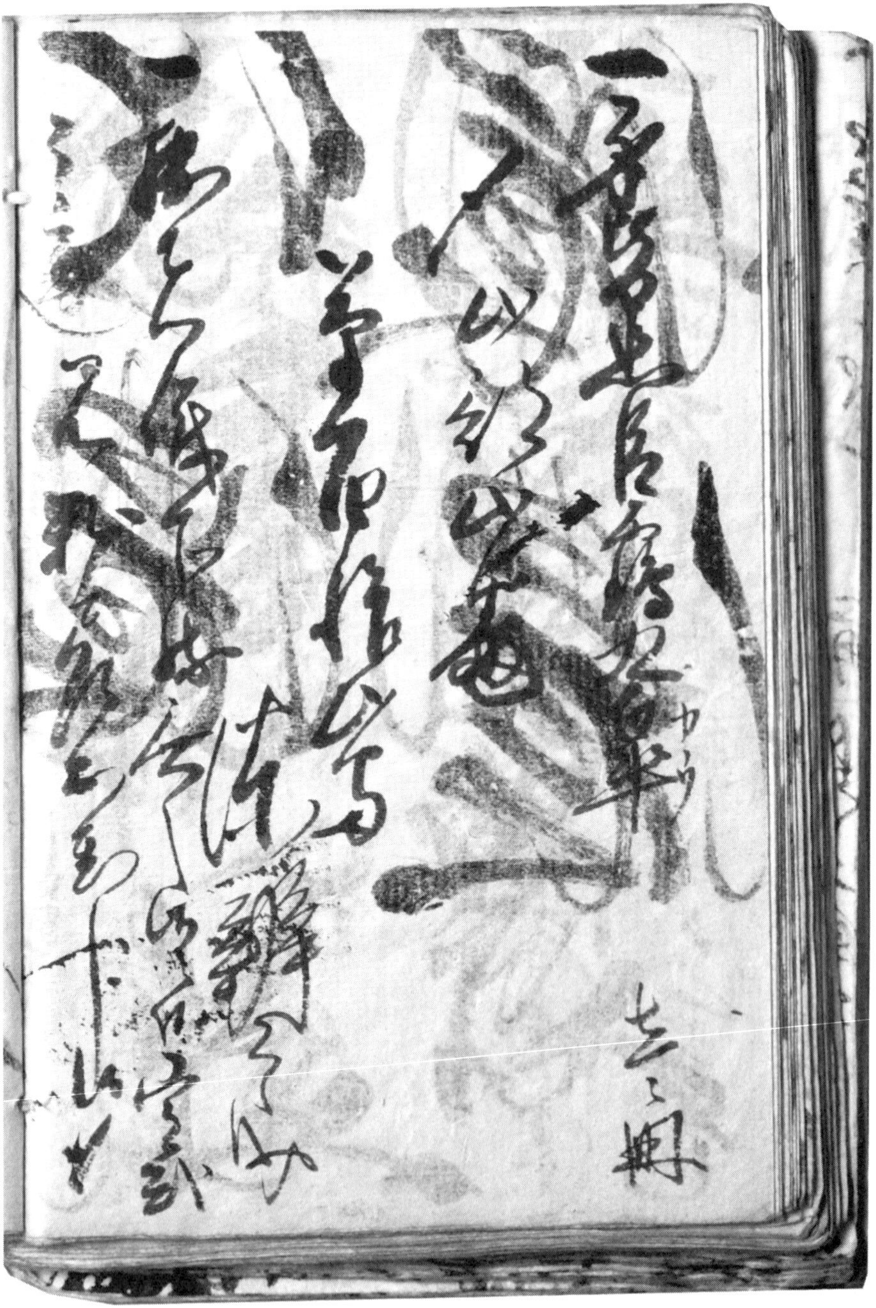

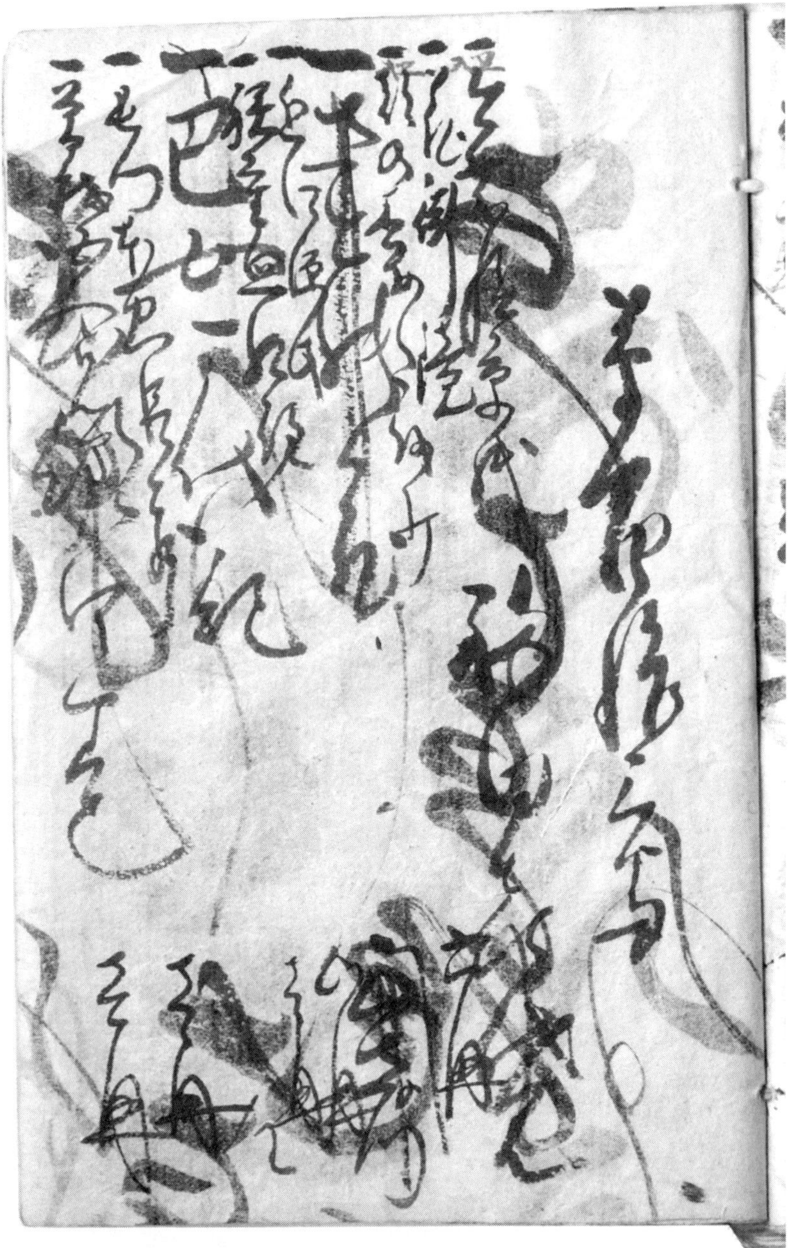

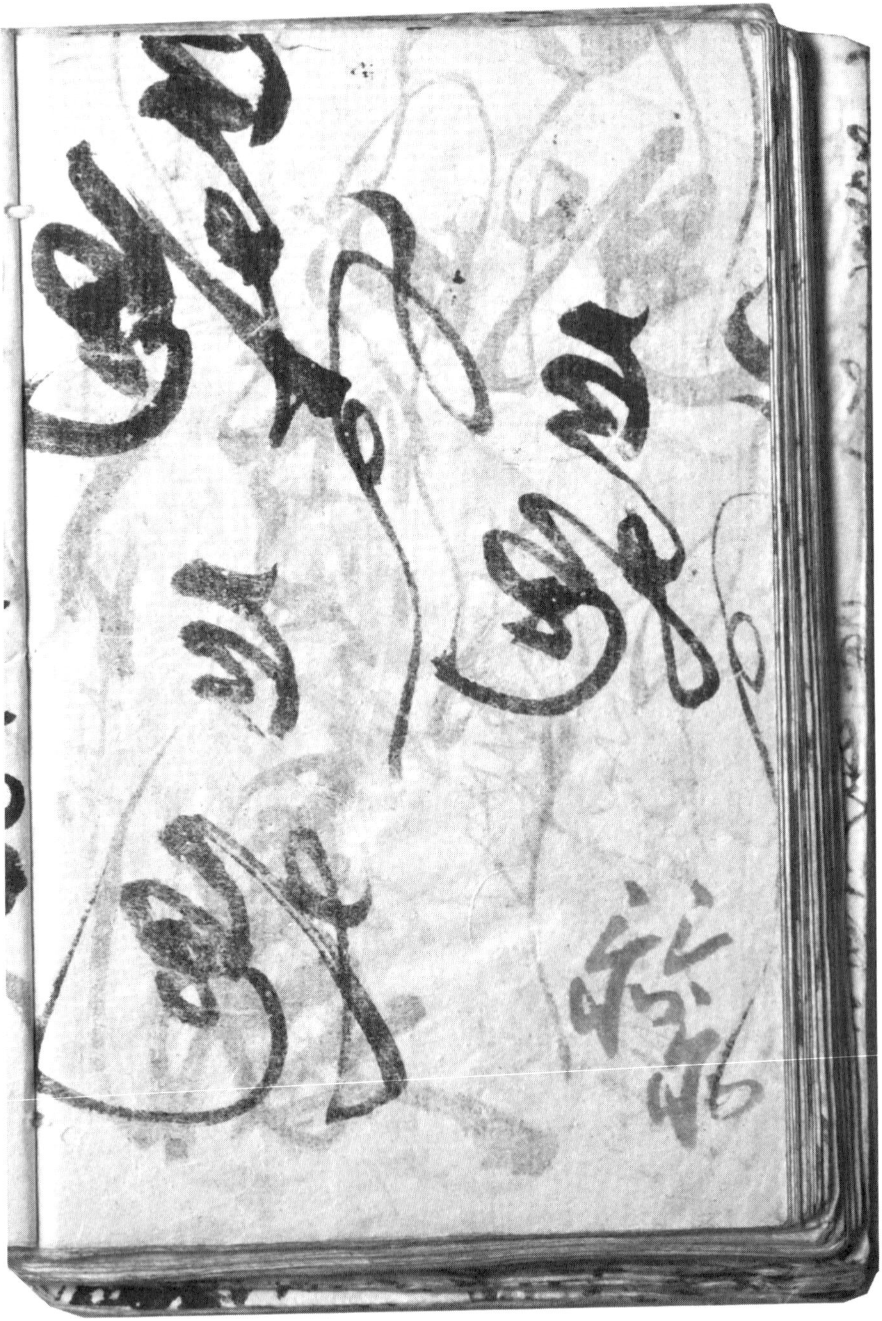

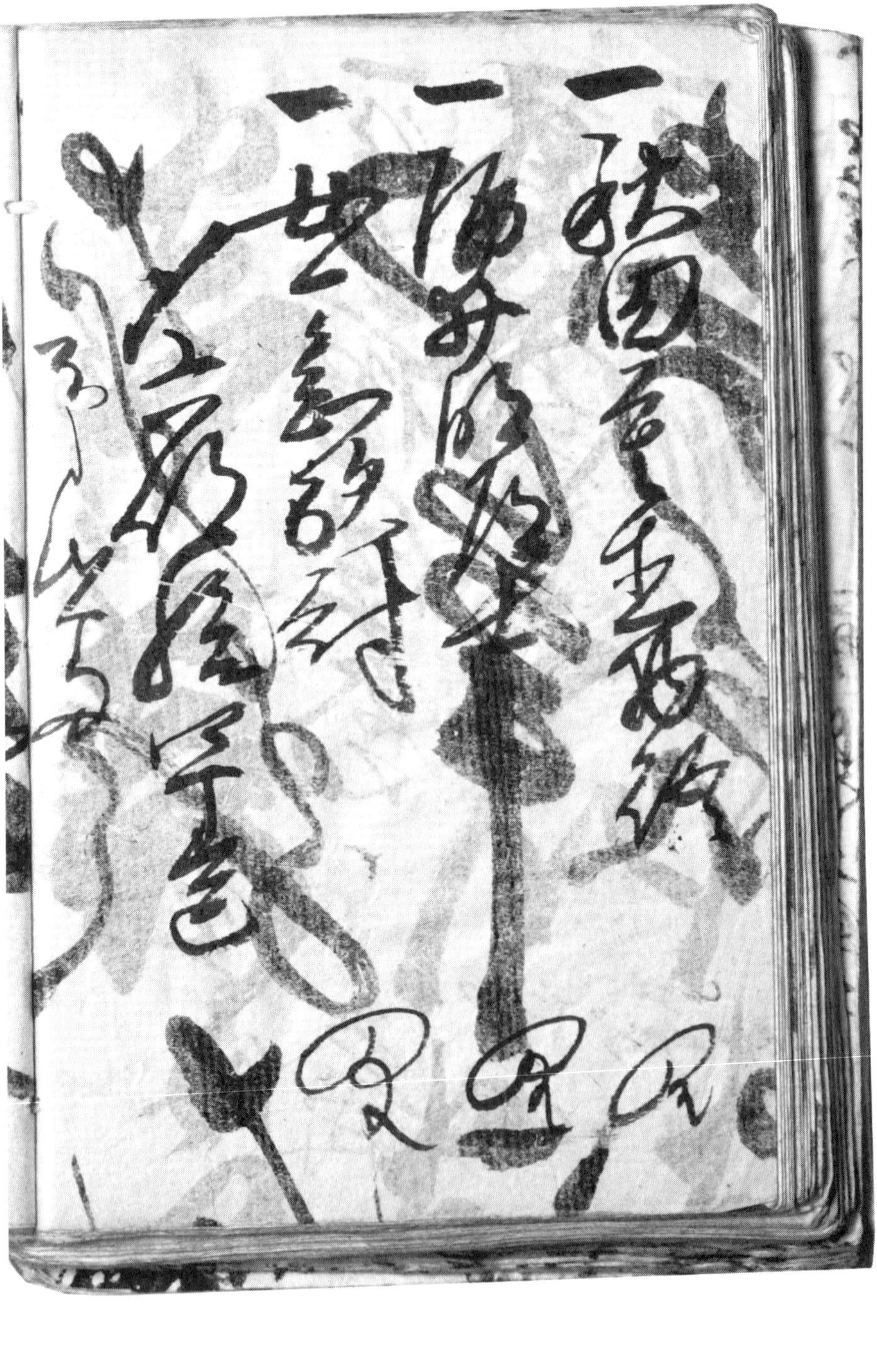

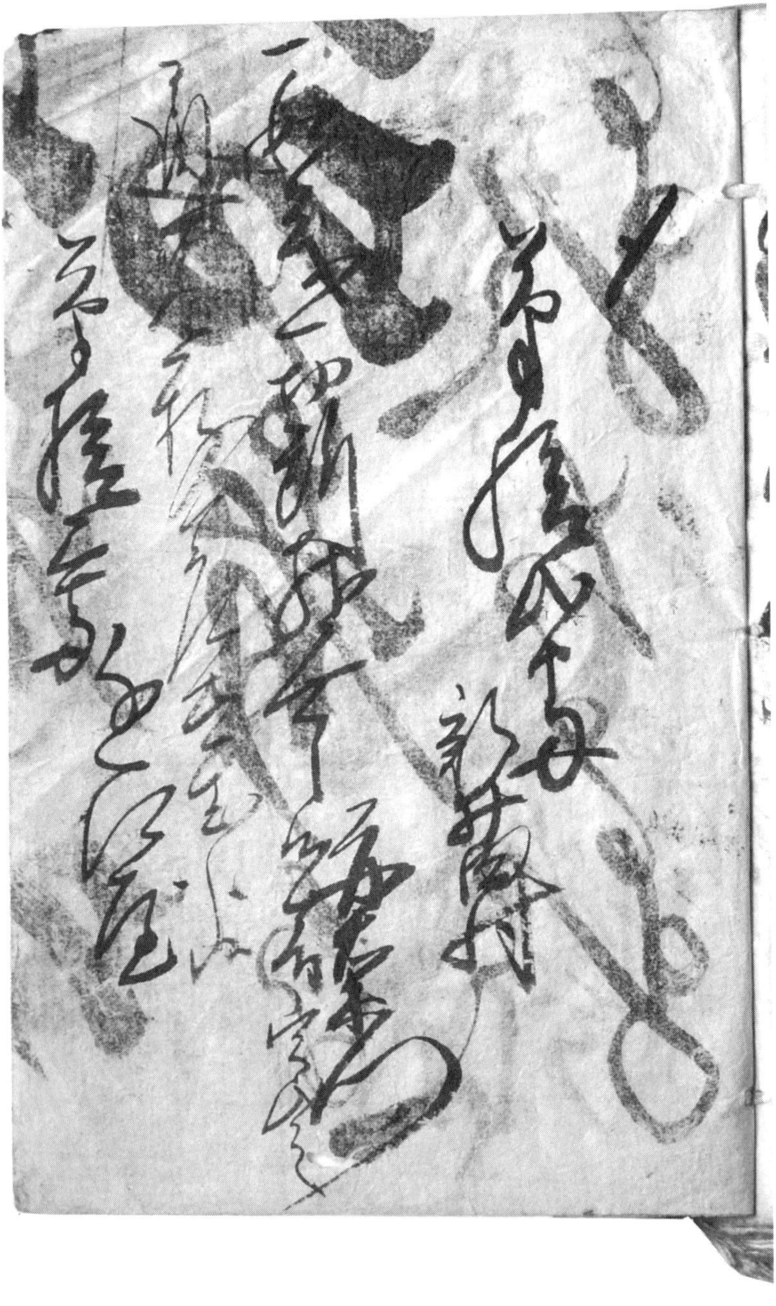

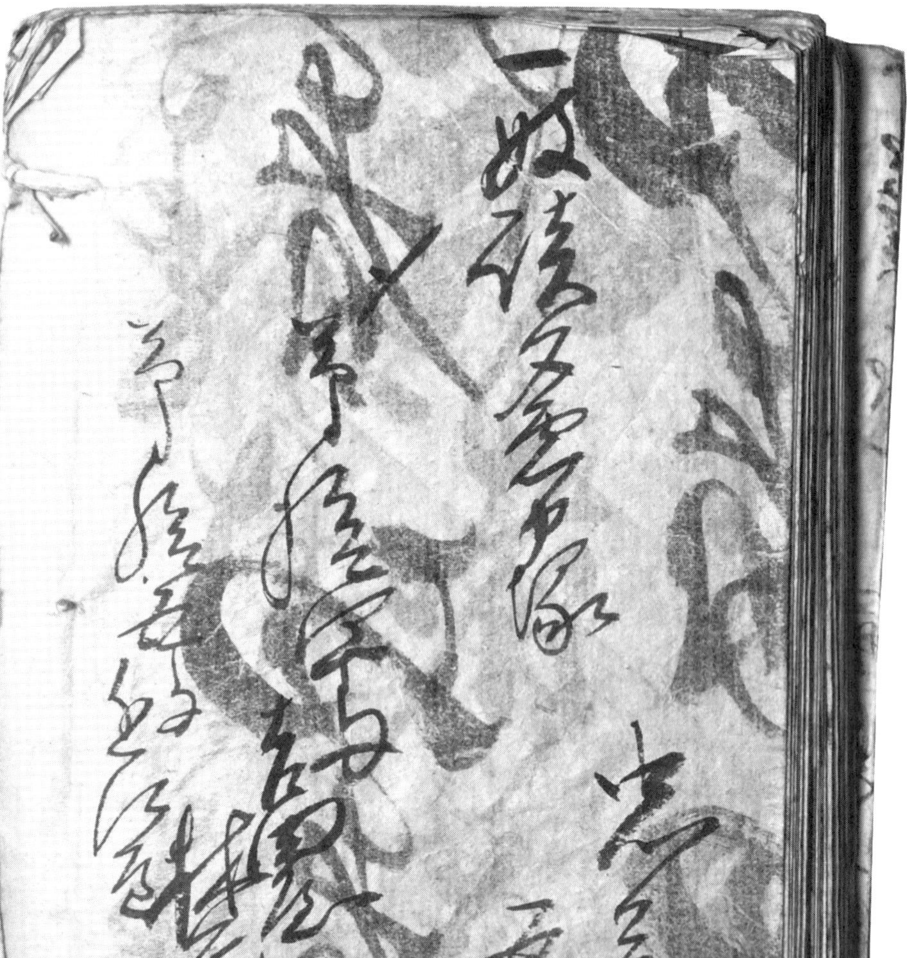

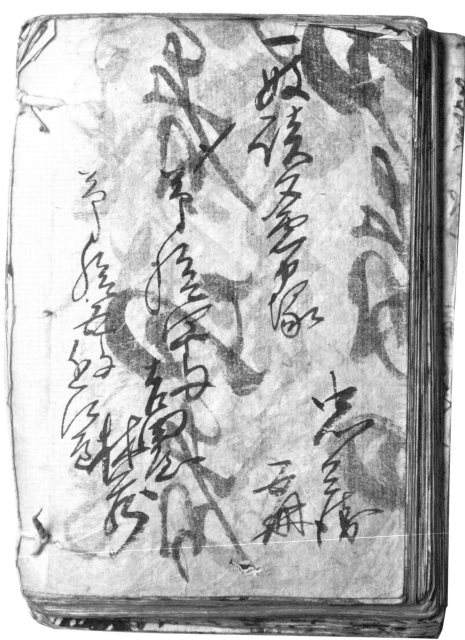

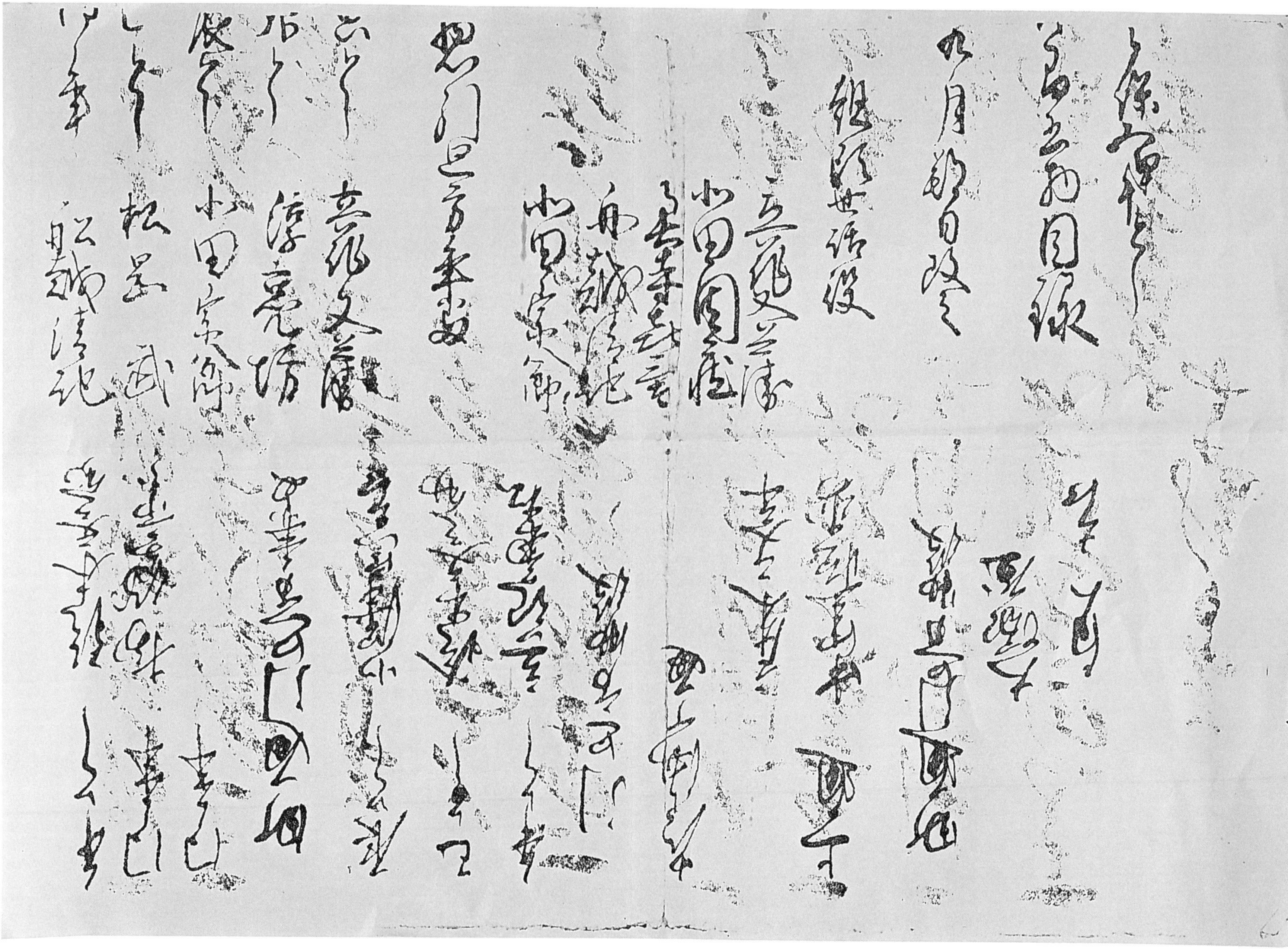

○「（書物目録）」の最後に挟み込まれていた紙。

⑥ 仲間書物預本牒

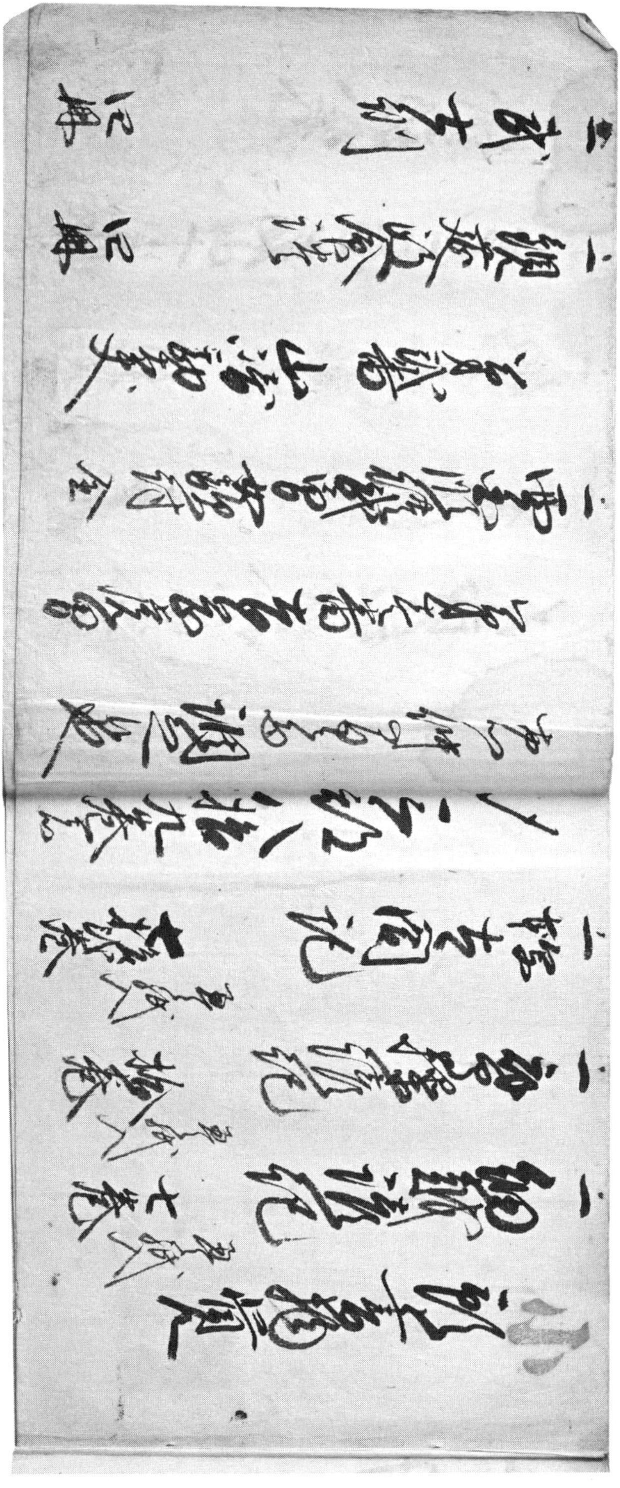

〆弐拾八巻
第三番 岩山十巻
一 彼岸之図解 弐拾冊
一 寶流記 上下
〆弐拾弐拾八巻

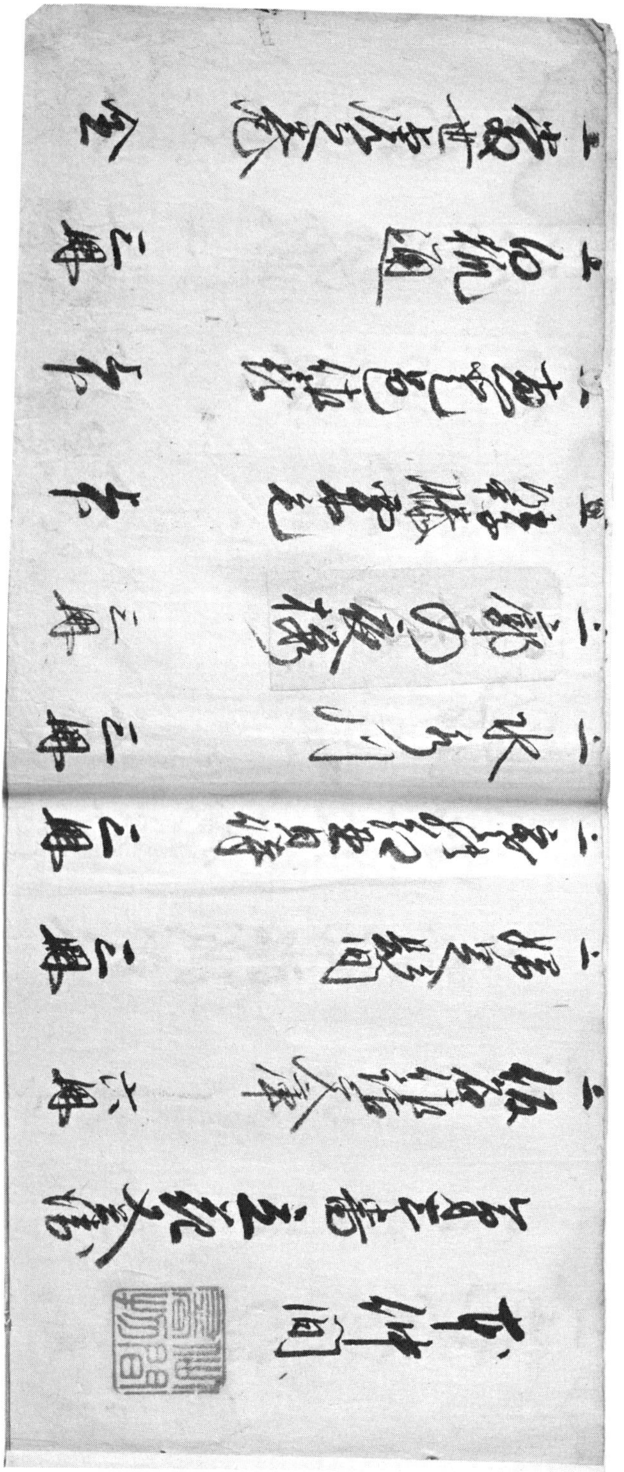

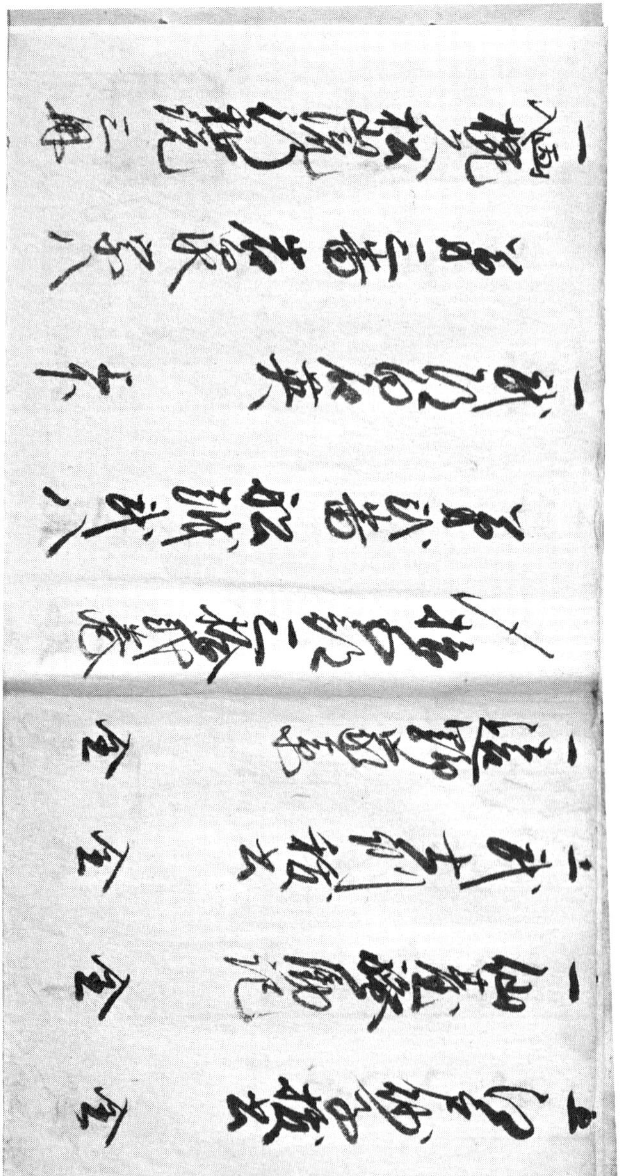

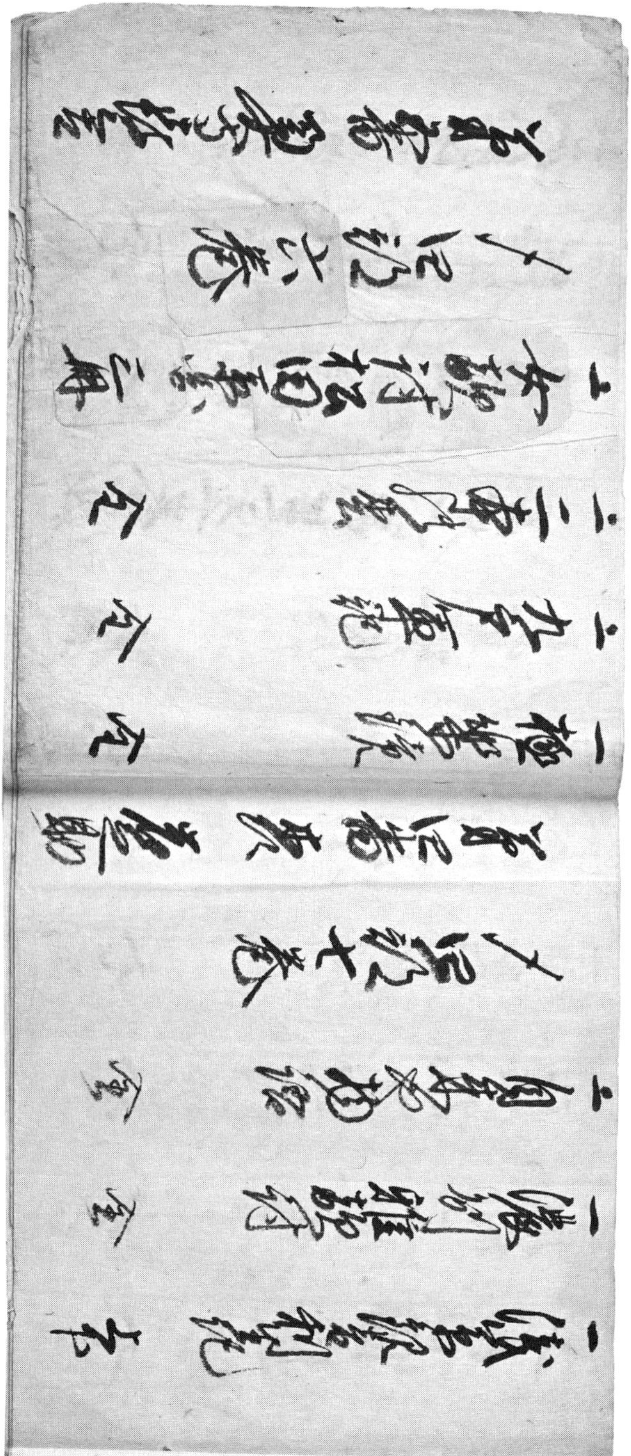

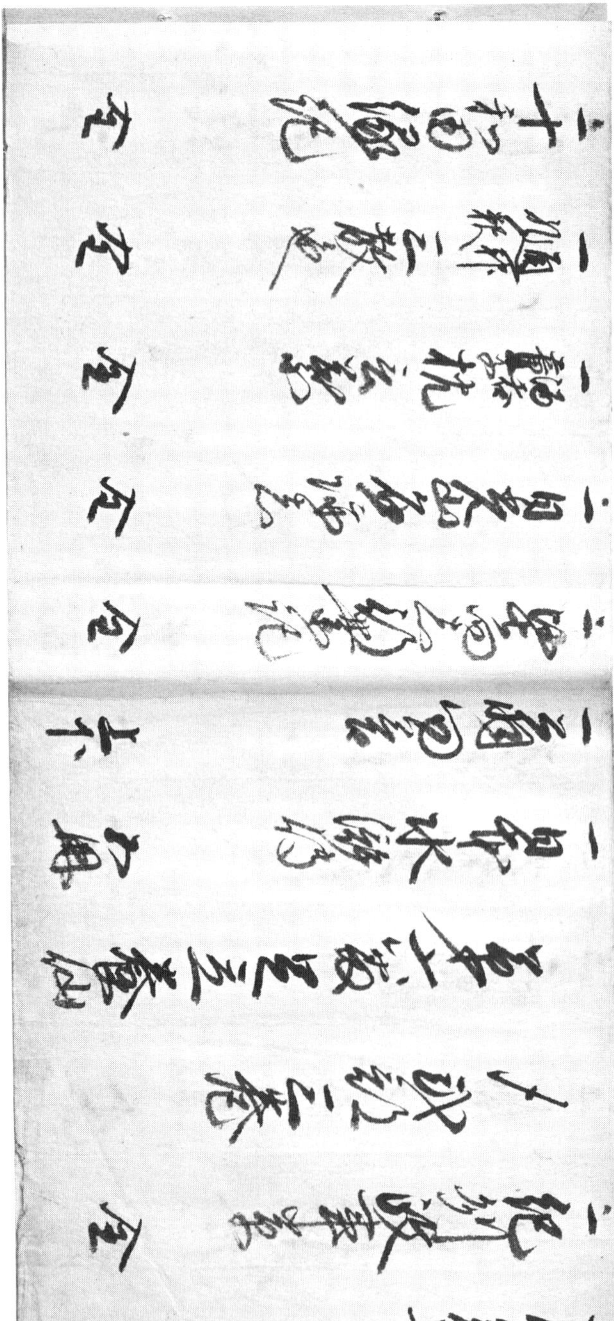

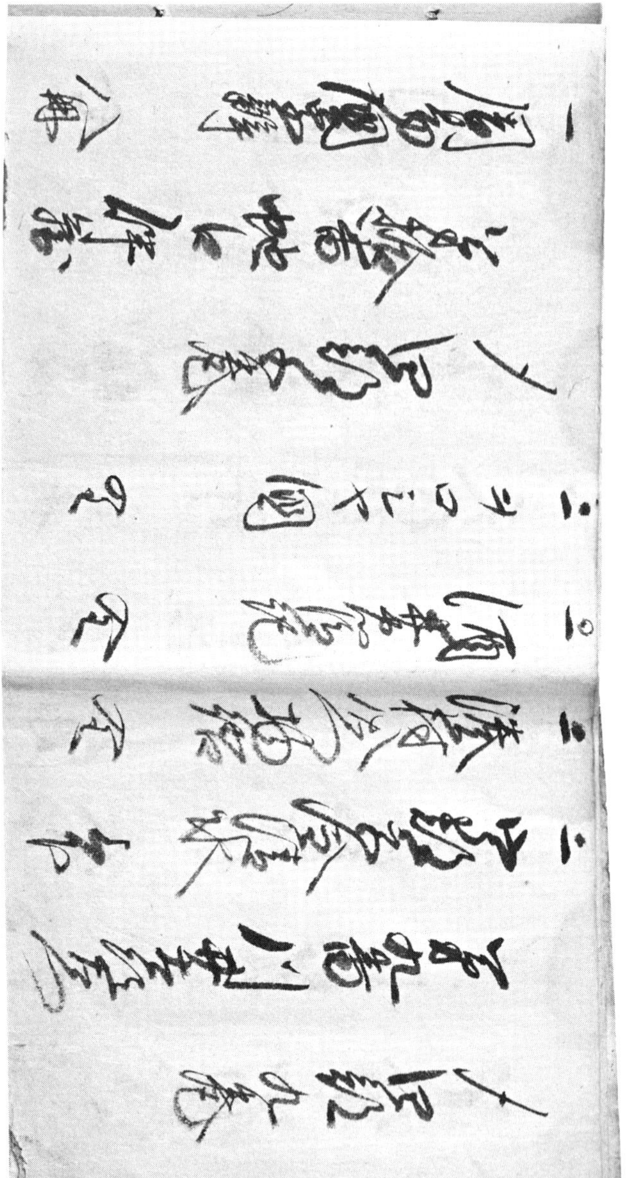

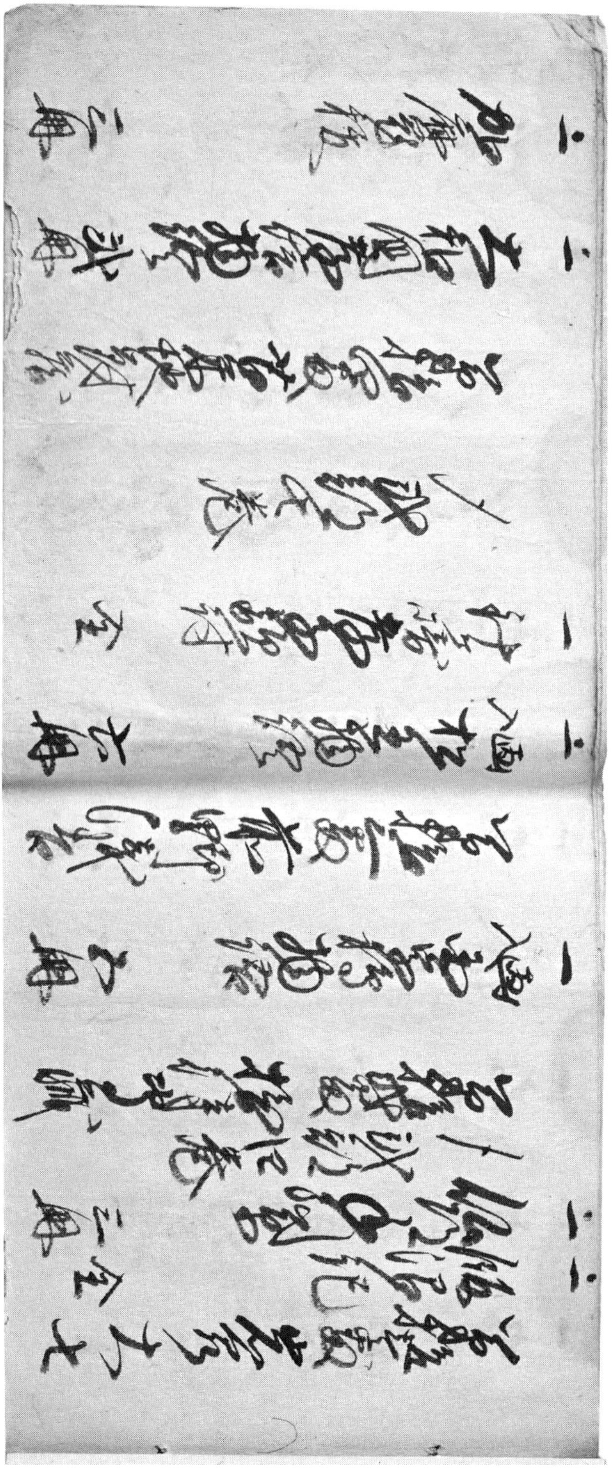

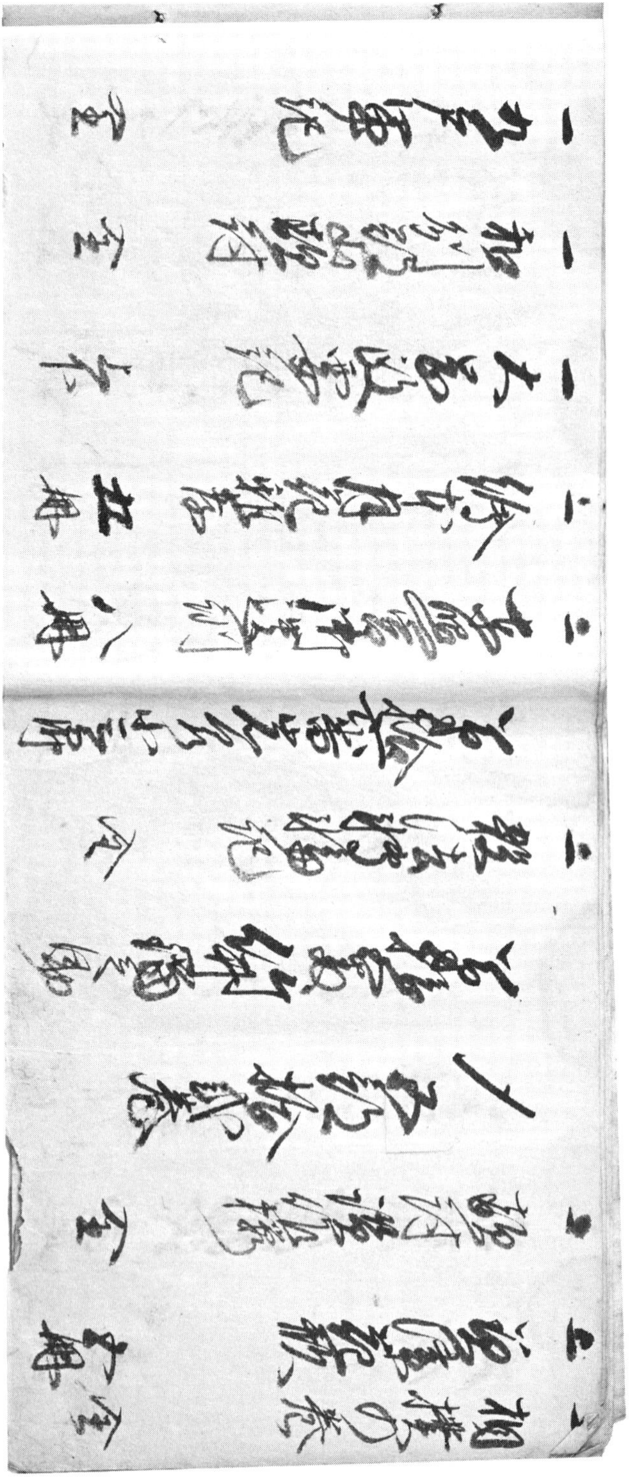

一 相撲の巻 全
一 九戸軍記 全
八冊
五冊

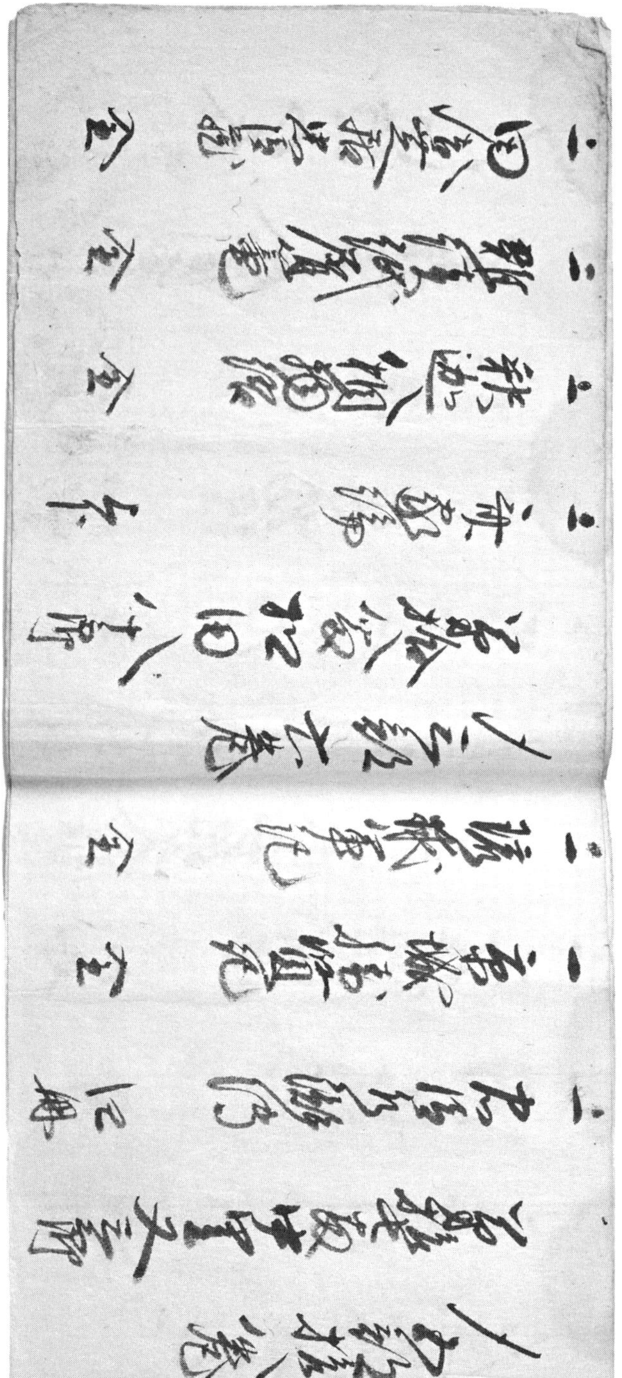

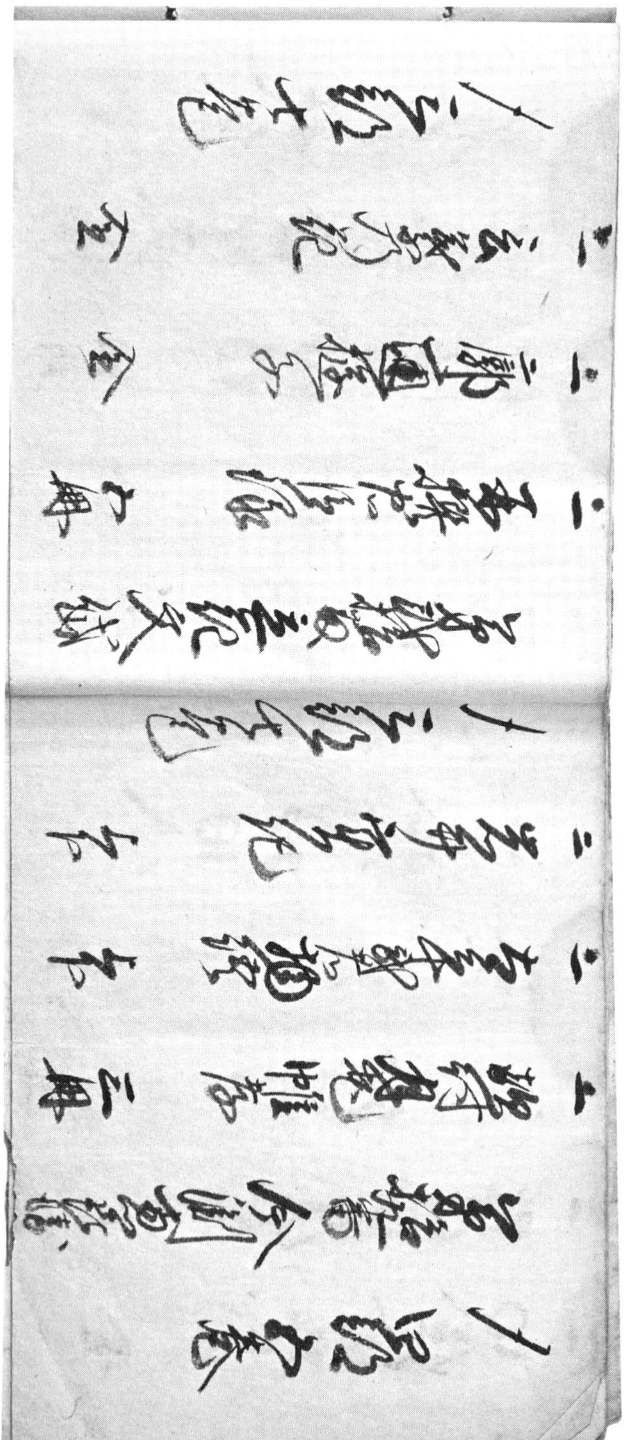

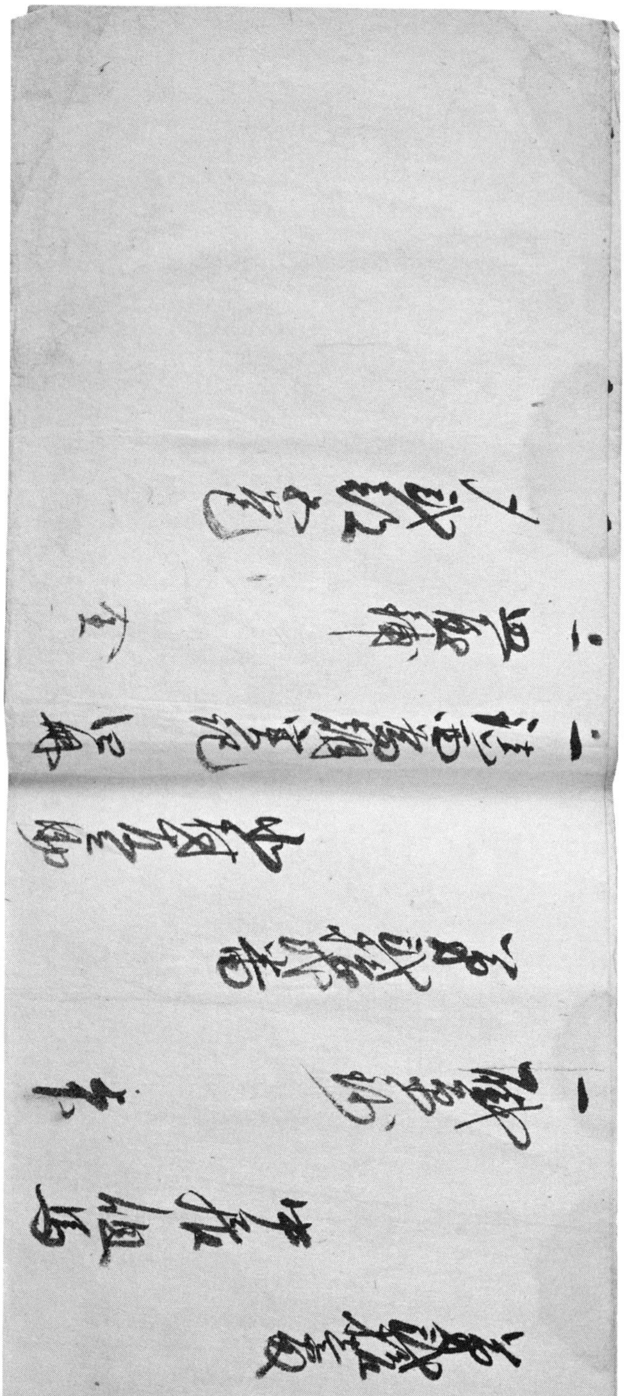

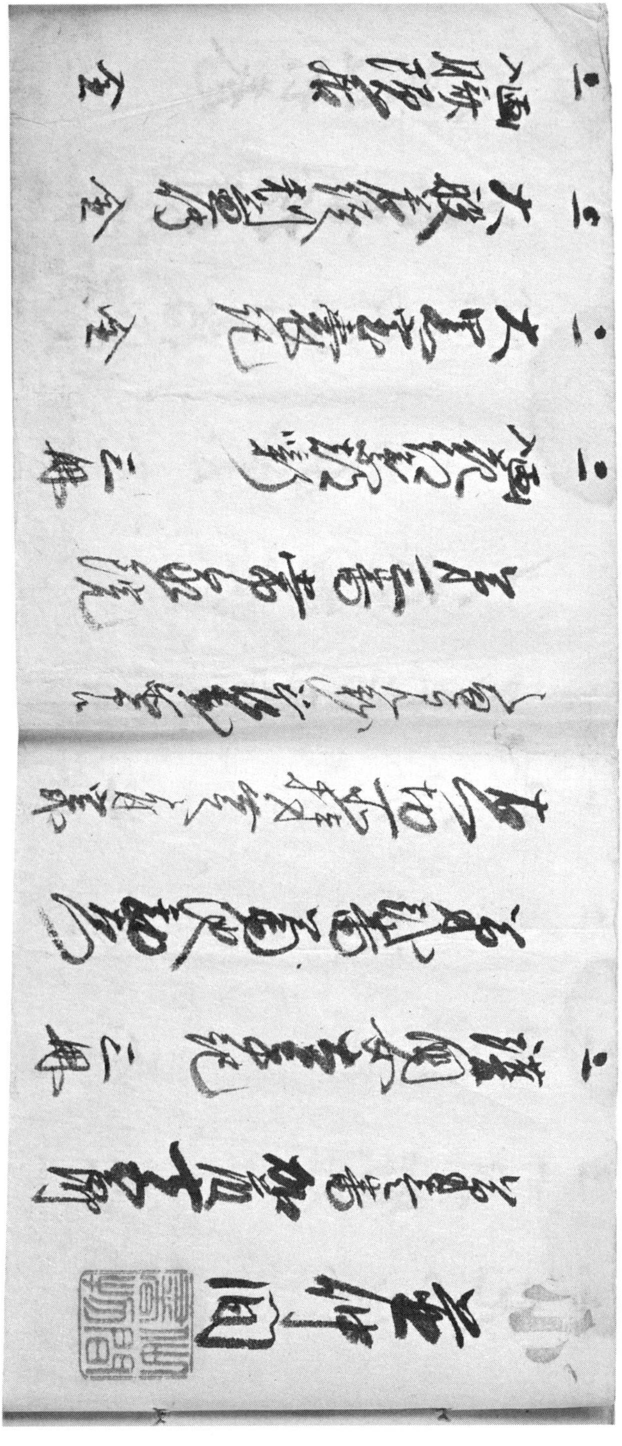

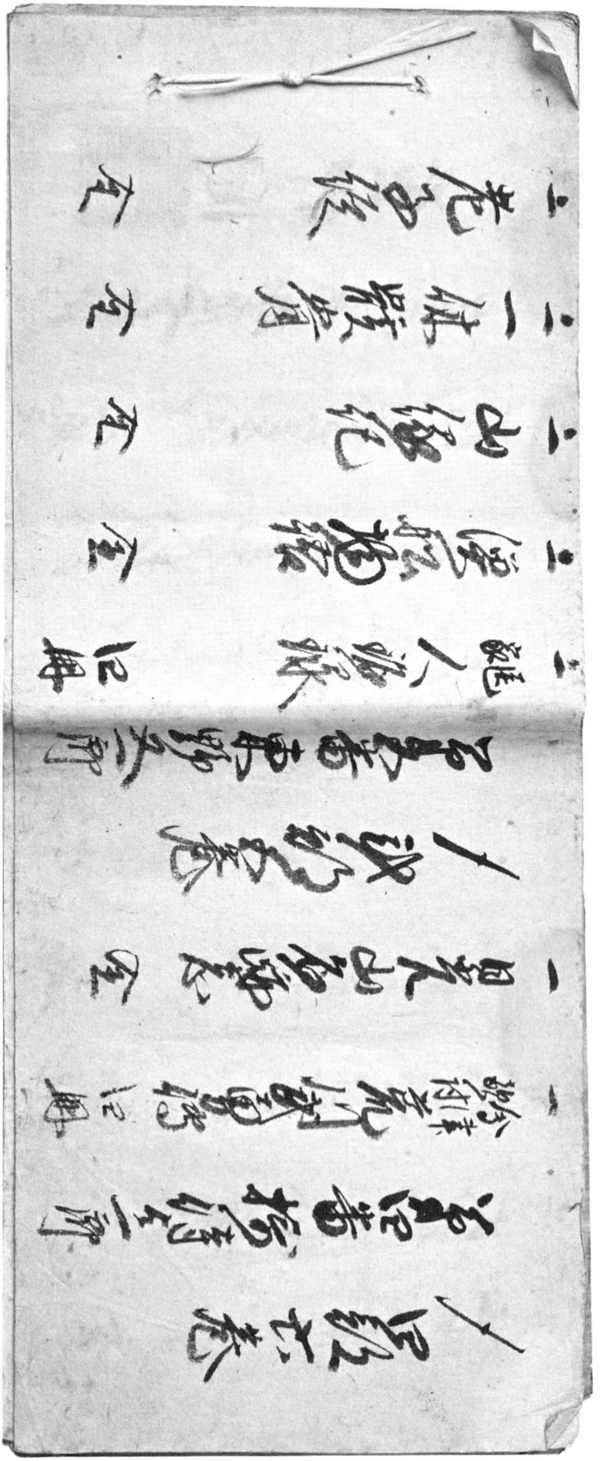

⑦ 学校江御預御書物目録

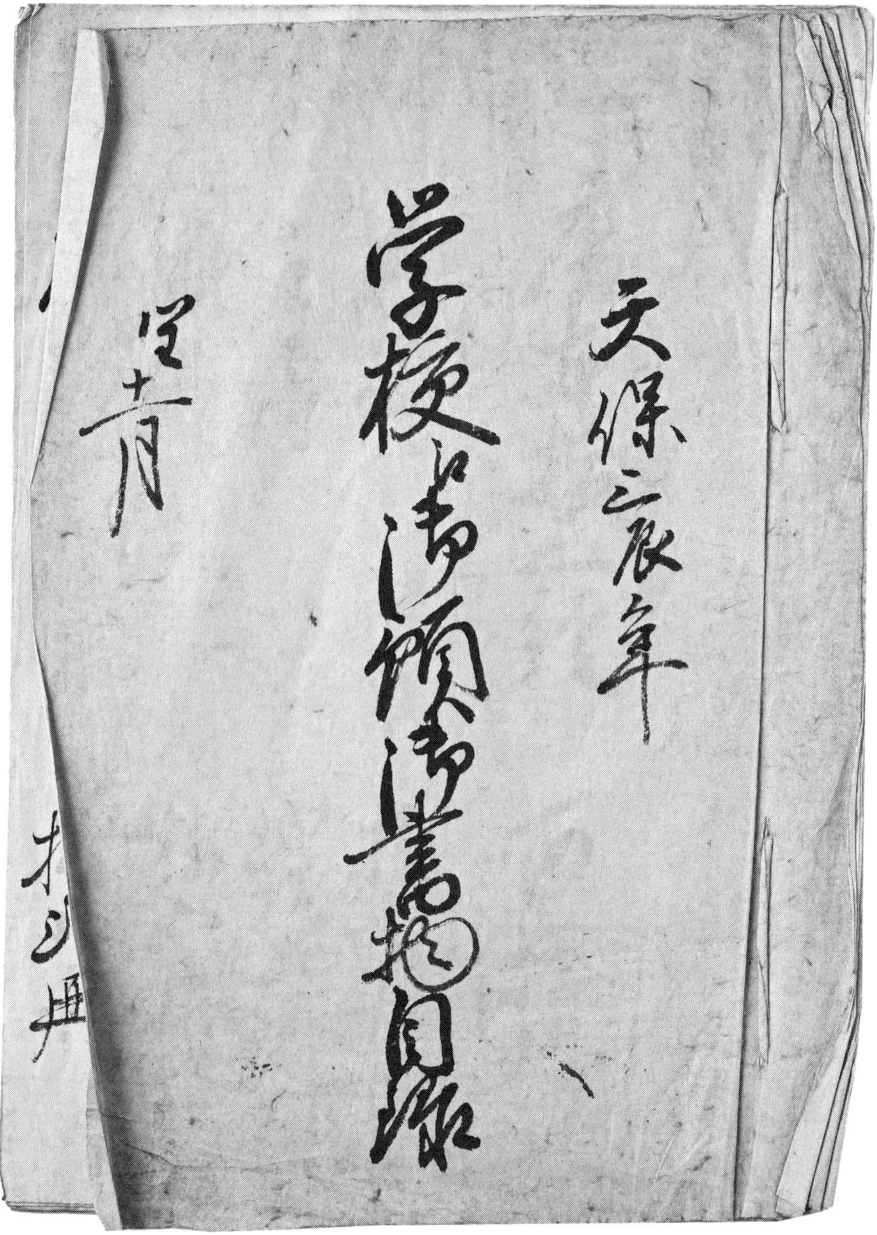

天保三辰年

学校江御預御書物目録

閏十一月

一唐本拾三経　百三拾冊

内

毛詩　拾七冊

左傳　三拾三冊

周禮　拾六冊

儀禮　拾三冊

禮記　弐拾冊

論語　四冊

孟子　七冊

孝經　壱冊

爾雅　四冊

尚書　八冊

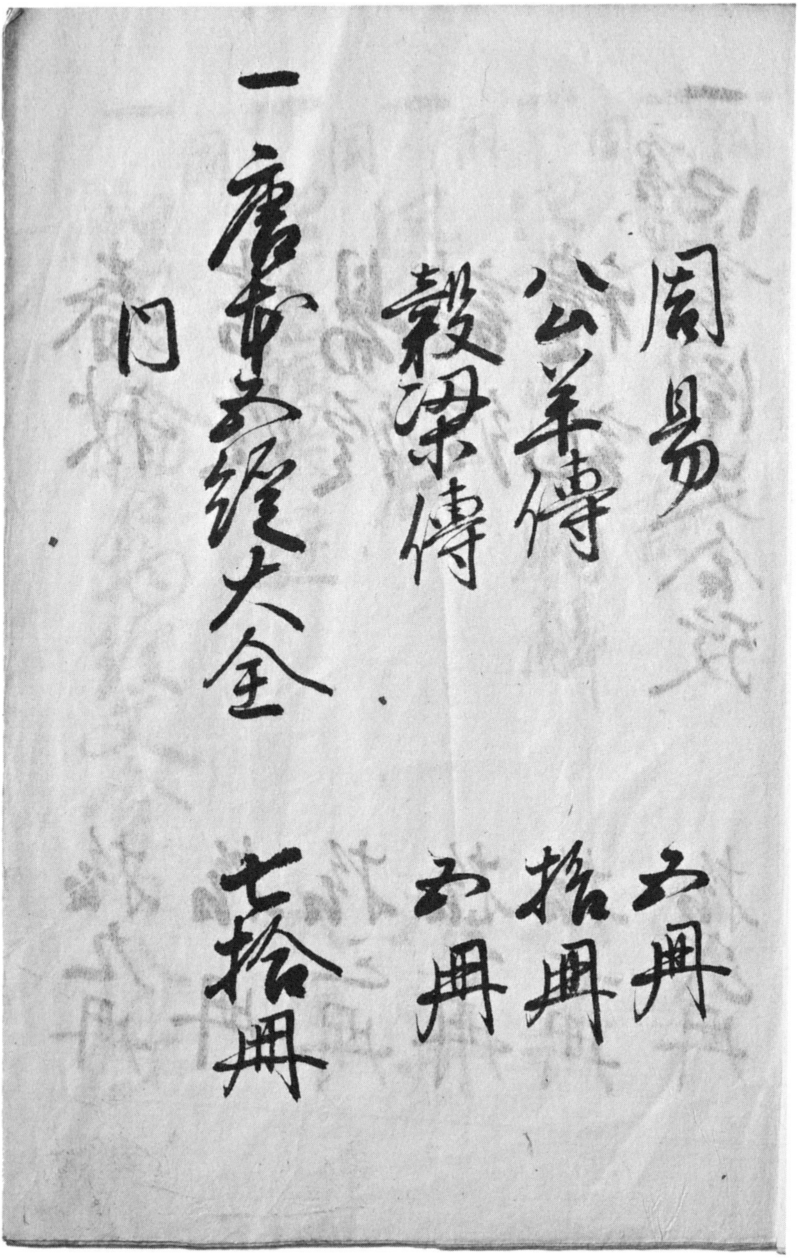

周易　五冊
公羊傳　拾冊
穀梁傳　五冊
一 春秋五經大全　七拾冊
門

春秋　拾九冊

書經　拾冊

易經　拾三冊

詩經　拾壱冊

禮記　拾七冊

一　唐本
四書圖史合攷　拾八冊

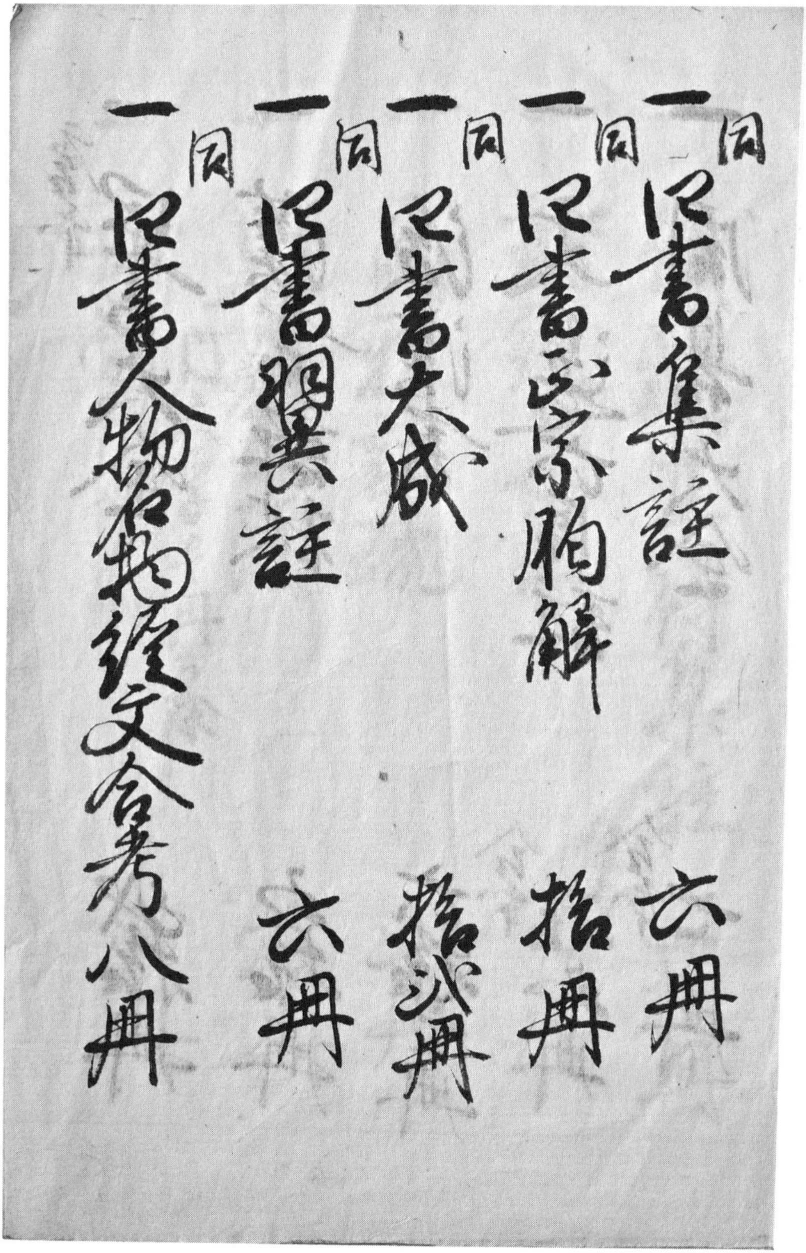

一同 尚書集註 六冊

一同 尚書[illegible][illegible]解 拾冊

一同 尚書大成 拾弐冊

一同 尚書翼註 六冊

一同 尚書人物名[illegible]経文合考 八冊

一 唐本 四書大全 弐拾冊

一 漢書評林 五拾冊

一 後漢書 六拾壱冊

一 文選六臣註 合本 拾五冊

一 周易大全 合本 七冊

一 儀禮集傳集註 三拾冊

一 詩経集註 合本 八冊

一 爾雅註疏 八冊

一 四書蒙頭 同大学壱冊未除 拾冊

一 小学 八冊

一 説文韻譜 三冊

一 經書字辨 弐冊

【編者・執筆者紹介】

鈴木 淳世（すずき・よしとき）

1983年生まれ。2016年一橋大学大学院社会学研究科博士後期課程修了。現在、東北大学東北アジア研究センター上廣歴史資料学研究部門学術研究員。博士（社会学）。専門は日本近世史・思想史。

［主な著書・論文］

「「国産」政策の「御救」機能」（『歴史』第133輯、2019年）、『近世豪商・豪農の〈家〉経営と書物受容』（勉誠出版、2020年）、「「別家」意識の成立と展開」（『八戸市博物館研究紀要』第33号、2020年）、「徳島藩組頭庄屋の風俗統制」（小酒井大悟・渡辺尚志編『近世村の生活史』、清文堂出版、2020年）、「明治期地方書籍館の「知」」（『歴史学研究』№1031、2023年）ほか。

書誌書目シリーズ125

八戸《はちのへ》書籍《しょせき》縦覧所《じゅうらんじょ》関連《かんれん》資料《しりょう》

―日本《にほん》最古級《さいこきゅう》の図書館《としょかん》・八戸《はちのへ》市立《しりつ》図書館《としょかん》の源流《げんりゅう》

第一巻　大仲間《おおなかま》・小仲間《こなかま》関連《かんれん》資料《しりょう》

二〇二四年十一月十五日　印刷
二〇二四年十一月二十七日　発行

編集・解説　鈴木淳世
発行者　鈴木一行
発行所　株式会社ゆまに書房
〒一〇一―〇〇四七
東京都千代田区内神田二―七―六
電話〇三（五二九六）〇四九一（代表）
印刷　株式会社平河工業社
製本　東和製本株式会社
組版　有限会社ぷりんてぃあ第二

◆落丁本・乱丁本はお取替えいたします。

定価：本体22,000円＋税

ISBN978-4-8433-6869-5 C3300